| 3rd Edition |

X선
흉부영상진단

Thoracic Radiology

대한흉부영상의학회
Korean Society of Thoracic Radiology

Thoracic Radiology

흉부영상진단X선 (3판)

첫째판 1쇄 발행 | 2009년 8월 30일
둘째판 1쇄 발행 | 2014년 10월   6일
셋째판 1쇄 인쇄 | 2019년 3월   4일
셋째판 1쇄 발행 | 2019년 3월 17일
셋째판 2쇄 발행 | 2021년 3월   2일

지 은 이   대한흉부영상의학회
발 행 인   장주연
출 판 기 획   김도성
책 임 편 집   배혜주
편집디자인   조원배
표지디자인   김재욱
제 작 담 당   신상현
발 행 처   군자출판사(주)
　　　　　등록 제4-139호(1991. 6. 24)
　　　　　본사 (10881) **파주출판단지** 경기도 파주시 회동길 338(서패동 474-1)
　　　　　전화 (031) 943-1888   팩스 (031) 955-9545
　　　　　홈페이지 | www.koonja.co.kr

ISBN 979-11-5955-422-3
　　　979-11-5955-421-6 (set)
정가 80,000원

| 3rd Edition |

X선
흉부영상진단

집필진

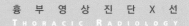
흉 부 영 상 진 단 X 선
THORACIC RADIOLOGY

편집위원장

정 연 주 (Jeong Yeon Joo) 부산의대 부산대학교병원

편집위원

이 지 원 (Lee Ji Won) 부산의대 부산대학교병원
이 지 원 (Lee Geewon) 부산의대 부산대학교병원
박 소 민 (Park So Min) 부산의대 부산대학교병원

집필진 (가나다 순)

강 은 영 고려의대 고려대학교구로병원
구 진 모 서울의대 서울대학교병원
김 미 영 울산의대 서울아산병원
김 윤 경 성균관의대 삼성서울병원
김 윤 현 전남의대 전남대학교병원
김 진 환 충남의대 충남대학교병원
김 태 성 성균관의대 삼성서울병원
김 태 훈 연세의대 강남세브란스병원
노 병 학 신세계영상의학과의원
박 경 주 아주의대 아주대학교병원
박 창 민 서울의대 서울대학교병원
박 철 환 연세의대 강남세브란스병원
선 주 성 아주의대 아주대학교병원
신 경 민 경북의대 칠곡경북대학교병원
안 명 임 (전) 가톨릭의대 서울성모병원

윤 순 호 서울의대 서울대학교병원
이 경 수 성균관의대 삼성서울병원
이 기 남 동아의대 동아대학교병원
이 기 열 고려의대 고려대학교안산병원
이 배 영 가톨릭의대 가톨릭대학교 성바오로병원
이 상 민 울산의대 서울아산병원
이 정 근 건국의대 건국대학교병원
이 지 원 부산의대 부산대학교병원
이 창 현 서울의대 서울대학교병원
임 정 기 성균관의대 삼성서울병원
전 경 녀 경상의대 창원경상대학교병원
진 광 남 서울의대 보라매병원
한 대 희 가톨릭의대 서울성모병원
함 수 연 성균관의대 강북삼성병원
허   진 연세의대 세브란스병원

발간사

흉부X선검사는 병원에 내원하는 환자의 대부분이 촬영하는 가장 빈도수가 높은 영상검사로, 흉부 질환이 의심되는 환자에서 뿐만 아니라 흉부 이외의 질환을 가진 환자에서도 흉부의 이상 유무를 확인하기 위하여 촬영할 정도로 기본적인 검사로 여겨지고 있습니다, 이처럼 흉부X선검사는 임상진료에서 가장 많이 접하는 영상검사임에도 불구하고 3차원적인 흉곽의 구조물을 2차원의 평면에 투사하여 묘출시킴에 따라 흉곽 구조물의 해부학적인 지식과 X선의 특성을 충분히 이해하지 못하면 이의 해석에 어려움을 느낄 수 있습니다.

대한흉부영상의학회에서는 흉부영상을 전공하는 선생님은 물론 흉부영상에 관심이 있으신 비전공 의료인들에게 이러한 어려움을 극복하는 데 도움을 드리고자 2009년도에 "흉부영상진단:X선"의 초판을 발간하였으며 2014년도에는 2판을, 그리고 2018년에 학회 출범 30년을 보낸 금년에는 초판과 2판의 일부를 수정 보완하여 제3판을 발간하게 되었습니다.

이를 위하여 저명한 대한흉부영상의학회 소속 저자분들께서 그동안 연구와 강의를 통하여 얻은 지식과 경험을 바탕으로 알기 쉽게 기술하였으며, 적절한 관련 사진을 삽입하여 이해를 돕고자 노력하였습니다. 여기에는 흉부X선검사 기법은 물론 흉부 영상진단에 혼란을 초래할 수 있는 다양한 잡상 등 제약점은 물론 흉부영상진단에서의 정상 및 비정상 소견을 포함하여, 현재 임상진료를 담당하고 있는 의료인들은 물론 향후에 의료인이 되고자 하는 학생들에게도 유용한 교재가 될 수 있도록 구성하였습니다.

이번에 출간되는 흉부X선사진에 관한 3판이 임상진료를 담당하는 의료인은 물론 흉부영상의학을 이해하고자 하는 학생들에게도 많은 도움이 되기를 바랍니다.

끝으로 이번 3판 제작을 위해 수고해주신 저자 여러분들과 정연주 편집간행위원장님 그리고 군자출판사 담당자분들께 깊은 감사를 드립니다.

대한흉부영상의학회장

김 윤 현

인류를 괴롭혀 온 질병 중 가장 두드러진 것은 폐결핵이다. 폐결핵은 사람을 만성의 소모성 질환으로 사망에 이르게 하는 무서운 질병이었으나, 한편으로는 문학, 예술, 철학가의 영감을 불러일으키는 신비로운 질환으로 인식되기도 하였다. 폐결핵을 환상적 질환에서 가시적 질환으로 형상화한 것은 1895년 뢴트겐의 X-선 발견 이후 임상에 활용되기 시작한 흉부 X선의 역할에 기인한다.

흉부X선은 이렇듯 심부 질병의 형상화에 가장 먼저 사용된 영상의학의 출발점이었고 오늘날까지도 가장 중요하고 흔하게 사용되는 영상의학적 진단 방법이다.

흉부X선의 판독에 관한 지식은, 20세기를 지나오면서 축적된 지식을 바탕으로, 그리고 CT 등의 단면 영상과의 연관 해석을 바탕으로, 그 정점에 와 있다고 할 수 있다. 그러나 CT영상 진단의 활용도가 높아지면서, 검사의 용이성, 반복 추적 검사가 가능하다는 흉부X선만의 장점이 무시되는 경향이 있다. 다시 말하면, 흉부X선에서 얻을 수 있는 정보를 판독자의 경험 부족으로 인하여 놓치거나 혹은 아예 찾으려는 노력도 기울이지 않는 경우가 많다.

이러한 배경하에 대한흉부영상의학회에서는 의과대학 학생, 전공의, 일반 의사들에게 흉부X선 판독에 필요한 지식을 효과적으로 전달할 수 있는 책자의 발간을 기획하였고, 그 결과물로 2009년에 "흉부영상진단: X선"의 초판이 발간되었다.

초판에서 정상 흉부X선, 폐질환의 흉부X선상 유형 분석, 흔한 질환의 흉부X선 소견, 흉곽을 이루는 해부학적 부위별 질환의 소견, 그리고 영상 판독에 있어서 빠질 수 있는 함정에 관하여 영상사진, 도표 및 모식도로 이해하기 쉽게 전달하고자 하였다.

초판 발간 이후 10년이 경과하면서 질병의 개념과 분류에 큰 진전이 있었던 질환에 대해서는 전면 개정을 하였고, 이외의 부분에서는 부분 개정과 영상 교체 등으로 최신의 지식에 부응하여 개정판을 발간하게 되었다.

대한흉부영상의학회는 학문적 수준에서 세계적으로 주도적 위치에 있으며, 이 책자의 각 단원 저자들은 당 학회에서 활발한 교육 연구 활동을 하는 분들이기에 이 책자를 적극 추천한다.

2019년 3월
서울대학교의과대학 명예교수/성균관대학교 석좌교수
임 정 기

편집후기

의과대학 학생들, 영상의학 전공의, 및 임상의사들에게 흉부영상의학에 대한 기본적인 이해와 임상진료에 실질적인 도움을 주고자 대한흉부영상의학회가 2009년 흉부영상진단: X선 및 CT 두 권의 교과서를 발간한지 10년의 세월이 흘렀습니다. 2014년 1차 개정에서는 심장영상의학, 흉부영상관련 인터벤션, 그리고 학생들을 위한 흉부영상판독 가이드를 추가하였고 이번 개정교과서에서는 각 분야별로 내용을 조금 더 업데이트 하였으며 그간 새롭게 정립된 질병 개념 및 분류, 병기설정 등을 토대로 결핵, 간질성 폐질환, 폐암 및 폐결절의 관리 분야에서는 전면 개정을 하였습니다. 특히 2016년 마련한 "대한흉부영상의학회 용어사전"을 바탕으로 흉부영상의학을 접하는 독자들에게 표준화되고 통일된 용어를 제공하고자 노력하였습니다. 교과서 발간 당시 목표한 주 독자층은 의과대학 학생들이었지만, 발간 이후 많은 영상의학 전공의들이 이 교과서를 바탕으로 흉부영상의학에 대한 지식을 습득함에 따라 교과서의 내용을 조금 더 깊이 있게 다루고자 노력하였습니다.

이번 교과서 개정 작업에 참여하신 많은 저자 교수님들과 독자들을 위하여 많은 시간과 노력을 투자하여 주신 편집 위원님들께 다시 한번 감사를 드립니다. 대한흉부영상의학회의 새 로고로 단장한 개정판 교과서의 탄생에 큰 힘을 실어주신 송재우 전임 회장님, 김윤현 회장님, 그리고 권우철 총무이사님을 비롯한 대한흉부영상의학회 상임이사님들께 감사드리며 더불어 촉박한 일정 속에서도 이 책의 발간을 위해 애써 주신 군자출판사 및 관계자 여러분께 감사드립니다.

2019년 3월
흉부영상진단: X선 및 CT 편집위원장
정 연 주

목차

흉 부 영 상 진 단 X 선
THORACIC RADIOLOGY

목차

CHAPTER 19 흉부X선사진 판독의 함정 | 신경민, 안명임 |

CHAPTER 20 흉부X선 판독법의 기초와 발표 | 이상민, 이창현 |

흉 부 영 상 진 단 X 선
THORACIC RADIOLOGY

CHAPTER

01

흉부X선검사

| 구진모, 임정기 |

▰▰▰▰ Contents

흉부X선검사는 흉부의 영상 기법 중 가장 기본이 되면서도 흔히 시행되는 검사 방법이다. 영상의학검사 중에서도 가장 흔히 시행되는 검사로 1,000명의 환자당 1년에 평균 236회의 흉부X선검사를 촬영하고 전체 영상의학검사의 25%를 차지한다. 전형적으로는 숨이 차거나, 기침, 흉통, 흉부 손상, 발열들에 있어 일차적인 검사 방법이다. 또한 직장의 입사 시, 입원, 수술 전에 일상적으로 촬영되었으며, 중환자실에서는 매일 흉부X선을 촬영하기도 하나, 이러한 일상적인 촬영에 있어서는 유용성을 재평가해야 한다는 주장도 있다.

폐뿐만 아니라 종격동, 흉곽을 이루는 뼈의 이상을 평가할 수 있어, 병변의 발견, 특성화, 추적 검사에 이용된다. 또한 촬영 범위에 포함되는 튜브, 카테터, 라인 등 인공물의 위치를 확인하는 데에도 필수적이다. 전통적으로 흉부X선검사는 필름을 이용하여 영상을 획득하였으나 전자, 컴퓨터 기술의 발전으로 디지털 영상으로 이행되고 있다.

Ⅰ 자세에 따른 촬영방법

1. 표준 촬영

흉부X선의 표준 촬영은 환자가 서있는 상태에서 충분히 숨을 들이마시고, 시행되는 후전 촬영과 좌측 측면 촬영이다(그림 1-1)[1]. 평균 입사피부선량(entrance skin exposure)으로는 ACR에서는 흉부X선후전사진에 대해 0.3 mGy이하를 제시

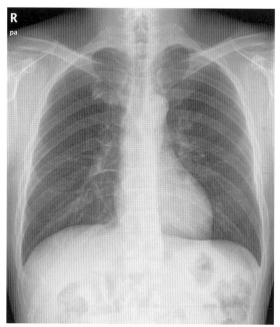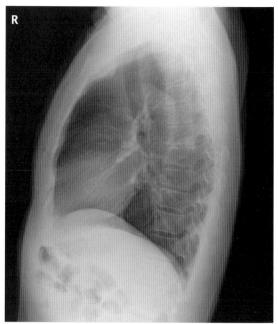

■ 그림 1-1. 기립 흉부 후전 사진과 측면사진

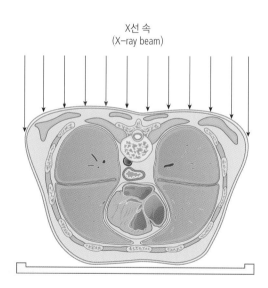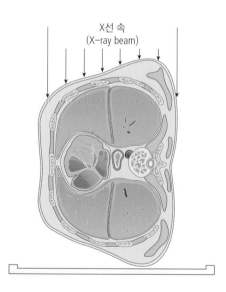

■ 그림 1-2. 후전과 측면 흉부X선 촬영에서 검출기와 흉부 구조물과의 관계. 검출기에서 멀리 있는 구조물은 확대가 되어 경계가 불분명해진다.

하였으나, 2008년 발간된 한국의 환자선량 권고량(diagnositic reference level, DRL)은 0.34 mGy이다[1, 2]. 표준 촬영은 X선 튜브와 필름 거리가 적어도 180 cm가 되어야 하고(그림 1-2, 1-3), 노출 시간은 40 msec 이하가 되어야 한다. 하지만 누워있는 상태에서의 촬영에서는 X선 튜브와 필름 거리를 100 cm로 할 수 있다. 필름을 이용한 촬영의 경우 고전압 촬영

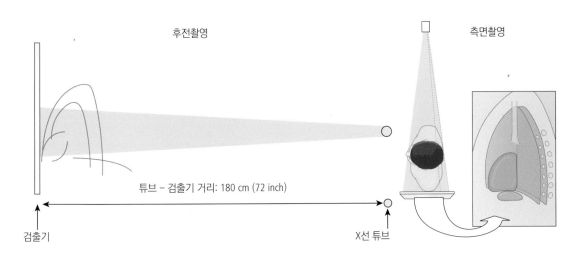

후전촬영

측면촬영

튜브 – 검출기 거리: 180 cm (72 inch)

검출기

X선 튜브

■ 그림 1-3. 후전과 측면 흉부X선 촬영에서 X선 튜브, 환자, 검출기의 위치

(120-150 kVp)이 추천되며 이 경우 10:1 또는 12:1의 그리드가 필요하다. 측면 사진은 병변이 있는 쪽을 검출기에 가깝게 위치하여 촬영을 하는 것이 병변이 좀더 명확하게 보인다. 예를 들어 병변이 우측에 있으면 우측 측면 촬영을 시행한다. 판독에 적절한 흉부X선후전사진은 아래와 같은 요건을 갖추어야 한다[2].

1) 검사표지

환자의 이름, 성별, 나이, 병록번호, 날짜, 기관들이 표기되어야 한다. 표지는 늑골을 포함한 폐를 가리지 않아야 한다.

2) 사진의 좌우가 표기되어야 한다.

3) 필름 현상의 경우 황화 현상이 없어야 한다.

4) 환자의 의복, 부착물, 머리카락 등 외부에 의한 인공물, 얼룩, 흠집, 지문, 롤러자국, 정전기, 그리드 인공물, 안개, 감광 등 내부 인공물이 없어야 한다. 진단에 지장을 줄 만한 호흡 등 움직임이 없어야 한다.

5) 위쪽으로는 제1늑골, 아래로는 늑골횡격막각(costophrenic angle) 하방 3 cm 정도, 좌우로는 전체 늑골이 포함되어야 한다.

6) 환자의 자세는 좌우 대칭이어야 한다. 이는 양쪽 쇄골 내단이 흉추 극돌기와의 거리가 동일한지로 판단할 수 있다. 견갑골은 폐야 밖에 위치해야 한다.

7) 충분한 흡기 후 촬영되어야 한다.

8) 해상도와 대조도

폐야의 혈관, 심장 뒤 혈관, 횡격막 하방의 혈관, 늑골연, 횡격막, 흉추 추간판 공간, 기관 기관지가 잘 보여야 한다.

2. 전후 촬영

환자가 상태가 좋지 않아 설 수 없을 경우 눕거나 앉은 상태에서 전후 촬영(chest AP)을 시행할 수 있다(그림 1-4). 이 경우 대부분 이동식 촬영기로 시행하게 된다. 표준 후전 촬영보다 영상의 질이 나쁜 경우가 대부분인데 그 이유는 초점-필름

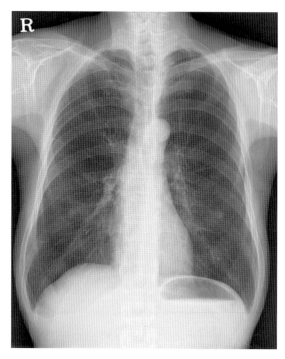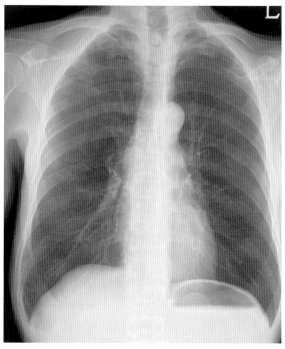

■ 그림 1-4. **기립 후전 사진과 전후 사진**
전후 사진에서 쇄골은 폐첨 쪽으로 이동하여 수평방향으로 보이고, 횡격막은 상승되어 보이며, 심장이 좀더 크게 보인다. 이동형 촬영기를 이용한 앙와위 전후 사진에서는 기립 전후 사진보다 심장의 확대가 더 크고, 폐혈류의 재분포를 볼 수 있다.

거리가 짧고, 심장 음영이 확대되어 보이며, 환자가 숨을 잘 못 참거나 충분히 들어 마시지 못하며, 그리드를 사용하지 않고 찍는 경우가 흔하기 때문이다.

후전 촬영에 비해 쇄골은 수평방향으로 놓여 위쪽으로 올라가고, 심장이 확대되어 보이며, 횡격막은 상승되어 보인다. 누워서 촬영할 경우에는 폐혈류가 균등 분포하게 된다.

3. 측와위 촬영

환자가 옆으로 누운 상태에서 X선 방향을 수평 평면과 평행하게 하여 촬영하는 것으로 흉수가 의심될 경우 액체가 흉강 내에서 자유롭게 움직이는지 국한성 흉수인지를 판단하기 위하여 측와위 촬영(lateral decubitus view)을 시행할 수 있다(그림 1-5). 공동 내의 액체 레벨의 이동을 확인하고 수성기흉증(hydropneumothorax)과 구별하는 데에도 이용될 수 있다.

4. 폐첨 촬영

정면 사진에서 폐첨 부위가 쇄골과 늑골에 가려져 병변이 있더라도 잘 안보일 수 있는데 폐첨 촬영(apicogram, lordotic view)을 시행하면 쇄골과 첫 번째 늑골이 폐첨보다 위로 이동하여 가려지지 않기 때문에 폐첨 부위에 병변이 의심될 때

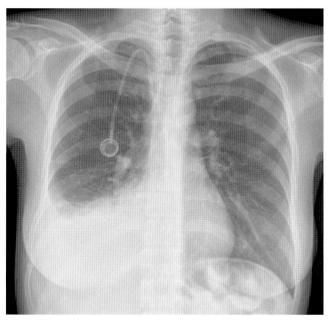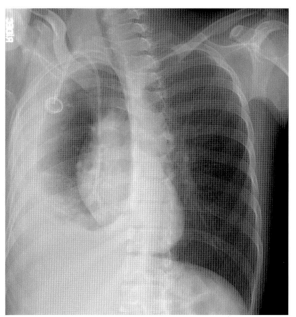

■ **그림 1-5. 후전 사진과 우측 측와위 사진**
오른쪽을 아래로 하여 찍은 우측 측와위 사진에서 우측 흉수가 흉강 내에서 자유롭게 이동(free fluid shifting)하는 소견이 보인다.

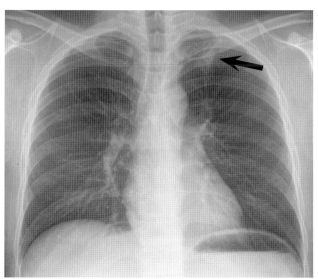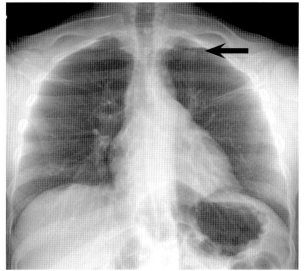

■ **그림 1-6. 후전 사진과 폐첨 사진**
후전 사진에서는 좌상엽의 결절(화살표)이 쇄골과 겹쳐 골성 병변인지 폐병변인지 불분명하나 폐첨 사진에서는 쇄골이 위쪽으로 이동하여 폐병변임을 확인할 수 있다.

시행할 수 있다(그림 1-6). 폐첨 촬영은 환자가 전후 촬영 방향으로 등을 필름 카세트 쪽으로 기대어서 촬영하게 된다. 또는 환자는 똑바로 서고 X선 튜브를 아래에서 위로 방향을 잡아 촬영할 수도 있다. 우중엽이나 설상분절의 병변도 폐첨 촬영에서 저명하게 보이는 경우가 있다.

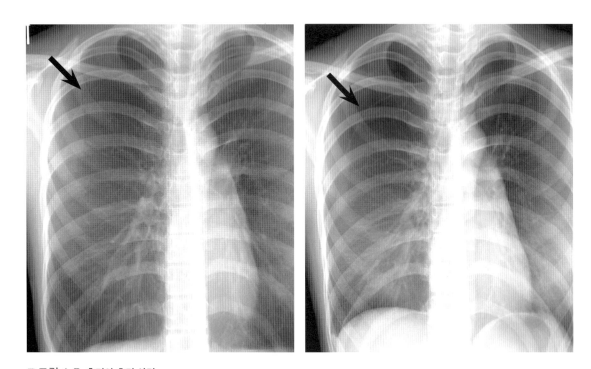

■ 그림 1-7. 흡기와 호기 사진
우측에 기흉이 있으며 화살표는 내장 흉막을 가리킨다. 흡기 사진에 비해 호기 사진에서 기흉이 더 뚜렷하게 보인다. 실제 기흉의 양은 변화 없으나 호기 시 흉곽과 폐가 작아지기 때문에 상대적으로 기흉의 양이 커 보인다.

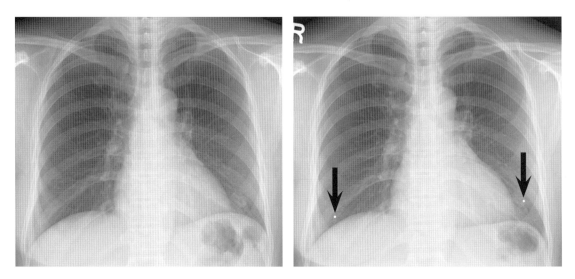

■ 그림 1-8. 유두 표시 촬영
왼쪽 사진에 양측 하폐야에 결절 음영이 보이는데 유두 표시 사진에서는 결절 음영이 유두에 의한 것임을 확인할 수 있다.

5. 호기 촬영

표준 촬영은 흡기 후 촬영을 시행하나 소량의 기흉이나 공기가둠, 또는 소아에서는 기관지내 이물질을 확인하기 위하여 호기 촬영을 시행할 수 있다(**그림 1-7**). 또한 흡기 사진과 함께 촬영하여 횡격막의 움직임 정도를 평가할 수도 있다.

6. 유두 표시(nipple marking) 촬영(그림 1-8)

아래 폐에 보이는 결절음영이 유두의 가능성이 있을 때는 작은 금속 마커를 유두에 부착하여 결절음영이 유두인지 여부를 확인할 수 있다.

Ⅱ 영상 획득에 의한 분류

1. 기술적인 고려 사항

흉부X선검사는 전형적으로는 35×43 cm (14×17 inch)의 넓은 부위에 비교적 고해상도 영상을 획득해야 한다. 여러 연구에 의하면 대부분의 진단 목적을 위해서는 공간해상도는 2.5 line pairs/mm (0.2 mm)이면 충분한 것으로 알려져 있다[3]. X선의 에너지에 따라 차이가 있지만, 폐와 종격동에 있어서 X선 투과도는 100배 이상 차이가 날 수 있다. 또한 폐의 약 40%는 종격동, 횡격막으로 가려져 있게 된다. 따라서 종격동과 폐 부위를 한꺼번에 영상을 만들기 위해 넓은 관용도(latitude)를 갖는 필름이 필요하다. 고전압 촬영을 시행함으로써 이러한 어려움을 일부 극복할 수 있다. 산란선도 문제인데 그리드를 사용하지 않을 경우 종격동 부위는 95%, 폐부위는 70%의 입사 X선이 산란선에 의한 것이다[4].

2. 필름

필름은 저렴하고, 공간해상도가 우수하며, 조작하기 쉽고, 믿을 만한 매체이다. 하지만 관용도가 좁고, X선 노출에 대하여 음영도가 직선이 아니라는 단점이 있다.

일반적으로 흉부 필름은 양면의 증강지(intensifying screen) 사이에 위치하게 되며 증강지는 들어온 X선을 광자로 전환하여 필름에 영상 정보가 기록된다. 빛에 노출되면 필름 내의 은 이온은 금속형 은으로 전환되고 현상 과정을 거쳐 영상을 형성하게 된다. 필름은 빛에 대한 민감도가 제한적이기 때문에 X선 노출에 따른 반응은 S자 모양의 특성 곡선(characteristic curve)으로 나타나게 된다(**그림 1-9**). 이 곡선의 좁은 직선 부위만이 노출에 대해 적절한 대조도를 보이게 되며, 이 범위를 넘거나 모자란 노출에 대해서는 부적당한 대조도를 보이게 된다. 노출에

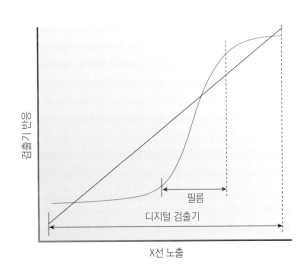

■ 그림 1-9. 필름과 디지털 촬영술의 특성 곡선
X선 노출에 대해 필름은 S자 모양의 반응을 보이는 반면 디지털 촬영술에서는 직선 모양의 반응을 보인다.

대해 이 직선 범위가 넓은 경우 관용도가 크다고 한다.

3. 디지털 촬영술

디지털 촬영술(digital radiography)의 장점은 노출의 정도와 무관하게 직선적인 반응을 보인다는 것이다(그림 1-9). 이는 필름에 비해 역동적 영역(dynamic range)이 10에서 100배 정도 넓은 관용도를 갖는 것을 의미한다[3]. 영상의 획득, 처리, 전시, 전송, 저장의 과정을 분리하여 각 부분을 최적화할 수 있다. 필름과 달리 복사본도 원본과 같은 영상의 질을 유지할 수 있고 PACS (picture archiving and communication system)에 활용하기 위해서는 필수적이다. PACS 등 영상의 통신을 위해서는 제조사간의 영상 표준화가 필요한데 이를 위해 DICOM (digital imaging and communication in medicine) 기준을 따르게 된다.

1) 컴퓨터 촬영술

1980년대부터 광자극 형광체(photostimulable phosphor) 시스템을 이용한 촬영기법이 이용되고 있고 CR (computed radiography, storage phosphor system)이라고 불린다(그림 1-10). 이 시스템은 필름 카세트와 비슷한 형광체가 도포된 영상판(imaging plate)을 이용하는데 영상판은 반복 사용할 수 있으며, 기존의 필름을 이용하던 시스템에 적용하기 편한 이점이 있다[4]. 영상판이 X선에 노출이 되면 형광체가 에너지를 저장하고 있다가 영상판독기(image reader)내에서 레이저가 스캔을 하게 되면 빛이 발생하여 이를 디지털화 하게 된다. 이 과정은 마치 필름에서 현상기를 사용하는 것과 유사한 면이 있다. 손으로 영상판을 다루지 않고 자동적으로 교체되도록 고안된 흉부 전용 시스템도 있다. CR은 디지털 촬영술 중 가장 먼저 실용화가 되었고, 넓은 역동적 영역을 장점이 있어 가장 먼저는 이동형(portable) 촬영에 이용되었다. CR로 이동형 촬영을 할 경우 필름으로 촬영 시 적절한 노출의 실패로 인해 발생하는 재촬영 건수를 줄일 수 있다. 하지만 CR 영상판은 산란선에 민감하다는 단점도 가지고 있다. 최근에는 라인 스캐닝 방식, 구조화된 형광체의 개발을 통하여 영

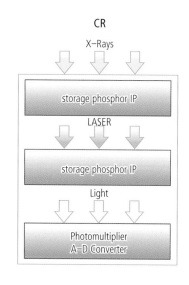

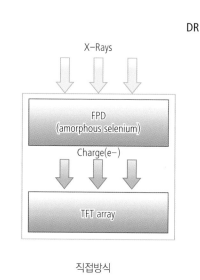

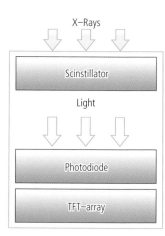

■ 그림 1-10. 컴퓨터 촬영술(CR)의 신호 생성 원리   ■ 그림 1-11. DR의 신호 생성 원리

상 질의 향상이 있다.

2) DR

영어로 표기할 경우 일부 용어에 혼란스러운 부분이 있으나 DR (digital radiography)은 영상판과 영상판독기를 이용하는 CR에 대비하여 평판(flat panel), CCD (charge-coupled device) 등 고형 검출기(solid state detector)를 이용하여 영상을 획득하는 디지털 촬영술을 지칭한다(그림 1-11). 영상판독기에 의한 과정이 필요 없어 촬영의 적정성 여부를 모니터에서 빨리 확인할 수 있다는 장점이 있다.

평판형 검출기는 박막 트랜지스터(thin-film transistor, TFT)에 X선을 흡수하는 층을 덧붙이는 구조를 가지고 있다[5, 6]. 이 층의 특성에 따라 두 가지로 분류한다. Cesium iodide 등 X선을 빛으로 전환하는 섬광체(scintillator)가 필요한 경우 간접 방식이라 하며 빛은 다시 TFT층에서 전기신호로 전환된다. 직접 방식은 무정형 셀레늄 등 광전도 물질을 이용하여 X선을 전기신호로 바로 전환시킨다.

CCD를 이용하는 경우 섬광체를 필요로 하고, 대개 CCD가 제한적인 크기를 가지고 있기 때문에 광섬유나 렌즈를 이용해 원래 영상을 축소시키는 부분을 포함하게 된다. 최근 슬롯 스캔 방식을 이용한 기술도 개발되었으며 이 경우 산란선을 억제할 수 있는 장점이 있다고 보고되었다.

3) 디지털 기술의 활용

디지털 영상은 획득과 후처리에 있어 컴퓨터 기술을 적용하여 데이터를 가공할 수 있으므로 임상적으로 유용한 활용 기법이 개발되고 있다.

(1) 이중 에너지 감산 영상(dual-energy subtraction imaging)

영상을 고에너지와 저에너지 영상으로 분리하여 획득할 경우 뼈나 석회화와 연부 조직을 구별할 수 있어 결절의 석회화 유무를 판정하거나 골성 구조물이 결절과 유사하게 보이는 것을 감별하는데 도움을 줄 수 있다. 획득할 수 있는 방법은 두 가지가 개발되었는데 CR의 경우 영상판 사이에 구리 필터를 집어넣어 필터의 앞과 뒷부분에서 저에너지와 고에너지 영상을 얻을 수 있고, 평판형 검출기의 경우 표준 전압과 저전압의 X선을 이용하여 짧은 시간에 두 번 촬영을 시행할 수 있다[7, 8].

(2) 시간차 감산 영상(temporal subtraction imaging)

다른 두 시기에 얻은 흉부 영상에서 변화 여부를 확인하는 것이 판독에 있어 중요한 부분이다. 이차원 정합(registration)과 워핑 기술을 이용하여 두 영상의 감산 영상을 만들어 변화를 감지할 수 있다. 이 경우 움직임이 있거나 정합이 잘 맞지 않는 곳에 인공물이 생기나 병변과는 비교적 쉽게 구별할 수 있다.

(3) 컴퓨터보조진단(computer-aided diagnosis)

폐결절을 찾는 것은 흉부 영상에 있어 중요한 과제이나 판독자에 의해 간과될 수 있다. 컴퓨터 기술을 이용해 폐결절이 가능한 후보들을 지적해줌으로써 간과되는 폐결절을 줄이려는 연구가 있으며 일부 상용화된 프로그램도 있다[9, 10]. 임상적으로 이용하기 위해서는 충분한 민감도의 달성과 가양성을 줄이는 것이 중요한 과제이다.

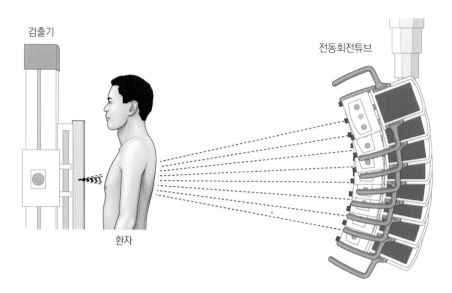

검출기

전동회전튜브

환자

■ 그림 1-12. **디지털 단층영상합성** 전동 튜브가 일정한 각을 호를 그리면서 연속 촬영을 하여 투사 영상을 획득한다.

(4) 디지털 단층영상합성(digital tomosynthesis)

디지털 단층영상합성은 전통적인 단층촬영(tomography)의 진전된 촬영술로 X선 튜브가 움직이는 동안 환자로부터 다수의 투사 영상을 획득하게 된다(그림 1-12). 이 투사 영상은 '이동과 합산'의 방법을 통해 원하는 단면의 초점을 맞추고 다른 구조물들은 흐릿하게 만든다. 이러한 단층영상합성은 폐결절의 검출, 공동의 확인 등에 있어 수행능을 향상시킬 수 있다[11, 12]

■■■ **참고문헌** ■■

1. American College of Radiology. ACR-SPR Practice guidelines for the performance of chest radiography. Res. 56-2011.

2. 식품의약품안전처. 흉부엑스선 검사에서의 환자선량권고량가이드라인 2008.

3. Ravin CE, Chotas HG. Chest radiography. Radiology 1997;204:593-600.

4. McAdams HP, Samei E, Dobbins J, 3rd, Tourassi GD, Ravin CE. Recent advances in chest radiography. Radiology 2006;241:663-683.

5. Goo JM, Im JG, Kim JH, Seo JB, Kim TS, Shine SJ, et al. Digital chest radiography with a selenium-based flat-panel detector versus a storage phosphor system: comparison of soft-copy images. AJR Am J Roentgenol 2000;175:1013-1018.

6. Goo JM, Im JG, Lee HJ, Chung MJ, Seo JB, Kim HY, et al. Detection of simulated chest lesions by using soft-copy reading: comparison of an amorphous silicon flat-panel-detector system and a storage-phosphor system. Radiology 2002;224:242-246.

7. MacMahon H. Digital chest radiography: practical issues. J Thorac Imaging. 2003;18:138-147.

8. MacMahon H, Li F, Engelmann R, Roberts R, Armato S. Dual energy subtraction and temporal subtraction chest radiography. J Thorac Imaging 2008;23:77-85.

9. Schaefer-Prokop C, Neitzel U, Venema HW, Uffmann M, Prokop M. Digital chest radiography: an update on modern technology, dose containment and control of image quality. Eur Radiol 2008;18:1818-1830.

10. Lee KH, Goo JM, Park CM, Lee HJ, Jin KN. Computer-aided detection of malignant lung nodules on chest radiographs: effect on observers'performance. Korean J Radiol 2012;13:564-571.

11. Jung HN, Chung MJ, Koo JH, Kim HC, Lee KS. Digital tomosynthesis of the chest: utility for detection of lung metastasis in patients with colorectal cancer. Clin Radiol 2012;67:232-238.

12. Kim EY, Chung MJ, Lee HY, Koh WJ, Jung HN, Lee KS, et al. Pulmonary mycobacterial disease: diagnostic performance of low-dose digital tomosynthesis as compared with chest radiography. Radiology 2010;257:269-277.

CHAPTER

02

정상 흉부X선사진 소견

| 김태성, 이경수 |

Contents

폐는 항상 공기로 팽창되어 있는 장기로서 X선 영상에서 검게 보이는 반면, 대부분의 폐 병변은 연조직 음영(soft tissue density)으로 나타나므로 X선 영상에서는 폐 병변의 발견이 용이하다. 또한 X선 촬영은 신속 간편하면서도 비용이 저렴하여 반복되는 추적 검사를 하기에도 적합하다는 장점을 지니고 있다. 그러므로 X선 촬영은 흉부 영상의학에서는 없어서는 안될 기본적인 검사로서, CT와 함께 흉부 질환 진단에 매우 중요한 역할을 수행하고 있다.

수십 내지 수백 장의 단면 영상들로 이루어진 CT 검사와는 달리, 흉부X선사진은 흉부 전체를 한 장의 사진에 나타내므로 전체 윤곽을 한 눈에 파악하기 쉽다는 장점을 가지고 있다. 그러나 이러한 장점을 반대로 생각하면, 흉부의 여러 가지 복잡한 3차원적 정상 해부학적 구조물들이 서로 중첩된 상태로 얻은 한 장의 1차원적 평면 영상이므로, 이러한 구조물들에 겹쳐져 있는 병변의 발견은 물론, 발견된 병변의 위치 및 특성 파악이 어렵다는 단점으로 작용한다. 이 장에서는 이러한 단순 촬영 영상의 단점을 극복하고 한 장의 영상에서 보다 많은 정보를 알아내기 위해 알고 있어야 할 정상 흉부 X선검사의 영상의학적 소견에 대해 설명하고자 한다.

I 흉부X선 후전사진

흉부X선사진의 기본인 직립 흉부X선후전사진(upright chest posteroanterior view, chest PA view)은 환자가 직립 상태에서 앞가슴을 필름 카세트에 대고 서 있으면 환자의 등뒤 1.8 m 거리(초점-필름거리)에서 X선속(beam)을 방사상으로 발사하여 촬영한 것으로, '후전(PA)'이라는 단어는 환자를 기준으로 X선속의 주행 방향을 나타내는 것이다. 이때 폐야를 최대한 잘 보이게 하기 위해서 의식적으로 양측 어깨를 뒤에서 앞쪽으로 이동시켜 필름 카세트에 닿게 하면 폐야에 겹쳐 있던 견갑골이 폐야 밖으로 빠져 나오게 된다. 또한 최대한 숨을 들여 마신 후 숨을 잠깐 참은 상태에서 촬영하게 되는데, 이는 폐를 최대한 팽창시켜 폐혈관들의 간격이 서로 멀어져서 중첩되지 않게 하기 위함이다. 이렇게 충분히 흡기 후 촬영된 이상적인 후전영상에서는 우측 횡격막이 10번째 후방 늑간(10th posterior intercostal space)에 위치할 정도로 내려가고, 좌측 횡격막은 우측보다 2 cm(약 1/2늑간) 정도 더 아래에 위치한다(그림 2-1)[1, 2].

흉부X선후전사진에서 양측 폐는 공기에 의해 검게 나타나고, 중심부에는 종격과 심장에 의한 연조직 음영이 보이고, 아래 부분은 횡격막에 의해 복부와 경계 지워진다. 종격 음영 내부에는 기관 및 양측 주기관지(main bronchus)에 의

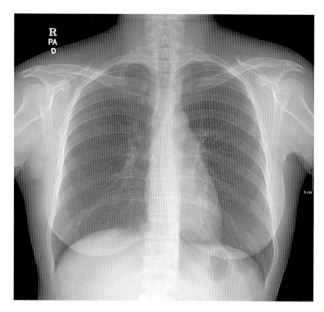

■ 그림 2-1. 35세 여자의 정상 흉부X선사진

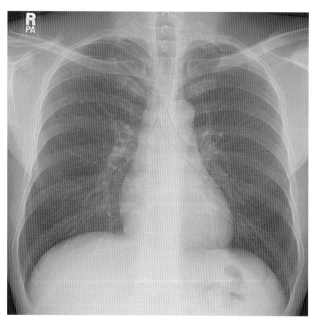

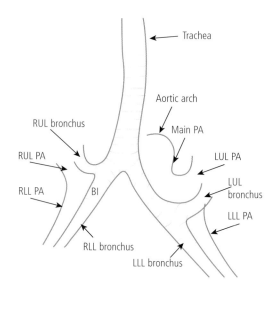

■ 그림 2-2. 35세 남자의 정상 흉부X선후전사진   PA : pulmonary artery, BI : bronchus intermedius

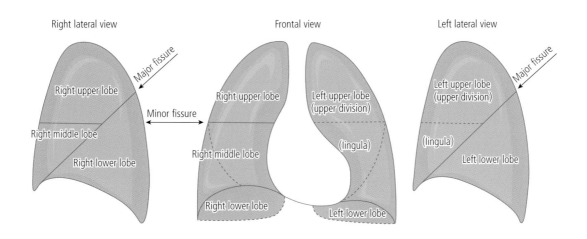

■ 그림 2-3. 양측 폐엽의 해부학적 형태와 엽간열들의 위치

한 관상의 공기음영(tubular air density)이 보인다. 양측 폐문(hilum)은 주로 주폐동맥(main pulmonary artery)과 상폐정맥(superior pulmonary vein)에 의한 음영으로서 우측보다 좌측 폐문이 1-2 cm 정도 높다. 그 이유는 좌폐동맥이 좌측 주기관지 및 좌상엽 기관지의 상부에 얹혀져 위치가 높은 반면, 우폐동맥은 우상엽 기관지의 하부에 붙어있어 상대적으로 위치가 낮기 때문이다(그림 2-2)[3].

정면 사진에서는 우측 소엽간열(right minor fissure)이 우측 폐의 중간 높이 위치에 매우 얇은 수평선 형태로 보이는데, 이는 위아래로 우상엽과 우중엽을 분리하는 선으로서, 소엽간열보다 상부에 위치한 병변은 우상엽이거나 우하엽의 상분절(superior segment of the right lower lobe)에 생긴 것이고, 소엽간열보다 하부에 위치한 병변은 우중엽이거나 우하엽의 저분절들(basal segments of the right lower lobe)에 생긴 것임을 짐작할 수 있다. 좌측 폐는 좌중엽이 따로 분리되어 존재하지 않고, 대신 설분절(lingular division)이라는 이름으로 좌상엽 상분절(upper division of the left upper lobe)과 한 몸으로 존재하므로, 우측과 같은 소엽간열은 거의 대부분 존재하지 않기 때문에 후전면 사진에서 찾아 볼 수 없다(그림 2-3).

여성의 경우 정면 사진에서 양측 폐하부에는 유방 조직에 의해 전반적으로 음영이 증가되어 있는데, 양측 유두는 폐 결절로 오인될 수 있는 원형의 연조직 음영을 보인다(nipple shadows)(그림 2-4, 2-5). 남성의 경우 유방에 의한 음영 증가는 없지만, 여성과 마찬가지로 유두에 의한 작은 결절성 음영이 보일 수 있다. 이러한 돌출된 유두에 의한 음영은 양측 폐하부에 대칭적으로 보이므로 대부분 폐 결절과 감별이 가능하지만 간혹 감별이 어려운 경우도 있다. 이러한 경우에는 유두를 눌러 함몰시키는 테이프(nipple marker)를 붙인 후 재촬영하면 감별이 되는데, 유두에 의한 음영은 테이프로 함몰되어 더 이상 X선 영상에서 보이지 않는 반면, 진성 폐 결절인 경우에는 여전히 남아 있게 된다(그림 2-6).

흉부 정면 사진에서 우측 횡격막은 좌측보다 2 cm 정도 높은 것이 정상이다. 만일 좌측 횡격막이 우측과 높이가 같거나 오히려 더 올라가 있다면 비정상적인 소견으로서, 좌측 폐엽의 무기폐(lobar atelectasis), 좌측 폐하 흉막삼출(subpulmonic pleural effusion), 좌측 횡격막 마비(diaphragmatic palsy)나 내장 전위(eventration), 위장의 과팽창(overdistended stomach), 정상 변이(normal variant) 등이 원인이 된다(그림 2-7). 또한 우측 횡격막이 좌측보다 2.5 cm 이상으로 높게 위치해 있는 것 역시 이상 소견으로서 우측 폐엽의 허탈, 우측 폐하 흉막삼출, 우측 횡격막 마비나 내장 전위시 나타날 수

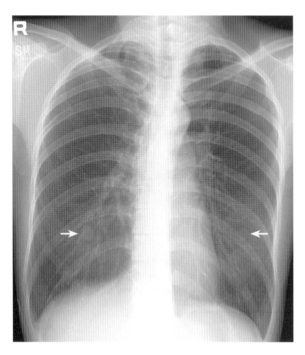

■ 그림 2-4. 50세 여자의 정상 유두 음영
양측 폐 하부에 대칭적인 결절성 음영이 각각 한 개씩 보이는 데(화살표들), 폐 결절이 아닌 유두에 의한 음영이다.

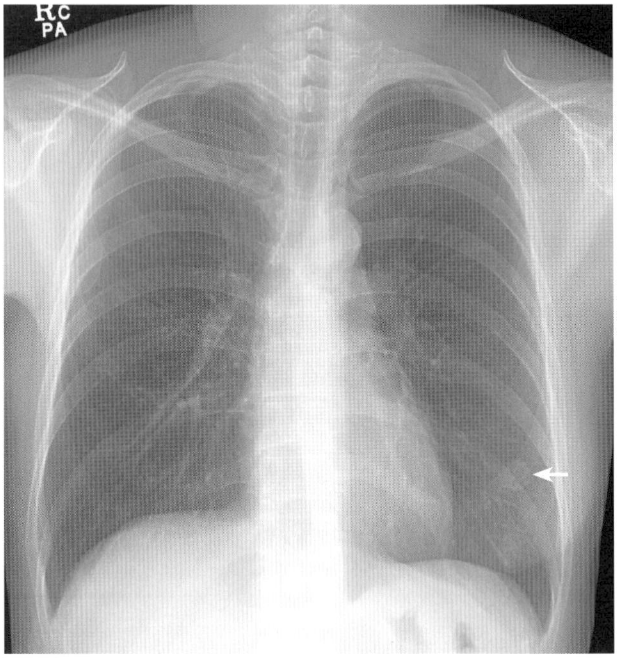

■ 그림 2-5. 우측 유방절제술을 받은 45세 여자의 정상 유두 음영
좌측 폐 하부에 한 개의 결절성 음영이 보이는 데(화살표), 폐 결절이 아닌 유두에 의한 음영이다. 우측 유방절제술시에 유두도 제거된 상태로서 우측의 유두 음영은 보이지 않는다. 또한 좌측 폐하부는 정상 유방조직에 의해 전반적으로 음영이 증가되어 있으나, 유방절제술을 받은 우측 폐하부위는 상대적으로 음영이 감소되어 있다. 이렇듯 유두에 의한 음영은 전이성 폐결절로 오인될 수 있으므로 판단에 주의가 요하다.

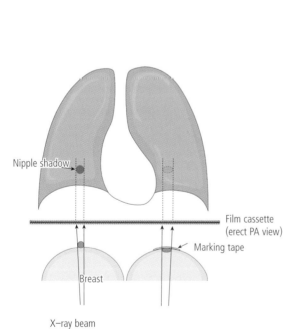

■ 그림 2-6. 유두표시 테이프를 붙인 후 흉부X선 촬영시 유두 음영이 사라지는 원리

있다. 우측 횡격막 아래에는 간에 의한 커다란 연조직 음영이 보이고, 좌측 횡격막 아래에는 위장 공기(gastric fundus gas) 음영과 외측으로 비장에 의한 연조직 음영이 보인다.

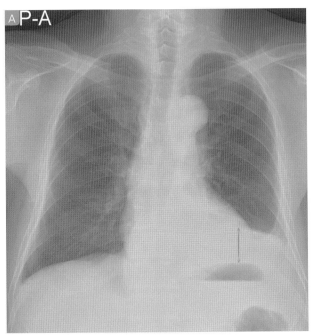
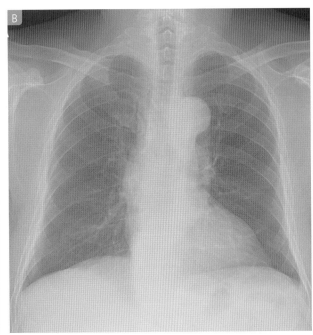

■ 그림 2-7. 좌측 폐하 흉막삼출이 있는 65세 남자

A. 정상적으로는 우측 횡격막이 좌측보다 2 cm 정도 높아야 하지만, 이 환자의 경우 좌측 횡격막처럼 보이는 음영(pseudodiaphragm)이 우측보다 높이 위치해 있다. 이 음영과 위장관내 공기음영 사이의 거리도 증가되어 있는데(화살표), 이는 폐하 흉막삼출액(subpulmonic pleural effusion)에 의한 음영임을 뜻한다. **B.** 흉막염에 대한 적절한 치료를 시행하고 1개월 후에 촬영한 흉부X선사진에서 폐하 흉막삼출액은 사라지고, 양측 횡격막의 높이가 정상화되었다.

종격은 양측 폐의 중간에 위치한 연조직 음영으로서, 심혈관들, 기관, 식도, 지방성 결체 조직으로 구성되어 있는데, 흉부X선사진에서 종격 확장을 보이는 질환은 대부분 지방성 결체 조직 안에 들어있는 림프 조직, 흉선(가슴샘, thymus), 드물게는 횡격막신경(phrenic nerve)과 미주신경(vagus nerve) 등에 종양이 발생한 경우이다.

종격의 정중선을 따라 혹은 약간 우측에 치우쳐 수직으로 내려가는 기관은 정상 성인의 경우 약 12 cm 길이로서 기관분기부(tracheal carina)까지 내려간 후 양측 주기관지(main bronchus)로 분지된다. 이어서 우측 주기관지는 상엽, 중엽, 하엽 총 3개의 엽기관지(lobar bronchus)로 분지해 나가는데, 특히 상엽 기관지가 분지한 후 중엽 기관지가 분지하기 전까지 약 2 cm 길이의 중간 이행 부분을 중간기관지(bronchus intermedius)라고 부른다. 한편, 좌측 폐는 상엽과 하엽으로만 이루어져 있으므로 좌측 주기관지는 2개의 엽기관지로 분지해 나간다(표 2-1). 이러한 큰 기도들은 X선 영상에서 가지 치는 관상의 공기음영으로 잘 투사되어 보인다. 양측 폐문에서부터 방사상으로 분지해 나가는 기관지들에 붙어서 폐동맥 분지들도 같이 주행하는데, 이를 기관지혈관속(bronchovascular bundle)이라 하며, 양측 폐야의 공기음영 및 종격과 함께 흉부X선 영상을 이루는 주된 요소이다.

흉부 정면사진에서 양측 쇄골을 덮고 있는 얇은 연조직 음영이 보이는데, 이를 동반음영(companion shadow)이라고 칭한다(그림 2-8). 정상적으로 쇄골상와(supraclavicular fossa)는 함몰되어 있고 쇄골은 상대적으로 돌출되어 있는데, 이러한 동반음영은 돌출된 쇄골을 덮고 있는 피부 및 피하 조직이 후전 촬영시 X선속 방향에 대해 접선(tangential)을 이루므로 인접한 공기와 계면(interface)을 형성하여 영상에서 나타나는 것이다. 만약 어떠한 이유로 쇄골상와가 융기하여 쇄골보다 더 돌출되면, 정상적으로는 보여야 할 동반음영이 더이상 보이지 않게 되는 음성적 소견(negative finding)을 나타낸

표 2-1. 양측 폐의 분절

우상엽	첨분절(apical)	S1	좌상엽	첨후분절(apicoposterior)	S1+2
	후분절(posterior)	S2		전분절(anterior)	S3
	전분절(anterior)	S3		상설분절(superior lingular)	S4
우중엽	내분절(medial)	S4		하설분절(inferior lingular)	S5
	외분절(lateral)	S5	좌하엽	상분절(superior)	S6
우하엽	상분절(superior)	S6		전내저분절(anteromedial basal)	S7+8
	내저분절(medial basal)	S7		외저분절(lateral basal)	S9
	전저분절(anterior basal)	S8		후저분절(posterior basal)	S10
	외저분절(lateral basal)	S9			
	후저분절(posterior basal)	S10			

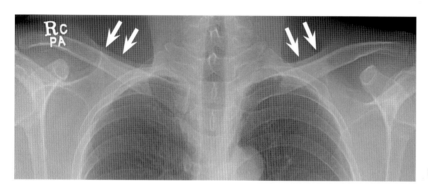

■ 그림 2-8. 40세 남자에서의 정상 흉반음영

다. 이렇듯 쇄골상와의 융기를 초래할 수 있는 대표적 질환에는 젊은 환자의 결핵성 림프절염(tuberculous lymphadenitis), 악성 림프종(malignant lymphoma), 폐암이나 위암, 대장암의 쇄골상 림프절 전이 등이 있다. 흉부X선사진에서 이러한 음성적 소견까지 찾아 낼 수 있다면 눈에 거의 띄지 않는 환자의 질병 상태까지도 짐작하여 더욱 정확한 진단에 가까이 도달할 수 있다.

흉부 정면 촬영 시에는 X선속이 흉부 중심선에 맞추어 수직으로 입사되도록 자세를 정확히 잡은 상태에서 촬영해야 좌우대칭인 좋은 영상을 얻을 수 있는데, 간혹 환자 몸이 한쪽으로 약간 돌아간 상태에서 촬영되는 경우가 있다. 이렇게 원하지 않는 경미한 사위 촬영 영상(oblique view)은 대개 진단에 별다른 문제를 초래하지 않지만, 간혹 추적 검사에서 이전에 정중앙에서 잘 촬영된 영상들과 비교했을 때 폐 병변의 모양이나 크기가 약간 변한 것처럼 보일 수 있으므로 판단하는데 주의가 필요하다. 이렇듯 정중선에서 약간 회전된 X선사진을 보았을 때, 이것이 경미한 사위 영상인지 판단할 수 있는 방법이 있다. 즉, 양측 쇄골두의 내측면들(medial ends of clavicular heads)을 연결한 가상선의 중점에 흉추의 극상돌기(spinous process)가 위치해 있으면 정중앙으로 촬영된 영상이고, 극상돌기가 중점보다 환자의 좌측으로 위치해 있으면 좌전사위 촬영(left anterior oblique view), 극상돌기가 중점보다 환자의 우측으로 위치해 있으면 우전사위 촬영

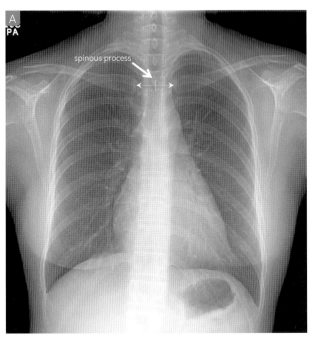
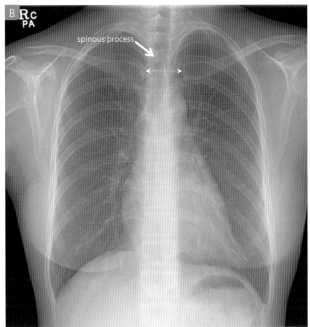

■ 그림 2-9. 50세 여자의 정상 흉부X선 촬영과 경미한 우전사위 촬영
A. 첫번째 영상에서는 양측 쇄골두의 내측면을 연결한 가상선의 중앙에 흉추의 극상돌기가 위치해 있으므로 정중앙에서 촬영된 것임을 알 수 있다.
B. 반면, 두번째 영상에서는 흉추의 극상돌기가 정중선보다 환자의 우측에 위치해 있는데, 이는 약간 우전사위(right anterior oblique view, RAO) 촬영이 된 것을 의미한다.

(right anterior oblique view)이 된 것이다(**그림 2-9**). 그 이유는 CT 단면 영상을 보면 쉽게 이해할 수 있는데, 흉곽 내에서 양측 쇄골 사이의 중심점은 가장 앞쪽에, 흉추의 극상돌기는 가장 뒤쪽에 위치한 정중선의 해부학적 구조물이기 때문이다(**그림 2-10**). 기관도 정상적으로는 정중선 혹은 정중선보다 약간 우측에 위치한 구조물이므로 이들과 겹쳐 보이는데, 만약 기관이 좌측이나 우측으로 전위되어 있다면, 일단 경미한 사위 촬영 영상이 아닌지 상기한 방법을 적용하여 확인한 후에 기관의 전위 여부를 판단해야 할 것이다. 기관을 전위시키는 대표적인 질환들로는 흉곽내 갑상샘종대(intrathoracic goiter), 상엽 무기폐(upper lobe atelectasis), 기관주위 림프절병증(paratracheal lymphadenopathy), 종격 종양 등이 있다.

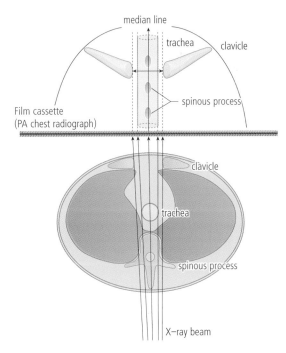

■ 그림 2-10. 정중앙에서 흉부X선 촬영시 양측 쇄골두와 흉추 극상돌기와의 관계

❚❚ 흉부X선 측면사진

측면 흉부X선사진(chest lateral view) 촬영은 필름 카세트를 환자의 한쪽 옆구리에 대고 반대편 옆구리 쪽에서 X선속을 방사하여 촬영하는 것인데, 카세트를 좌측에 대고 찍는 것을 좌측면 촬영(left lateral view), 우측에 대고 찍는 것을 우측면 촬영(right lateral view)이라고 한다. 이러한 측면사진을 얻는 이유는, 정면 사진에서 대부분의 폐야가 잘 보이지만 심장의 뒷부분과 폐문 주위, 횡격막의 아래 부분은 각기 해당되는 구조물들에 가려지거나 겹쳐 보여서 병변을 찾기 어려운 반면, 측면사진에서는 이러한 폐 영역의 병변을 비교적 잘 발견할 수 있고(그림 2-11), 또한 정면사진에서 발견한 병변의 정확한 위치와 구체적인 형상을 입체적으로 분석하는데도 도움이 되기 때문이다.

측면 흉부X선사진에서 기관은 상부 폐야에 곧은 관상의 공기음영 구조물로 잘 보이는데, 약간 뒤쪽을 향하며 아래로 내려간다. 기관분기부는 6번째 흉추(T6) 높이에 위치하는데, 여기서부터 약 2.5 cm 아래에 우상엽 기관지 내경이 원형의 공기음영으로 보이고, 이보다 2.5 cm 더 아래에 좌상엽 기관지의 내경이 원형의 공기음영으로 보인다(그림 2-12). 정면 사진에서 좌측 폐문이 높은 이유는 폐문 음영의 대부분을 차지하는 좌폐동맥이 좌상엽 기관지 위에 얹혀져 있는 반

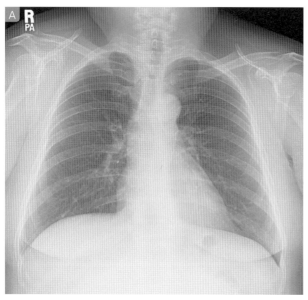

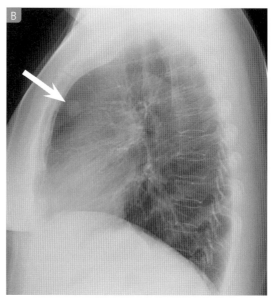

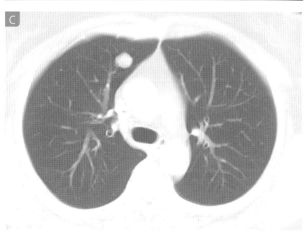

■ 그림 2-11. 측면사진에서만 보이는 전이성 폐암을 가진 60세 여자
A. 정면 사진에서는 폐결절이 보이지 않는다.
B. 측면사진에서 흉골뒤 폐에 결절이 보인다(화살표).
C. CT에서 우상엽 전분절에 폐결절이 보이고, 전이암으로 판명되었다. 이는 작은 폐결절이 정면사진에서는 우측 종격과 중첩되어 발견되기 어려웠으나 측면사진에서는 명확히 보인 증례이다.

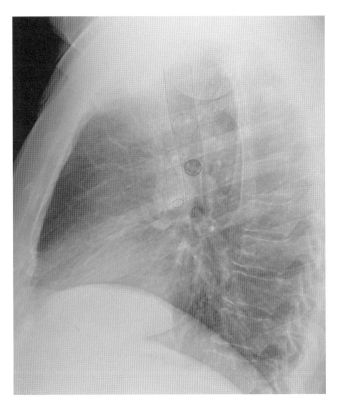
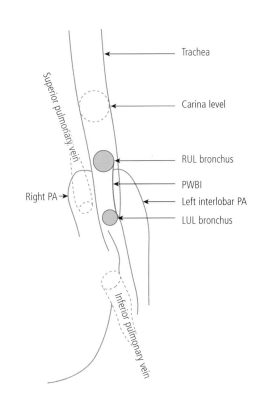

■ 그림 2-12. 70세 남자의 정상 측면X선 영상. PWBI : posterior wall of bronchus intermedius, PA : pulmonary artery

면, 우측은 폐문 음영으로 나타나는 우 폐동맥이 우상엽 기관지의 아래에 놓여 있기 때문인데, 마찬가지 이유로 측면사진에서도 우상엽 기관지보다 좌상엽 기관지 음영이 낮은 위치에 있는 것이다. 하지만 위에 위치한 우상엽 기관지가 실제 측면사진에서 잘 보이는 경우는 30%에 불과하고, 이보다 아래에 위치한 좌상엽 기관지가 원형의 공기음영으로 잘 보이는 경우는 약 70%이다[4].

상기한 원형의 좌상엽 기관지 공기음영을 중심으로 하여 그 주위에 말발굽(horse-shoe) 형태의 증가음영이 형성되어 보이는데, 이는 앞쪽으로는 우상엽에서 내려오는 우상폐정맥과 우측 폐문을 향해 수평 주행해 나가는 우폐동맥의 음영이 겹쳐지고, 위에는 주폐동맥이, 뒤쪽으로는 좌엽간폐동맥(left interlobar pulmonary artery)이 좌하엽으로 내려가고 있는 음영이 모두 합쳐져서 나타나는 모양이다[5].

말발굽 모양의 하부는 하폐문부창(inferior hilar window)이라고 불리는데, 큰 혈관이 없어서(avascular area) 상대적으로 음영감소 부위(radiolucent area)로 보이는 것이 정상이므로, 만일 이 부위의 음영이 증가되어 있다면 병변이 있음을 시사한다[6].

상기한 말발굽 모양의 증가음영 내부를 잘 관찰해보면 얇은 수직선을 볼 수 있는데, 이는 중간기관지 후벽(PWBI, posterior wall of bronchus intermedius)으로서 약 90-95%에서 관찰되며, 2 mm 이하의 두께를 갖는다. 만약 이 선이 3 mm 이상이면 기관지벽이 비후되었다고 진단할 수 있다[7].

측면 흉부X선사진에서 상부 종격의 앞부분에 전흉곽벽(anterior chest wall)을 기저부로 하고 폐첨부쪽으로 융기되어 있는 증가음영이 보이는데, 이는 양측 팔머리(brachiocephalic) 및 쇄골하(빗장밑, subclavian) 동맥과 정맥들에 의한 연조

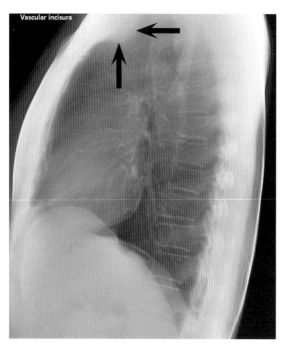

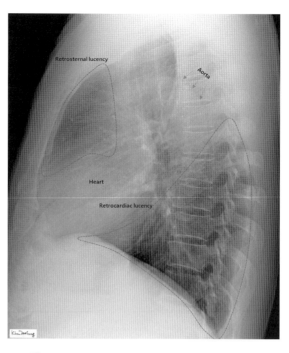

■ 그림 2-13. 혈관절흔(화살표들)이 잘 보이는 60세 남자의 흉부측면 사진

■ 그림 2-14. 65세 남자의 정상 흉부 측면사진

직 음영들로 이루어진 것으로서, 혈관절흔(vascular incisura)이라고 부른다(그림 2-13). 이보다 아래쪽으로 큰 삼각형 형태의 음영 감소 폐야가 보이는데, 이는 앞쪽으로는 흉골, 뒤쪽으로는 폐동맥 기시부와 상행 대동맥, 아래쪽으로는 심장 전벽에 의해 경계 지워지므로 흉골뒤 감소음영(retrosternal lucency)라고 부르며, 전종격에서 생긴 종양{가슴샘종양(thymic tumor), 림프종(lymphoma), 배아세포종(germ cell tumor) 등}이 있는 경우 음영이 증가된다.

흉부X선 측면사진에서 또 하나의 큰 삼각형 형태의 음영 감소 폐야가 보이는데, 바로 심장 후방에 위치한 심장뒤 감소음영(retrocardiac lucency)이다. 이는 앞쪽으로는 심장 후벽, 뒤쪽으로는 후흉곽벽, 아래쪽으로는 횡격막에 의해 경계 지워진다. 이 영역은 하부 흉추 주위의 후종격에 종양이 발생하거나 양측 하엽 폐에 병변(종양, 폐렴성 경화, 하엽의 무기폐 등)이 생겼을 때, 음영이 증가된다(그림 2-14).

심장뒤 감소음영 영역 중 특히 하부 흉추체(thoracic vertebral body)들이 보이는 영역은 측면 X선사진에서 아래쪽으로 내려가면서 음영이 같거나 혹은 약간 감소되어 보이는 것이 정상이다. 측면사진에서 상부 흉추들이 보이는 부분은 양측 상완골두(humeral head)와 견갑골 및 이를 덮고 있는 두터운 근육들에 겹쳐서 음영이 상당히 증가되어 있다. 중부 흉추들이 있는 부위는 하행 흉부 대동맥(descending thoracic aorta)에 의해 겹쳐져 있고, 또한 견갑골을 등쪽으로 당겨 주는 근육인 대능형근(rhomboid major), 늑골 측부를 덮고 있는 전거근(serratus anterior), 이들을 모두 덮고 있는 광배근(latissimus dorsi) 등 이 레벨에 위치하는 근육들의 두께도 아직 상당하여 여전히 음영이 높다. 그러나 하부 흉추로 내려가면 흉추들의 음영이 상당히 감소되어 보이면서 심장뒤 감소음영 영역에 일조하게 되는데, 이는 하행 흉부 대동맥이 척추체보다 앞쪽에 위치한 대동맥열공(aortic hiatus)으로 빠져 나가기 위해 전하방으로 주행하면서 척추체들과 더이상 겹치지 않고, 상기한 등쪽 근육들도 점점 얇아지다가 끝나므로, 결국 중첩된 연조직에 의한 음영증가 효과가 거의 사라지게 되기 때문이다(그림 2-15). 그러므로 만일 하부 흉추의 음영이 상부 흉추보다 증가되어 있는 역전 현상이 보이면, 음

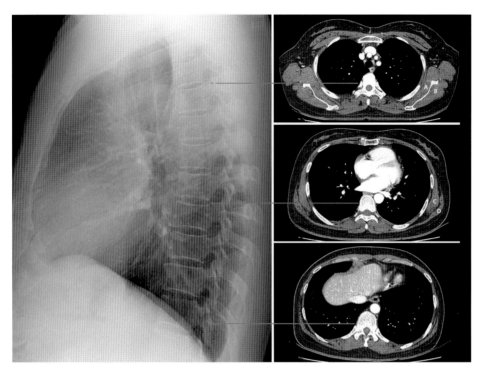

■ 그림 2-15. 65세 남자의 흉부 측면사진에서 흉추의 음영과 CT영상과의 상관관계
하부 흉추로 내려가면서 흉추들의 음영이 감소되어 보이는 것이 정상으로서, 이는 흉추와 겹치는 연부조직의 양이 점차 감소되기 때문이다(A: subscapularis, B: infraspinatus, C: serratus anterior, D: latissimus dorsi).

영 증가를 유발한 종양이나 폐 경화가 있음을 짐작할 수 있다.

측면 흉부X선사진에서는 우측 소엽간열(minor interlobar fissure), 우측 대엽간열(major interlobar fissure), 좌측 대엽간열을 자주 볼 수 있다. 우측 소엽간열은 전흉벽에서 폐문에 이르는 매우 얇은 수평선으로 보이고, 양측 대엽간열은 5번째 흉추(T5) 레벨에서 시작하여 전하방으로 내려가면서 폐문을 지나 전방 늑골횡격막각(anterior costophrenic angle)에 도달하는 사선(oblique line)으로 보이는데, 이러한 엽간열을 확인함으로써 병변이 어느 폐엽에 위치해 있는지 정확히 파악할 수 있다(그림 2-16).

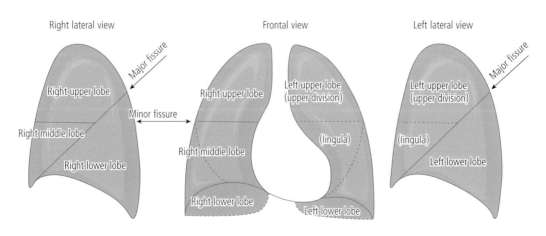

■ 그림 2-16. 양측 폐엽의 해부학적 형태와 엽간열들의 위치

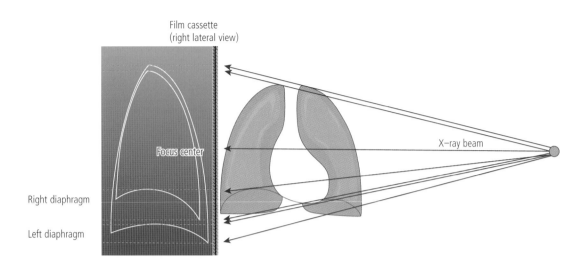

Film cassette
(right lateral view)

Focus center

Right diaphragm

Left diaphragm

X-ray beam

■ 그림 2-17. 우측면촬영에서 양측 횡격막의 위치 형성 원리

측면 흉부X선사진에서도 양측 두 개의 횡격막이 보이는데, 정면 사진과는 달리 한 눈에 좌우를 구별하기는 쉽지 않다. 그러나 측면사진에서도 좌우 횡격막을 구별해 낼 수 있는 방법이 3가지나 있으니, 아래 기술한 방법들을 이용하면 능히 감별할 수 있을 것이다.

1. 우측 횡격막은 전 영역이 폐와 접촉하고 있으므로 검게 보이는 폐와의 명확한 계면이 전장에 걸쳐서 보인다. 반면, 좌측 횡격막의 경우 앞쪽 1/3 정도가 심장과 접촉하고 있으므로 이 부위의 윤곽은 볼 수 없고, 뒤쪽 2/3 정도만 폐와 명확한 계면을 보인다[8].
2. 위장은 좌측 상복부에 위치해 있으므로 위장내의 공기음영의 위를 덮고 있는 횡격막을 찾으면 이것이 바로 좌측 횡격막이다.
3. 정상적으로 우측 횡격막의 둥근 지붕(right hemidiaphragmatic dome)은 좌측에 비해 2 cm 높으나, 횡격막의 후방 아래 부분이 후방 늑골횡격막각(posterior costophrenic angle)에 부착되는 높이는 거의 동일하다. 카세트를 우측 옆구리에 대고 폐문을 중심 초점으로 잡고 촬영하는 우측면사진(right lateral view)에서 우측 횡격막은 카세트에 근접해 있어 확대가 적은 반면, 좌측 횡격막은 카세트에서 멀리 떨어져 있어 조금 더 확대된다. 결국 우측면사진에서는 확대된 좌측 횡격막이 우측 횡격막보다 초점 중심부인 폐문으로부터 좀더 먼 곳에 상이 맺히므로 우측 횡격막보다 아래쪽에 위치되어 보인다(그림 2-17). 반대의 경우인 좌측면사진에서는 일견 생각하면 우측면사진과 반대로 우측 횡격막이 좌측 횡격막의 아래에 위치할 것으로 여겨지지만, 이 현상은 횡격막의 뒤쪽 부분에만 해당되고, 앞쪽 둥근 지붕부분은 우측이 여전히 높게 유지되어 있다. 이는 우측 횡격막의 둥근 지붕부분이 좌측에 비해 2 cm 정도 높다는 사실이 카세트로부터 떨어진 거리에 의해 확대되는 만큼 폐문 중심 초점에서 멀어지는 효과를 상쇄하고도 남을 만큼 높은 위치이기 때문이다(그림 2-18). 이상을 간단히 정리하면, 우측면사진에서는 우측 횡격막 전체가 높고, 좌측면사진에서는 좌측 횡격막의 뒷부분만 높다(그림 2-19).

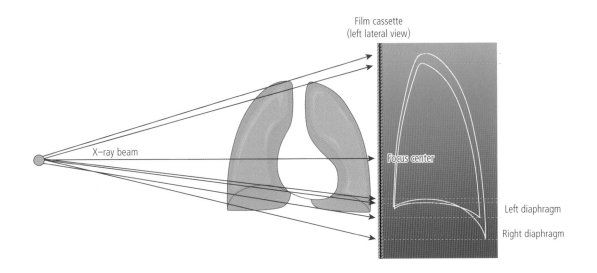

■ 그림 2-18. 좌측면촬영에서 양측 횡격막의 위치 형성 원리

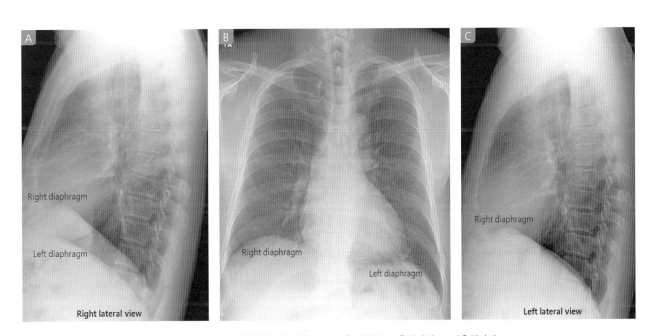

■ 그림 2-19. 우측면사진과 좌측면사진에서 양측 횡격막의 위치 비교. **A.** 우측면사진, **B.** 후전사진, **C.** 좌측면사진

Ⅲ 앙와위 전후 흉부X선사진

흉부X선사진은 사진 촬영시 환자의 체위(직립 대 앙와위, upright vs. supine view), X선속(beam)의 진행 방향(후전면 대 전후면 촬영, posteroanterior vs. anteroposterior view), 호흡 상태(흡기 대 호기), X선속의 중심집중(centering)의 위치 변

화에 따라 사뭇 다른 영상들을 보여주는데, 이러한 변이에 따른 영상의 변화와 차이점들을 숙지하고 있는 것은 진단에 많은 도움을 주므로 아래에 이러한 내용을 기술하고자 한다.

중환자실의 환자들에서 볼 수 있는 의식 장애, 심한 전신 쇠약, 척추나 하지 골절 등 환자의 상태에 따라 직립할 수 없는 경우에는 직립 후전 사진을 촬영할 수 없다. 그러므로, 이러한 환자들의 경우에는 환자가 그냥 침대 위에 앙와위 (supine)로 누운 상태에서 필름 카세트를 환자의 등뒤에 끼워 놓고, 환자의 앞쪽에서 등쪽으로 X선속을 방사하여 촬영해야 하는데, 이를 앙와위 전후 촬영(supine anteroposterior view, chest AP)이라 부른다. 역시 마찬가지로 '전후(AP)'라는 단어는 환자를 기준으로 X선속의 주행 방향을 나타내는 것이다. 이러한 앙와위 전후(supine AP) 사진과 기립 후전(upright PA) 사진은 동일한 환자에서 얻은 영상이라도 상당한 차이를 보이는데, 이러한 차이점들은 무엇인지, 왜 그러한 차이가 발생하는지를 아래에 기술하였다.

1. 앙와위 전후 사진은 초점-필름거리가 1.8 m인 직립 후전 사진에 비해 1.0 m로 짧은데(이동성 촬영 장비이기 때문), 이로 인해 흉곽의 앞부분에 위치한 쇄골이 초점 중앙에서 약간 더 멀리 떨어진 곳에 상이 맺히게 되어 결국 쇄골이 폐 첨부(apical lung)와 중첩되는 영상을 보인다.
2. 또한 대각선 형태로 사선방향이었던 양측 쇄골의 모양도 수평방향으로 약간 눕게 된다. 늑골들 또한 사선 각도가 낮아지며 수평방향 형태로 된다.
3. 기립 후전 사진에서는 양측 견갑골이 폐야에서 빠져나와 있는 반면, 앙와위 전후 사진에서는 환자가 그러한 자세를 취하기 어려우므로 견갑골이 양측 상부 폐야에 그대로 남아 중첩되어 있다(그림 2-20).
4. 직립 후전 사진에 비해 앙와위 전후 사진에서는 심장의 크기가 증가되어 보이므로 자칫 심비대(cardiomegaly)로 오인할 수 있는데, 이는 흉곽내에서 상대적으로 앞쪽에 위치한 심장이 전후면 촬영에서는 필름 카세트와의 간격이 멀어져 그만큼 영상이 확대되기 때문이다. 또한 직립 후전면 촬영 때는 충분한 흡기와 중력에 의한 영향으로 횡격막이 상당히 내려가고, 이에 따라 심장 축(cardiac axis)도 수직에 가까운 사선으로 길쭉 날씬하게 보인다. 그러나 앙와위 전후 영상에서는 환자가 숨을 충분히 들이마시지도 못하고, 두미(craniocaudal) 방향으로는 중력도 작용하지 않아 횡격막이 충분히 내려가지 못한다. 결국 횡격막 위에 얹혀 있는 심장도 그만큼 밀려 올라가면서 심장 축이 수평으로 누워 더욱 뚱뚱하게 보일 수밖에 없다. 아울러 같은 이유로 심장 위의 종격도 약간 넓어져 보인다(그림 2-21, 2-22).
5. 직립 촬영 때는 중력에 의해 상부보다 하부 폐혈관이 더 많이 분포해 보이지만, 앙와위 촬영시에는 두미 방향으로는 더이상 중력이 작용하지 않으므로 상부와 하부 모두 균등한 폐혈관 음영을 보이게 되는데, 이를 상대적으로 상부 폐혈관이 증가된 것으로 잘못 인식할 수 있다. 또한 흡기 부족으로 인해 폐의 팽창이 충분히 이루어지지 못한 만큼 폐혈관의 상대적 밀집도가 증가되는데, 앞서 기술한 이유들로 인해 심장까지 확대되어 보이므로 자칫 울혈성심부전(congestive heart failure)으로 잘못 해석할 수 있으니 판단에 주의해야 한다.
6. 직립 촬영시 위장관내 공기와 위액에 의해 공기-액체층(air-fluid level)이 형성되어 잘 보이지만, 앙와위에서는 이를 볼 수 없다.
7. 이상의 여러 가지 차이점에도 불구하고 전후 촬영인지 후전 촬영인지 판단하기가 모호한 경우라면, 대부분의 X선 영상의 상단에 'PA' 혹은 'AP'라는 납으로 만든 표지글자를 넣어 표기해두므로 이를 보고 판단하면 된다.

앙와위 전후 사진에서 중환자실 환자들에서 흔히 볼 수 있는 흉막삼출액(pleural effusion)은 누운 상태에서의 바닥 부분(dependent position)인 후방 늑막 공간(posterior pleural space)의 주로 하부에 고여 있으므로 하부 폐야에 중첩되어 전

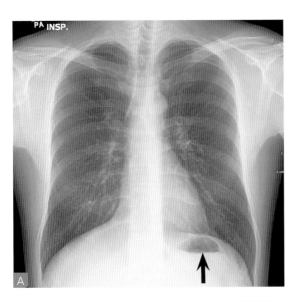
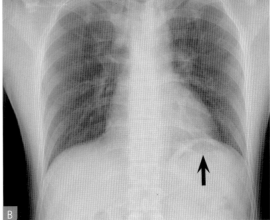

■ 그림 2-20. 28세 남자 전공의의 직립 후전촬영과 앙와위 전후촬영 영상의 비교

직립 후전촬영 영상(A)과 비교시 앙와위 전후촬영(B)에서는 횡격막이 상승하고 심장의 크기가 확대된다. 또한 양측 견갑골이 폐야에서 빠져 나오지 못하고, 폐혈관들이 상대적으로 밀집되어 보인다. 직립 사진상 잘 보이는 위장관내 공기액체층이 앙와위에서는 잘 보이지 않는다(화살표들).

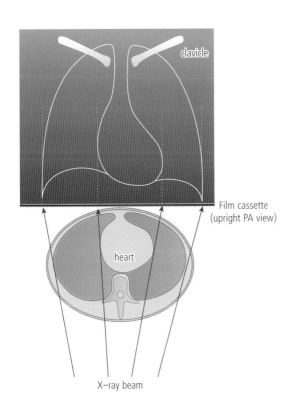

■ 그림 2-21. 직립 후전촬영 영상이 형성되는 원리

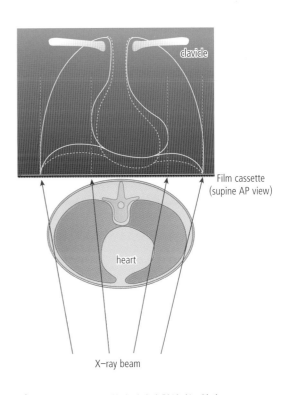

■ 그림 2-22. 앙와위 전후촬영 영상이 형성되는 원리

직립 후전촬영 영상(점선으로 표시)과 비교시 횡격막이 상승하고 심장이 크기가 확대된다.

반적인 음영증가를 나타낸다. 삼출액이 증가되면 점점 중부 및 상부 폐야에까지 걸친 음영증가로 보인다. 이러한 삼출액에 의한 음영증가는 대체로 전반적이고 균일하며, 증가된 음영 내부에서도 폐혈관들의 음영이 비교적 뚜렷이 보이는 반면, 폐렴이나 무기폐에 의한 폐 경화시에는 경화에 의한 증가음영 내부에서 구분되어지는 폐혈관 음영들을 찾아보기 어렵다는 점으로 감별할 수 있다. 그러나 간혹 삼출액과 폐 경화를 감별하기 어려운 경우가 있고, 삼출액이 있음을 알더라도 앙와위에서는 그 양이 어느 정도인지 판단하기 어려운 경우, 누워있는 환자를 침상에서 일으켜 앉힐 수 있다면 좌위 전후촬영(sitting AP view)을 시행하여 진단에 도움을 얻을 수 있다. 앉은 상태에서 촬영한다면, 삼출액에 의한 증가음영인 경우 바닥 부분인 하부 늑막 공간으로 물이 흘러 내려 저류되므로 앙와위에서는 음영이 증가되어 보였던 정상 폐야가 깨끗하게 살아나는 반면, 폐 경화에 의한 음영 증가는 환자의 체위가 달라진다고 변화되지는 않을 것이기 때문이다.

앙와위 촬영시에는 환자의 의식 장애, 심한 근력 약화, 호흡에 따른 동통 등에 의해 충분한 흡기 상태에서 촬영할 만한 상황이 안되므로 그냥 평소 호흡 상태로 촬영해야 한다. 그러므로 당연히 앙와위 영상은 직립 촬영 영상에 비해 폐의 팽창 정도가 상당히 감소되어 있다. 폐의 팽창이 덜 된 만큼 폐야 내의 기관지혈관속들의 밀도가 상대적으로 증가되는데, 이렇게 밀집된 기관지혈관속들에 겹쳐서 감춰져 있는 병변은 발견하기 어려워지므로 결국 진단적 영상의 질이 저하된다.

하지만 때로는 흡기보다 호기시 촬영 사진(expiratory film)이 진단에 더 도움을 줄 수 있는데, 소량의 기흉(pneumothorax)이 의심되거나 땅콩과 같은 이물질의 기도내 흡인(foreign body aspiration), 폐기종 등의 경우이다. 소량의 기흉인 경우 흡기시 촬영 사진에서는 양이 적어서 잘 보이지 않을 때, 호기시에 촬영하면 흉곽 전체의 부피는 감소하는 반면 기흉의 양은 변함이 없으므로, 기흉의 상대적인 흉곽내 용적 점유율이 증가하여 마치 기흉의 양이 늘어난 것처럼 기흉의 발견이 쉬워진다. 어린이들에서 간혹 볼 수 있는 이물질 기도 흡인의 경우 땅콩 같은 이물질은 음영이 별로 높지 않아서 X선사진에서 보이지 않는다. 그러나, 숨을 모두 내쉰 후 흉부X선사진을 촬영해 보면 정상 폐는 공기가 상당히 빠져나가

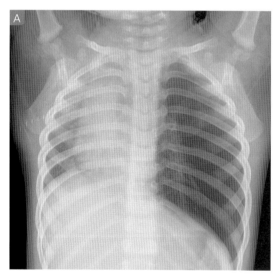 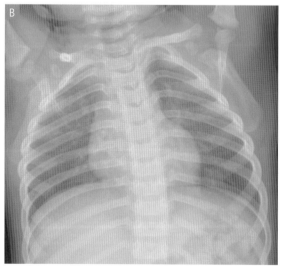

■ 그림 2-23. 1세 영아에서 땅콩의 기도 흡인에 의한 좌측폐의 공기가둠
A. 호기시 촬영한 전후 촬영에서 우측 폐는 정상적으로 폐용적이 감소하고 폐음영은 증가한 반면, 좌측폐는 공기가 빠져 나가지 못하고 과팽창된 상태로 남아 있다. 이는 좌측 주기관지에 흡인에 땅콩에 의해 호기시 공기가둠(air trapping)이 일어났기 때문이다.
B. 두번째 영상은 기관지내시경으로 기관지내의 땅콩을 제거한 후 촬영한 것으로, 공기가둠은 사라지고 정상화되었다.

폐 용적이 감소하고 폐야의 음영은 전반적으로 증가하는 반면, 기도 폐색이 있는 폐는 호기시에 공기가 잘 빠져나가지 못하여(공기가둠, air-trapping) 정상 측과 비교시 폐 용적이 감소되지 못하고 폐 음영도 어두운 채로 남아 있는 등 별다른 변화를 보이지 않으므로, 이러한 이차적 소견을 확인하여 정확한 진단에 이를 수 있다(**그림 2-23**).

Ⅳ 종격 선상음영과 계면

흉부X선사진에서의 종격 선상음영(mediastinal line)은 양쪽 폐가 중앙에서 만나 형성되고, 종격 계면(mediastinal interface)은 인접한 폐와 종격 구조물이 접하면서 형성된다. 종격 계면의 변형인 띠(mediastinal stripe) 음영은 양측 폐와 종격 내의 다양한 구조물이 접하면서 이루어진다. 종격 선상음영과 계면 음영의 변화는 정상적인 구조물의 변이에 기인할 수 있고, 종격 병변을 시사할 수도 있다. 정상적으로 존재하는 종격의 다양한 선상음영과 계면 및 이들의 변화를 이해하는 것은 흉부X선사진 해석과 종격 병변을 진단하는데 있어 중요하다.

종격 선상 음영은 전접합선(anterior junctional line)과 후접합선(posterior juctional line)의 두 개의 선상음영이 있고, 계면음영은 Heitzman 등의 분류와 같이 기정맥 상부(supra-azygos area), 기정맥 하부(infra-azygos area), 대동맥 상부(supra-aortic area), 대동맥 하부(infra-aortic area) 영역에서의 계면음영으로 세분화된다.

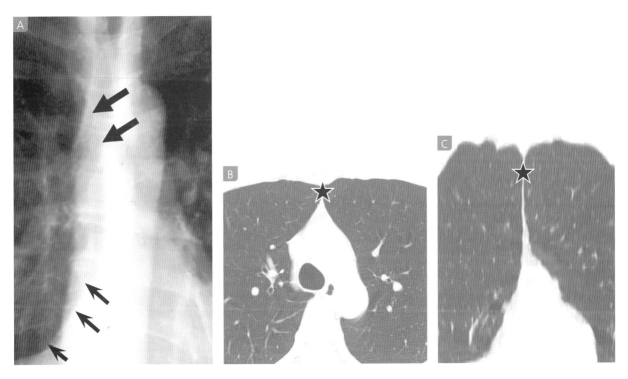

■ 그림 2-24. 전접합 복합구조
A. 흉부X선사진에서 대동맥마디(aortic knob) 아래에 우상 종격동에서 좌하 종격동으로 비스듬히 달리는 전접합선(화살표)이 보인다. 우 폐횡격막 각 부위에서는 비스듬히 주행하는 계면형태로(작은 화살표) 보이는데, 그 이유는 이 계면은 우전폐가 전종격동 지방과 만나서 형성되기 때문이다.
B. 횡단면 CT 폐창영상에서 전전합선이 어떻게 형성되는지를 보여주고 있다(★). **C.** 관상면 CT 폐창영상에서 양측 늑막이 폐 앞에서 만나 형성된 전접합선(★)을 보여준다.

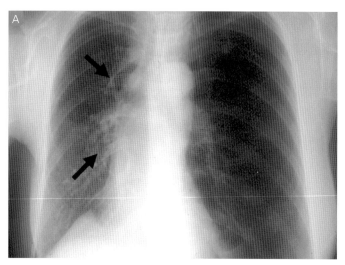
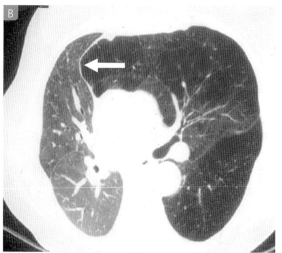

■ 그림 2-25. 우폐이식술 후 우측으로 이동한 전접합선

A. 흉부X선사진에서 우측으로 이동된 전접합선(화살표)을 볼 수 있다. B. 고해상 CT 폐창영상에서 원래의 좌폐가 이식된 우폐쪽으로 전방 탈장을 일으켜 전접합선이 오른쪽으로 이동한 것(화살표)을 보여준다.

본 장에서는 임상적으로 중요한 종격 선상음영과 계면음영을 설명하고 흉부X선사진과 함께 CT 소견을 중심으로 알아보고자 한다.

1. 종격 선상음영

1) 전접합선

전접합선은 양측 폐의 전내측 부위가 중앙에서 만나 이루어진 선상 음영이다(그림 2-24). 접합선의 위 아래 부위에서는 양측 폐가 만나지 않고 한쪽 폐와 흉골 뒤쪽 전종격의 지방 등의 연부조직과 만나서 선상 음영이 아닌 계면의 형태로 보이게 된다[9].

대엽성 무기폐 혹은 전폐허탈의 경우나 반대측 폐가 전종격으로 밀려들어오는 경우 전접합선은 전위된다. 전접합선이 왜곡되거나 소실되는 경우 또는 상하 계면의 오목 부위 외연이 볼록해질 경우 종격 내의 병변을 시사한다(그림 2-25).

2) 후접합선

후접합선은 양측 폐의 후내측 부위가 정중선에서 만나서 형성되고, 일반적으로 대동맥 궁 상부에서 볼 수 있고, 척추의 전방과 식도의 후방에 위치한다(그림 2-26, 2.27). 드

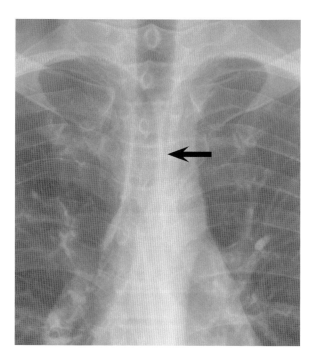

■ 그림 2-26. 후접합선

이 선은 대동맥 궁 위쪽에서 수직으로 위아래로 주행한다(화살표).

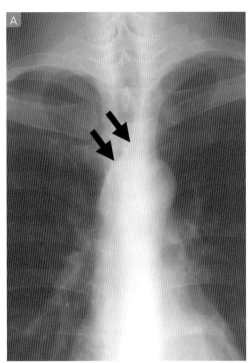
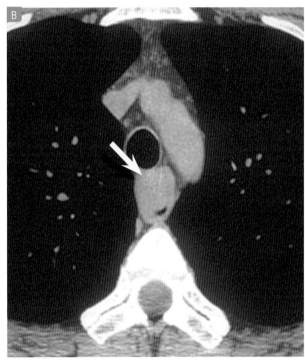

■ 그림 2-27. **식도 평활근종 때문에 우측으로 이동된 후접합선**
A. 흉부X선사진에서 대동맥 궁 위쪽에서 우측으로 이동된 후접합선(화살표)이 보인다.
B. 횡단면 CT 종격창 영상에서 근위부 식도의 앞쪽 벽에서 자라난 식도 평활근종(화살표)이 보인다.

물게 양측 폐의 후내측 부위가 식도의 전방, 하행 대동맥의 후방에서 만나 선상 음영을 형성할 경우 대동맥 궁 하부에서 보이는 경우도 있다. 식도 내강의 공기와 후내측 폐의 공기 음영으로 인해 띠음영의 식도벽(esophageal stripe)을 구분할 수 있다.

2. 종격 계면

1) 기정맥 상부 영역

(1) 상대정맥 계면

상대정맥(SVC)이 우측 폐의 측면과 만나면서 흉부X선사진에서 계면음영을 만들고, 이 계면은 우심방의 경계면으로 이어진다. 상대정맥 계면은 흔히 죽상동맥경화증에 의한 대혈관의 확장으로 인해 외측으로 전위될 수 있다. 이 경우 전위된 상대정맥 계면 음영과 우상엽 무기폐와의 구분이 어려울 수 있다. 쇄골 위쪽으로 인지할 수 없을 정도로 소실되는 계면음영은 우상엽이나 종격의 병변 보다는 상대정맥 계면음영의 진단에 유용한 소견이다(그림 2-28).

　　정상적으로 상대정맥 계면음영은 곧은 직선을 이룬다. 따라서 부분적으로 볼록한 형태는 사행성 혈관 또는 커진 기관주위 림프절 등 종격의 이상을 의미한다(그림 2-29).

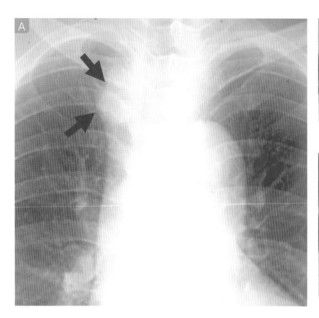
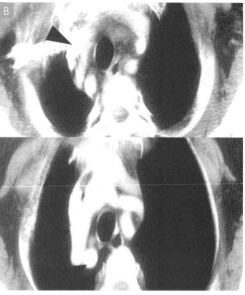

■ 그림 2-28. 대동맥마디에서 기원하는 확장되고 비틀린 대혈관들 때문에 측면으로 이동한 상대정맥 계면

A. 흉부X선사진에서 상대정맥 계면의 우측이동(화살표)이 보인다. B. 연속적인 횡단면 CT 종격창 영상들에서 비틀리고 확장된 대혈관들 때문에 상대정맥과 우측 무명정맥이 오른쪽으로 이동된 것(화살촉)을 볼 수 있다.

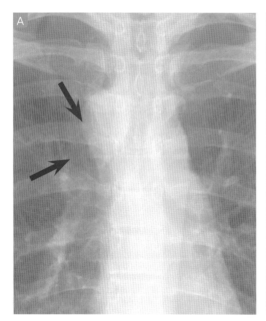
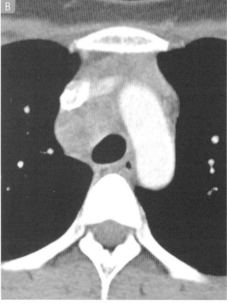

■ 그림 2-29. 우측 기관주위 림프절 종창으로 오른쪽으로 이동한 상대정맥 계면

A. 흉부X선사진에서 엽상 경계를 보이면서 오른쪽으로 이동한 상대정맥 계면(화살표)을 볼 수 있다. B. 횡단면 CT 종격창 영상에서 우측 기관주위 부위를 포함해 양측 상종격동에 광범위한 림프절 종대 소견을 볼 수 있다.

(2) 우측 기관 옆 띠음영

우측 기관 옆 띠음영은 우측 폐와 기관지 내강 사이의 경계로 이루어진다. 이것은 기관지 벽, 종격 내의 지방과 두 개의 흉막층으로 형성된다. 정상적으로 이 띠 음영의 두께는 1-4 mm이다(**그림 2-30**)[10]. 기관주위 띠음영이 두꺼워지는 경우

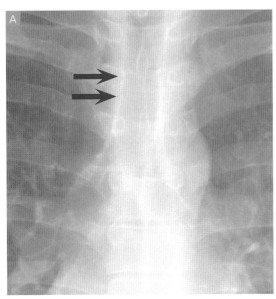
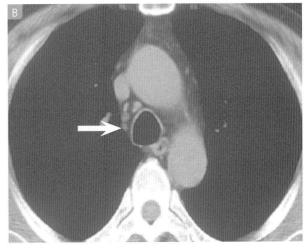

■ 그림 2-30. 우측기관주위 띠음영

A. 흉부X선사진에서 약 3 mm 두께의 우측 기관주위 띠음영(화살표)이 보인다. B. 횡단면 CT 종격창 영상에서 이 기관주위 띠음영(화살표)이 기관벽 자체, 종격동 지방, 그리고 종격동 정상 림프절로 구성을 보여준다.

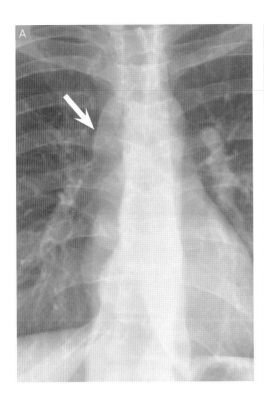
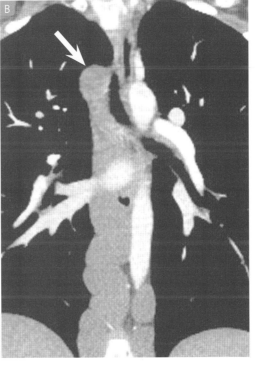

■ 그림 2-31. 확장된 기정맥궁 때문에 형성된 기정맥궁 계면

A. 흉부X선사진에서 우측 기관-기관지 각에서 아래쪽 으로 주행하는 기정맥궁 같은 계면을(화살표) 볼 수 있다. B. 관상면 CT 종격창 영상에서 이 계면 은 확장된 기정맥이 우페를 만나서 형성 을 분명히 보여준다(화살표).

는 기관 주위 림프절 확대, 중종격 종괴, 흉막 질환들 또는 기관지 벽 비후 등이다. 그러나 이러한 기관 주위 띠 음영이 두꺼워 지는 것은 기관 주위 림프절이 확장된 환자의 약 30%에서만 나타나 기관 주위 림프절 확장의 진단에 아주 민감한 소견은 아니다. Muller 등은 낮은 민감도의 원인을 기관 주위 림프절의 위치 때문이라고 보고하였다[11]. 림프절은 기관 에 대하여 정확히 측면이 아닌 전외측에 위치하므로 림프절이 상당히 커져야만(15 mm 직경) 이 띠음영이 두꺼워진다. 또한 림프절이 커지면서 기관주위 구조물들이 X선의 접선 방향이 아닌 비스듬한 방향으로 향하게 되어 종종 우측 기관 주위 띠음영이 잘 보이지 않게 된다.

종격 출혈에 의해서도 우측 기관 주위 띠음영의 두께가 증가될 수 있다. 흉부 둔기외상을 받은 102명의 환자를 대상 으로 한 연구에서 5 mm 이하의 우측 기관주위 띠음영을 보이는 모든 환자들은 정상 동맥조영상을 보였고 대동맥, 우쇄 골하동맥, 또는 무명동맥 열상 등의 동맥 손상이 있는 환자의 22%(48명 중 11명)은 우측 기관주위 띠음영이 5 mm 이상 으로 증가되었다.

(3) 기정맥(기관-기관지 각) 림프절 대 기정맥

기정맥궁(azygos arch)에서 위로 향하는 우측 기관-기관지 각의 병변은 대부분 림프절(tracheobronchial angle node) 확장 에 의해 생기는 반면 기정맥궁 아래 쪽에 위치하는 병변은 확장된 기정맥궁에 기인한다(그림 2-31).

기정맥궁은 항상 기정맥 림프절의 바깥쪽에 위치하여서, 우측 기관-기관지 각에 심한 림프절 확장이 있을 경우 상대 정맥 계면이 기정맥궁 바깥쪽으로(기정맥궁이 상대정맥으로 유입되므로) 전위된다.

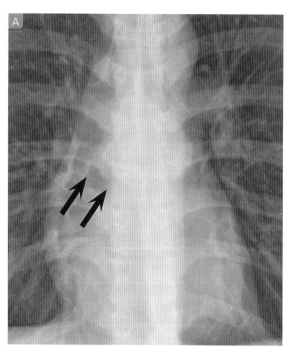
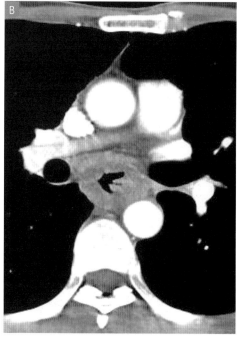

■ 그림 2-32. 식도암 때문에 그 일부가 오른쪽으로 이동된 기정맥식도 함요 계면
A. 흉부X선사진에서 기정맥식도 함요 계면의 일부가 오른쪽으로 이동된 것(화살표)을 볼 수 있다. **B.** 횡단면 CT 종격창 영상에서 원위부 식도 벽이 두꺼워져서(화살표) 식도암이 있음을 시사한다.

2) 기정맥 하부 영역

(1) 기정맥식도 함요 계면

기정맥식도 함요 계면은 우하엽의 후내측과 식도 또는 상행 기정맥이 만나서 이루어진다. 젊은 성인에서 이 계면은 대개 곧은 직선을 이루지만 나이를 더하면서 하행대동맥이 구불구불해져 기정맥식도 함요 계면은 왼쪽으로 완만하게 볼록한 활 모양을 이루거나, 드물게 S자 형태를 취하게 된다[12].

기관분기하부 림프절 증대 또는 기관지원성 낭종(bronchogenic cyst)과 같은 기관지하부 종괴가 있는 경우에는 오른쪽으로 볼록한 모양을 보이거나 기관 분기부 바로 아래 계면음영이 아래쪽으로 치우쳐 보일 수 있다(그림 2-32). 이와 같이 계면음영이 전위될 경우 대개 림프절이 2 cm 이상으로 커져 있다. 림프절 증대, 식도주위 정맥류(paraesophageal varices)등의 식도병변 또는 기정맥의 확장이 있는 경우에는 우측 외연이 국소적으로 볼록해진다.

3) 대동맥상부 영역

(1) 대동맥폐동맥 계면

대동맥폐동맥 계면은 전 접합선 뒤쪽의 좌측 전종격과 좌측 폐의 전내측이 만나서 형성된다. 이것은 대동맥궁과 인접한 주 폐동맥에서부터 위쪽으로 대동맥융기(aortic knob) 상부까지 이어진다. 대동맥궁 부위에서 대동맥폐동맥 계면이 측면으로 치우칠 경우 종격 병변을 시사하고 가장 흔한 원인은 림프절확장이고 드물게 좌상대정맥이나 이중 대동맥궁이 있다.

대동맥 유두는 대동맥궁 좌측에 연해 좌상 늑골 정맥에 의한 작은 융기로 보이며, 4.5 mm 이상일 경우 비정상으로 해석하고, 대부분 상대정맥 폐쇄에 의해 유발되나 하대정맥 폐쇄로 인해 발생하기도 한다(그림 2-33).

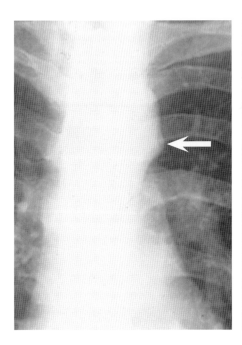
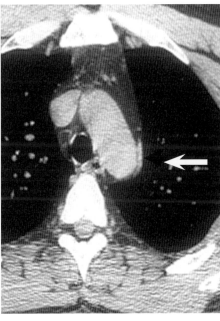

■ 그림 2-33. 대동맥 유두
A. 흉부X선사진에서 유두 모양의 결절성 융기(화살표)가 대동맥궁에서 보인다. B. 횡단면 CT 종격창 영상에서 이 융기는 좌상 늑골정맥(화살표)에 의해 기인함을 볼 수 있다.

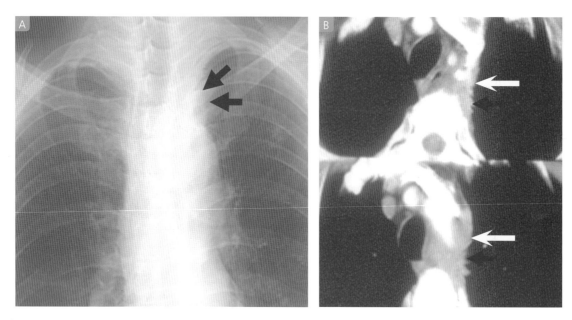

■ **그림 2-34. 소세포암 때문에 소실된 좌쇄골하동맥 계면**
A. 흉부X선사진에서 좌쇄골하동맥 계면이 소실되어(화살표) 뚜렷하지 않음을 볼 수 있다. **B.** 대동맥궁 상부에서 얻은 연속적인 횡단면 CT 종격창 영상들에서 좌상엽의 대동맥 위쪽에 침윤성의 연조직 병변(화살표)이 있어 좌쇄골하동맥 계면의 소실을 초래함을 보여준다.

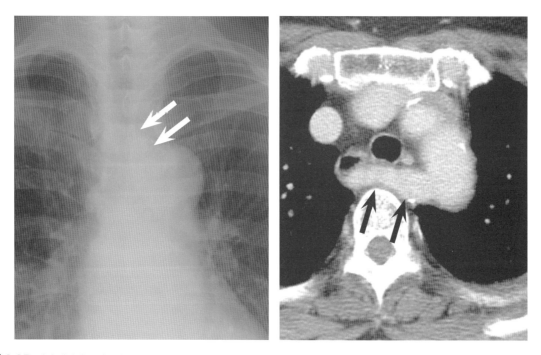

■ **그림 2-35. 이상 기시의 우쇄골하동맥 때문에 형성되는 계면**
A. 흉부X선사진에서 대동맥 마디에서 기시하여 오른쪽 상부로 비스듬히 주행하는 계면(화살표)을 볼 수 있다. **B.** 대동맥궁 상부에서 얻은 연속적인 횡단면 CT 종격창 영상들에서 이 계면은 이상 기시의 우쇄골하동맥에 의해 기인함을 보여준다(화살표).

(2) 좌측 기관 주위 계면

좌측 기관주위 계면은 좌쇄골하동맥 계면의 내측에 위치하며 정상 흉부X선촬영 사진의 31%에서 보인다[13]. CT에서는 좌쇄골하동맥 전방의 종격과 폐가 접하는 부위에서 좌측 기관 주위 계면을 볼 수 있다. CT에서 좌측 기관 주위 함요는 폐와 좌측 기관 주위 종격 지방(94%), 좌총경동맥 외측벽의 근위부 1-2 cm(5%), 또는 기관의 좌측벽(1%)이 접하는 부위에서 보인다. 이와 같이 다양한 구조물들이 좌측 기관 주위 함요에 변화를 줄 수 있다.

(3) 좌쇄골하동맥 계면

좌쇄골하동맥의 상행부와 좌상엽의 전내측이 만나 대동맥 상방에서 계면을 형성한다. 이는 대동맥궁에서부터 휘어지는 모양으로 위쪽으로 이어진다. 이 계면의 국소적 소실은 종격 병변을 시사한다(그림 2-34).

흉부X선사진에서 대동맥궁에서부터 우측으로 이어지는 선상 계면이 보일 경우 이상 기시하는 우쇄골하동맥을 시사한다. 이 소견외에도 이 혈관이 기관의 뒤를 지나면서 기관 내 공기 음영 내에 띠 음영을 형성하거나 쇄골 내측에서 우측 폐에 종괴 효과를 보일 수 있다(그림 2-35).

4) 대동맥하부 영역

(1) 대동맥폐동맥창 계면

대동맥폐동맥창은 종격 내에서 위로는 대동맥궁에 의해, 아래로는 좌폐동맥에 의해, 내측으로는 기관, 좌측 주기관지, 식도에 의해, 외측으로는 종격흉막에 의해, 전방으로는 상행대동맥, 하방으로는 하행대동맥에 의해 경계 지어진다. 대

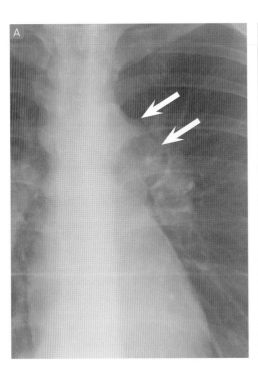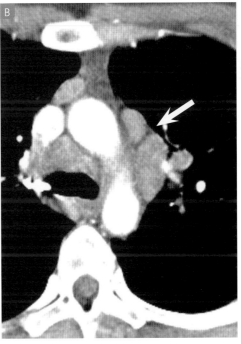

■ 그림 2-36. 커진 림프절 때문에 왼쪽 바깥 쪽으로 볼록한 대동맥폐동맥창 계면
A. 흉부X선사진에서 바깥 쪽으로 볼록한 계면(화살표)이 보인다. **B.** 횡단면 CT 종격동창 영상에서 대동맥폐동맥창에 커진 림프절(화살표)이 보인다.

동맥폐동맥창은 내부에 지방, 동맥관 인대, 좌측 반회후두신경, 림프절, 좌측 기관지동맥이 있다.

좌측 폐와 대동맥폐동맥창의 외측 경계면(종격 흉막)이 접하는 부위에 대동맥폐동맥창 계면이 생긴다. 대동맥폐동맥창 계면은 정상적으로 직선이거나 외측으로 오목하다. 외측으로 볼록한 경우 대동맥폐동맥창의 이상이 있음을 시사하며 대부분 커진 림프절 때문이다(그림 2-36). 좌측 반회후두신경이 대동맥폐동맥창에 위치하기 때문에, 좌측 성대마비가 있는 경우 대동맥폐동맥창 계면의 변화가 있는지 주의 깊게 보아야 한다.

(2) 전대동맥 계면

전대동맥 계면은 좌하엽의 후내측과 흉부 하행 대동맥의 앞쪽에 있는 종격이 만나서 생기는 것으로, 우측에 위치하는 기정맥식도 함요 계면과 유사하다. 위쪽으로 비스듬하게 대동맥궁과 연결되거나 대동맥 유두 아래쪽에서 수직으로 끝난다. 아래쪽으로 T10 부위에서 하행대동맥과 완만하게 합쳐진다.

(3) 하행대동맥 계면

흉부 하행대동맥과 후내측 좌하엽이 만나 흉부 하행 대동맥 계면을 형성한다. 이 계면음영은 대개 전장에 걸쳐 모두 관찰되지만, 약 9%에서 폐동맥, 상분절 혈관, 또는 기타 종격 구조물이 대동맥과 만날 경우 국소적으로 하행 대동맥 계면이 소실될 수 있다.

흉부 하행 대동맥 계면 음영이 소실되는 것은 인접한 폐 음영의 소실과 비정상 음영 증가와 더불어, 종격 림프절 확장, 종괴, 혈관병, 흉막 병변, 식도 병변 또는 폐암 등의 종격의 이상을 의미한다(그림 2-37).

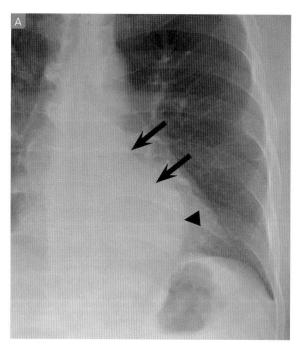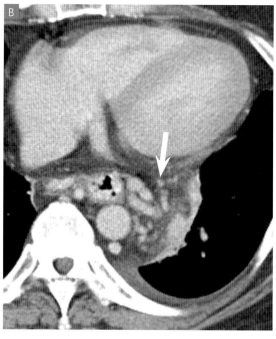

■ 그림 2-37. 식도주위 정맥류 때문에 소실된 하행대동맥 계면
A. 흉부X선사진에서 하행대동맥 계면의 일부 가 소실 (화살표)을 볼 수 있다. 또한 주변부 연조직 종괴 음영도 보인다(화살촉). **B.** 횡단면 CT 종격창 영상에서 확장된 정맥 구조물들(화살표)이 좌하폐인대(left inferior pulmonary ligament) 부근에서 하행대동맥에 기대고 있는 것을 볼 수 있다.

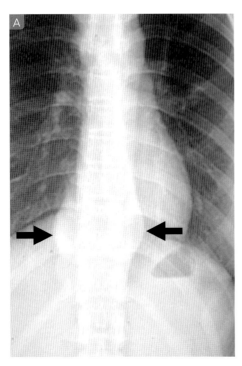 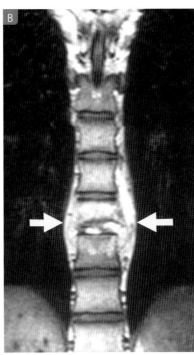

■ 그림 2-38. **결핵성 척추농양으로 바깥으로 이동된 좌측 척추주위 계면**
A. 흉부X선사진에서 양측으로 이동된 척추주위 계면들(화살표들)을 볼 수 있다. **B.** T2강조 관상면 MRI영상에서 척추주변 결핵성 농양으로 주변부 폐가 바깥 쪽으로 밀리면서 척추주위 계면이 바깥 이동(화살표들)을 보인다.

(4) 좌측 척추주위 계면

좌측 척추주위 연부조직과 후내측의 좌하엽이 만나 좌측 척추주위 계면을 이루고, 대개 대동맥융기 부위에서부터 좌측 횡격막에 까지 이른다. 이 계면음영은 하행대동맥 계면의 내측에서 관찰되지만 경우에 따라 외측에서 보일 수도 있다. 좌측 척추주위 계면 음영은 백 반사(positive Mach band)로 나타나고 하행 대동맥 계면 음영은 흑 반사(negative Mach band)로 나타난다. 척추주위 계면이 국소적으로 볼록한 경우 척추주위 종괴를 시사한다(그림 2-38).

3. 요약

흉부X선사진에서 종격의 수많은 선과 계면 음영은 다양한 빈도로 나타난다. 가장 잘 보이는 것은 우측 기관주위 띠음영과 대동맥-폐창 계면으로 흉부X선사진에서 각각 83%와 89.5%의 빈도로 볼 수 있다. 흉부X선촬영술은 종격 선과 계면 음영을 보는데 영향을 줄 수 있다. 정상적으로 존재하는 다양한 선상 음영과 계면을 알고 흉부 질환으로 인한 변화를 숙지하는 것은 흉부X선사진의 판독과 종격의 병변의 진단에 중요하다.

■■■■■ **참고문헌** ■■■■■■■■■■

1. Groskin SA. Heizman's The lung: Radiologic-pathologic correlations. 3rd ed. St. Louis: Mosby, 1993;43-69.
2. Felson B. Chest roentgenology. Philadelphia: Saunders, 1973;71-184.
3. Don C, Hammond DI. The vascular converging points of the right pulmonary hilus and their diagnostic significance. Radiology 1985;155:295-298.
4. Austin JHM. The lateral chest radiograph in the assessment of nonpulmonary health and disease. Radiol Clin N Am 1984;22:687-698.
5. Vix VA, Klatte EC. The lateral chest radiograph in the diagnosis of hilar and mediastinal masses. Radiology 1970;96:307-316.

6. Park CK, Webb WR, Klein JS. Inferior hilar window. Radiology 1991;178:163-168.

7. Webb WR, Hirji M, Gamsu G. Posterior wall of the bronchus intermedius: radiographic-CT correlation. AJR Am J Roentgenol 1984;139:551-559.

8. Panicek DM, Benson CB, Gottlieb RH, Heitzman ER. The diaphragm: anatomic, pathologic, and radiologic considerations. RadioGraphics 1988;8:385-425.

9. Proto AV. Mediastinal anatomy: emphasis on conventional images with anatomic and computed tomographic correlations. J Thorac Imag 1987;2:1-48.

10. Savoca CJ, Austin JHM, Goldberg HI. The right paratracheal strip. Radiology 1977;122:295-301.

11. Muller NL, Webb WR, Gamsu G. Paratracheal lymphadenopathy: Radiographic findings and correlation with CT. Radiology 1985; 156:761-765.

12. Cho WS, Lee KS, Kim IY, Lee BH. Normal and abnormal azygoesophageal recess: radiographic and CT correlation. J Kor Rad Soc 1992;28:545-552(Korean).

13. Proto AV, Corcoran HL, Ball JB. The left paratracheal reflection. Radiology 1989; 171:625-628.

흉부 병변의 위치 결정

| 전경녀 |

Contents

흉부에서 병변은 폐실질, 폐문, 종격, 흉막, 흉벽 등에서 발생하며 병변의 위치를 파악하는 것이 진단의 첫 번째 단계이다. 우리 몸은 앞과 뒤, 안과 밖이 있는 삼차원 구조이지만 이것이 흉부X선사진의 평면에 투사되어 나타나므로 병변의 실제 위치를 파악하는데 어려움이 따른다. 정상 흉부 구조에 대한 해부학적인 지식을 가지고 후전, 측면 등 여러 각도의 사진을 함께 본다면 병변의 위치를 대체로 파악할 수 있겠지만, 어느 한 각도의 사진만 있거나 병변이 사진에서 인지하기 힘든 곳에 있는 경우 정확한 위치나 병변의 존재를 파악하기 쉽지 않다.흉부X선 사진에서 병변의 위치를 결정하는데 중요한 실루엣징후(silhouette sign)와 공기 기관지조영(air-bronchogram) 등을 이해하고 병변의 위치를 파악하는 방법을 체계적으로 알아보자.

I 흉부 주요 구조물의 위치와 상호 관계

흉곽 중심부에 심장과 대혈관을 포함한 종격 구조물이 있고, 양측에 폐가 위치하고 바깥쪽으로는 폐를 둘러싸는 흉막과 흉벽이 있다. 흉부X선사진에서 양측으로 가장 넓고 검게 나타나는 부분이 폐이며 장측 흉막에 의해 오른쪽은 세 개, 왼쪽은 두 개의 폐엽으로 나누어지는데 각 폐엽의 위치는 **그림 3-1**과 같다. 그림에서 보이는 것처럼 상엽과 하엽의 상분절이 앞뒤로 겹치고 우중엽은 우하엽, 좌상엽 설분절은 좌하엽과 상당 부분 겹쳐 있다. 또한 폐는 종격 구조물을 감싸고 있다. 그러므로 서로 다른 폐엽에 발생한 병변이 평면인 흉부X선사진에서 같은 위치에 나타날 수 있고 종격이나 흉막, 흉벽 병변이 마치 폐 병변인 것처럼 보일 수 있다. 그러므로 흉부X선사진에서 보이는 병변의 실제 위치를 파악하기 위해

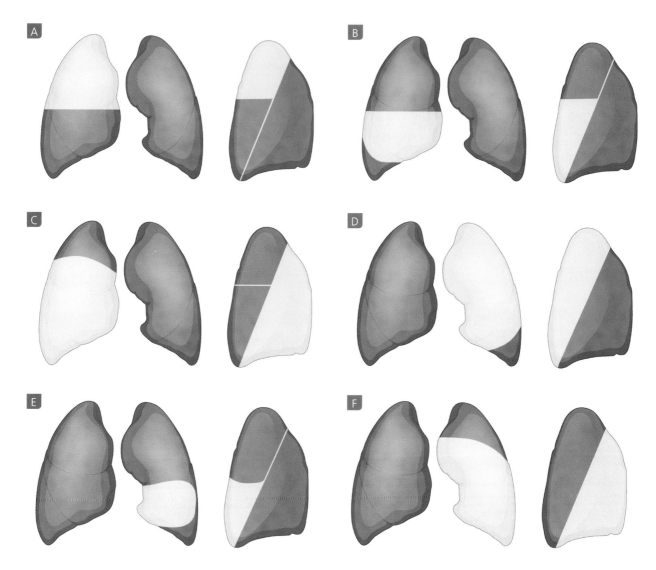

■ 그림 3-1. 흉부X선 후전사진과 측면사진에서 보이는 각 폐 엽의 위치(흰색)
A. 우상엽, B. 우중엽, C. 우하엽, D. 좌상엽, E. 좌상엽 설분절, F. 좌하엽

서 정상 구조물들의 공간적인 상호 관계를 알아야 하며 실루엣징후 등을 참고하는 것이 도움이 된다.

Ⅱ 실루엣징후

실루엣징후(silhouette sign)를 이해하는 것은 흉부X선사진에서 보이는 병변의 위치를 파악하는데 매우 유용하다. 우리가 흉부X선사진에서 심장, 횡격막, 대동맥 등과 같은 연부 조직 구조물들을 구별하고 인지할 수 있는 것은 방사선 투과도가 높아 검게 보이는 폐가 이들과 인접하며 대조를 이룸으로써 그 경계가 잘 보이도록 하기 때문이다. 실루엣징후란

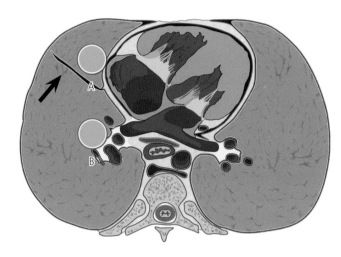

■ 그림 3-2. 실루엣징후

A와 B병변은 흉부X선 후전 사진에서 동일한 위치에 보이겠지만 우중엽에 있는 A는 심장의 오른쪽면과 접하고 있어 심장의 경계면이 소실되고(실루엣징후 양성) 우하엽에 있는 B는 심장과 떨어져 있으므로 심장의 경계면이 사라지지 않는다(실루엣징후 음성)(그림 3-3 흉부X선사진 참조). 오른쪽 대엽 사이 틈새(화살표)가 심장의 오른쪽 면과 접하고 있어 여기에 고인 국한성 흉수에 의해서도 오른쪽 심장 경계면이 소실될 수 있다.

심장, 횡격막, 대동맥 등 흉부X-선 사진에서 정상적으로 잘 보여야 할 구조물의 경계가 인접한 부위에 비슷한 음영의 병변이 생김으로써 더이상 보이지 않게 되는 것을 말한다[1]. 즉, 정상 구조물과 유사한 음영의 병변이 폐를 대체하거나 밀어 냄으로써 폐 음영과 대비되어 그려지던 정상 구조물의 경계가 사라지는 것이다. 이를 실루엣 징후 양성이라고 하고 이것은 병변과 그 구조물이 실제로 접하고 있음을, 즉 동일한 평면에 있음을 의미 한다. 반면, 사진에서 병변과 정상 구조물이 겹쳐 보이지만 둘 사이의 경계가 사라지지 않았다면 이는 이차원의 평면인 사진에서 겹쳐 보일 뿐 공간적으로는 떨어져 있음을 의미한다 (그림 3-2).

실루엣 징후는 폐 병변 외에도 종격 병변이나 흉막 삼출에 의해서도 나타날 수 있으며 후전사진뿐만 아니라 측면사진에서도 적용할 수 있다. 또한 실루엣징후는 병변의 위치뿐만 아니라 크기가 작거나 음영이 그다지 높지 않아 X선 사진에서 쉽게 눈에 띄지 않는 병변의 존재를 파악하는 데도 유용하다. 그러므로 흉부 X-선 사진을 볼 때 이상 음영을 찾는 것과 동시에 정상 구조물의 실루엣을 관찰하고 경계면 소실 여부를 체크하는 습관을 가지는 것이 좋다.

1. 심장 및 상대정맥과 실루엣징후

심장은 흉부X선 후전사진의 가운데에 위치하며 흉부의 여러 구조물과 접하고 있으므로 심장 경계의 소실 여부는 병변의 위치 판정에 중요한 단서를 제공한다. 실루엣징후를 설명하는 대표적인 예가 심장의 오른쪽에 위치한 폐에 발생한 음영증가인데, 그림 3-2와 같이 심장 오른쪽에는 우중엽과 우하엽이 있으며 그 중 실제로 심장의 오른쪽면과 접하는 것은 우중엽이고 우하엽은 심장 후방과 접한다. 그러므로, 흉부X선 후전사진에서 심장의 오른쪽 경계 소실을 동반한 폐 병변은 우중엽에 있는 것이며, 같은 위치에 보이지만 심장의 경계가 소실되지 않는다면 병변은 우하엽과 같이 뒤쪽에 있음을 의미한다(그림 3-3). 심장의 왼쪽 면은 좌상엽의 설분절(lingular segment)과 접해 있으므로 심장 왼쪽 경계를 소실시키는 폐 병변이 보인다면 이는 좌상엽 설분절에 위치한 것으로 판단할 수 있다. 반면, 유사한 위치의 병변이 심장 경계 소실을 동반하지 않는다면 좌하엽 병변으로 판단할 수 있다(그림 3-4).

폐실질 병변뿐만 아니라 앞쪽 종격 병변이나 오른쪽 대엽사이 틈새(major fissure) 중 앞쪽 아래 부분에 고인 흉막 삼출도 심장 오른쪽 경계 소실을 동반할 수 있다(그림 3-5).

오른쪽 상부에서 심장과 연결되는 상대정맥 또한 흉부의 앞쪽에 위치한다. 그러므로 상대정맥의 경계가 소실되는 것

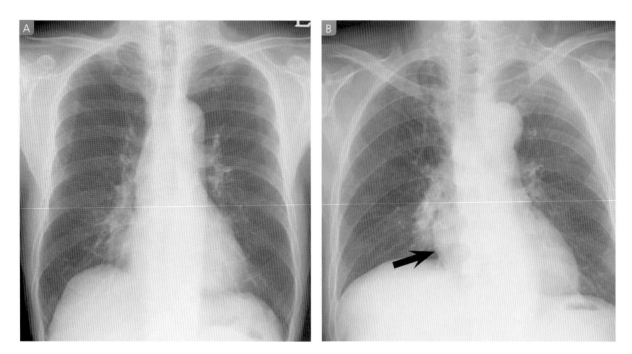

■ 그림 3-3. 우중엽과 우하엽 병변의 구분

흉부X선 후전 사진에서 우측 하부의 비슷한 위치에 심장 음영과 겹치는 병변이 있다. **A.** 우중엽 병변에 의해 심장의 오른쪽 경계면이 소실되었다(실루엣 징후 양성). **B.** 우하엽 병변은 심장 음영과 중첩되지만 심장의 경계(화살표)가 소실되지 않았다(실루엣 징후 음성).

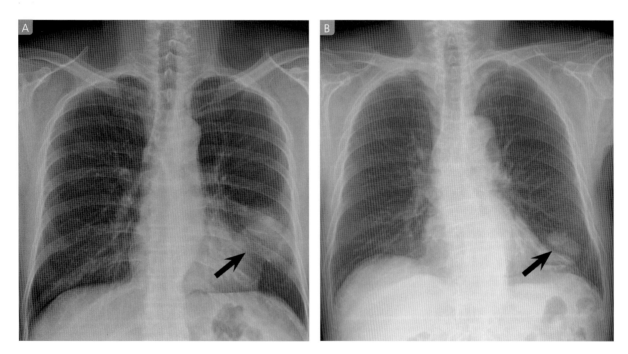

■ 그림 3-4. 좌상엽 설분절과 좌하엽 병변

A. 왼쪽 아래 폐에 심장의 왼쪽 경계 소실을 동반한 병변이 있으며 설분절에 위치한 것이다. **B.** 비슷한 위치의 병변이 심장의 왼쪽면과 겹쳐 있지만 심장의 경계가 사라지지 않아 좌하엽에 위치한 것을 알 수 있다.

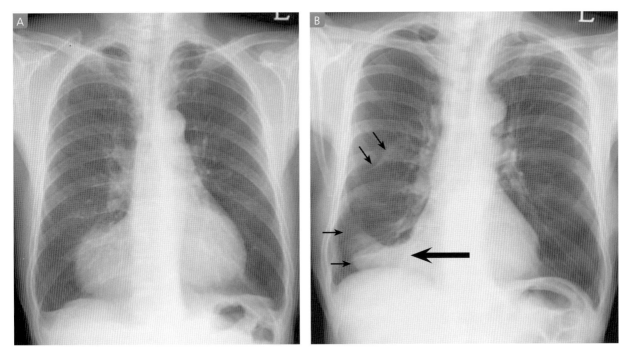

■ 그림 3-5. 심장과 실루엣징후
A. 전종격에 위치한 심막 낭종에 의해 오른쪽 심장 경계가 소실되었다. **B.** 오른쪽 대엽 사이 틈새(major fissure, 가는 화살표)의 앞쪽에 있는 흉막삼출에 의해 오른쪽 심장 경계가 소실되었다(굵은 화살표).

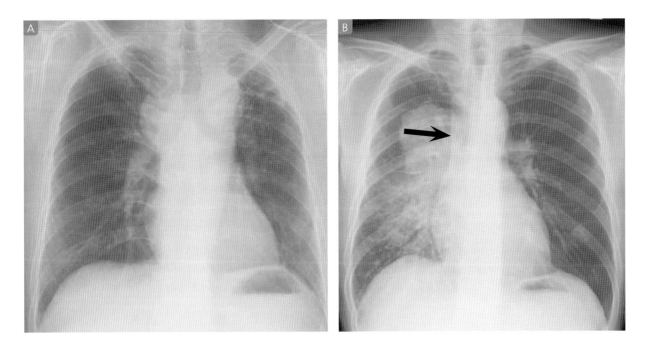

■ 그림 3-6. 상대정맥과 실루엣징후
A. 오른쪽 상부의 전종격 종양에 의해 상대정맥의 경계가 소실되었다. **B.** 오른쪽에 상대정맥 및 심장과 겹치는 폐 병변이 있으나 이들의 경계가 소실되지 않았다(화살표). 병변은 이 구조물들과 접하고 있지 않음을 알 수 있으며, 보다 뒤쪽에 위치한 우상엽 후분절과 우하엽에 위치한 병변이다.

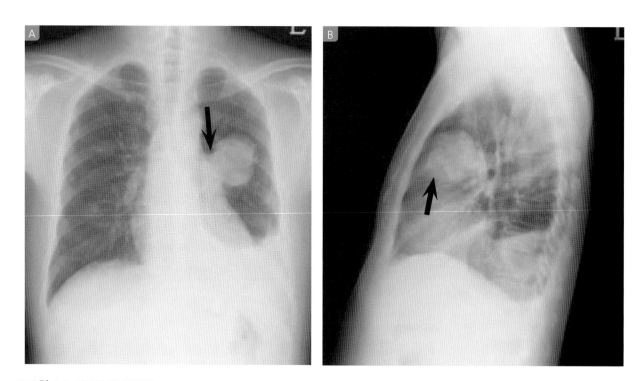

■ 그림 3-7. 좌상엽 전분절병변
A. 흉부X선 후전사진에서 왼쪽 상부의 심장 경계 소실을 동반한 종괴가 있다(화살표). **B.** 측면사진에서 좌상엽, 특히 앞쪽에 위치한 전분절의 병변임을 알 수 있다(화살표).

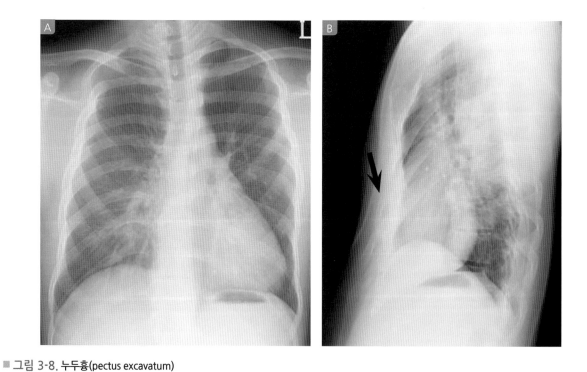

■ 그림 3-8. 누두흉(pectus excavatum)
A. 흉부 X선 후전사진에서 오른쪽 심장 주위의 음영이 증가되어 우중엽 병변으로 오인될 수 있다. **B.** 측면사진에서 흉벽함몰을 확인할 수 있으며(화살표) 후전사진에서 보이는 음영증가의 원인은 안쪽으로 들어간 흉벽이 심장 주위의 폐음영을 대체하기 때문이다.

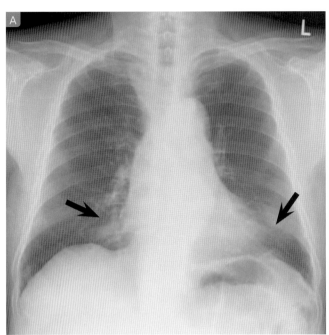
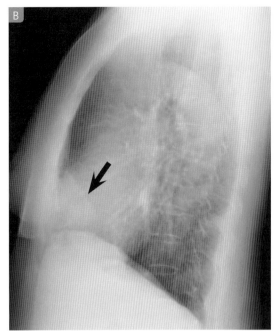

■ 그림 3-9. 심장 주위 지방
A. 심장주위에 축적된 지방으로 인해 양쪽 심장 경계가 흐려져서 우중엽이나 좌상엽 설분절의 병변으로 오인될 수 있다. **B.** 측면 사진에서 음영이 흉골 뒤쪽에 기저를 두고 폐문부를 향하지 않는다.

은 우상엽, 특히 전분절이나 전종격에 병변이 있음을 시사한다. 흉부X선사진에서 같은 위치에 병변이 있지만 상대 정맥의 경계가 잘 보인다면 이 병변은 우상엽 후분절과 같이 뒤쪽에 위치한 것이다(**그림 3-6**). 마찬가지로 왼쪽 상부 심장 경계 소실이 있으면 병변은 좌상엽, 특히 전분절에 있음을 의미한다(**그림 3-7**).

누두흉(funnel chest, pectus excavatum)이나 흉추의 굴곡이 소실되어 직선인 경우(straight-back syndrome) 흉부X선 후전사진에서 오른쪽 심장 주위 음영이 증가되어 우중엽 병변으로 오인될 수 있으므로 주의해야 한다(**그림 3-8**). 또한 심장 주위에 지방 조직(pericardial fat)이 많은 경우 심장이나 횡격막 경계가 흐려져 우중엽이나 좌상엽 설분절 병변으로 오인되기 쉬우나 지방은 심장과 같은 연부 조직보다 음영이 낮고, 측면 사진에서 흉골 뒤쪽에 기저를 두고 폐문부로 향하지 않는 것이 우중엽이나 설분절의 폐경화나 허탈과 구별되는 점이다 (**그림 3-9**).측면사진에서도 심장의 경계 소실 여부는 병변의 위치에 대한 유용한 정보를 제공한다. 좌심실은 심장의 뒤쪽 경계를 이루며 좌하엽과 접하고 있다. 그러므로 측면 사진에서 심장의 뒤쪽 경계 소실을 동반한 음영이 보인다면 좌하엽에 병변이 있음을 알 수 있고 후전 사진에서 잘 보이지 않는 병변을 발견하는데 도움이 된다(**그림 3-10**).

2. 대동맥과 실루엣징후

상행 대동맥은 흉부의 앞쪽에 위치하며 정상적으로 흉부X선 후전사진에서 보이지 않지만, 나이든 환자나 상행 대동맥이 늘어나 상대정맥의 바깥쪽으로 돌출한 경우 오른쪽 상부 종격 경계를 이룬다. 그러므로 돌출한 상행 대동맥의 경계를 소실시키는 병변이 있다면 그것은 우상엽 전분절이나 전종격과 같이 앞쪽에 위치한 병변이다. 대동맥궁은 오른

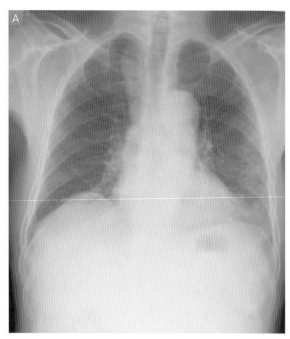
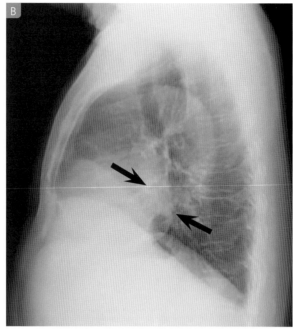

■ 그림 3-10. 측면사진에서 잘 보이는 좌하엽 병변
A. 흉부X선 후전사진에서 병변이 눈에 띄지 않는다. **B.** 측면사진에서 심장 뒤쪽 경계소실을 동반한 음영증가 병변이 있어 좌하엽에 종괴가 있음을 진단할 수 있다(화살표).

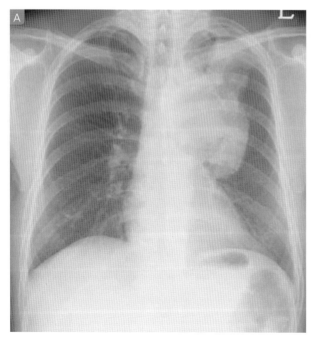
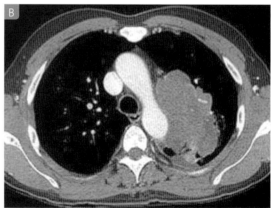

■ 그림 3-11. 대동맥 융기와 실루엣징후 - 좌상엽 첨후분절병변
A. 흉부X선 후전사진에서 왼쪽 상부 음영증가 병변에 의해 대동맥융기의 경계가 보이지 않는다. **B.** 흉부 CT에서 좌상엽, 특히 첨후분절을 침범하는 종괴를 확인할 수 있다.

쪽 앞에서 왼쪽 뒤로 뻗어 있으며 하행 대동맥으로 이행하는 부위가 흉부X-선 후전사진에서 돌출된 둥근 음영으로 보이는데 이것을 대동맥 융기(aortic knob)라고 한다. 대동맥융기의 실루엣이 사라진다면 좌상엽 첨후분절(apicoposterior

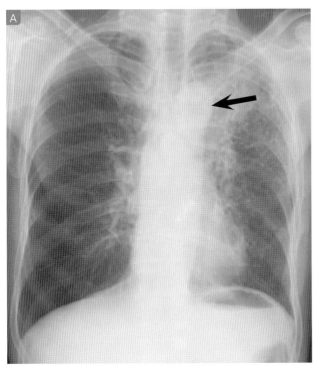
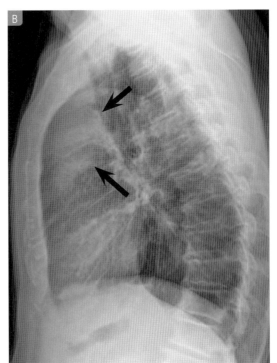

■ 그림 3-12. 좌상엽 전분절 병변
A. 흉부X선 후전사진에서 그림 3.11과 비슷한 왼쪽 상부에 음영증가 병변이 있으나 대동맥 융기의 경계가 사라지지 않았다(화살표). B. 측면사진에서 좌상엽 전분절에 위치한 병변임을 확인 할 수 있다(화살표).

segment)이나 후종격의 병변을 의심해 보아야 한다(그림 3-11). 반면 흉부X-선 후전사진에서 대동맥융기와 겹치지만 대동맥융기의 경계가 보인다면 병변은 좌상엽의 전분절이나 전종격과 같이 앞쪽에 있거나 좌하엽 상분절과 같이 훨씬 더 뒤쪽에 있는 것이다(그림 3-12).

하행 대동맥은 흉추의 왼쪽으로 주행하며, 좌하엽의 상분절이나 후분절 또는 후종격을 침범하는 병변에 의해 경계가 사라진다(그림 3-13). 측면사진에서도 하행 대동맥의 음영을 살펴보면 병변의 존재나 위치를 파악하는 데 도움이 된다(그림 3-14).

3. 횡격막과 실루엣징후

횡격막은 둥근 지붕(dome) 형태이며 가장 높이 위치하는 부분(정점)에 의해 흉부X선 후전사진에서 보이는 모양이 결정된다. 횡격막 정점의 위치는 사람에 따라 다양한데

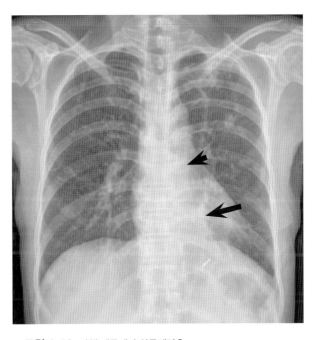

■ 그림 3-13. 하행 대동맥과 실루엣징후
흉부X선 후전사진에서 하행 대동맥(화살촉)의 경계가 국소적으로 소실되어 좌하엽에 병변이 있음을 알 수 있다(화살표).

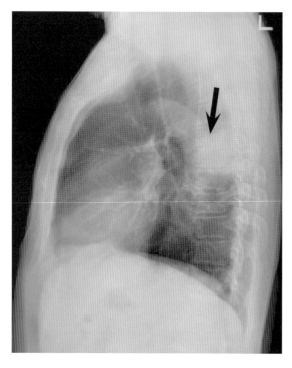

■ 그림 3-14. 측면 사진에서 하행 대동맥과 실루엣징후
측면사진에서 하행대동맥의 일부가 보이지 않으며 좌하엽 상분절에 병변이 있다
(화살표).

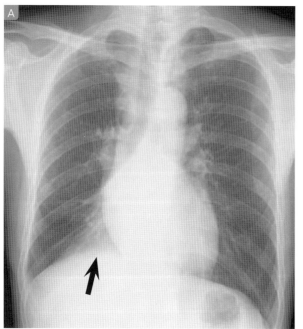 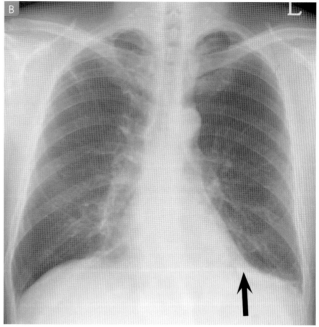

■ 그림 3-15. 횡격막과 실루엣징후
우하엽과 좌하엽 허탈에 의해 오른쪽(A)과 왼쪽(B) 횡격막의 경계가 각각 소실 되었다 (화살표).

대개 앞쪽에 있으며 우중엽 아래나 우하엽의 앞쪽 아래에 위치한다. 그러므로 오른쪽 횡격막 경계 소실은 우하엽 병변
에 의한 경우가 흔하지만(그림 3-15A) 우중엽 병변에 의해서도 오른쪽 횡격막의 안쪽 경계가 소실될 수 있다(그림 3-16).

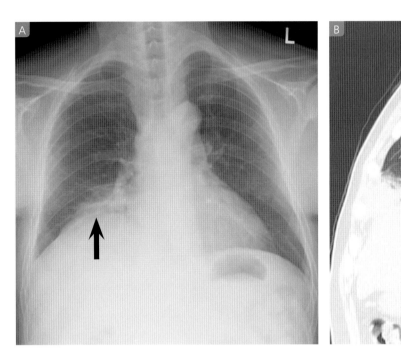

■ 그림 3-16. 우중엽 병변에 의한 오른쪽 횡격막 경계소실

A. 우중엽 병변에 의해 오른쪽 횡격막의 경계가 일부 소실되었다(화살표). **B.** CT 시상면 사진에서 횡격막의 정점이 우중엽 아래에 있고 우중엽 병변과 횡격막의 정점이 접해있음을 알 수 있다(화살표).

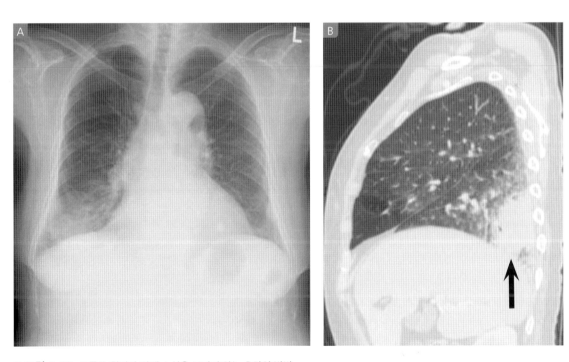

■ 그림 3-17. 오른쪽 횡격막 경계 소실을 보이지 않는 우하엽 병변

A. 오른쪽 하부 폐야에 횡격막과 중첩되는 음영증가 병변이 있지만 횡격막의 경계가 소실되지 않았다. **B.** CT의 시상면 사진에서 우하엽 병변이 횡격막의 정점보다 뒤쪽에 있음을 알 수 있다(화살표).

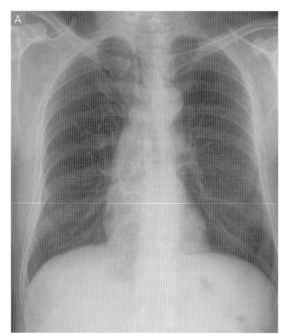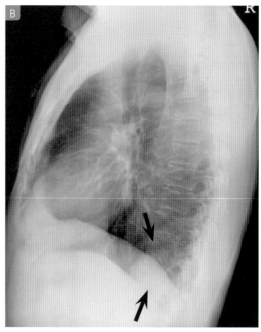

■ 그림 3-18. 좌하엽 후분절 병변

A. 흉부X선 후전사진에서 종괴가 횡격막과 심장에 가려 잘 보이지 않지만 **B.** 측면사진에서 왼쪽 횡격막의 뒤쪽 경계 소실을 동반한 좌하엽 후분절 종괴를 볼 수 있다(화살표).

왼쪽 횡격막의 경우 안쪽이 심장과 닿아 있으므로 흉부X선 후전사진에서 정상에서도 왼쪽 횡격막의 안쪽 경계가 보이지 않을 수 있다. 왼쪽 횡격막 전체, 또는 바깥쪽 경계가 사라지면 좌하엽에 병변이 있음을 의미한다(그림 3-15 B). 실제로 하엽의 병변이 횡격막과 접해 있어도 정점이 아닌 부분에 접해 있거나, 횡격막이 구불구불하여 하나 이상의 지붕을 형성하는 경우는 병변과 접하지 않은 부분 때문에 횡격막의 경계가 소실되지 않는다(그림 3-17). 때로 측면사진에서 횡격막의 음영을 추적하는 것이 병변의 발견이나 위치 파악에 매우 유용하다. 측면사진에서 횡격막의 뒤쪽 경계를 추적하면 후전사진에서 잘 보이지 않는 하엽 후분절의 병변이나 하엽의 심한 허탈을 진단하는 데 도움이 된다. 특히 좌하엽 후분절의 병변은 심장과 횡격막에 가려 후전사진에서 쉽게 눈에 띄지 않으므로 측면 사진을 면밀히 관찰하는 것이 중요하다(그림 3-18).

이러한 실루엣 징후는 병을 발견하고 위치를 파악하는데 매우 유용하지만 적절히 투과된 사진에서 적용하여야 한다. 투과가 덜 된 사진에서는 병변과 같은 평면에 있지 않더라도 정상 구조물의 경계가 흐려져 실루엣 징후 양성인 것처럼 보일 수 있기 때문이다. 또한 병변의 음영이 주변 구조물과 비슷한 정도로 충분히 높지 않을 경우, 병변과 구조물이 접해 있더라도 실루엣징후가 나타나지 않는다.

Ⅲ 폐, 종격, 흉막, 흉벽 병변의 감별

흉부X선사진에서 실루엣징후를 적용하여 병변의 대략적 위치를 파악하였더라도 실제로 이것이 폐에 있는지 종격이나 흉막 또는 흉벽에 있는지 구별이 필요하다. 흉부X선사진에서 기도는 중심부의 큰 기관지나 폐실질에서 X선에 정면(end

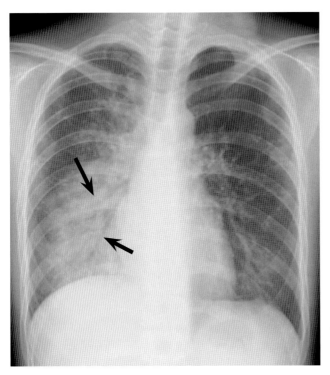

■ 그림 3-19. 공기기관지조영
오른쪽에 음영증가 병변이 있으며 기관지 내에 있는 공기가 상대적으로 검게 나타나서 기관지를 잘 볼 수 있다(화살표). 폐렴과 같은 폐포강을 충만 시키는 폐실질의 병변임을 알 수 있다.

on)으로 주행하는 기관지를 제외하고는 보이지 않는다. 그러나 폐포 내의 공기가 삼출성 물질로 대체되면 X선사진에서 폐실질 음영이 증가되고 기관지 내부의 공기가 검게 대조되어 관이나 나뭇가지 모양으로 보이는데 이것을 공기 기관지조영(air bronchogram)이라고 한다(그림 3-19)[2]. 따라서 음영 증가 병변에 의해 폐 혈관 음영이 사라지고 공기 기관지조영이 보이면 병변의 위치는 폐실질이며 폐포를 채우는 병변임을 시사한다. 가장 흔한 원인은 폐렴과 폐부종을 꼽을 수 있다. 공기 기관지조영이 보이는 것은 기관지가 막히지 않았다는 것을 의미한다. 그러나 때로 종양에 의해 기관지의 부

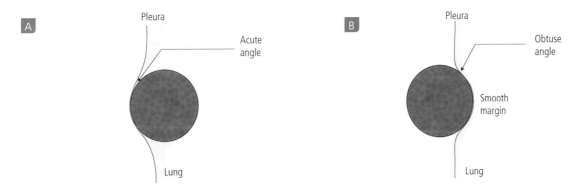

■ 그림 3-20. 폐 병변과 흉막외 병변
A. 폐병변이 흉막, 흉벽, 종격을 침범할 경우, 종괴의 중심이 폐에 있으므로 침범 부위와 예각을 이루는 경우가 흔하고 경계는 폐병변의 성상에 따라 평활하거나 소엽상 또는 불규칙하게 나타난다. B. 흉막외 병변이 폐쪽으로 자라나올 경우 흉막을 들어 올리게 되어 경계가 평활하고 매끈하게 보이며 원발부위측과 접한 면이 길고 둔각을 이룬다.

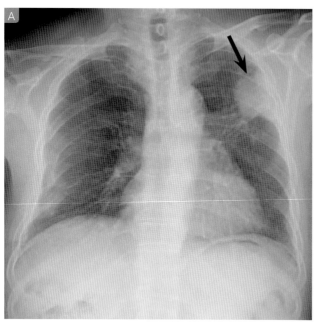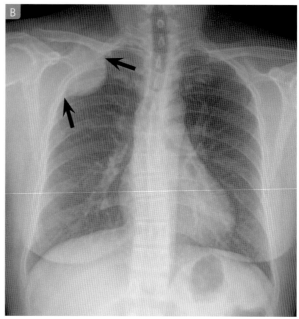

■ 그림 3-21. 폐 병변과 흉벽 병변

A. 폐병변이 흉벽을 침범한 경우 흉벽과 만나는 부위는 예각을 이루고 병변의 경계가 소엽상을 보인다(화살표). **B.** 폐로 돌출한 흉벽종양의 경우 폐와 만나는 부위는 둔각을 이루고(화살표) 병변의 경계가 평활하다.

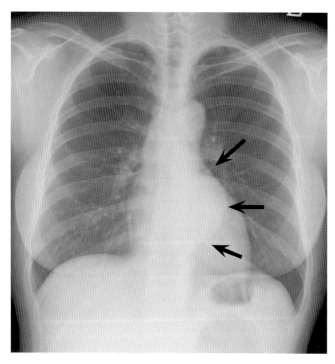

■ 그림 3-22. 종격 병변

왼쪽 후종격에 발생한 종괴로 경계가 평활하고 선명하다(화살표). 병변이 종격과 접한 부위가 가장 길고 둔각을 이룬다.

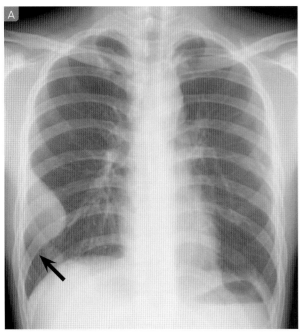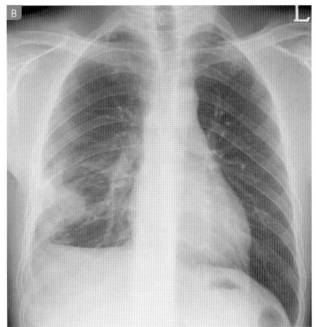

■ **그림 3-23. 흉막 병변**
A. 병변의 경계가 평활하며 가운데는 선명하고 위 아래로 가면서 소멸되는 형태를 보인다. **B.** 오른쪽 흉막 비후를 동반하고 있다.

분적 폐쇄가 있으면서 폐쇄후폐렴이 생긴 경우에도 공기 기관지조영이 보이는 경우가 있으므로 해석에 유의하여야 한다 [3].

　폐에서 발생한 병변은 주변 폐실질에 둘러싸여 경계가 비교적 뚜렷하며 병변의 성상에 따라 평활하거나 소엽상 또는 불규칙하게 보인다. 폐에서 발생한 병변이 흉막이나 흉벽, 종격을 침범하는 경우라도 병변의 중심이 폐에 있으므로 침범 부위와의 경계는 예각을 이루는 경우가 흔하다(그림 3-20A, 3-21A). 반면 종격이나 흉막, 흉벽 병변이 폐쪽으로 자라 측면으로 보일 때 원발 부위 쪽의 길이가 길고 둔각을 이룬다(그림 3-20B, 3-21B, 3-22, 3-23)[4]. 종괴를 형성하는 경우, 가운데는 볼록하고 선명하지만 위 아래는 얇고 점차 희미해지는 특징을 보인다(그림 3-23). 특히 흉벽이나 종격에서 발생한 경우는 흉막을 들어올리면서 자라므로 폐와 만나는 경계가 평활하고 매끈하다(그림 3- 21B, 3-22).

　흉벽 병변과 흉막 병변의 구별은 쉽지 않은 경우가 많고 벽측 흉막에서 발생한 병변은 흉벽 병변과 유사한 소견을 보인다. 흉막 비후나 흉수가 동반된 소견이 있으면 흉막 병변의 가능성이 높다(그림 3-23B). 흉곽을 이루는 뼈가 파괴되는 소견이 동반된 경우 흉벽 병변 가능성이 더 높으며, 흉벽 병변이 폐와 만나는 경우 사이에 있는 흉막이 밀리면서 경계가 보다 매끈하고 선명하게 나타난다(그림 3-24).

　때로 뒤쪽이나 앞쪽에 위치한 흉벽이나 흉막 병변이 폐를 통해 정면으로 보일 때는 폐병변과 혼동될 수 있다. 이때, 경계가 매우 희미하고 병변을 지나가는 정상 폐혈관이 보인다면 폐실질보다는 흉막이나 흉벽 병변임을 판단하는데 도움이 된다(그림 3-24B). 피부의 결절은 주위 공기에 의해 둘러싸여 경계가 매우 예리하게 보이는 것이 특징이다(그림 3-25). 유두 음영의 경우 반대편 비슷한 위치에 대칭되는 음영을 찾을 수 있으므로 감별이 가능하다.

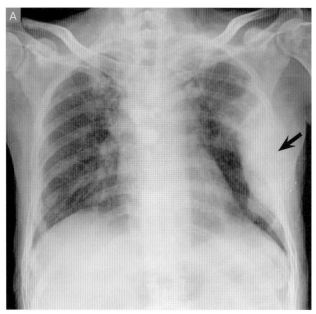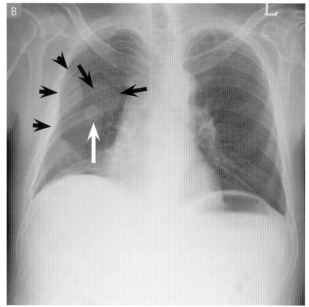

■ **그림 3-24. 흉벽 병변**

A. 왼쪽 상부에 평활한 경계의 종양이 있으며 인접한 갈비뼈 파괴 소견이 보인다(화살표). **B.** 오른쪽에 다수의 흉벽 종양이 보이며 흉벽과 접한 면이 가장 길다(화살촉). 뒤쪽 흉벽에 위치한 병변이 정면으로 보이는 경우 경계가 폐병변보다 희미하고 내부에 정상 폐혈관 음영이 보인다(화살표). 반면 폐 결절의 경우 폐에 둘러싸인 사방의 경계가 보다 뚜렷하다(흰색 화살표).

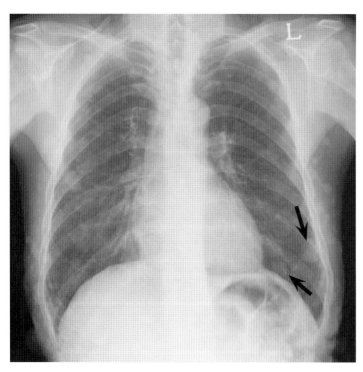

■ **그림 3-25. 피부 병변**

신경섬유종증환자에서 피부 결절이 주위 공기에 둘러싸여 경계가 매우 분명하게 보인다(화살표).

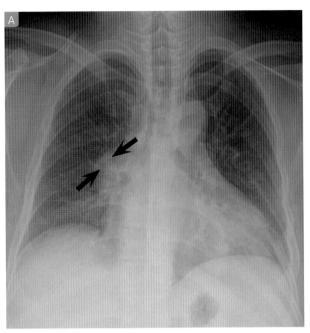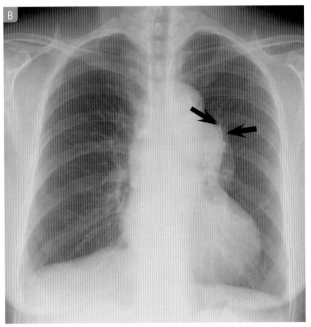

■ 그림 3-26. 폐문부 음영의 감별

A. 오른쪽 폐문부가 커져 있으며 폐혈관 분지(화살표)가 뻗어 나가는 모양이 음영의 안쪽에서 관찰된다. 폐문부 이상으로 보인 전종격 종괴이다. **B.** 폐동맥 고혈압 환자로 왼쪽 폐문부가 커져 있으며 폐혈관 분지가 음영의 경계에서 뻗어 나가는 소견을 보인다. 확장된 폐동맥의 예이다.

Ⅳ 폐문부 음영의 감별

폐문부에 이상 음영이 보이는 경우, 커진 중심 폐동맥이나 심장 음영인지 종격이나 폐문부 종양에 의한 것인지 구별이 필요하다. 이상 음영의 안쪽으로 폐혈관이 명확하게 보이면 이상 음영은 폐혈관보다 앞이나 뒤쪽에 위치한 종양이며 폐혈관은 정상 폐에 둘러 싸여있는 상태라고 볼 수 있다[5]. 특히 이상 음영의 경계에서 1 cm 이상 안쪽에서 폐혈관 분지가 명확히 보이면 이상 음영은 커진 폐혈관이나 심장이 아니라 종격 또는 폐문부 종양일 가능성이 크다(그림 3-26A)[4]. 왜냐하면, 종격이나 폐문부 종양이 폐혈관을 바깥쪽으로 밀어내는 경우는 드물기 때문이다. 반면, 폐혈관의 분지가 이상 음영의 경계나 경계 가까이에서 뻗어 나가는 형태를 보인다면 커진 음영은 확장된 폐혈관이나 심장으로 볼 수 있다(그림 3-26B).

Ⅴ 상부 종격 병변의 감별

전종격은 위쪽으로 쇄골에서 끝나지만 후종격은 쇄골 상부까지 이어진다. 그러므로 흉부X선 후전사진에서 쇄골 상부에서 경계가 선명한 병변이 보인다면 기관보다 후방에 위치한 후종격 병변이다(그림 3-27A). 반면, 선명하던 병변의 경계가 쇄골 상부로 갈수록 불분명해지면 이것은 기관보다 앞쪽에 위치한 전종격의 병변이며 목으로 이어지는 것이다(경흉부징후, cervicothoracic sign)(그림 3-27B)[6]. 나이가 많은 환자에서 오른쪽 팔머리동맥(right bracheocephalic artery)이 늘어나서 뒤쪽 바깥쪽으로 돌출한 경우 상부 종격 종양으로 오인될 수 있으므로 주의가 필요하다(그림 3-28). 아래와 바깥

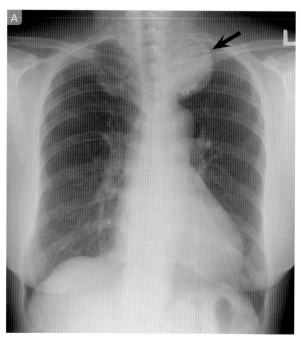
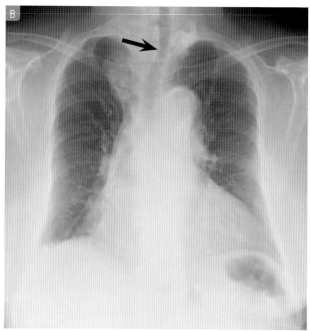

■ 그림 3-27. 상부 종격 병변

A. 왼쪽 상부 종격 병변이 보이며 쇄골 상부에서도 경계가 선명하다(화살표). 기관보다 뒤쪽에 위치한 후종격 종괴이다. **B.** 오른쪽 상부에 종괴가 있으며 쇄골 상부 위쪽 경계는 보이지 않아 전종격에 위치한 것이며 목까지 이어지고 있음을 알 수 있다(경흉부징후). 갑상선 종괴가 커져 전종격까지 내려온 경우로 기관이 눌린 소견이 보인다(화살표).

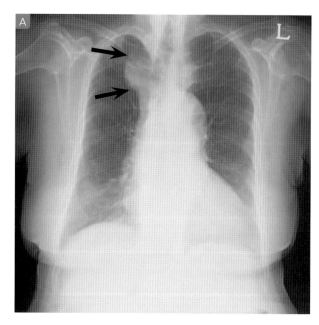

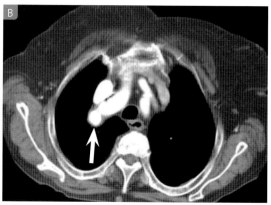

■ 그림 3-28. 고령의 환자에서 종격 병변으로 오인되기 쉬운 오른쪽의 굽은 팔머리동맥

A. 흉부X선 후전사진에서 오른쪽 상부에 종괴양 음영이 있으며 쇄골 상부의 경계가 보이지 않는다(화살표). **B.** CT에서 뒤 바깥쪽으로 굽은져 나온 팔머리동맥임을 알 수 있다(화살표).

쪽 경계는 명확하지만 위쪽 경계가 흐릿해지는 것이 특징이며 측면이나 전만 사진(lordotic view)이 있으면 감별에 도움이 된다[7, 8].

이상과 같이, 흉부 장기들의 삼차원적인 구조와 위치를 이해하고 여러 가지 징후를 숙지하여 적용하면 병변의 위치를 알 수 있고 더 나아가 병변의 양상을 파악하여 정확한 진단에 근접할 수 있을 것이다.

참고문헌

1. Felson B, Felson H. Localization of intrathoracic lesions by means of the postero-anterior roentgenogram; the silhouette sign. Radiology 1950;55:363-374.

2. Fleischner FG. The visible bronchial tree: a roentgen sign in pneumonic and other pulmonary consolidations. Radiology 1948;50:184-189.

3. Collins J. CT signs and patterns of lung disease. Radiol Clin North Am. 2001;39:1115-1135.

4. Ellis R. Incomplete border sign of extrapleural masses. JAMA 1977;237:2748.

5. Marshall GB, Farnquist BA, MacGregor JH, Burrowes PW. Signs in thoracic imaging. J Thorac Imaging. 2006;21:76-90.

6. Felson B. More chest roentgen signs and how to teach them. Radiology 1968;90:429-441.

7. Christensen EE, Landay MJ, Dietz GW, Brinley G. Buckling of the innominate artery simulating a right apical lung mass. AJR Am J Roentgenol 1978;131:119-123.

8. Schneider HJ, Felson B. Buckling of the innominate artery simulating aneurysm and tumor. AJR Am J Roentgenol 1961;85:1106-1110.

CHAPTER
04

폐간질을 주로 침범하는 폐질환 유형

| 강은영 |

Ⅰ 폐간질을 주로 침범하는 미만성폐질환

폐간질(interstitium)은 폐포벽(alveolar wall), 폐소엽간중격(interlobular septum), 기관혈관주위간질(peribronchovascular interstitium)과 같은 폐의 지지조직을 말한다. 미만성간질폐질환(diffuse interstitial lung disease)은 폐간질을 미만성으로 광범위하게 침범하는 질환군이며, 간질폐질환들도 간질과 폐포를 동시에 침범하거나 일부에서는 폐포 침범이 더 우세한 소견일 수 있다. 따라서 미만성간질폐질환보다는 미만성침윤폐질환(diffuse infiltrative lung disease) 또는 미만성폐실질질환(diffuse parenchymal lung disease)이라는 용어가 실제 이러한 질환들을 대변하는 용어일 수 있다.

미만성간질폐질환군 또는 미만성침윤폐질환군에는 다양한 종류의 많은 질환들이 속하며 분류법도 다양하지만, 2002년 미국흉부학회와 유럽호흡기학회(American Thoracic Society/European Respiratory Society, ATS/ERS)가 합의한 분류에서는 크게 4가지로 구분하였고 그 분류는 다음과 같다[1]. ① 투약, 교원혈관병(collagen vascular disease), 진폐증(pneumoconiosis), 과민폐렴(hypersensitivity pneumonia)과 같이 동반한 원인이 밝혀진 간질폐질환, ② 특발성간질폐렴(idiopathic interstitial pneumonia, IIP), ③ 사르코이드증(sarcoidosis)과 같은 육아종성질환, ④ 림프관평활근종증(lymphangioleiomyomatosis, LAM), 폐랑게르한스세포조직구증(pulmonary langerhans cell histiocytosis; PLCH, pulmonary histiocytosis X, eosinophilic granuloma), 호산구폐렴(eosinophilic pneumonia)을 포함하는 기타 질환으로 구분하였다. 그 중 특발성간질폐렴은 원인 불명의 간질폐질환으로 역시 2002년 미국흉부학회와 유럽호흡기학회에서 7개의 질환 즉 특발폐섬유증(idiopathic pulmonary fibrosis, IPF; fibrosing alveolitis; usual interstitial pneumonia, UIP), 비특이간질폐렴(nonspecific interstitial pneumonia, NSIP), 급성간질폐렴(acute interstitial pneumonia, AIP), 특발기질폐렴(cryptogenic organizing pneumonia, COP), 박리간질폐렴(desquamative interstitial pneumomia, DIP), 호흡세기관지염-간질폐병(respiratory bronchiolitis-interstitial lung disease, RB-ILD), 림프구간질폐렴(lymphoid interstitial pneumonia, LIP)으로

분류하였다[1]. 2013년 미국흉부학회와 유럽호흡기학회에서는 특발성간질폐렴의 분류를 개정하였고, 크게 3가지 군 즉 중요한(major), 드문(rare), 그리고 분류할 수 없는(unclassifiable) 특발성간질폐렴군으로 구분하였다[2]. 중요한 특발성간 질폐렴에는 특발폐섬유증, 비특이간질폐렴, 호흡세기관지염-간질폐병, 박리간질폐렴, 급성간질폐렴 등 6개의 질환이 속하고 드문 특발성간질폐렴에는 림프구간질폐렴과 특발흉막폐탄력섬유증(idiopathic pleuroparnchymal fibroelastosis) 이 속한다.

　미만성간질폐질환군에는 다양한 많은 질환들이 속하지만 실제 임상에서 접하는 질환들은 20여 종류에 그친다. 따라 서 미만성간질폐질환의 진단을 처음 시도할 때는 어렵고 드문 질환들보다는 흔히 접하는 질환들부터 감별하는 것이 순 서이다.

❷ 폐간질을 주로 침범하는 폐질환의 흉부X선사진 진단 접근

미만성간질폐질환의 영상의학 진단은 흉부X선사진과 흉부고해상CT를 이용하며, 흉부X선사진과 흉부고해상CT는 미 만성간질폐질환의 진단을 위한 가장 중요하고 기본이 되는 진단 도구이다. 흉부X선사진은 매우 경제적이고 공간분해 능이 뛰어나 미만성간질폐질환의 진단을 위해 시행하는 첫 번째 검사로서 매우 유용하나, 병변이 겹쳐 보이고 정확한 위치 결정에 어려움이 있어 질환의 진단과 감별에 있어서 민감도와 특이도가 떨어진다. 반면 흉부고해상CT는 흉부X선 사진에 비해 구조물들이 겹쳐 보이지 않아 병변의 형태와 분포를 훨씬 잘 파악할 수 있고 따라서 질환의 진단과 감별에 우월하다[3-5]. 질환의 진단과 감별에 있어 흉부고해상CT가 흉부X선사진에 비해 우월함에도 불구하고, 흉부X선사진은 경제적이고 공간분해능이 뛰어나며, 방사선조사량이 월등히 적어, 여전히 폐질환의 진단을 위해 시행하는 첫 번째 검사 로서 그리고 추적 검사로서 매우 유용하다. 흉부X선사진은 폐간질을 침범하는 폐질환을 진단하는데 가장 중요한 기본 이 되는 진단도구이나, 흉부X선사진을 이용하여 미만성간질폐질환을 진단하는 것은 영상의학 진단 영역 중 가장 어려 운 일 중의 하나이다.

　폐포와 폐간질을 침범하는 대부분의 질환들은 흉부X선사진에서 폐의 음영증가를 일으킨다. 흉부X선사진에서 폐의 음영증가를 인지하고, 증가된 음영이 폐포공간을 주로 침범한 질환인지 폐간질을 주로 침범한 질환인지 구분하는 것은 매우 유용한 진단 접근법이다. 그러나 때로는 폐포공간을 주로 침범하는 질환인지 또는 폐간질을 주로 침범하는 질환인 지 구분이 되지 않으며, 두 형태가 혼합되어 있는 경우도 있다.

　흉부X선사진에서 다양한 선들, 교차하는 선들, 다각형의 그물음영들, 결절들이 양 폐에 광범위하게 특히 대칭적으로 분포한다면 폐간질을 주로 침범한 폐질환을 먼저 고려하여야 한다. 폐간질을 미만성으로 광범위하게 침범하는 질환들 의 흉부X선사진에서의 소견은 선음영 형태(linear pattern), 그물음영 형태(reticular pattern), 낭음영 형태(cystic pattern), 결절음영 형태(nodular pattern), 간유리음영 형태(ground-glass pattern)로 구분해 볼 수 있다[5-7]. 따라서 폐간질을 주로 침범한 폐질환이라고 판단되면 다음으로는 흉부X선사진에서의 유형을 구분해서 진단에 도달하고자 한다. 때로는 폐간 질을 주로 침범하는 질환이라고 판단하여도 위에서 기술한 유형으로 구분할 수 없는 경우가 있으며, 더욱이 미만성간질 폐질환의 약 10%에서는 흉부X선사진에서 정상으로 보인다[8]. 흉부X선사진에서 폐간질을 주로 침범하는 질환이라고 판단될 때, 앞에서 기술한 유형들 즉 선음영, 그물음영, 낭음영, 결절음영, 간유리음영등으로 구분해보고, 이어서 구분한 유형의 분포를 파악해본다. 인지된 유형의 주된 분포 즉 상부, 중간부, 하부 폐야에 분포하는지 아니면 전 폐야에 고르게 분포하는지, 중심부 또는 주변부 폐야에 우월하게 분포하는지를 파악하는 것은 감별진단에 매우 중요하다(표 4-1). 흉부 X선사진에서의 주된 유형과 그 분포에 더해서 동반된 소견들인 림프절비대의 유무, 기흉, 흉막삼출의 유무, 폐 용적의

표 4-1. 미만성간질성폐질환: 흉부X선사진에서의 유형과 분포에 따른 감별진단

유형	분포
1. 선음영 형태 　정수압폐부종 　림프관성폐전이암 　폐간질을 주로 침범하는 급성감염폐렴 2. 그물음영 형태 　특발폐섬유증, 상용간질폐렴 　교원혈관병과 동반하여 폐섬유화를 일으키는 간질폐렴 　석면폐증 　만성과민폐렴 　폐섬유화시기의 폐사르코이드증 3. 낭음영 형태 　폐랑게르한스세포조직구증 　림프관평활근종증 4. 결절음영 형태 　속립폐결핵 　속립폐전이암 　규폐증, 탄광부진폐증 　폐사르코이드증 　미만성범세기관지염 5. 간유리음영 형태 　급성호흡곤란증, 급성간질폐렴 　비특이간질폐렴 　박리간질폐렴 　호흡세기관지염-간질폐병 　급성 또는 아급성 과민폐렴	1. 상부폐야 　폐랑게르한스세포조직구증 　규폐증, 탄광부진폐증 　폐사르코이드증 　급성 또는 아급성 과민폐렴 2. 하부폐야 　정수압폐부종 　특발폐섬유증 　교원혈관병과 동반하여 폐섬유화를 일으키는 간질폐렴 　석면폐증 　폐전이암 　미만성범세기관지염 　비특이간질폐렴 　박리간질폐렴 　폐포단백증 3. 중심부폐야 　폐사르코이드증 4. 주변부폐야 　특발폐섬유증 　교원혈관병과 동반하여 폐섬유화를 일으키는 간질폐렴 　석면폐증 　비특이간질폐렴 　박리간질폐렴

변화 등의 소견들도 감별진단에 도움을 준다.

　영상의학 진단은 또한 임상 소견, 폐기능 검사, 그리고 검사실 소견 등을 고려하여야 한다. 즉 환자의 성별, 가족력, 직업력, 흡연력, 질환이 급성인지 만성인지, 환자의 면역기능이 저하되어 있는지, 유기질 혹은 무기질 분진에 접한 과거력이 있는지, 투약이나 방사선조사와 같은 과거력은 미만성간질폐질환의 감별진단에 많은 도움을 준다. 흉부X선사진에서의 주된 유형과 그 분포, 동반 소견들, 그리고 임상 소견, 폐기능 검사, 검사실소견들이 더해진다면, 미만성간질폐질환의 특이 진단도 가능하다[5, 6].

Ⅲ 폐간질을 주로 침범하는 폐질환의 흉부X선사진에서의 유형

1. 선음영 형태

흉부X선사진에서 폐의 주변부 또는 폐문에서 주위로 뻗어가는 가는 선음영들이 양 폐에 광범위하게 분포하면 선음영

표 4-2. 선음영 형태를 보이는 질환

원인 질환	주 소견	동반 소견
정수압폐부종	선음영이 양폐에 대칭으로 보이며 하부폐야에 더 많이 분포	상부 폐혈관음영의 증가, 중심부 폐야에 미만성 간유리음영 또는 폐경화, 심비대, 흉막삼출
림프관성폐전이암	선음영이 광범위하게 분포하고, 좀 더 비대칭적이거나 일측성이면 감별진단에 도움	폐문 또는 종격의 림프절 종대, 흉막삼출
폐간질을 주로 침범하는 급성 감염폐렴	선음영이 미만성으로 분포하며, 비대칭적으로 또는 일측성으로도 발현	폐렴의 임상증상

형태로 인지한다. 흉막에 닿고 흉막에 수직으로 보이는 1-2 cm 길이의 선 음영(Kerley B선)과 폐문을 향하는 좀 더 긴 2-6 cm 길이의 선 음영(Kerley A선)은 폐소엽간중격의 비후에 의하며, 폐소엽간중격비후는 액체, 세포, 섬유화 등에 의한다(그림 4-1). 선음영 형태를 보이는 가장 중요한 질환으로는 정수압폐부종(hydrostatic pulmonary edema)과 림프관성폐전이암(lymphangitic carcinomatosis)이 있다. 바이러스 그리고 마이코플라즈마(mycoplasma) 폐렴과 같은 폐간질을 주로 침범하는 급성 감염성폐렴에서도 선음영 형태를 보인다(표 4-2).

정수압폐부종은 흉부X선사진에서 선음영 형태를 보이는 가장 흔한 질환이다. 정수압폐부종은 심장질환, 신부전, 수분과잉등의 원인들에 의해 혈관밖의 폐조직에 체액이 저류되어 발생한다. 체액은 처음에는 폐간질에 고이기 시작하며 이후 폐포로 넘치게 된다. 흉부X선사진에서 크게 2가지의 형태를 구분할 수 있는데 하나는 주로 폐간질에 부종이 있는 경우이고 다른 하나는 주로 폐포에 부종이 있는 경우이다. 주로 폐간질에 분포하는 폐부종의 경우 흉부X선사진에서 선음영 형태로 보이고, 선음영은 대칭으로 분포하며 하부 폐야에 더 많이 분포한다(그림 4-1). 동반된 소견들인 상부 폐야 혈관들의 크기 증가, 불분명한 폐혈관 음영들, 심비대, 흉막삼출이 있다면 정수압폐부종의 진단에 도움이 된다. 선음영 형태를 보이는 다른 질환들이 정수압폐부종의 소견과 유사하여 감별진단이 어려울 때가 있는데, 이런 경우 때로는 이뇨제 치료를 시도하기도 한다. 치료 후 선음영 형태가 호전되면 폐부종에 의한 선음영 형태이다.

림프관성폐전이암은 폐 림프계에 종양이 증식하는 것이다. 발병기전에는 이견이 있으나 림프관성폐전이암은 혈행성으로 종양이 폐에 전달된 후에 림프계를 따라 파급된다. 조직소견에서 간질병변이며 폐간질의 비후를 보인다. 대부분의 환자에서 선행되는 악성종양이 있으며, 유방암, 폐암, 위암, 췌장암의 폐전이때에 흔히 볼 수 있다. 조직학적으로 증명된 림프관성폐전이암 환자의 약 반수에서는 흉부X선사진에서 정상으로 보일 수 있다. 림프관성폐전이암에서의 선음영은 폐 림프계에 종양이 증식하거나 림프관 폐쇄에 의한 부종의 결과로 폐소엽간중격이 비후되어 X선사진에서 보인다. 림프관성폐전이암에서의 선음영은 좀더 비대칭적으로 분포하고, 때로는 일측성으로 발병하므로 감별진단에 도움이 된다. 그물모양음영과 결절음영들이 동반하여 보이기도 하며, 환자의 약 30-50%에서 폐문부 림프절비대와 흉막삼출을 동반한다(그림 4-2).

감염에 의한 간질폐렴에서도 선음영 형태로 보일 수 있으며, 감염성간질폐렴은 어른보다는 소아에서 흔한 형태이다. 흉부X선사진에서 선음영 형태는 보통은 미만성 대칭적으로 분포하나, 비대칭적으로 또는 일측성으로도 발현한다. 기침, 발열, 호흡곤란등과 같은 폐렴에 의한 임상증상들이 있다면 감별진단에 결정적인 역할을 한다. 마이코플라즈마폐렴은 간질폐렴을 일으키는 중요한 원인이지만, 마이코플라즈마폐렴의 일부에서만 간질폐렴으로 발현한다. 바이러스폐

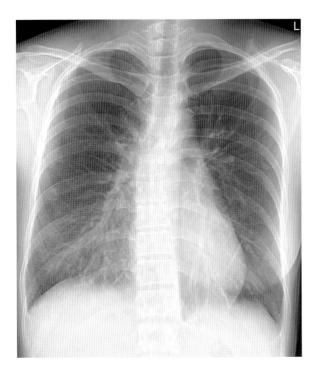

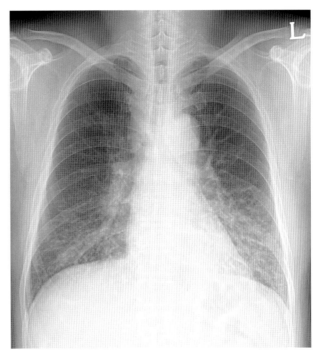

■ 그림 4-1. 선음영 형태로 보이는 정수압폐부종

33세 여자 환자의 흉부X선사진에서 많은 선음영들이 양폐에 광범위하게 보여 선음영 형태로 인지할 수 있다. 환자는 심장초음파 검사에서 폐정맥고혈압과 승모판역류의 소견이 있었으며, 열감을 호소하여 수액을 공급을 하였다. 흉부X선사진에서 주변부 폐야에서 흉벽에 직각으로 주행하는 짧은 선음영은 Kerley's B선이고, 폐문을 향하는 좀 더 긴 길이의 선음영은 Kerley A선이다. 이런 선음영 형태는 다음날 촬영한 흉부X선사진에서 정상으로 회복하였다.

■ 그림 4-2. 림프관성폐전이암

50세 남자환자의 흉부X선사진에서 양폐에 미만성으로 선음영이 증가되어 있으며 작은 결절들도 동반하여 보인다. 이 환자는 신장암이 있었으며, X선사진에서 림프절 종대를 시사하는 양측 폐문과 종격동의 비대를 보인다. 선행하는 암이 있거나, 이뇨제에 반응하지 않거나, 흉부X선사진에서 폐문 또는 종격의 림프절 종대를 동반하거나, 선음영이 비대칭적 또는 일측성으로 분포한다면 림프관성폐전이암의 진단에 도움을 줄 수 있다.

렴 중 홍역이나 호흡기세포융합바이러스(respiratory syncytial virus, RSV)에 의한 폐렴, 츠츠가무시병(scrub typhus)이 가장 흔히 간질폐렴을 일으킨다.

2. 그물음영 형태

불규칙한 선음영, 다각형의 5 mm 이하의 작은 낭성음영, 미세한 그물과 같은 벌집음영들이 주로 양 폐의 기저부와 주변부에서 보이면 그물음영 형태로 인지한다(그림 4-3). 그물음영 형태는 흉부X선 측면사진의 뒤 늑골횡격막각(costophrenic angle) 부위에서 가장 잘 보인다. 그물음영 형태를 보이는 만성 질환으로는 특발폐섬유증, 교원혈관병과 동반하여 폐섬유화를 일으키는 간질폐렴, 석면폐증(asbestosis), 만성과민폐렴(hypersensivity pneumonitis), 폐섬유화 시기의 사르코이드증 등이 대표적인 질환이다(표 4-3).

특발폐섬유증은 원인 불명의 특발성 상용간질폐렴(usual interstitial pneumonia)이며, 가장 흔한 특발성간질폐렴이다. 상용간질폐렴은 그물음영 형태를 보이는 가장 흔한 질환이다. 상용간질폐렴은 원인불명의 특발성으로도 발생하며, 교원혈관병과 같은 자가면역질환에서도 발생한다. 특발폐섬유증은 50-60대에 호발하며, 서서히 진행하고, 예후가 나쁜

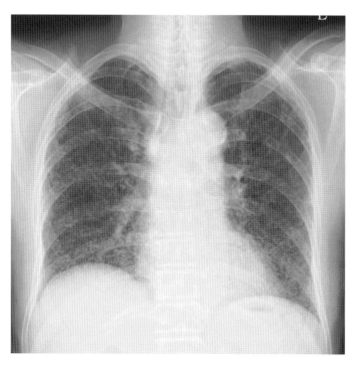

■ 그림 4-3. **특발폐섬유증**
73세 남자 환자의 흉부X선사진에서 거친 그물음영이 양 폐야에 대칭적으로 미만성으로 분포하며, 특히 하부 및 주변부폐야에 더욱 뚜렷하게 보인다. 상부폐야에는 폐기종의 소견도 보인다. 2002년 북미흉부학회와 유럽호흡기학회가 결정한 특발폐섬유증의 주된 기준과 부가적인 기준을 충족하면, 진단을 위해 폐조직 생검을 시행하지 않아도 특발폐섬유증의 특이 진단이 가능하다.

표 4-3. 그물음영 형태를 보이는 질환

원인 질환	주 소견	동반 소견
특발폐섬유증, 상용간질폐렴	그물음영이 양 폐에 대칭적으로 미만성으로 분포하며, 주변부 폐야 그리고 하부폐야에 더 많이 분포. 벌집모양폐 동반	점진적인 폐용적 감소, 흡연가에서 상부폐야에 폐기종
교원혈관병과 동반하여 폐섬유화를 일으키는 간질폐렴	그물음영이 하부 주변부 폐야에 분포	교원혈관병의 다른 소견들: 식도확장, 쇄골침식
석면폐증	경미한 정도의 그물음영이 하부 흉막하 폐야에 분포	대칭적인 미만성 흉막비후, 흉막플라크
만성과민폐렴	그물음영이 무작위로 분포. 벌집모양폐 동반	시기에 따라 결절음영, 간유리음영을 동반
폐섬유화시기의 폐사르코이드증	거친 그물음영이 중상부 폐야에 분포	폐문이 상부로 끌려올라감, 견인성 기관지확장증, 하부 폐의 보완적 과팽창

만성 호흡기질환이다. 호흡곤란이 주된 증상이며, 진단 전 6개월 이상의 증상 발현기간이 있다. 폐기능 검사에서 제한성(restrictive) 기능장애를 보인다. 고령인 환자의 흉부X선사진에서 그물음영 형태를 인지한다면 가장 먼저 특발폐섬유증을 고려하여야 한다. 특발폐섬유증의 그물음영은 양 폐에 대칭적으로 미만성으로 분포하며, 주변부 폐야 그리고 하부폐야에 더 많이 분포한다(**그림 4-3**)[9]. 질병이 진행함에 따라 그물음영은 더욱 거칠어지고 특징적인 벌집모양폐를 보인

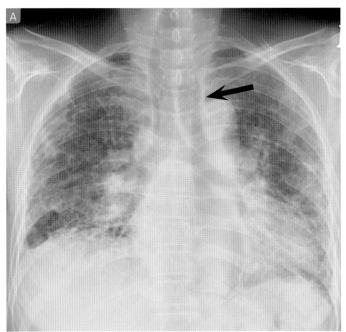
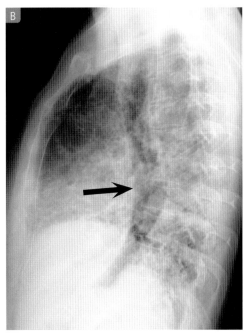

■ 그림 4-4. 진행성전신피부경화증 환자에서 폐섬유화를 동반한 간질폐렴

A,B. 진행성전신피부경화증을 앓고 있는 52세 여자 환자의 흉부X선 후전 및 측면사진에서 거친 그물음영과 벌집모양 폐가 양 폐 특히 기저부와 주변부 폐야에 보인다. 동반하여 폐용적의 감소, 상부 폐야의 공기집, 그리고 특징적으로 전반적인 식도의 확장(화살표)이 있다. 식도의 확장과 폐의 그물음영 형태를 인지한다면 특히 여자 환자에서 진행성전신피부경화증을 진단할 수 있다

다. 또한 병이 진행함에 따라 폐용적이 점차 감소한다. 그러나 대부분의 환자에서는 흡연가이고 따라서 폐기종을 동반하므로 폐용적이 변화가 없거나 증가할 수도 있다. 흉부X선사진이 환자의 예후인자로서의 가치는 제한적이지만 순차적으로 촬영한 일련의 흉부X선사진은 질환의 진행속도를 추적할 수 있다. 비특이간질폐렴에서도 간유리 음영과 동반한 미세한 그물음영을 보인다. 비특이간질폐렴도 특발성으로도 발병하지만 교원혈관병과 동반하여서도 발병한다.

교원혈관병과 동반하여 폐섬유화를 일으키는 간질폐렴은 병리학적으로는 상용간질폐렴과 비특이간질폐렴이 가장 흔하다. 교원혈관병 중 류마티스관절염(rheumatoid arthritis)과 진행성전신피부경화증(progressive systemic sclerosis, scleroderma)이 그물음영 형태를 보이는 폐섬유화를 가장 흔히 일으킨다(**그림 4-4**). 다발성근염(polymyositis), 피부근염(dermatomyositis), 전신홍반루푸스(systemic lupus erythematosus), 혼합성교원혈관병에서도 가능하다. 교원혈관병과 동반한 간질폐렴은 특발성간질폐렴보다 예후가 좋으나, 영상소견과 병리소견은 동일하다. 교원혈관병은 젊은 여자 환자에서 호발하므로, 젊은 여자 환자에서 그물음영 형태를 인지하면 가장 먼저 교원혈관병과 동반한 간질폐렴을 고려하여야 한다. 교원혈관병은 여러 기관을 침범하는 질환이므로 흉부X선사진에서 발견되는 다른 소견들이 특이 진단에 도움이 되기도 한다. 예를 들어 폐주변부의 그물음영 형태가 식도 확장과 동반되어 있다면 진행성전신피부경화증을 진단할 수 있고(**그림 4-4**), 쇄골 침식을 동반하였다면 류마티스성 관절염을 진단할 수 있다.

석면폐증은 석면섬유(asbestos fiber)를 흡입해서 이차적으로 폐섬유화를 일으키는 질환이다. 석면 노출 후 20-30년 정도 지나서 석면폐증을 일으키며, 석면폐증의 폐섬유화는 노출 양에 비례해서 발생하는 질환이므로, 비직업성 노출은 흉부X선사진에서 변화를 보일 만큼 노출 양이 충분하지 않다. 석면폐증은 폐섬유화의 정도가 심하지 않으며, 하부 흉막

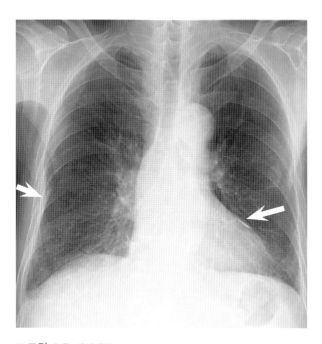

■ 그림 4-5. 석면폐증
80세 남자 환자의 흉부X선사진에서 미세한 그물음영이 하부 흉막하 폐
야 특히 우측 폐기저부에 보이고, 석회화를 포함한 흉막 플라크(화살표)
가 양측 흉곽에 대칭적으로 분포해 있다. 석면에 노출된 과거력이 있는
환자의 흉부X선사진에서 특징적인 흉막 플라크와 그물음영이 하부 흉막
하 폐야에 있다면 석면폐증의 특이진단이 가능하다.

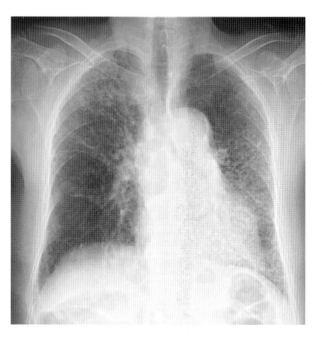

■ 그림 4-6. 만성과민폐렴
87세 여자 환자의 흉부X선사진에서 거친 그물음영과 벌집모양의 음영
이 양 폐에 광범위하게 보이나, 비대칭적으로 무작위로 분포한다. 만성
과민폐렴의 거친 그물음영은 특발폐섬유증과 다르게 비대칭으로 분포
하며 선택적으로 하부 폐야에 우세하게 분포하지 않는다.

하 폐야에 분포한다(그림 4-5). 진행된 경우에는 벌집모양 폐와 폐용적 감소를 동반하기도 한다. 석면과 관계된 흉막 플
라크(plaque)는 석면 노출로 생기는 국소적인 흉막섬유화이며, 석면폐증에 비해 노출양이 적어도 발생한다. 흉막 플라
크는 벽측흉막 특히 하부폐야, 횡격막, 심장을 따라가며 흉막의 비후 또는 석회화를 보인다. 석면폐증 환자의 80%에서
흉부X선사진에서 발견되는 특징적인 흉막 플라크를 동반한다[10]. 직업력이 있는 환자에서 흉부X선사진에서 흉막 플라
크가 있고 그물음영 형태가 하부 흉막하 폐야에 있다면 석면폐증의 특이 진단도 가능하다.

과민폐렴은 다양한 직업성 또는 환경 항원을 반복해서 흡입하여 세기관지와 폐포등의 폐실질에 육아종과 면역성 염
증병변을 일으키는 간질폐질환이다. 외인성알레르기폐포염(extrinsic allergic alveolitis)이라고도 불린다. 과민폐렴의 임
상 양상은 3가지의 형태, 즉 급성, 아급성, 만성으로 구분할 수 있고, 때로는 3가지 형태가 겹쳐 나타날 수도 있다. 만성과
민폐렴은 낮은 농도의 항원에 장기간 지속적으로 노출되어 수개월 혹은 수년 뒤에 발생하거나, 아급성과민폐렴이 반복
되어 만성이 되기도 한다. 특징적으로 비가역적인 폐섬유화를 동반하므로 급성 또는 아급성 과민폐렴과 구분한다. 흉부
X선사진에서 만성과민폐렴의 폐섬유화는 그물음영으로 보인다. 그물음영은 무작위로 분포하고 특징적인 분포를 보이
지 않으나, 상부 폐야에서 우세하게 보이기도 한다. 말기에는 폐용적이 감소하며 벌집모양폐를 보인다(그림 4-6)[11]. 이
시기에는 특발폐섬유증 또는 비특이간질폐렴과 유사하게 보여 간혹 감별진단에 혼돈을 주는 경우도 있다. 아급성과민
폐렴과 동반되면 결절음영 형태 또는 간유리음영들과 혼재되어 보일 수 있다.

사르코이드증은 비건락화 육아종을 특징으로 하는 원인불명의 전신을 침범하는 육아종성질환이다. 어느 장기나 침
범할 수 있으며, 가장 흔히 폐와 림프계를 침범한다. 환자의 약 90%에서 흉부에 발병을 하며, 폐침범을 하면 기관지혈관

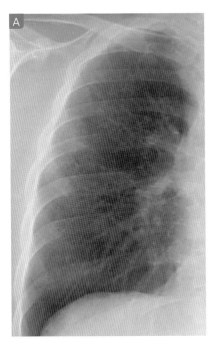 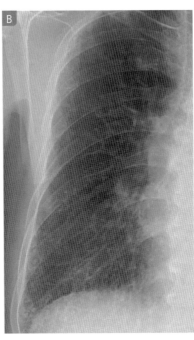

■ 그림 4-7. 낭음영 형태(A)와 그물음영 형태(B)의 비교

A. 폐랑게르한스세포조직구증으로 확진된 33세 남자환자. 낭음영 형태는 좀 더 큰 크기의 둥근 검은 공간이 좀 더 중심부 폐야에 분포한다. B. 특발폐섬유증이 있는 67세 남자환자. 그물음영 형태는 작은 검은 공간들이 좀 더 하부 주변부 폐야에 분포한다.

다발(bronchovascular bundle), 흉막, 폐소엽간중격의 림프관을 침범한다. 폐사르코이드증은 흉부X선사진 소견을 바탕으로 병기를 0-4기로 분류한다. 0기는 흉부X선사진에서 정상 소견을 보이는 시기, 1기는 폐문 및 종격 림프절비대를 보이는 시기, 2기는 림프절비대와 폐병변을 동반하는 시기, 3기는 폐병변만 보이는 시기, 4기는 폐섬유화의 소견을 보이는 시기이다[12]. 폐사르코이드증에서 폐병변이 진행되어 폐섬유화를 보이는 4기에 흉부X선사진에서 그물음영을 보이며, 그물음영은 특징적으로 중상부 폐야에 분포한다. 이 시기에는 특징적으로 중상부 폐의 섬유화에 의해 폐의 용적이 감소하므로 폐문이 상부로 끌려 올라가고, 폐섬유화에 의해 중심부기관지의 견인성기관지확장(traction bronchiectasis)을 일으키며, 주변부 폐야에 큰 기포(bulla)를 동반하고, 하부 폐의 보완적인 과팽창의 소견을 보인다. 인종과 지역에 따라 발생 빈도와 병기의 분포가 다르며, 서양에서는 그물음영 형태를 보이는 폐섬유화 시기의 폐사르코이드증은 흔히 볼 수 있으나 우리나라에서는 매우 보기 드문 소견이다.

3. 낭음영 형태

낭음영은 분명한 벽을 갖는 둥근모양의 공기를 포함하는 폐실질의 공간을 말하며, 중간크기의 낭음영들이 양 폐에 미만성으로 중심부에서 보일 때 낭음영 형태로 분류할 수 있다. 낭음영 형태는 폐 주변부에서 5 mm 이하의 작은 공간으로 보이는 그물음영 형태 또는 벌집모양 음영과 구분된다(그림 4-7). 따라서 낭음영 형태와 벌집모양 음영을 구분하여 설명하고자 한다. 벌집모양 음영은 작은 크기의 낭성음영들이 다양한 섬유화를 가진 벽을 갖는 경우로 주로 흉막하 폐야에 분포한다. 벌집모양 폐는 그물음영을 보이는 질환에서 주로 보이며 어떤 원인이든지 간에 폐섬유화의 마지막 단계에서는 벌집모양 폐를 보일 수 있다.

흉부X선사진에서 낭음영 형태를 보이는 대표적인 미만성간질폐질환으로는 폐랑게르한스세포조직구증, 림프관평활근종증, 결절성경화증(tuberous sclerosis)이 있다. 이 질환들은 공통적으로 낭음영과 공기가둠을 보이고 기흉을 자주

표 4-4. 낭음영 형태를 보이는 질환

원인 질환	주 소견	동반 소견
폐랑게르한스세포조직구증	흡연가에서 중상부 폐에 분포하는 낭음영	중상부 폐에 결절음영, 폐의 과팽창 소견, 기흉, 뼈용해 병변
림프관평활근종증	가임기여성에서 전 폐야에 고르게 분포하는 낭음영	폐의 과팽창 소견, 기흉, 유미흉, 신장의 혈관근육지방종

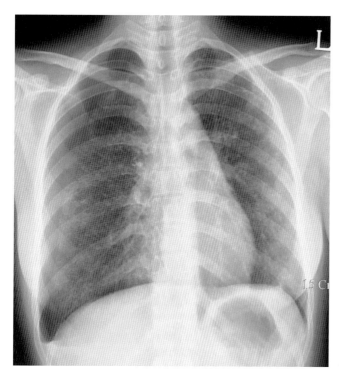

■ **그림 4-8. 폐랑게르한스세포조직구증**
기흉을 주소로 응급실을 통해 내원한 21세 흡연가인 여자환자. 낭음영이 양 폐에 광범위하게 분포하고 특히 상부 폐야에 집중적으로 분포하고 있다. 상부 폐야에는 결절음영들이 혼합되어 있다. 흉강경을 통한 폐조직 생검에서 랑게르한스세포조직구증으로 확신뇌었다. 이 환자와 같이 흡연가의 흉부X선사진에서 기흉을 동반하고 중상부 폐야에 대칭적으로 분포하는 낭음영 형태를 보인다면 랑게르한스세포조직구증을 고려하여야 한다.

유발한다(표 4-4).

폐랑게르한스세포조직구증은 젊은 남자에서 호발하고, 흡연과 관련되며 95% 이상의 환자가 흡연가이다. 조직소견은 초기에는 랑게르한스조직구와 호산구가 세기관지주변에 결절양으로 침윤하며, 말기에는 섬유화에 의해 세포 성분이 대치된다. 대부분의 환자에서 흉부X선사진에서 이상소견을 발견할 수 있다. 질환의 초기에는 흉부X선사진에서 1-10 mm 크기의 수많은 작은 결절들이 상부폐야에 보인다. 결절들은 그 경계가 불규칙하며, 특징적으로 대칭적으로 분포하고 중상부 폐야에 더 많이 분포하며 늑골횡격막각 근처의 폐기저부는 비교적 침범하지 않는다. 이런 결절들은 기도 폐쇄를 일으켜 공기가둠에 의한 과팽창소견을 동반한다. 질환이 진행함에 따라 섬유화와 낭들이 형성된다. 낭음영의 크기는 수 mm에서 수 cm까지 다양하며, 둥근 모양이나 달걀 모양을 보이지만 종종 불규칙한 모양을 보이기도 한다. 병변들은 특징적으로 중상부 폐야에 고르게 분포하며 폐기저부, 우중엽, 설상엽(lingular segment)의 침범은 상대적으로 적다 (그림 4-8). 영상소견들은 호전되기도 하며, 완벽하게 호전되기도 하며, 변하지 않고 그 상태를 유지하기도 하며, 낭음영 형태로 진행하기도 한다. 진행하면 상부 폐야에 낭음영과 폐섬유화의 소견이 보이므로 진행된 폐사르코이드증과도 유사하게 보인다. 폐용적은 정상이거나 증가하고, 기흉을 자주 일으킨다[13].

림프관평활근종증과 결절성경화증의 폐침범 소견은 영상의학적으로 그리고 병리학적으로 동일하다. 두 질환은 모두 신장의 혈관근육지방종(angiomyolipoma)을 포함하여, 신장, 폐, 뇌 등 여러 기관의 병변을 동반한다. 결절성경화증은 임상 삼징후인 정신지체, 발작, 피지선종(adenoma sebaceum)을 동반하다. 림프관평활근종증은 기관지, 세기관지, 폐포벽, 폐동맥, 림프관, 흉막에 있는 평활근이 증식하는 아주 드문 질환으로, 특징적으로 가임기 여성에서 발병한다.림프관평활근종증의 낭음영은 매우 얇은 벽을 갖는 다양한 크기의 둥근 낭성음영들이 전 폐야에 고르게 분포한다. 이런 소견은 CT에서 매우 잘 보이지만, 흉부X선사진에서도 낭음영 형태는 반수 이상에서 관찰할 수 있다. 이 질환의 다른 특징적인 소견으로 공기가둠에 의한 폐의 과팽창이 있다. 특히 측면X선사진에서 흉골 뒤 공간의 증가와 횡격막이 편평하게 보이는 등의 폐의 과팽창 소견을 동반하며, 이는 폐기종과 유사하게 보일 수 있다. 환자의 1/2 - 1/3에서 기흉이나 유미흉을 동반한다. 림프관평활근종증은 결절이 보이지 않고, 낭음영이 전 폐야에 고르게 분포하며, 가임기 여성에서 발생하므로 폐랑게르한스세포조직구증과 감별할 수 있다.

때로는 **낭성 기관지확장증**이 양측 폐에 광범위하게 있으면 낭음영 형태로 인지할 수도 있다. 기관지확장증은 보통은 국소적으로 비대칭적으로 분포한다. 그러나 낭성 기관지확장증이 광범위하게 양 폐에 대칭적으로 분포한다면 간질폐질환의 낭음영 형태와 유사하게 보이며, 이런 경우에는 전신적인 질환들과 동반한 기관지확장증을 고려해 볼 수 있다. 미만성 기관지확장증을 동반하는 선천적 원인질환으로는 낭섬유증(cystic fibrosis), 섬모운동이상증(ciliary dyskinesia syndrome), Williams-Campbell 증후군, 기관기관지확장증(tracheobronchomegaly) 등이 있다. 저감마글로불린혈증(hypogammaglobulinemia)과 같은 선천적 면역결핍장애에서도 광범위한 기관지확장증을 보이며, 후천적인 알레르기기관지폐아스페르길루스증(allergic bronchopulmonary aspergillosis), 다양한 폐감염 후, 기관지폐쇄, 흡인, 독성증기 흡입, 섬유화등에 의해서도 광범위한 낭성 기관지확장증을 보일 수 있다.

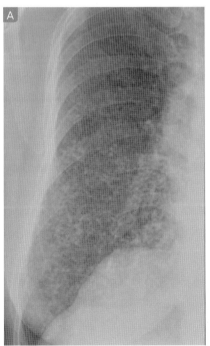
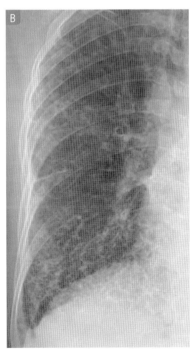

■ **그림 4-9. 결절음영 형태(A)와 그물음영 형태(B)의 비교**

A. 흉부X선사진에서 작은 결절음영 형태를 보이는 폐전이암이 있는 68세 여자 환자이다. 하얗게 보이는 결절들은 둥글게 보이고 그 사이사이의 검은 공간이 불규칙하게 보인다. **B.** 특발폐섬유증이 있는 67세 여자 환자의 흉부X선사진에서 특징적인 그물모양을 보인다. 검은 공간들이 둥글게 보이고 그 사이사이 섬유화에 의한 하얀 선들이 불규칙하며 그물처럼 보인다.

4. 결절음영 형태

수많은 1 cm 이하의 둥근 음영들이 양 폐에 미만성으로 분포하면 결절음영 형태로 인지한다. 때로는 무수히 많은 증가된 음영의 결절들이 있을 때 그물모양 형태와 구분이 어려울 수도 있다. 결절음영 형태에서는 둥근 흰 음영들 사이사이에 불규칙한 검은 공간들이 보이며, 그물음영 형태에서는 둥근 검은 음영 사이사이에 섬유화에 의한 불규칙한 흰 음영을 보이므로 두 형태를 구분할 수 있다(그림 4-9).

다양한 미만성간질폐질환에서 수많은 작은 결절들이 산재하여 결절음영 형태를 보인다. 결절음영 형태를 보이는 대표적인 미만성간질폐질환으로 속립결핵(miliary tuberculosis), 속립폐전이암, 규폐증, 탄광부진폐증, 폐사르코이드증 등이 있다. 드물지만 폐랑게르한스세포조직구증, 림프종(lymphoma) 등에서도 결절음영 형태를 보인다. 간질폐질환뿐 아니라 다양한 폐질환에서 결절음영 형태를 보인다. 감염성 폐질환인 히스토플라스마증(histoplasmosis), 콕시디오이데스진균증(coccidioidomycosis), 패혈증성색전증(septic emboli) 등에서도 결절음영 형태를 보일 수 있다. 기도질환인 세기관지염에서도 결절음영 형태를 보일 수 있으며, 미만성범세기관지염(diffuse panbronchiolitis)과 감염성세기관지염을 포함하는 세포세기관지염(cellular bronchiolitis), 감염성세기관지염의 형태로 주로 발현하는 폐결핵, 세기관지염이 주된 소견으로 보이는 시기의 과민폐렴에서도 결절음영 형태를 보인다(표 4-5). 흉부X선사진에서 결절음영형태의 전반적인 분포는 감별진단에 매우 도움을 준다. 사르코이드증, 규폐증, 탄광부진폐증 등은 상부 폐야에 더 많이 분포하며, 반면 혈행성으로 발병하는 패혈색전증이나 폐전이암은 폐혈류가 더 많이 가는 하부 폐야에 더 많이 분포한다. 패혈색전증의 결절은 흔히 공동을 보이고, 폐문부 또는 종격동의 림프절비대를 동반한다. 사르코이드증과 규폐증에서도 폐문부 림프절비대를 자주 동반하며, 규폐증에서는 달걀껍데기 모양의 주변부 석회화를 갖는 폐문부 림프절비대를 볼 수 있다.

속립결핵은 혈행성 파급에 의하며 무수히 많은 매우 작은 결절들이 양 폐에 광범위하게 고르게 분포한다. 흉부X선사진에서 속립폐결핵의 폐결절들은 1-3 mm 크기로 X선사진에서 인지하기 어려울 정도의 아주 작은 크기이고, 경계가 뚜렷하거나 또는 불분명하며, 결절들은 서로 균일한 크기이고, 전 폐야에 무작위로 균등하게 분포하고, 기관지와의 연

표 4-5. 결절음영 형태를 보이는 질환

원인 질환	주 소견	동반 소견
속립폐결핵	인지하기 어려울 정도의 아주 작고 균일한 크기의 폐결절들이 전 폐야에 무작위로 균등하게 분포	국소적인 활동성 폐결핵, 간 비대
속립폐전이암	1 cm 이하의 작은 크기의 경계가 뚜렷하고 불균일한 결절들이 무작위로 미만성으로 분포하고 하부 폐야에 좀 더 많이 분포	선행하는 암종
규폐증, 탄광부진폐증	경계가 분명하고, 크기가 작고, 불균등하며, 석회화를 포함하는 폐결절들이 무작위로 분포하지만 폐의 중상부 특히 후반부 폐야에 더 많이 분포	진행성거대섬유증, 폐문과 종격의 림프절 종대, 달걀껍질모양의 석회화를 갖는 폐문 림프절, 직업력
폐사르코이드증	불규칙한 작은 결절들이 양 폐에 대칭적으로 분포하며, 특징적으로 폐의 중상부에 더 많이 분포	폐문과 종격의 대칭적인 림프절 종대
미만성범세기관지염	결절음영들이 양 폐에 대칭적으로 분포하며, 하부 폐야에 더 많이 분포	폐의 과다팽창, 공기포획, 경도의 기관지확장증

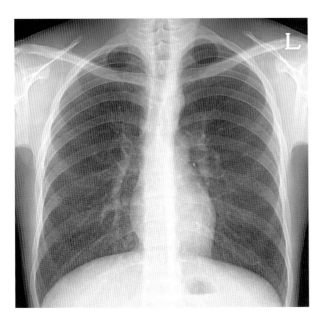

■ 그림 4-10. **속립폐결핵**
22세 남자 환자의 흉부X선사진에서 무수히 많은 미세 결절들이 양 폐에 산재되어 있다. 결절들은 그 크기가 매우 작고 균등하며 양 폐에 균일하게 대칭적으로 분포하였다. 객담 항산균 검사에서 양성이었으며 속립폐결핵으로 진단되었다.

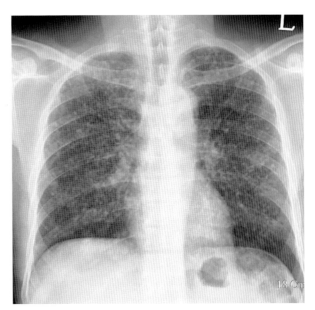

■ 그림 4-11. **폐전이암**
54세 남자 환자의 흉부X선사진에서 다양한 크기의 작은 결절들이 양 폐에 광범위하게 무작위로 산재되어 있다. 작은 크기의 결절들이지만 속립폐결핵에 비해 훨씬 크고, 결절들의 크기가 균일하지 않고 다양하며, 결절의 경계가 뚜렷하다.

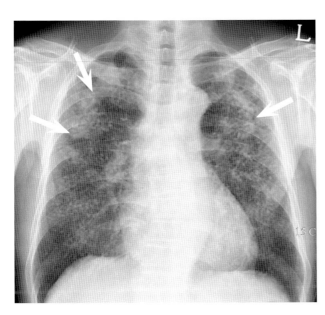

■ 그림 4-12. **규폐증**
66세 남자의 흉부X선사진에서 경계가 분명하고 크기가 작은 결절들이 양 폐에 산재되어 있다. 작은 결절들은 대칭적으로 분포하며 중상부 폐야에 더 많이 분포한다. 결절들의 융합이 일어나 섬유화성 종괴인 진행성거대섬유증(화살표)이 상부 폐야에 보이며, 상부 폐야의 바깥쪽으로 큰 공기집들이 있다. 규폐증의 결절들은 속립폐결핵의 결절들에 비해 크기가 크고 불균등하며 상부폐야에 더 많이 분포하므로 감별된다. (대한영상의학회지, 2006:54:503-513)

관성은 없다(그림 4-10). 간혹 기관지를 통해 전체 폐로 파급된 기관지파종성폐결핵에서도 속립폐결핵과 유사하게 흉부X선사진에서 미세한 결절음영 형태로 보일 수 있어 감별이 어려울 수 있다. 기관지를 통한 파종성 폐결핵의 결절들은 속립폐결핵에 비해 결절들의 크기가 크고, 경계가 불분명하며, 결절들의 크기가 불균등하고, 균일하지 않게 분포한다.

광범위하게 파급된 혈행성 폐전이암들은 다발성의 작은 결절들로 보인다. 갑상선암, 유방암, 신장암등에서 결절음영 형태의 폐전이를 보일 수 있다. 소결절 형태의 전이암은 1 cm 이하의 작은 크기의 경계가 뚜렷한 결절들이 무작위로 미만성으로 분포하고 폐혈류 분포를 반영하여 하부 폐야에 좀더 많이 분포하기도 한다. 혈행성 폐전이암의 결절들의 크기는 미세결절부터 큰 결절까지 다양하며, 미세한 결절음영으로 보이면 속립폐결핵과 유사하게 보일 수도 있다. 속립폐결핵의 결절보다는 크기가 크고, 불균일한 다양한 크기이며, 좀더 불균등한 분포를 보인다(그림 4-11).

규폐증은 장기간 이산화규소(silica, SiO 2)를 포함한 분진을 흡입한 결과로 일어난 폐의 만성 섬유화 질환이며, 수년간의 노출 이후에 발생하고 노출양에 비례해서 발생한다. 흉부X선사진에서 규폐증의 결절들은 경계가 분명하고, 1-10 mm 크기의, 불균등하며, 석회화를 포함하는 결절들도 볼 수 있다. 결절들은 무작위로 분포하지만 폐의 중상부 특히 후반부 폐야에 더 많이 분포한다(그림 4-12). 진행하면 결절들의 크기와 숫자가 증가한다. 이런 폐섬유화 결절들은 서로 뭉쳐서 섬유화성 종괴를 만들고 그 크기가 1 cm 이상이 되면 이를 진행성거대섬유증(progressive massive fibrosis, PMF)이라고 부른다. 섬유화성 종괴는 폐암 또는 폐결핵과 감별이 어려울 수 있다. 진행성거대섬유증은 대칭성으로 양 폐의 상부에 늑골들과 평행하게 위치하고, 약간 기다란 모양으로, 바깥쪽으로 상처에 의한 폐기종을 동반하고, 시간이 흐름에 따라 그 크기는 커지면서 중심부로 서서히 이동한다. 이런 특징적인 소견을 본다면 폐암 또는 폐결핵과의 감별진단에 도움이 된다. 폐문과 종격동의 림프절비대를 동반하고, 약 20%에서 흉부X선사진에서 특징적인 달걀껍질모양 석회화를 갖는 폐문부 림프절을 동반한다. 흉부X선사진에서 위 소견들과 직업력이 있다면 확진이 가능하다. 탄광부진폐증은 이산화규소를 포함한 탄분을 흡입하여 발생하며, 영상소견은 위에 기술한 규폐증과 동일하다. 국제노동기구의 1980년 진폐증 흉부X선사진의 국제분류에 따르면 1.5 mm보다 작은 둥근 음영은 p, 1.5-3 mm은 q, 3-10 mm는 r로 분류하였으

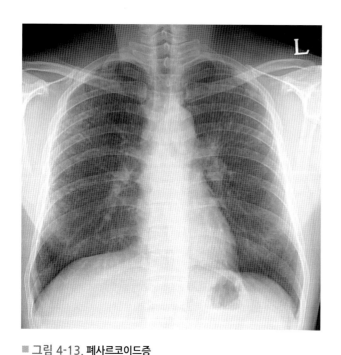

■ **그림 4-13. 폐사르코이드증**
34세 남자 환자의 흉부X선사진에서 경계가 불분명한 작은 결절들이 양폐에 광범위하게 분포해 있고 특히 상부폐야에 뚜렷하게 보인다. 양측 폐문의 대칭적인 림프절 종대의 소견도 보인다. 림프절 생검에서 사르코이드증으로 확진되었다

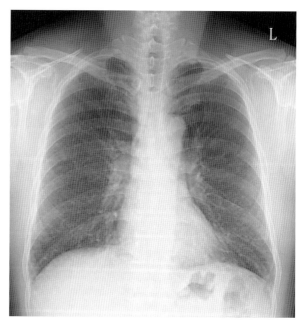

■ **그림 4-14. 미만성범세기관지염**
48세 남자의 흉부X선사진에서 결절음영 형태를 보이며, 결절들은 양폐에 대칭적으로 분포하며 특히 하부 폐야에 주로 분포한다. 미만성범세기관지염을 포함한 다양한 세포성세기관지염에서도 결절음영 형태를 보인다.

며, 장경이 1 cm보다 큰 음영은 PMF로 분류하였다[14].

폐사르코이드증은 앞서 그물음영 형태에서 설명한 바와 같이 흉부X선사진의 소견에 따라 0-4기, 즉 5개의 병기로 구분한다. 폐병변은 2-4기에 관찰할 수 있고, 병기에 따라 다양한 형태를 보인다. 그 중 2-3기에 보이는 폐병변은 결절 음영 형태가 대표적인 소견이다. 결절음영과 함께 그물음영이 보이기도 하며, 폐경화와 간유리음영과 같은 폐포양 음영도 보일 수 있다. 드물게는 종괴양 병변, 공동성병변을 보이기도 한다. 결절음영 형태의 결절들은 크기가 5 mm 이하로 작고, 그 경계가 불규칙하며, 특징적으로 양 폐에 대칭적으로 분포하며, 폐의 상부와 중간 부위에 더 많이 분포한다(그림 4-13)[12].

미만성범세기관지염은 1969년 일본에서 Yamanaka 등에 의해 처음 명명하였으며, 미만(diffuse)은 양 폐에 확산되어 분포함을 말하며 범(pan)은 호흡세기관지(respiratory bronchiole)의 전층에 염증을 일으킴을 의미한다. 동양인에서 호발하며, 10-40대에 발병한다. 환자의 3/4 이상에서 부비동염이 있고 이는 호흡기증상보다 10년 정도 먼저 나타난다. 폐기능검사에서 폐쇄성 형태를 보인다. 원인과 병인은 아직 밝혀지지 않았지만 인종에 따라 발생 경향의 차이가 있다. 호흡세기관지가 가장 중요한 침범 부위이며, 호흡세기관지의 만성염증으로 세기관지 내강과 주위 폐포관과 폐포에 거품이 있는 대식세포(foamy macrophage)가 축적된다. 진행되면 말단세기관지의 이차적인 확장이 생기며 큰 기관지의 염증을 동반한다. 흉부X선사진에서 결절음영 형태를 보이며, 결절들은 양측 폐의 하부에 두드러지게 더 많이 분포한다. 동반하여 폐의 과다팽창, 공기가둠(air-trapping), 경도의 기관지확장증의 소견들도 보인다(그림 4-14)[15].

과민폐렴은 앞에서 설명한 바와 같이, 임상 발현에 따라 급성, 아급성, 만성으로 분류할 수 있으며, 이런 3가지 형태가 겹쳐서 발현할 수도 있다. 증상이 있는 환자에서 정상 흉부X선사진을 보일 수도 있으나, 다양한 시기의 과민폐렴은 간유리음영, 과립성음영, 결절음영, 그물음영 등 다양한 영상소견들을 보인다. 그 중 급성 또는 아급성 과민폐렴에서는 불분명한 미세 결절음영들이 폐 전체에 또는 중상부 폐야에 보인다. 이런 결절음영들은 조직소견에서 세기관지염의 소견이다.

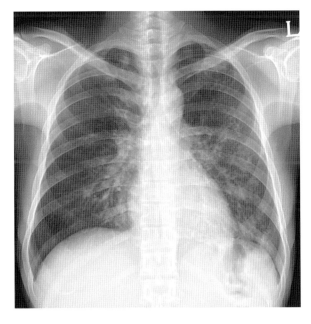

■ 그림 4-15. **폐포자충폐렴**

후천성면역결핍증후군이 있는 34세 남자 환자의 흉부X선사진에서 희미한 간유리 음영이 양 폐에 있다. 희미한 증가된 음영이 있는 폐야의 폐혈관의 음영이 불분명하여 간유리 음영이 있음을 인지할 수 있다. 후천성면역결핍증후군환자에서 폐포자충폐렴은 간유리음영을 보이는 가장 흔한 원인질환이다.

5. 간유리음영 형태

흉부X선사진에서 양 폐의 음영이 전반적으로 약간 증가하는 경우 간유리음영 형태로 인지한다. 때로는 과소 노출된 X선사진(underexposed film)인지 간유리음영이 있는지 구분하기 어려울 수 있다. 이런 경우에는 간유리음영 형태에서는 희미하게 증가된 음영에 의해 폐의 혈관음영과 간질음영이 불분명하게 보이므로 감별하는데 도움이 된다(그림 4-15).

폐포와 폐간질을 침범하는 다양한 많은 질환들에서 흉부X선사진에서 간유리음영 형태를 보일 수 있으나, 보통은 폐포를 침범하는 질환에서 그리고 급성질환에서 더 흔히 보인다. 간유리음영 형태를 보이는 대표적인 급성 질환으로는 폐포자충폐렴(pneumocystis jirovecii pneumonia, PCP), 거대세포바이러스(cytomegalovirus)폐렴, 미만성폐출혈, 급성호산구성폐렴(acute eosinophilic pneumonia, AEP), 급성호흡곤란증(acute respiratory distress syndrome, ARDS), 급성간질폐렴 등이 있다. 아급성 또는 만성 질환으로는 비특이간질폐렴, 박리간질폐렴, 호흡세기관지염-간질폐병, 림프구간질폐렴, 과민폐렴, 폐포단백증(pulmonary alveolar proteinosis, PAP) 등이 있다. 간질폐질환을 포함하는 매우 다양한 많은 폐질환에서 간유리음영을 보이고, 따라서 실제 임상에서 간유리음영 형태를 보이는 질환들을 감별 진단하는 것은 매우 어려울 수 있다. 환자가 질병에 이환된 기간, 섬유화 동반 유무, 흡연력, 질환의 분포 등이 감별 진단하는데 도움이 된다(표 4-6).

폐포자충폐렴은 흉부X선사진에서 간유리음영을 보이는 대표적인 폐렴으로, 면역이 저하된 환자에게서 기회감염을 일으키는 진균폐렴이다. 후천성면역결핍증후군(AIDS)이 유행하는 지역에서 흉부X선사진에서 간유리음영 형태를 인지한다면, 먼저 폐포자충폐렴을 고려하여야 한다. 흉부X선사진에서 대칭적으로 폐문 주위 또는 미만성으로 분포하는 간유리음영이 보인다(그림 4-15). 환자의 약 10%에서는 정상소견으로 보일 수 있다. 환자는 기침, 발열, 호흡 곤란 등 폐렴의 증상과 함께 동맥혈의 산소포화도가 심하게 감소한다. 후천성면역결핍증후군환자에서 폐포자충폐렴을 예방하기 위해 투약을 하므로 비정형적인 형태를 보이는 폐포자충폐렴이 많아지고 있다.

거대세포바이러스폐렴도 흉부X선사진에서 간유리음영을 보이는 대표적인 폐렴으로, 장기 이식환자를 포함한 세포면역이 감소된 환자에게 발병하는 기회감염이다. 장기 이식 후 1-6개월에 호발하며 무증상일 수 있다. 대부분 폐기저부에서 시작하는 미만성 간유리음영으로 보이고 폐경화와 결절음영을 동반할 수 있다. 폐포자충폐렴과 동반하여서도

표 4-6. 간유리음영 형태를 보이며 폐간질을 주로 침범하는 폐질환

원인 질환	주 소견	동반 소견
급성호흡곤란증, 급성간질폐렴	빠르게 진행하여 양 폐야에 광범위하게 확산되는 간유리음영과 폐경화	폐용적의 점진적인 감소
비특이간질폐렴	간유리음영이 양 폐에 대칭적으로 분포하며 특히 주변부 그리고 중하부 폐야에 주로 분포	그물 음영, 폐경화
박리간질폐렴	정상 소견, 양 폐에 대칭적으로 분포하는 간유리음영이 주로 하부 주변부 폐야에 분포	미세한 그물음영, 중심세엽 폐기종, 흡연가
호흡세기관지염-간질폐병	정상 소견, 간유리음영	중심세엽 폐기종, 흡연가
급성 또는 아급성 과민폐렴	정상 소견, 미만성 간유리음영	시기에 따라 결절음영, 그물음영을 동반

발생한다.

미만성폐출혈이 있으면 흉부X선사진에서 미만성 간유리음영으로 보인다. 객혈과 함께 흉부X선사진에서 미만성 간유리음영이 보이고, 빈혈의 혈액 소견이 있다면 미만성폐출혈을 진단할 수 있다. 폐출혈은 항응고제를 사용하는 환자, 출혈성 성향이 있는 경우, 폐혈관염이 있을 때 발생한다. 폐혈관염을 동반하여 광범위한 폐출혈을 일으킬 수 있는 질환으로는 베게너육아종증(Wegener's granulomatosis), 결절다발동맥염(polyarteritis nodosa), 베흐체트병(Behcet's disease), 전신홍반루푸스(systemic lupus erythematosus), 굿파스처(Goodpasture)증후군, 헤노흐-쇤라인 자색반(Henoch-Schonlein purpura)등이 있다. 기관내 삽관과 같은 기관외상에 의해 혈액을 흡인하여도 동일한 소견을 보인다. 위와 같이 다양한 원인에 의해 폐출혈이 발생하지만, 원인에 관계없이 폐출혈의 X선사진 소견은 동일하다. 급성기에는 흉부X선사진에서 간유리음영과 폐경화의 소견을 보이고, 그 분포는 대칭적 또는 비대칭적으로, 미만성 또는 국소적으로 분포한다. 폐첨부와 폐주변부에는 덜 분포한다. 재발하지 않으면 1-2주 내에 정상으로 회복한다.

급성호산구성폐렴은 심한 저산소증을 동반하고 갑자기 호흡부전을 보이는 급성 질환이다. 남녀 성별의 차이는 없고 젊은 사람에게서 호발한다. 특발성으로 발현하며, 흡연, 연기의 흡인, 투약, 감염등과 관련되어서도 발생한다. 특히 처음 흡연을 시작하는 사람에게서 흡연은 급성호산구성폐렴을 일으키는 유발인자이다. 기관지폐포세척액에서 많은 호산구를 보이지만 혈액에서는 호산구의 증가를 보이지 않을 수 있다. 조직소견에서는 폐포와 폐간질에 호산구성 염증의 소견을 보인다. 흉부X선사진에서 처음에는 선상음영을 보이다가 급격하게 양 폐야에 간유리음영과 폐경화의 폐포음영으로 확산되고, 소량의 흉막삼출도 동반한다. 위와 같은 소견은 정수압폐부종의 흉부X선사진 소견과 매우 유사하다.

급성호흡곤란증은 다양한 원인에 의해 심한 투과성 폐부종을 일으키는 매우 심각한 질환이다. 급격하게 진행하는 호흡곤란, 저산소혈증, 흉부X선사진에서 양 폐에 광범위하게 분포하는 증가된 음영을 보인다. 급성간질폐렴은 급성호흡곤란증과 임상소견, 병리소견, 영상소견들이 동일하며, 다른 일차적인 원인질환을 찾을 수 없는 특발성 급성호흡곤란증을 급성간질폐렴이라고 한다.

급성간질폐렴은 수일에서 수주에 걸쳐 급속히 진행하며, 60%의 높은 치사율을 보이는 매우 심각한 급성 폐질환이다. 1986년에 Katzenstein 등[16]은 임상적으로 급격한 호흡곤란증과 높은 사망율을 보이며 조직학적으로는 원인을 알 수 없는 기질화된 미만성폐포손상(organizing diffuse alveolar damage)을 보이는 8 예의 급성간질폐렴을 처음 명명하여 보고하였다. 그러나 급성간질폐렴은 새로운 질환이 아니라 이전 Hamman-Rich syndrome, accelerated interstitial pneumonia, 특발성성인호흡곤란증(idiopathic adult respiratory distress syndrome)등으로 불리워진 질환과 동일한 질환이다. 이 질환은 흡연과 관계없고, 성별에 따른 빈도 차이가 없으며, 50-60대에 주로 발병하는 치명적인 질환이다. 흉부X선사진에서 간유리음영과 폐경화의 소견을 보이며, 처음에는 반점형으로 분포하지만, 빠르게 진행하여 양 폐에 광범위하게 확산된다(그림 4-16). 환자가 호흡곤란 때문에 얕게 호흡하므로 그리고 병이 진행함에 따라 폐용적이 감소한다.

비특이간질폐렴은 다양한 정도의 폐포벽의 염증과 섬유화를 보이는 두 번째로 흔한 만성 간질폐렴이다. 이 질환은 1994년에 Katzenstein과 Fiorelli에 의해 처음 명명되었으며, 조직학적으로 상용간질폐렴, 박리간질폐렴, 급성간질 폐렴, 만성기질화폐렴 등으로 진단할 수 없는 간질폐렴을 구분하여 비특이간질폐렴이라고 하였다[17]. 원인 불명의 특발성으로도 발현하지만 교원혈관병과 동반하여, 투약에 관련한 폐병변, 과민폐렴과 동반하여, 급성폐손상과 동반하여서도 발병한다. 특발폐섬유증보다 약 10년 정도 먼저 40-50대에 호발하며, 임상적으로 예후가 훨씬 좋다. 진단전 수개월에 걸쳐 점차 진행하는 호흡곤란과 마른기침이 주 증상이다. 대부분의 환자에서 흉부X선사진에서 이상소견을 발견할 수 있으며, 가장 흔한 흉부X선사진 소견으로는 양 폐 특히 하부 폐야에 분포하는 간유리음영이다. 미세한 그물 음영과 폐경화를 동반하기도 하며, 주변부 그리고 중하부 폐야에 주로 분포한다(그림 4-17)[18].

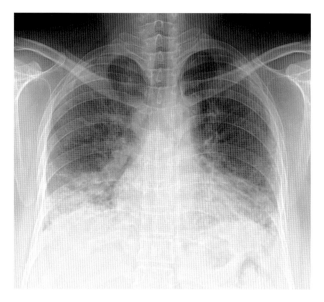

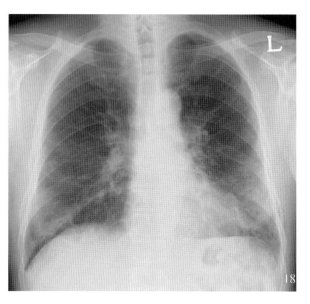

■ 그림 4-16. 급성간질폐렴
급성 호흡곤란을 주소로 응급실을 통해 입원한 46세 여자 환자. 흉부X선 사진에서 입원 후 1주일 동안 빠르게 진행하는 광범위한 간유리음영과 국소적인 폐경화의 소견이 양 폐에 보이며 폐용적이 감소하였다. 흉강경을 통한 폐조직 생검에서 기질화 단계의 광범위한 폐포손상으로 진단되었고, 급성호흡곤란증을 일으킨 원인질환이 없어 특발성 광범위폐포손상 즉 급성간질폐렴으로 확진하였다. 환자는 이후 급격하게 진행하여 사망하였다.

■ 그림 4-17. 비특이간질폐렴
수개월간의 호흡곤란과 기침을 주소로 내원한 51세 남자 환자의 흉부X선사진에서 간유리 음영과 미세한 그물음영이 양폐에 대칭적으로 보이고, 하부 흉막하 폐야에 좀더 많이 분포한다. 흉강경을 통한 조직 검사에서 섬유화 형태의 비특이간질폐렴으로 확진하였다.

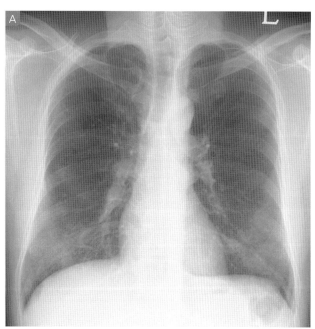

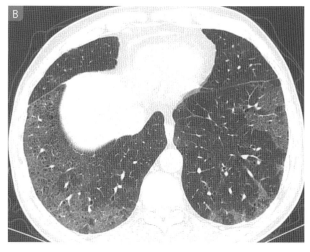

■ 그림 4-18. 박리간질폐렴
A. 수년간 호흡곤란 증상이 있었던 흡연가인 52세 남자의 흉부X선사진에서 미세한 간유리음영이 하부 폐야에 대칭적으로 분포해 있다. B. 고해상CT에서 간유리음영이 특징적으로 하부 흉막하 폐야에 분포하였고 중심세엽폐기종을 동반하였다. 이 환자는 흉강경을 통한 폐조직 생검에서 박리간질폐렴으로 확진되었다.

박리간질폐렴은 전체 특발성 간질폐렴의 3% 미만의 매우 드문 만성 간질폐렴이다. 대부분의 환자가 흡연가로 흡연과 연관되어 발생한다. 조직소견에서 폐포를 채우고 있는 세포가 박리된 폐포상피세포가 아니라 폐포대식세포이어서 질병의 명칭이 잘못되었으나 오랜 기간 동안 사용해 왔기 때문에 병명을 그대로 유지하기로 하였다. 가장 흔한 흉부X선사진 소견으로는 양 폐에 대칭적으로 분포하는 간유리음영이다. 그러나 정상소견으로도 인지할 수 있다. 간유리 음영은 미만성 또는 점상형 분포를 보일 수 있으나, 주로 하부 주변부 폐야에 분포한다(그림 4-18). 때로는 미세한 그물음영이 흉막하 폐야에 보일 수 있다.

호흡세기관지염-간질폐병은 현재 흡연하고 있는 흡연가에게서만 발병하는 흡연과 관련된 특발성 간질폐염이다. 조직소견에서 박리간질폐염과 유사하게 보이나, 황갈색 색소를 포함한 폐포대식세포가 세기관지와 폐포관 내강에 차 있는 점이 다르다. 대부분 우연히 발견되지만, 경미한 호흡기증상과 폐기능검사에서 제한적 변화를 초래하기도 한다. 흉부X선사진에서 정상으로 보일 수 있으며, 간유리음영도 가능하다. 흡연가에서 발병하므로 대부분의 환자에서 중심소엽폐기종을 동반한다. 예후는 매우 좋아서 금연만으로도 질병이 호전되며, 스테로이드제에 잘 반응한다.

림프구간질폐렴은 자가면역질환이 있는 자, 후천성면역결핍증후군 환자에서 발생하는 매우 드문 림프증식성질환이다. 가장 흔하게는 쇼그렌(Sjogren)증후군과 동반한다. 흉부X선사진에서 정상으로도 보이며, 간유리음영, 미세 그물음영으로도 보일 수 있으며, 특징적인 낭음영도 보일 수 있다.

과민폐렴은 앞에서 설명한 바와 같이 다양한 직업성 또는 환경 항원에 반복해서 노출되어 발생하는 염증성간질폐질환이다. 임상적으로 과민폐렴이 의심된다면 올바른 진단을 위해서 직업력과 노출환경을 철저히 조사해야 한다. 과민폐렴의 조직소견이나 영상소견은 유발 항원에 관계없이 동일하며, 시기에 따라 소견의 차이를 보인다. 급성 과민폐렴은 과다하게 항원에 노출된 후 수 시간 내에 갑자기 증상이 발현한다. 흉부X선사진에서 간유리음영이 양 폐에 미만성으로 보이며 결절음영을 동반할 수 있다. 때로는 임상증상이 심해도 X선사진에서는 정상으로 보인다. 아급성 과민폐렴은 적은 양의 항원에 지속적으로 또는 간헐적으로 노출되어 발생하며, 수일에서 수주에 걸쳐 증상이 점차 발현한다. 흉부X선

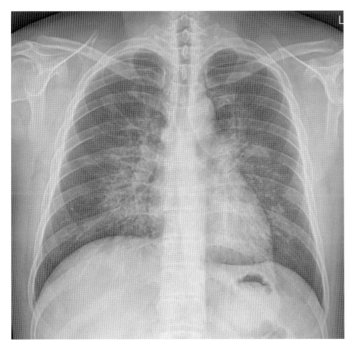

■ 그림 4-19. 폐포단백증
42세 남자 환자의 흉부X선사진에서 광범위한 간유리음영이 대칭적으로 양 폐야에 보이며, 중하부 중심부 폐야에 더 많이 분포한다. 이런 소견은 정수압폐부종과 매우 흡사하다. 하지만 흉부X선사진에서 심비대와 흉막삼출이 없고, 임상증상이 X선사진 소견에 비해 상대적으로 가볍다는 점이 정수압폐부종과의 감별진단에 도움이 된다. 이 환자는 기관지폐포세척술로 확진하였다.

사진에서 간유리음영과 불분명한 결절음영이 양 폐에 미만성으로 보인다.

폐포단백증은 표면활성체와 표면활성체의 전구물질인 무정형 지질-단백양 물질이 폐포공간에 차는 질환이다. 원발성 또는 이차성으로 발생하며, 이차성은 규폐증, 후천성면역결핍증, 감염, 림프종에 의해 발생하기도 한다. 흉부X선사진에서 경계가 불분명한 폐경화와 간유리음영이 반점상 또는 미만성으로 분포하며 폐 중하부에 좀 더 뚜렷하게 보인다. 이러한 소견들은 정수압폐부종과 매우 유사하나, 심비대나 흉막삼출을 동반하지 않았다면 폐포단백증의 진단에 도움을 줄 수 있다(그림 4-19). 특징적으로 영상 소견은 심한데 비해 증상은 경미하다.

███ **참고문헌** ██

1. American Thoracic Society/European Respiratory Society International Multidisciplinary Consensus Classification of the Idiopathic Interstitial Pneumonias. This joint statement of the American Thoracic Society (ATS), and the European Respiratory Society (ERS) was adopted by the ATS board of directors, June 2001 and by the ERS Executive Committee, June 2001. Am J Respir Crit Care Med 2002;165:277-304.

2. Travis WD, Costabel U, Hansell DM, King TE Jr., Lynch DA, Nicholson AG, et al. ATS/ERS Committee on Idiopathic Interstitial Pneumonias. An official American Thoracic Society/European Respiratory Society statement: Update of the international multidisciplinary classification of the idiopathic interstitial pneumonias. Am J Respir Crit Care Med 2013;188:733-748.

3. Mathieson JR, Mayo JR, Staples CA, Muller NL. Chronic diffuse infiltrative lung disease: comparison of diagnostic accuracy of CT and chest radiography. Radiology 1989;171:111-116.

4. Kim KA, Kang EY, Oh YW, Kim JS, Park JS, Lee KS, et al. Diffuse infiltrative lung disease: Comparison of diagnostic accuracies of high-resolution CT and radiography. Tuberc Respir Dis 1996;43:388-402 5. Kang EY, Muller NL. The radiographic and high-resolution computed tomographic findings in interstitial lung disease. In Freundlich IM, Bragg DG. A radiologic approach to diseases of the chest. 2nd ed. Baltimore: Williams & Wilkins 1997:173-193

5. Miller WT Jr. Chest radiographic evaluation of diffuse infiltrative lung disease: review of a dying art. Eur J Radiol 2002;44:182-197.

6. Kang EY, Woo OH, Yong HS, Lee KY, Oh YW, Cha IH, et al. Radiologic Approach to Diffuse Infiltrative Lung Disease. J Korean Radiol Soc 2006;54:503-513.

7. Epler GR, McLoud TC, Gaensler EA, Mikus JP, Carrington CB. Normal chest roentgenograms in chronic diffuse infiltrative lung disease. N Engl J Med. 1978;298:934-939.

8. Lynch JP 3rd, Saggar R, Weigt SS, Zisman DA, White ES. Usual interstitial pneumonia. Semin Respir Crit Care Med. 2006;27:634-651.

9. Roach HD, Davies GJ, Attanoos R, Crane M, Adams H, Phillips S, et al. Asbestos: when the dust settles an imaging review of asbestos-related disease. Radiographics 2002;22:S167-184.

10. Hirschmann JV, Pipavath SNJ, Godwin JD. Hypersensitivity Pneumonitis: A Historical, Clinical, and Radiologic Review. RadioGraphics 2009;29:1921-1938.12. Akbar JJ, Meyer CA, Shipley RT, Vagal AS. Cardiopulmonary imaging in sarcoidosis. Clin Chest Med 2008;29:429-443.13. Abbott GF, Rosado-de-Christenson ML, Franks TJ, Frazier AA, Galvin JR. From the archives of the AFIP: pulmonary Langerhans cell histiocytosis Radiographics. 2004;24:821-841.

11. Akira M. Imaging of occupational and environmental lung diseases Clin Chest Med. 2008;29:117-131.

12. Poletti V, Casoni G, Chilosi M, Zompatori M. Diffuse panbronchiolitis Eur Respir J. 2006;28:862-871.

13. Katzenstein AL, Myers JL, Mazur MT. Acute interstitial pneumonia, a clinicopathologic, ultrastructural, and cell kinetic study Am J Surg Pathol. 1986;10:256-267.

14. Katzenstein AL, Fiorelli RF. Nonspeicific interstitial pneumonia/fibrosis. Histologic features and clinical significance.Am J Surg Pathol 1994;18:136-147.

15. Flieder DB, Koss MN. Nonspecific interstitial pneumonia: a provisional category of idiopathic interstitial pneumonia. Curr Opin Pulm Med 2004;10:441-446.

CHAPTER
05

폐포공간을 주로 침범하는 폐질환 유형

| 김윤경, 이기열 |

Contents

Ⅰ 폐포공간을 주로 침범하는 폐질환

흉부X선사진에서 방사선 음영증가로 나타나는 각종 폐질환은 크게 폐포공간(alveolar space) 침범 시에 나타나는 폐포병변과 폐간질(interstitium) 침범 시에 나타나는 간질병변으로 파악할 수 있다. 폐포병변이 흉부X선사진에서 보일 때 폐포공간경화(airspace consolidation)라는 용어를 주로 사용하는데 폐포공간경화의 정의는 폐포가 공기 대신 누출액(transudate), 삼출액(exudate), 출혈, 세포, 단백물질 등으로 완전히 대체되어서 흉부X선사진에서 폐혈관 윤곽이 소실될 정도로 증가한 음영을 말한다[1]. 간유리음영(ground-glass opacity)이라는 용어도 폐포병변을 기술할 때 사용할 수 있는데 이는 폐포와 폐간질을 침범하는 다양한 폐질환에서 보일 수 있으며, 흉부X선사진에서는 병변이 있는 부위의 폐혈관윤곽을 소실시키지 않는 정도의 증가된 음영을 말한다[1]. 폐포병변의 흉부X선사진 소견은 다음과 같은 특징을 가지고 있다(그림 5-1, 5-2).

① 폐포결절, 일명 폐세엽음영(acinar shadow)이라고 불리는 직경 4-10 mm의 결절음영으로 경계가 선명하지 못하고 서로 융합하는 경향을 보인다. 그 이유는 폐포와 폐포는 콘공(pore of Kohn)으로, 폐포와 세기관지는 Lambert관(canal of Lambert)을 통해 서로 연결되므로 이 연결통로에 의해 병변이 퍼지기 때문이다.

② 증가음영의 분포가 폐분절을 통과하여 퍼지는 양상이 있다.

③ 증가음영의 경계가 불분명하다.

④ 공기기관지조영(air bronchogram)이 보인다. 공기기관지조영이란 기관지 내에는 정상적으로 공기가 존재하고 기관지 주위 폐포 내의 공기는 폐포병변에 의해 대치되었을 때 보이는 소견으로, 공기로 찬 기관지가 주위 폐포병변의 증

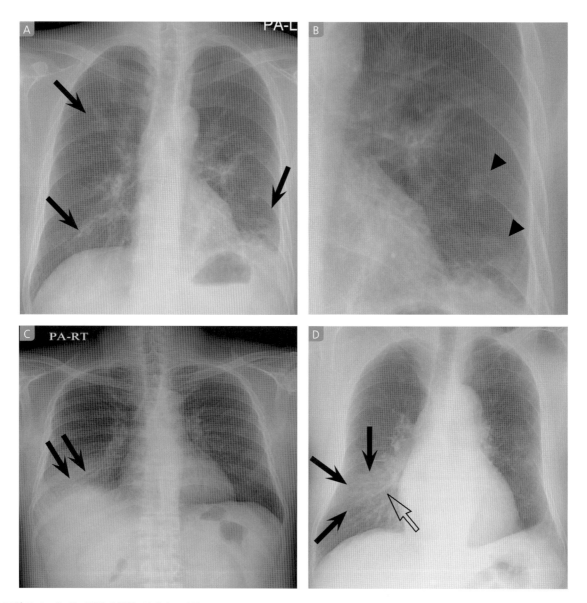

■ 그림 5-1. 폐포공간질환의 흉부X선사진 소견들

A. 흉부X선 후전사진. 경계가 불분명한 국소경화가 다발로 존재한다(화살표). **B.** 사진A의 좌측 중부폐야와 하부폐야를 확대한 사진. 경계가 불분명한 작은 폐포결절은 세기관지 주변의 염증으로 인한 소견이다(화살촉). **C.** 흉부X선 후전사진. 우측 폐하부에 폐경화가 있고 내부에 공기기관지조영상이 있다(화살표). 뚜렷한 좌측 횡격막에 비해 우측 횡격막은 우하엽 폐경화에 의해 경계가 소실되어 실루엣징후 양성이다. **D.** 흉부X선 전후사진. 우측 폐하부에 국소적인 간유리음영이 있고(화살표), 이는 병변 내의 폐혈관 윤곽(빈 화살표)이 소실되지 않는 정도의 음영증가를 말한다.

가음영에 대조되어 검게 보이는 것이다.

⑤ 주위 연부조직의 경계음영을 소실시킬 수 있다(실루엣징후, silhouette sign). 심장, 혈관, 횡격막 등의 연부조직은 공기로 차 있는 폐와의 경계면에서 예리한 실루엣을 나타내는 것이 정상인데, 이들 연부조직과 인접한 부위의 폐에 음영증가병변이 생긴 경우 해당 연부조직의 실루엣을 소실시키게 된다(실루엣징후 양성).

⑥ 시간요소로서 폐부종이나 폐출혈에 의한 폐포병변은 수 시간이나 수 일 사이에 증가음영이 소실될 수 있고, 폐렴은

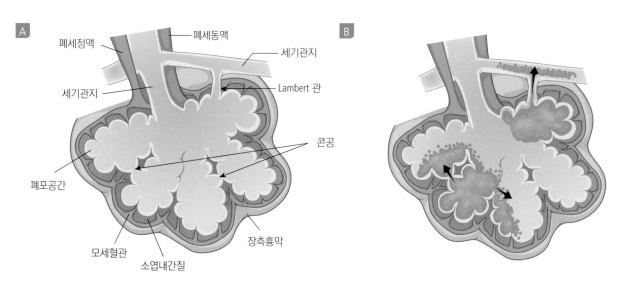

■ 그림 5-2. 정상 폐포와 주변부 폐포공간경화의 모식도

A. 정상 폐포의 모식도. 폐포공간은 공기로 차있고 폐포와 폐포는 콘공, 폐포와 세기관지는 Lambert관에 의해 연결되어 있다(화살표). **B.** 폐포에 공기 대신 체액, 세포, 단백질 혹은 종양세포 등이 차게 되면 흉부X선사진에서 폐포공간경화로 나타나며 이러한 병변은 콘공과 Lambert관(화살표)을 통하여 주위 폐포와 세기관지로 쉽게 퍼질 수 있다.

표 5-1. 폐포병변 및 간질성폐병변의 흉부X선사진 소견

폐포병변	간질성폐병변
• 폐포결절: 경계가 불분명한 4–10 mm의 결절음영이 서로 융합하는 양상 • 경계가 불분명한 음영증가 • 증가음영이 폐분절을 통과하여 퍼지는 양상 • 공기기관지조영상: 주위 증가음영에 대조되어 공기가 차 있는 기관지가 검게 보임 • 실루엣 징후: 인접한 연부조직의 경계음영을 소실	• 선음영 형태 • 그물음영 형태 • 결절음영 형태: 비교적 경계가 분명한 소결절 • 낭음영 형태 • 간유리음영 형태 • 혈관 및 기관지벽 비후 • 벌집모양 폐: 간질성폐병변의 말기

수 주에 걸쳐 소실되며, 폐선암(adenocarcinoma)과 림프종은 더욱 긴 시간에 걸쳐서 폐포병변이 지속된다.

⑦ 폐허탈(collapse)의 소견이 경미하거나 없다.

폐포병변과의 감별을 위해 간질성폐병변의 흉부X선사진 소견에 대해 간단히 설명한다(표 5-1). 폐간질은 흉막하간질과 소엽사이막으로 구성된 주변간질, 폐문을 중심으로 중심부 폐의 기관지와 혈관을 둘러싸는 축간질(axial interstitium), 폐포벽으로 이루어진 소엽내간질(intralobular interstitium)로 구성된 결체조직이다(그림 5-3). 미만간질성폐병변의 흉부X선사진 소견은 다음과 같다.

① 선음영 형태(linear pattern)

② 그물음영 형태(reticular pattern)

③ 낭음영 형태(cystic pattern)

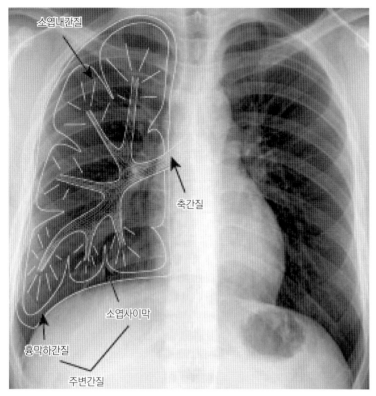

소엽내간질

축간질

소엽사이막

흉막하간질

주변간질

■ 그림 5-3. 폐간질 모식도
폐의 간질은 흉막하간질 및 소엽사이막으로 구성된 주변간
질, 폐문을 중심으로 한 중심부 폐의 기관지 및 폐혈관을 둘
러싼 축간질, 폐포벽으로 이루어진 소엽내간질로 구성된다.

④ 결절음영 형태(nodular pattern)

⑤ 간유리음영 형태(ground-glass pattern)

⑥ 혈관 및 기관지벽 비후(bronchovascular bundle thickening): 축간질조직이 두꺼워져서 나타나는 현상으로 혈관이나
기관지의 윤곽이 두껍고 불분명하게 보인다.

⑦ 벌집모양 폐 형태(honeycomb pattern): 직경 5-10 mm, 벽두께 2-3 mm 정도의 벌집 같은 음영이 밀집된 모양으로 간
질성폐병변의 말기에 나타난다.

흉부X선사진에서 병변의 형태와 분포는 폐포병변과 간질성폐병변의 감별진단에 매우 중요하다. 그러나 실제 판독
에 있어서는 감별진단이 어려운 경우가 있는데, 간질과 폐포를 동시에 침범하거나 폐포침범이 더 우세한 간질성폐질
환도 있기 때문이다. 예를 들어 급성간질폐렴(acute interstitial pneumonia)이나 폐쇄세기관지기질화폐렴(bronchiolitis
obliterans organizing pneumonia)은 흉부X선사진에서 폐경화의 소견을 보이는데 이들 질환에서 병리적으로 폐포병변이
우세하게 나타나는 경우가 있다[2, 3]. 따라서 적절한 진단을 위해서는 흉부X선사진에서의 주된 유형과 함께 흉막삼출의
유무, 폐 용적의 변화 등 동반된 소견과 시간에 따른 변화 및, 임상 소견, 검사실 소견 등을 같이 고려해야 한다.

폐포공간경화의 흉부X선사진 유형

1. 국소경화

국소경화는 분절성(segmental) 혹은 엽성(lobar)일 수 있고 때로는 엽 전체, 폐 전체를 포함할 수도 있다. 분절경화는 폐경색, 기관지막힘(폐암 등)으로 인한 폐쇄폐렴에서 나타난다. 폐암에 의한 폐쇄폐렴은 특징적으로 무기폐를 동반하고 공기기관지조영상을 동반하지 않는다. 폐렴 중에서는 흡인폐렴이 분절경화를 보이며, 폐렴막대균(Klebsiella pneumoniae) 혹은 그람음성세균이 분절경화의 흔한 원인균이지만, 이들 세균은 양측으로 국소 다발경화를 나타내는 기관지폐렴을 더 잘 일으킨다. 엽성 경화의 가장 흔한 원인은 세균폐렴이며 사슬알균(Streptococcus pneumoniae)이나 폐렴막대균이 엽경화의 대표적 원인균이다[4-6].

국소경화의 소견이 보일 때 특히 객혈이 있는 환자이거나 흉부외상 환자에서는 출혈을 반드시 고려해야 한다[7]. 수개월에 걸쳐 천천히 자라는 원형의 경화는 폐선암이나 림프종과 같은 폐암을 시사한다[8, 9]. 국소 혹은 다발경화를 일으키는 급성 혹은 만성경과에 따른 원인질환을 표 5-2, 5-3에 정리하였고 임상환경에 따른 폐렴의 흔한 원인균은 표 5-4에 정리하였다.

폐렴막대균폐렴은 항생제사용 이후 인두의 정상균무리로 흔히 발견되며 특히 구강위생 상태가 좋지 않은 사람에서 자주 발견된다. 많은 수의 환자가 만성 알코올중독자이고 그 다음으로는 노인이나 당뇨병 환자 중 구강 혹은 치아감염을 가진 환자이다. 폐렴막대균이 폐감염을 일으키는 경로는 주로 구강 분비물이 흡인되어 일어나며 상엽의 후분절과 하엽의 상분절에 호발한다. 흉부X선사진 소견은 사슬알균폐렴과 비슷하게 공기기관지조영상을 보이는 경화로 나타나나 다른 점은 염증삼출액에 의해 침범한 분절의 용적증가를 일으켜 엽간열을 팽창시키는 점, 정상 폐와의 경계면이 명확하며 조기에 공동을 형성하는 점이다(그림 5-4). 합병증으로는 폐괴저

CHAPTER 05

표 5-2. 국소 혹은 다발경화를 보이는 원인들

국소	• 폐렴: 세균, 바이러스, 진균, 기생충, 항산균, 흡인폐렴, 폐쇄폐렴 • 폐출혈: 기관지확장증, 만성기관지염, 결핵, 폐암, 외상, 혈관염 • 종양: 폐선암, 림프종
다발	• 폐렴: 세균, 바이러스, 진균, 항산균, 흡인폐렴, 단순폐호산구침윤, 만성호산구폐렴, 렙토스피라병, 폐쇄세기관지기질화폐렴 • 육아종증다발혈관염 • 종양: 폐선암, 림프종

표 5-3. 국소 혹은 다발경화의 임상경과에 따른 원인질환

급성	• 폐렴: 세균, 바이러스, 진균, 기생충, 항산균, 흡인폐렴, 폐쇄폐렴 • 폐출혈: 기관지확장증, 만성기관지염, 결핵, 폐암, 외상, 혈관염 • 폐부종: 재팽창폐부종, 심인성폐부종
만성	• 폐렴: 폐쇄폐렴, 만성호산구폐렴, 폐쇄세기관지기질화폐렴, 지질폐렴 • 육아종증다발혈관염 • 종양: 폐선암, 림프종

표 5-4. 임상환경에 따른 폐렴의 흔한 원인균

지역사회 획득폐렴	• 사슬알균(가장 흔한 원인균) • 헤모 루스 인플루엔자, 혐기성균 • 마이코플라스마: 청소년에서 가장 흔한 원인균
병원내 폐렴	• 녹농균: 중환자실 환자에서 호발 • 포도알균, 그람음성간균
알코올 중독	• 사슬알균 • 혐기성균 • 폐렴막대균
치아 위생 불량	• 혐기성균
정주 마약 사용	• 포도알균

폐렴막대균폐렴	• 엽폐렴 양상이 대부분 – 용적증가에 의한 엽간열의 팽창
	• 상엽의 후분절과 하엽의 상분절에 호발
	• 기관지 폐렴 가능 – 특히 병원내감염의 경우
	• 조기에 공동형성
	• 흉막삼출이 흔하고 농흉이 잘 생김

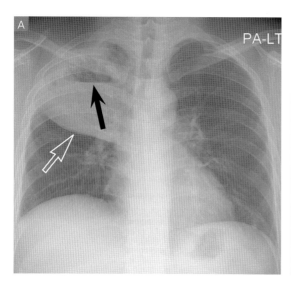 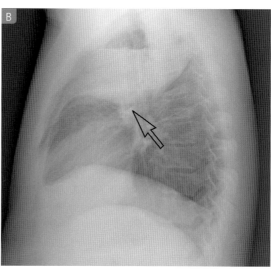

■ **그림 5-4. 폐렴막대균폐렴**
A. 흉부X선 후전사진, **B.** 흉부X선 측면사진. 41세 알코올 중독 남자이며 심한 급성 기침과 객혈을 주소로 내원하였다. 우상엽에 경화가 있고 경화내부에 공동형성이 보인다(화살표). 우상엽의 부피가 팽창되어 수평열이 밑으로 늘어졌다(빈 화살표).

(gangrene), 농흉, 기흉과 기관지흉막루(bronchopleural fistula) 등이다[4, 6, 10].

사슬알균폐렴은 지역사회획득폐렴의 가장 흔한 원인균으로서 약 50%를 차지한다. 엽폐렴의 원인은 대부분 사슬알균이며 기관지폐렴의 원인도 된다. 사슬알균폐렴은 내인감염으로서 구인두 등에 정상균무리로 존재하던 병원균이 폐로 침투하지 못하도록 하던 방어기전이 깨지면서 흡인되어 발생하는 것으로 여겨진다. 사슬알균폐렴의 위험요인으로는 치매노인, 발작환자, 흡연자, 울혈심부전증, 만성폐쇄폐질환 등이 있다. 흉부X선사진에서는 비분절(엽성) 분포를 하는 균질한 경화가 가장 흔하고 한 개의 엽을 침범한다(그림 5-5). 그 다음은 기관지폐렴 형태의 반점형 경화이며, 경화와 그물결절 음영이 혼합된 형태로 나타나기도 한다. 공기기관지조영상이 흔하고 공동형성과 흉막삼출은 드물며 2주 이내에 영상의학적으로 완전히 흡수된다[4-6].

폐경색은 폐동맥 색전증 환자의 10% 이내에서만 일어나는데 그 이유는 폐가 폐동맥과 기관지동맥으로부터 이중으로 동맥혈류를 공급받기 때문이다. 폐질환이 있거나 좌심실 부전, 수술, 외상 등이 있는 경우에는 폐경색의 빈도가 증가한다. 폐경색의 흉부X선사진 소견은 흉막 표면을 따라서 생기는 삼각형 모양의 경화음영, 결절, 폐종괴, 흉막삼출, 횡격막상승이다. 폐경색이 일어나면 증상발현 후 12-24시간 후에 흉막 표면을 따라서 경계가 불명확한 삼각형 모양의 경화가 나타나는데, 주로 하부폐야에 생기고(그림 5-6), 시간이 지남에 따라 더 뚜렷하게 국소음영으로 변하며 수주에 걸쳐 서서히 크기가 작아진다[11].

폐쇄폐렴이 중심폐암에 의해 생길 경우 흉부X선사진에서 세균폐렴과 유사하게 국소경화를 보일 수 있으며 말초 부

사슬알균폐렴	• 비분절, 균질한 엽경화 – 가장 흔한 소견
	• 기관지폐렴 형태의 반점형 경화
	• 공기기관지조영상
	• 흉막삼출 – 드묾(10%)

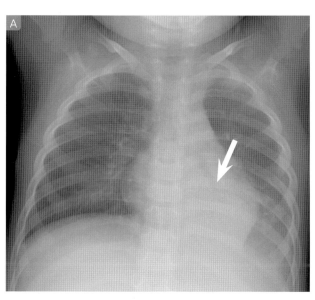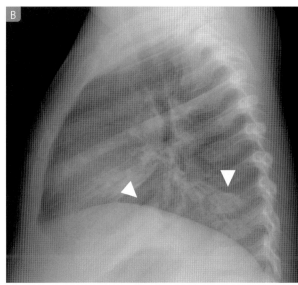

■ 그림 5-5. 사슬알균에 의한 엽폐렴

3세 여아가 열과 기침을 주소로 내원하였다. **A.** 흉부X선 전후사진. 좌측 하부폐야에 공기기관지조영상(화살표)을 동반한 엽경화가 보이며 횡격막 경계음영이 소실되어 실루엣징후 양성이고 좌하엽의 경화임을 알 수 있다. **B.** 흉부X선 측면사진. 좌하엽 전체를 침범하는 경화가 보인다(화살촉).

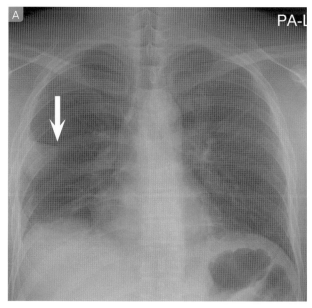

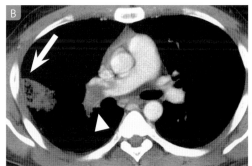

■ 그림 5-6. 폐동맥 색전에 의한 폐경색

다리가 불편하여 오랫동안 누워있거나 앉아서 생활하는 53세 남자가 7일전부터 운동호흡곤란을 보여 내원하였다. **A.** 흉부X선 전후사진. 우측 중부폐야에 흉막에 인접한 삼각형모양의 경화가 보이며(화살표) 우측 가로막이 위로 올라가 있다. **B.** 기관분지 레벨에서 얻은 CT. 우측 폐동맥에 색전물질에 의한 충만결손(화살촉)이 있고 우중엽의 국소 경화는 폐경색이며(화살표) 그림 A에서 보인 병변에 해당한다.

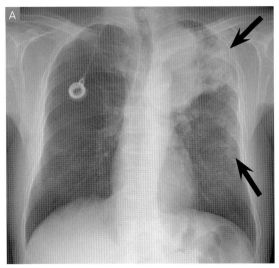

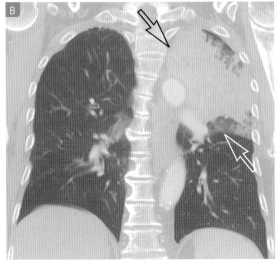

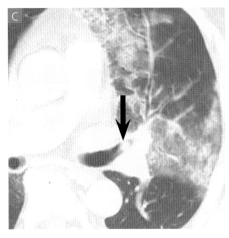

■ 그림 5-7. 중심폐암에 의한 폐쇄폐렴

69세 남자가 한 달 전부터 열, 기침 등의 증상이 있어서 내원하였다. **A.** 흉부X선 후전사진. 좌상엽의 경화와 간유리음영이 보인다(화살표). **B, C.** 관상면 CT와 기관분기 아랫부분의 횡축 CT. 좌상엽에 경화와 간유리음영이 혼재되어 있고 용적감소는 없으며(빈 화살표), 좌상엽기관지 내부에 6 mm 크기의 연부조직음영(화살표)가 있다. 이 경우는 좌상엽기관시내에 생긴 편평세포암종이 기관지내강을 폐쇄시켜 발생한 폐쇄폐렴이다.

위는 다양한 정도의 폐용적 감소가 나타난다. 기도가 완전히 막히면 공기가 말초부까지 통과할 수 없기 때문에 공기기관지조영상이 보이지 않는다(그림 5-7). 병리학적 소견은 감염과 관련된 염증이기보다는 폐포 내의 단백물질이나 간질폐렴, 간질섬유화 및 점액충전 등에 의한 것이다. 기억해야 할 것은 폐암이 발열, 호흡기 증상 및 흉부X선사진에서 음영증가의 형태로 발현할 수 있으므로 충분한 폐렴 치료에도 불구하고 폐음영의 호전이 없거나 악화되는 경우에는 꼭 폐암의 가능성을 생각해야 한다[8, 9, 12].

국소폐출혈은 만성기관지염, 기관지확장증, 폐암 또는 폐결핵 등의 질환에서 흔히 보이며, 주로 기관지에서 발생한 출혈이 이차적으로 폐포 내로 흡인되어 발생한다. 흉부X선사진에서는 급격히 발생한 국소경화, 간유리음영 혹은 경계가 불명확한 결절들이 보일 수 있다(그림 5-8). 국소폐출혈의 경우 광범위폐출혈과는 다르게 경화 및 간유리음영이 국한된 범위에 나타나고 대개 편측으로 생긴다[7].

폐선암, 림프종의 경우 국소 혹은 다발경화 소견으로 종종 나타나며, 국소경화로 나타나는 경우가 60-90%로 많다(그림 5-9). 이는 종양이 말초기도나 폐포벽을 따라 퍼지거나 점액물질의 분비에 의해 나타나는 소견으로 중심 기관지는 열려있다. 그러므로 엽폐렴의 형태로 나타나는 질환이 항생제 치료에도 불구하고 개선되지 않는 경우에는 폐암 특히 폐선

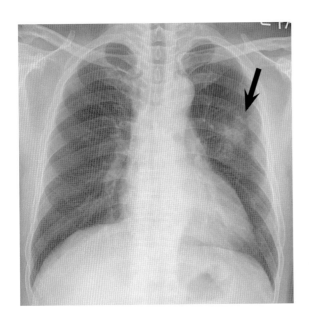

■ 그림 5-8. 국소경화로 보인 국소폐출혈
내원당일 넘어지면서 좌측 흉부에 직접 손상을 받은 후 발생한 통증을 주소로 내원한 환자의 흉부X선 후전사진. 좌측 중부폐야에 국소경화의 소견이 있으며(화살표) 이는 3일 후 추적사진에서 완전히 흡수되었다. 외상에 의해 국소폐출혈이 좌상엽에 생긴 경우이다.

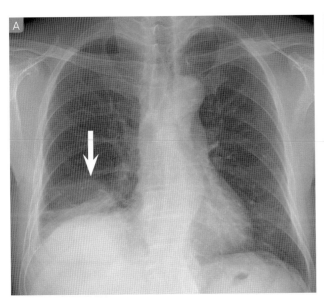
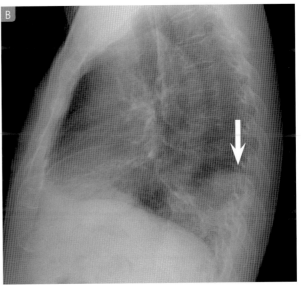

■ 그림 5-9. 엽경화로 발현된 폐선암
66세 남자가 상복부 통증이 있어 내원하였다. **A.** 흉부X선 후전사진, **B.** 흉부X선 측면사진. 경계가 불분명한 엽경화가 우하엽에서 보인다(화살표). 항생제 치료로 호전이 없었고 병변의 경계가 팽창된 소견이므로 폐암을 배제하기 위하여 투시유도하 폐생검을 실시하여 폐선암으로 확진하였다.

암, 드물게는 림프종을 의심해야 한다[8, 9].

2. 다발경화

다발경화(multifocal consolidation)는 세균, 바이러스와 진균에 의한 급성기관지폐렴에서 가장 흔하게 볼 수 있고 편측

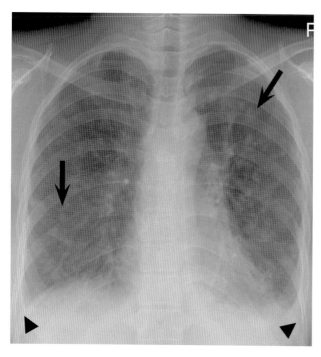

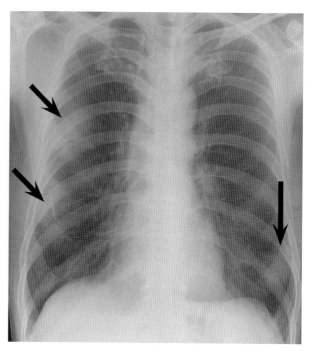

■ 그림 5-10. 다발경화로 나타난 패혈폐렴
유방암으로 왼쪽 유방절제술을 받았고 내원 3일전부터 갑자기 발생한 열을 주소로 내원한 환자의 흉부X선사진에서 경계가 불분명한 폐결절들이 양측 폐에 무작위로 산재되어 있고(화살표), 양측 늑골횡격막각이 둔해져 흉막 삼출이 있다(화살촉). 혈액배양검사에서 포도알균이 자라 확진하였고 항생제 치료로 완전히 회복되었다.

■ 그림 5-11. 국소 다발경화로 나타난 림프종
편도 림프종의 기왕력이 있는 61세 남자의 흉부X선사진에서 경계가 불분명한 다발경화가 우측 중부폐야와 좌측 하부폐야에 보인다(화살표). 림프종의 폐침범 여부를 확인하기 위하여 시행한 CT유도하 폐생검에서 림프종으로 확진되었다.

혹은 양측으로 생긴다. 특히 패혈폐렴의 경우 혈중의 균들이 순환 중에 폐모세혈관에 걸려 발생하는 것으로 흉부X선사진에서 다발경화로 나타나 주위로 파급되는 유형을 보인다(**그림 5-10**). 만성경과를 보이는 폐렴으로 단순폐호산구침윤 (simple pulmonary eosinophilia, Loeffler's syndrome), 만성호산구폐렴(chronic eosinophilic pneumonia), 혈관염, 폐쇄세 기관지기질화폐렴(bronchiolitis obliterans with organizing pneumonia) 등이 있다[4, 8, 13].

폐선암, 림프종이 때때로 만성경과의 다발경화로 발현하여 폐렴과 똑같이 보이는 경우가 있으며(**그림 5-11**), 점액성 폐선암의 경우 암세포의 침윤과 함께 이 세포에서 생산하는 점액에 의하여 경화병변이 광범위하게 나타난다[8, 9].

기관지폐렴은 주로 영아나 허약한 소아 혹은 노인에서 흔히 발생하며, 기관지 혹은 세기관지에서 염증이 출발한다는 점, 그리고 기관지를 통하여 염증이 파급된다는 점에서 기관지폐렴이라고 불리게 되었다. 흉부X선사진에서 기관지 주위로 경계가 불분명한 경화로 나타난다. 기관지폐렴은 보통 섬유화를 남기고 치유되는데 세기관지 폐색(obliteration), 폐기종(emphysema), 섬유화 등으로 남게 된다. 원인으로는 사슬알균이나 포도알균(Staphylococcus)에 의한 감염이 대표적이다. 포도알균폐렴은 환자의 피부나 비강내의 작은 염증병소로부터 옮겨지게 된다. 흔히 인플루엔자 이후의 합병증으로 나타나고, 어린이의 경우에는 홍역 혹은 백일해에 동반하여 나타나게 되며, 마약중독환자 혹은 세균심내막염을 가지고 있는 환자에서는 균혈증이나 패혈증에 병발하여 포도알균폐렴이나 농양이 생기기도 한다. 흉부X선사진에서는 성인의 경우 기관지폐렴의 소견으로 나타나 편측 혹은 양측으로 반점형 경화를 보이고(**그림 5-12**), 염증삼출물이 기관지내 강을 채우므로 공기기관지조영상은 드물다. 앞에서 기술한 사슬알균폐렴과 다른 점은 합병증으로 농흉을 잘 형성한다

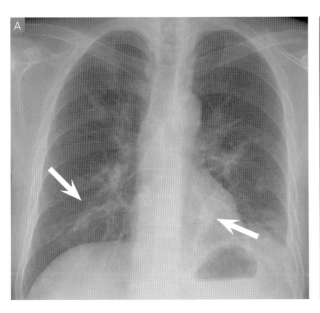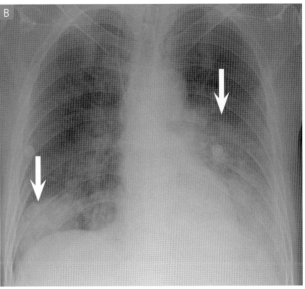

기관지폐렴	• 기관지주위로 경계가 불분명한 경화
	• 보통 섬유화를 남기면서 치유 – 세기관지 폐색, 폐기종, 섬유화를 남김
	• 원인균 – 사슬알균, 포도알균

■ 그림 5-12. **포도알균에 의한 기관지폐렴**
A. 기침과 열을 주소로 내원한 45세 남자의 흉부X선 후전사진. 양측 폐에 반점형의 국소경화가 다발로 존재하며 심장후면에도 증가된 음영이 보이고 (화살표) 좌측 늑골횡격막각이 둔화되어 흉막삼출이 있다. **B.** 3일 후 추적 검사한 흉부X선 전후사진. 3일 전 사진보다 반점형의 국소경화가 융합하여 좀 더 큰 경화로 발전하였다(화살표).

는 점, 폐농양으로 잘 진행한다는 점, 특히 어린이에서 얇은 벽을 갖는 공기낭종(pneumatocele)을 형성하는 점이다[4-6, 10].

곰팡이폐렴은 풍토곰팡이인 콕시디오이데스진균증(Coccidioidomycosis), 히스토플라즈마증(Histoplasmosis) 같은 소수를 제외하면 면역적격 환자에서 생기는 경우가 매우 드물다. 침습아스페르길루스증(invasive aspergillosis)은 면역기능이 심하게 손상된 환자에서 잘 발생하고 특히 심한 중성구감소증이 있는 면역저하환자에서 특징적으로 발병한다. 폐포공간 안에 균사가 증식하여 작거나 중간 크기의 폐동맥을 침범하고 광범위한 폐출혈, 폐동맥혈전색전증, 조직괴사, 전신파종을 일으킨다. 임상진단이 어렵고 85%까지 사망률이 보고된 치명적인 질환이다. 흉부X선사진 소견으로는 다수의 경계가 분명하지 않은 폐 주변부의 결절들과 이러한 결절들이 융합한 큰 경화를 보인다. 치료 2-3주 후 백혈구 숫자가 회복되는 시기에 결절 또는 경화 내에 공동, 공기초승달징후(air-crescent sign)를 보인다(그림 5-13). 비특이적인 소견들로는 엽 혹은 분절경화, 다수의 작은 결절음영, 그물음영, 흉막삼출이 있다[14].

호산구폐질환은 병리적으로 폐포와 주위 간질에 호산구 침윤이 있는 다양한 질환군을 지칭한다. 호산구폐질환의 진단기준은 다음 세 가지 중 하나를 만족하는 것이다.
① 말초혈액호산구 증가와 흉부X선사진 또는 CT에서의 이상소견
② 폐생검으로 증명된 폐조직 호산구 증가

침습아스페르길루스증	• 심한 중성구감소증이 있는 면역저하환자
	− 에이즈, 백혈병과 같은 혈액암, 골수이식환자
	• 경계가 불분명한 결절들과 결절음영이 융합된 큰 경화
	• 치료 후 2–3주에 결절 또는 경화 내 공동, 공기 승달징후

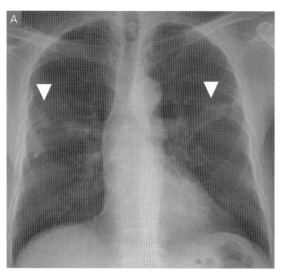
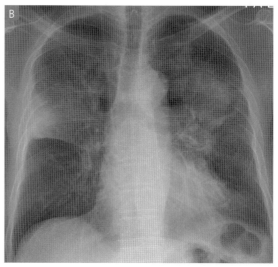

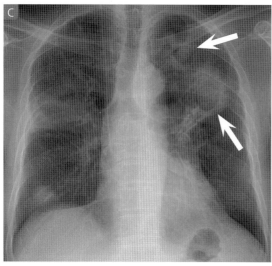

■ 그림 5-13. 급성골수백혈병 환자에서 생긴 침습아스페르길루스증
A. 흉부X선 전후사진. 양측 중부폐야에 반점형 경화가 보인다(화살촉). 이 당시 환자의 백혈구 수는 26/mm³이었다. B. 2주 후 추적 검사한 흉부X선 후전사진. 반점형 경화들이 융합하여 넓은 경화를 형성하였다. C. 4주 후 흉부X선 후전사진. 경화 내에 공동이 형성되어 공기 초승달징후를 보인다(화살표). 이 시기에 환자의 백혈구 수는 1,000/mm³ 이상으로 회복된 소견을 보여 면역기능이 회복되는 시기에 공동이 형성되는 것으로 해석된다.

③ 기관지폐포세척액(bronchoalveolar lavage, BAL)에서 호산구 증가

    호산구폐질환의 분류는 원인에 따라 다음과 같이 분류할 수 있다. 첫째는 원인이 알려지지 않은 단순폐호산구침윤, 급성호산구폐렴, 만성호산구폐렴이며, 둘째는 원인이 밝혀진 알레르기기관지폐아스페르길루스증(allergic bronchopulmonary aspergillosis), 기생충 감염이나 약물반응으로 인한 호산구폐질환, 셋째는 호산구혈관염으로 알레르기혈관염 및 육아종증이 있다.

    단순폐호산구침윤은 증상이 없거나 비특이적이며 말초혈액의 호산구증가를 동반한다. 흉부X선사진에서는 비분절

단순폐호산구침윤	1. 말 혈액의 호산구증가
	2. 기생충 감염이나 약물반응 등 폐호산구침윤을 일으킬 수 있는 질환을 배제
	3. 비분절경화 – 저절로 호전되거나 이동하는 특징

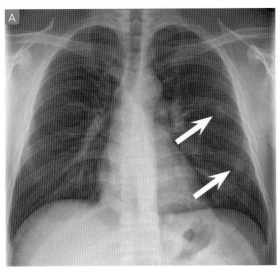 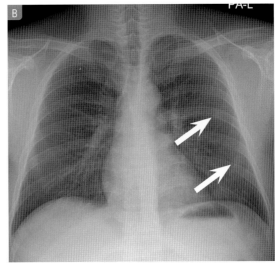

■ **그림 5-14. 건강진단 시 우연히 발견된 36세 남자의 단순폐호산구침윤**
A. 건강진단 시 흉부X선 후전사진. 좌측 폐에 경계가 불분명한 소결절들(화살표)이 보이며 이 때 말 혈액 내 호산구가 16.9%로 증가되어 있었다(정상은 0-8%). **B.** 특별한 치료 없이 2일 후 추적 검사한 흉부X선 후전사진. 2일 전 흉부X선사진보다 결절의 크기가 감소하였고 음영도 옅어졌으며(화살표) 5일후에는 완전히 사라졌다(사진없음).

경화 혹은 결절이 단독 혹은 다수로 보이거나 국소적인 간유리음영과 함께 관찰될 수 있다(그림 5-14). 경화 내 공동 형성이나, 흉막삼출, 림프절비대, 심비대는 동반되지 않는다. 치료하지 않아도 추적검사에서 병변이 없어지거나 다른 곳에 새로운 병변이 생기기도 한다. 진단을 위해서 기생충 감염이나 약물반응 등 폐호산구침윤을 일으킬 수 있는 질환을 배제해야 한다.

만성호산구폐렴은 증상이 서서히 나타나며 진단되기까지 적어도 한 달은 지속된다. 환자의 40%가 천식을 동반하며 여자에서 2배 정도 호발한다. 병리적으로 호산구와 림프구가 폐포와 주위 간질에 축적된다. 흉부X선사진에서 전형적인 소견은 비분절 경화가 흉막하 분포를 보이며 양측 상부와 중부폐야를 주로 침범한다(그림 5-15). 이런 소견은 폐쇄세기관지기질화폐렴에서도 보일 수 있으나 폐경화의 분포가 하부폐야를 더 심하게 침범하는 점이 감별에 도움을 준다[13].

육아종증다발혈관염(granulomatosis with polyangiitis, formerly Wegener's granulomatosis)은 상하부 호흡기관과 신장 등을 침범하는 비교적 잘 알려진 혈관염 증후군이다. 폐는 육아종증다발혈관염에서 가장 많이 침범되는 장기로 약 94%의 환자에서 폐침범을 볼 수 있지만 관련된 폐증상은 없는 경우가 많다. 남녀 발병 비는 비슷하며 모든 연령대에서 발생하고 평균연령은 40대이다. 흉부X선사진 소견은 수 mm에서 10 cm의 경계가 분명한 원형의 결절이나 경화로, 대개 여러 개가 양측으로 생긴다(그림 5-16). 30-50% 정도에서 공동이 보이는데 공동은 두꺼운 벽을 가지고 있으며 내부 벽은 불규칙한 경우가 많다[15].

국소, 다발 혹은 광범위 경화의 원인질환과 흉부X선사진에서 흔한 침범분절과 분포에 대하여 표 5-5에 정리하였다.

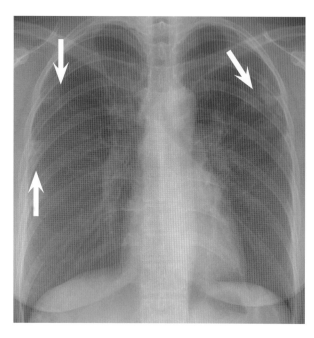

만성호산구폐렴
1. 수개월 동안 지속되는 기침, 호흡곤란, 열
2. 비분절경화 – 양측 상부와 중부폐야에서 흉막하 분포
3. 스테로이드 치료에 잘 반응하지만 재발을 잘 함

■ **그림 5-15. 32세 여자에서 생긴 만성호산구폐렴**
흉부X선사진에서 국소적인 반점형 경화가 흉막하 분포를 보이며 주로 양측 폐의 상부와 중부에서 보인다(화살표). 비디오흉강경수술로 우상엽에서 폐생검을 시행하였고 병리소견에서 폐포공간과 간질에 호산구, 조직구와 염증세포의 침윤을 보여 만성호산구폐렴으로 확진하였다. 말 혈액내 호산구수도 19%로 증가된 소견을 보였다.

육아종증다발혈관염
1. 여러 장기(상하부 호흡기관과 신장 등)를 침범하는 질환으로 혈관의 괴사육아종염증이 특징
2. 남녀 발병 비는 비슷하며 평균연령은 40대
3. 코피, 부비동염, 기침, 객혈, 호흡곤란 등을 주소
4. 경계가 분명한 원형 결절이나 경화 여러 개가 양측에 분포
5. 30-50% 정도에서 공동형성–두꺼운 벽과 불규칙한 내벽

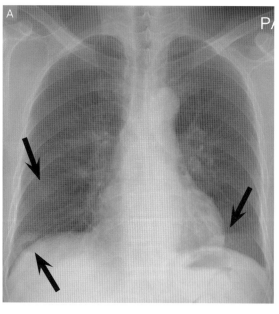
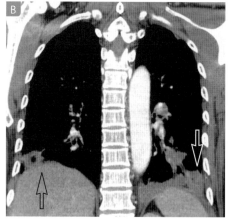

■ **그림 5-16. 54세 남자의 육아종증다발혈관염**
A. 흉부X선 후전사진. 양측 하부폐야에 종괴양 경화(화살표)가 있고 우하엽에서는 경화내부에 공동이 보인다. **B.** 조영증강한 관상면CT. 양하엽의 경화병변(빈 화살표)은 조영 증강되지 않는 저음영으로 보이며 우하엽에 벽이 두꺼운 공동이 잘 보인다.

표 5-5. 폐경화의 침범분포에 따른 원인질환

국소경화	• 분절경화: 폐렴(포도알균, 사슬알균, 결핵균, 폐쇄폐렴), 폐경색
	• 엽경화: 폐렴(폐렴막대균, 사슬알균), 폐선암
다발경화	• 상부폐: 만성호산구폐렴, 결핵, 비침습아스페르길루증
	• 하부폐: 바퀴살균증, 렙토스피라병, 육아종증다발혈관염
	• 주변폐: 렙토스피라병, 육아종증다발혈관염, 침습아스페르길루증
	• 양측폐: 패혈폐렴, 아데노바이러스, 녹농균, 항중성구세포질항체와 연관된 육아종혈관염
	• 무작위: 패혈폐렴, 단순폐호산구침윤
광범위경화	• 중심폐: 정수압폐부종, 사람폐포자충폐렴
	• 주변폐: 만성호산구폐렴, 렙토스피라병
	• 양측폐: 정수압폐부종, 사람폐포자충폐렴, 폐포단백증

표 5-6. 광범위경화를 일으키는 원인들

급성	• 폐렴: 심한 세균폐렴, 바이러스(인플루엔자, 거대세포바이러스), 사람폐포자충폐렴
	• 폐출혈: 혈액응고장애, 혈관염, 육아종증다발혈관염, 헤노흐-쇤라인 자색반, 베흐체트병, Goodpasture's syndrome, 렙토스피라병
	• 폐부종: 정수압폐부종, 급성호흡곤란 증후군
만성	• 폐렴: 만성호산구폐렴, 폐쇄세기관지기질화폐렴, 지질폐렴
	• 종양: 폐선암, 림프종
	• 대사질환: 폐포단백증

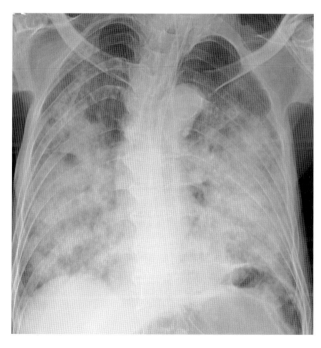

■ 그림 5-17. 광범위경화로 나타난 폐렴
뇌경색이 있는 77세 남자로 흉부X선 전후사진에서 양측 폐에 광범위경화가 보이며 기관내관이 삽입되어 있다. 이 환자는 가래검사와 가래배양을 통하여 녹농균폐렴으로 확진되었다. 녹농균은 그람음성 간균으로 원내감염의 중요한 원인균이다. 녹농균 폐렴의 위험인자는 오랫동안 중환자실에 입원하고 있는 환자, 만성폐쇄폐질환, 8일 이상 인공호흡기를 달고 있는 경우, 항생제나 스테로이드를 장기간 투여 받은 환자 등이며, 소아의 경우는 선천성 심질환에 해당한다.

단일 국소경화로 발현하는 질환 중에 대엽을 침범하는 것으로는 폐렴막대균과 사슬알균이 있고 종양은 폐선암이 엽경화로 발현을 잘 한다. 다발 국소경화를 일으키는 원인질환들 중에서 상부폐야를 우세하게 침범하는 것들로는 만성호산구폐렴, 결핵폐렴 등이 있고 하부폐야를 주로 침범하는 질환은 폐쇄세기관지기질화폐렴, 바퀴살균증(Actinomycosis) 등이 있다. 이와 같이 국소 혹은 다발경화의 원인 질환들이 우세하게 침범하는 분절과 분포를 인지하는 것은 흉부X선사진에서의 감별진단에 도움을 준다.

3. 광범위경화

광범위경화(diffuse consolidation)를 초래하는 질환은 매우 많다(표 5-6). 폐부종이 대표적이고 폐렴(그림 5-17), 유해가스흡입, 광범위폐출혈, 급성호흡곤란증후군(acute respiratory distress syndrome), 폐포단백증(alveolar proteinosis), 혈관염 등에서도 볼 수 있다. 그러나 원인에 관계없이 흉부X선사진 소견이 비슷한 경우가 많아서 임상 병력(증상, 외상 및 유해물질 노출유무, 알려진 전신질환)이나 환자의 면역 상태를 아는 것이 필수적이다.

폐부종은 혈관 밖의 폐조직에 수분이 저류되어 발생하며, 원인은 크게 폐모세혈관 내 정수압(hydrostatic pressure) 증가(정수압폐부종)와 모세혈관의 투과성 증가(투과폐부종)이다. 정수압이 증가하는 원인은 심부전과 신부전증이 대표적이며 투과폐부종은 급성호흡곤란증후군이 대표적이다. 정수압폐부종의 흉부X선사진 소견은 수분의 저류가 폐간질에 분포하는 경우 선음영(Kerley line)으로 보이고 이는 주로 두꺼워진 폐소엽사이막에 의한 선음영이다. 폐부종이 진행하여 폐포까지 수분이 넘치면 양측 폐문 주위의 음영이 증가하여 '나비' 혹은 '박쥐날개'양상(butterfly or bat's wing pattern)이 나타난다. 박쥐날개 음영은 폐문부가 진하고 폐 주변부로 가면서 흐려지는데, 그 이유는 폐의 주변부 즉 흉막하 부위는 흡기와 호기 시 신장성(distensability)이 크고, 림프계에 의한 흡수가 폐의 중심부 보다 더 왕성하여 수분의 저류가 덜 일어나기 때문이다. 공기기관지조영상과 흉막삼출이 흔하게 동반된다(그림 5-18).

양측 폐문 주위의 주된 음영증가유형은 정수압폐부종 외에도 폐포단백증, 폐렴, 유해가스 흡입, 광범위폐출혈, 사람폐포자충폐렴(Pneumocystis jirovecii pneumonia) 등에서도 볼 수 있다. 정수압폐부종과 투과폐부종의 구분은 영상의학소견 만으로는 힘든 경우가 있지만 양자의 구분에 도움이 되는 소견이 있다. 정수압폐부종은 기관지벽이나 소엽사이막의 비후를 보이고 상부폐야로 폐혈류의 재분포(정상적으로는 상부폐야보다 하부폐야에 혈관의 수가 많고 직경도 굵은데 좌심방 압력이 높아지면 이 관계가 역전되는 현상)를 보이는 반면, 투과폐부종은 기관지벽이나 소엽사이막의 비후가 없고, 심비대나 폐혈류의 재분포를 보이지 않는다. 공기기관지조영상은 투과폐부종에서 더 흔히 보인다[2, 3, 16].

급성호흡곤란증후군의 정의는 모세혈관의 투과성이 증가되어 폐부종이 생기는 것으로 다양한 원인에 의한 폐손상을 의미한다. 급성폐손상(acute lung injury)은 같은 스펙트럼의 좀더 광범위한 용어이며 영상의학소견은 같고 임상적, 병리학적 소견은 유사하다. 병리학적으로

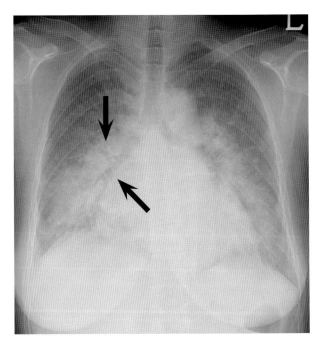

■ 그림 5-18. 만성신부전 환자에서 생긴 정수압폐부종
흉부X선 후전사진에서 양측 폐문 주위의 음영이 증가되어 '나비' 혹은 '박쥐날개'양상의 경화를 보이며 주변폐는 중심폐에 비해 침범되지 않았다. 공기기관지조영상이 동반되어 있고(화살표) 심음영이 커져 있다.

급성호흡곤란증후군은 3 병기로 구분할 수 있다. 제1기는 손상 후 12시간에서 24시간사이의 일시적 단계로 소견은 폐모세혈관울혈, 내피세포부종, 경도의 간질부종 그리고 광범위한 미세허탈(micro-atelectasis)이다. 제2기는 24시간에서 5일사이이며, 체액누출이 증가되면서 섬유소침착과 유리질막(hyaline membrane)이 형성되고 소엽사이막이나 간질공간에 단백질성의 물질이 찬다. 마지막으로 손상 5일 후부터는 제3기로 들어서며, 폐포내 제2형 폐세포의 이형성(type 2 pneumocyte metaplasia)이 일어나면서 교원질(collagen)이 침착되고 섬유화가 야기된다. 급성호흡곤란증후군은 세균패혈증, 폐렴, 위 내용물의 흡인, 쇼크, 외상, 화상, 약물과용, 광범위폐결핵 등 기저원인과 연관되어 생기는 경우가 대부분이다. 원인이 없이 특발로 발생하는 급성호흡곤란증후군을 급성간질폐렴이라고 부른다. 흉부X선사진 소견은 비특이적이며, 잠복기에는 정상소견을 보인다. 임상증상 발현 후 약 12-24시간이 지나면 양측경화나 간유리음영이 나타난다. 처음에는 반점형으로 보이다가 1-5일 후에는 융합하여 양측 폐에 분포한다. 이러한 병변은 전폐에 분포하여 폐가 전부 혼탁해지기도 하지만 정수압폐부종과 비교해 주변폐야에 증가된 음영을 보인다. 특징적으로 경화 내에 공기기관지조영상이 흔히 보이나 정수압폐부종과 달리 소엽사이막 선음영은 거의 보이지 않는다(그림 5-19)[2, 3, 17].

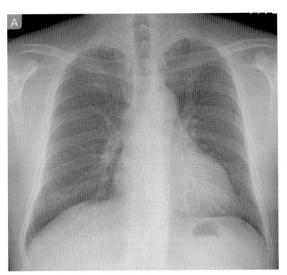

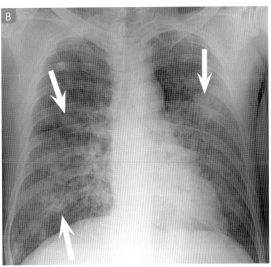

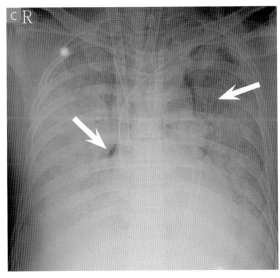

■ 그림 5-19. 화학폐렴에 의한 급성호흡곤란증후군
환자는 금속세척 직업에 종사하며 내원 1일전 수시간 동안 질산 탱크에서 구리를 세척하는 작업을 한 후 저녁부터 호흡곤란이 심해져 응급실로 내원하였다. A. 내원 시 흉부X선 전후사진. 정상소견이며 이 시기를 잠복기라고 한다. B. 내원 10시간 후 촬영한 흉부X선 전후사진. 반점형 경화가 양측으로 보이고 중심폐야에 더 심하다(화살표). C. 내원 24시간 후 흉부X선 전후사진. B사진에 보였던 반점형 음영이 합쳐져서 광범위 경화로 발전하였고 경화내 공기기관지조영상이 보인다(화살표). 호흡부전으로 인해 기관내관 삽입 후 기계호흡을 시작하였다.

폐출혈	• 국소폐출혈 – 만성기관지염, 기관지확장증, 폐암, 폐결핵 등
	• 광범위폐출혈 – 항응고제의 사용, 베흐체트병 같은 혈관염, 면역복합체 침착 질환, Goodpasture's syndrome
	• 객혈(80% 이상)
	• 급격히 출현하는 국소적 혹은 광범위 간유리음영, 경화 혹은 경계가 불명확한 결절
	• 광범위폐출혈이 급성으로 나타날 때는 폐부종, 과민폐렴, 바이러스폐렴, 사람폐포자충폐렴 등과 감별요

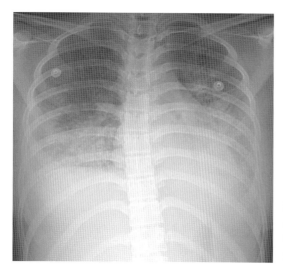

■ **그림 5-20. 광범위 폐출혈**
급성골수백혈병 여아가 항암치료 중 객혈이 있어 촬영한 흉부X선 전후사진. 양측 폐에 광범위 간유리음영과 경화가 혼재되어 있으며 작은 결절음영들이 섞여 있는 광범위 폐출혈이다.

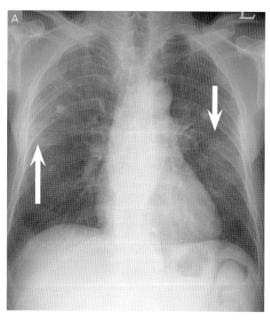

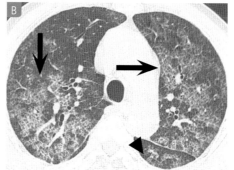

■ **그림 5-21. 광범위 간유리음영으로 발현한 렙토스피라병**
66세 남자 환자가 논에서 일하고 난 뒤 발열과 혈액흔적가래를 주소로 내원하였다. **A.** 흉부X선 후전사진. 양측에 광범위 간유리음영이 있고 우상엽과 좌측 중부폐야에 특히 심하다(화살표). 간유리음영은 출혈폐렴과 폐부종에 의한 소견이다. **B.** 고해상 CT. 간유리음영(화살표)과 함께 간질 내의 출혈과 부종으로 인한 소엽사이막이 두꺼워졌다(화살촉). 이 환자는 혈청검사에서 렙토스피라항체가 1:5,000 이상으로 검출되었다.

광범위폐출혈은 융합형태의 양측경화로 나타나고 원인으로는 항응고제의 사용, 항중성구세포질항체와 연관된 육아종혈관염, 헤노흐-쇤라인자색반(Henoch-Schonlein purpura), 베흐체트병(Behcet's disease) 같은 혈관염, 항사구체 항체

폐포단백증	• 지방이 풍부한 PAS-양성 단백물질이 폐포공간을 채우는 질환
	• 호발연령은 30–50대이고 남자에서 4배 정도 호발
	• 양측 폐에 대칭음영 – 폐부종과 감별요
	• 영상의학적 소견이 심한 데 비해 증상이 경미
	• 기관지폐포세척술이 진단 겸 치료

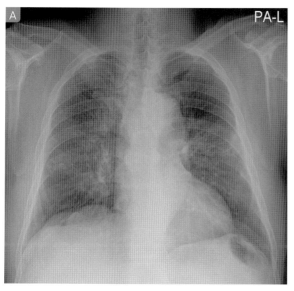
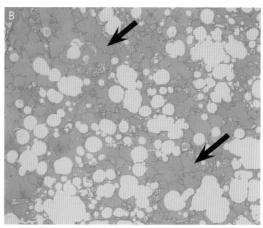

■ 그림 5-22. 가벼운 호흡곤란을 주소로 내원한 61세 남자 환자에서 생긴 폐포단백증

A. 흉부X선 후전사진. **B.** PAS 염색(40배율). 양측 폐에 광범위분포를 보이는 간유리음영과 경계가 불분명한 그물음영이 혼재된 소견이 중심폐야에 좀 더 심하다. 폐포단백증 의심 하에 기관지폐포세척술을 시행하여 우유빛깔의 액체를 얻었고, PAS염색에서 양성을 보이는 단백물질이 폐포공간을 채우고 있는 소견(화살표)이 있어 확진하였다.

질환인 Goodpasture's syndrome, 패혈증, 렙토스피라병(Leptospirosis)과 같은 다양한 질환과 연관되어 발생한다. 폐출혈은 흉부X선사진에서는 급격히 출현하는 국소 혹은 광범위한 간유리음영, 경화 혹은 경계가 불명확한 결절들이 보일 수 있다(그림 5-20, 5-21). 광범위폐출혈이 급성으로 나타날 때는 폐부종, 과민폐렴(hypersensitivity pneumonia), 바이러스폐렴, 사람폐포자충폐렴 등과의 감별이 어려우나, 흉막삼출이나 심비대와 같은 동반 소견이 없고, 폐출혈이 동반될 수 있는 기저 질환이 의심될 때는 광범위폐출혈을 생각할 수 있으며 추적검사소견에서 초기병변이 빠르게 소실되거나 다른 부위에 새 병변이 발생하는 경우에는 폐출혈의 가능성을 생각해야 한다[7].

폐포단백증은 지방이 풍부한 PAS-양성 단백물질(periodic acid-Schiff (PAS)-positive proteinaceous material)이 폐포를 채우는 질환이다. 호발연령은 30-50대이고 남자에서 4배가량 많이 생긴다. 폐포단백증은 영상의학적 소견이 심한 데 비해 증상이 경미한 것이 특징이고, 기관지폐포세척술로 진단과 치료를 겸한다. 흉부X선사진에서는 양측 폐에 대칭으로 희미한 그물음영이나 경화와 간유리음영을 보인다(그림 5-22). 이런 소견은 환자의 약 50%에서 폐문 근처의 중심폐야에서 우세하게 보이며(나비날개 양상), 나머지 환자에서는 주변부 혹은 하부폐야에서 우세하게 보일 수 있다. 폐부종과 다른 점은 심비대와 흉막삼출을 동반하지 않는다는 것이다[3].

광범위경화로 발현하는 질환 중에 중심폐야를 우세하게 침범하는 질환으로는 정수압폐부종과 사람폐포자충폐렴이 있고 주변폐야를 주로 침범하는 질환은 만성호산구폐렴과 렙토스피라병이 있다. 정수압폐부종과 사람폐포자충폐렴은 편측보다는 양측 폐를 침범하는 것이 대부분이다.

■■■■ 참고문헌 ■■■

1. Tuddenham WJ. Glossary of terms for thoracic radiology: recommendations of the Nomenclature Committee of the Fleischner Society. AJR Am J Roentgenol 1984;143:509-517.

2. Gluecker T, Capasso P, Schnyder P, Gudinchet F, Schaller MD, Revelly JP, et al. Clinical and radiologic features of pulmonary edema. Radiographics 1999;19:1507-1531.

3. Rossi SE, Erasmus JJ, Volpacchio M, Franquet T, Castiglioni T, McAdams HP, et al. "Crazy-paving" pattern at thin-section CT of the lungs: radiologic-pathologic overview. Radiographics 2003;23:1509-1519.

4. Herold CJ, Sailer JG. Community-acquired and nosocomial pneumonia. Eur Radiol 2004;14(Suppl 3):E2-20.

5. Franquet T. Imaging of pneumonia: trends and algorithms. Eur Respir J 2001;18:196-208.

6. Waite S, Jeudy J, White CS. Acute lung infections in normal and immunocompromised hosts. Radiol Clin North Am 2006;44:295-315.

7. Primack SL, Miller RR, Muller NL. Diffuse pulmonary hemorrhage: clinical, pathologic, and imaging features. AJR Am J Roentgenol 1995;164:295-300.

8. Lee KS, Kim Y, Han J, Ko EJ, Park CK, Primack SL, et al. Bronchioloalveolar carcinoma: clinical, histopathologic, and radiologic findings. Radiographics 1997;17:1345-1357.

9. King LJ, Padley SP, Wotherspoon AC, Nicholson AG. Pulmonary MALT lymphoma: imaging findings in 24 cases. Eur Radiol 2000;10:1932-1938.

10. American Thoracic Society. Hospital-acquired pneumonia in adults: diagnosis, assessment of severity, initial antimicrobial therapy, and preventive strategies. A consensus statement, American Thoracic Society, November 1995. Am J Respir Crit Care Med 1996;153:1711-1725.

11. Castaner E, Gallardo X, Ballesteros E, Andreu M, Pallardo Y, Mata JM, et al. CT diagnosis of chronic pulmonary thromboembolism. Radiographics 2009;29:31-50.

12. Jeung MY, Gasser B, Gangi A, Charneau D, Ducroq X, Kessler R, et al. Bronchial carcinoid tumors of the thorax: spectrum of radiologic findings. Radiographics 2002;22:351-365.

13. Kim Y, Lee KS, Choi DC, Primack SL, Im JG. The spectrum of eosinophilic lung disease: radiologic findings. J comput assist tomogr 1997;21:920-930.

14. Franquet T, Gimenez A, Hidalgo A. Imaging of opportunistic fungal infections in immunocompromised patient. Eur J Radiol 2004;51:130-138.

15. Lee KS, Kim TS, Fujimoto K, Moriya H, Watanabe H, Tateishi U, et al. Thoracic manifestation of Wegener's granulomatosis: CT findings in 30 patients. Eur Radiol 2003;13:43-51.

16. Boiselle PM, Tocino I, Hooley RJ, Pumerantz AS, Selwyn PA, Neklesa VP, et al. Chest radiograph interpretation of Pneumocystis carinii pneumonia, bacterial pneumonia, and pulmonary tuberculosis in HIV-positive patients: accuracy, distinguishing features, and mimics. J Thorac Imaging 1997;12:47-53.

17. Parambil JG, Myers JL, Aubry MC, Ryu JH. Causes and prognosis of diffuse alveolar damage diagnosed on surgical lung biopsy. Chest 2007;132:50-57.

CHAPTER

06

무기폐

| 김윤현 |

<hr />

▰▰▰ Contents

무기폐(atelectasis)는 폐 및 흉복강에 발생할 수 있는 다양한 질환에 의해 폐의 일부 또는 폐 전체의 공기의 감소와 함께 용적감소를 보이는 경우로, 이 자체가 질환이라기보다 다양한 질환에 의해 발생한 이차적인 징후이다. 즉 이는 폐포가 적절히 팽창하지 못하여 폐 내 공기와 폐용적이 감소되는 경우를 말하며 폐확장부전이나 폐허탈 등과 함께 혼용되어 쓰인다. 무기폐는 다양한 원인에 의해 발생할 수 있으며, 각각의 원인에 따라 영상 소견 역시 다양하게 보일 수 있다. 여기에서는 다양한 원인에 의한 무기폐의 소견을 알아보고, 특히 흉부X선사진에서 보이는 기관지 폐쇄에 의한 흡수성 및 대엽성 무기폐를 중심으로 살펴보기로 하겠다.

Ⅰ 무기폐의 분류

무기폐는 초래하는 질환의 병리생리학적 기전에 따라 몇 가지로 분류할 수 있다[1]. 이러한 분류는 무기폐의 흉부X선사진을 이해하고 이를 다른 폐질환과 구별하게 하는 데 도움을 줄 수 있다.

1. 수동성 또는 압박성 무기폐

기흉 또는 흉막삼출이나 폐 안에 종괴 등 흉곽 내에서 국소적인 공간을 점유할 수 있는 병소는 그 주변 부위의 폐 조직

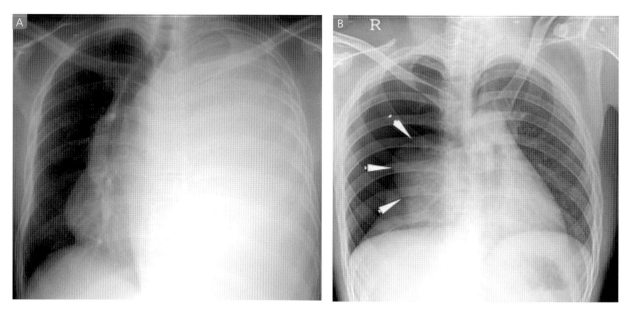

■ 그림 6-1. **수동성 무기폐**
흉부X선 후전사진에서 다량의 흉수에 의한 좌측 폐의 수동성 무기폐(A)와 다량의 기흉에 의한 우측 폐의 수동성 무기폐(화살표)(B) 소견이 보인다.

을 압박하여 부피감소를 초래할 수 있으며, 이러한 기전에 의해 발생한 무기폐를 수동성 무기폐(passive atelectasis)라 한다(**그림 6-1**)[7]. 이러한 형태의 무기폐는 많은 양의 복수, 임신, 장 폐쇄, 커다란 복강 내 종괴, 심한 비만 등에 의하여 복강 내 압력이 증가된 경우에서도 볼 수 있다[2].

또한 압박성 무기폐(compressive atelectasis)는 중력이 작용하는 부위에서도 발생할 수 있어 장기간 누워서 지낸 환자나 호흡부전증후군 환자의 중력부위(dependent area)에서 볼 수 있으나, 정면 흉부X선사진만으로 이를 알아보기는 쉽지 않다.

2. 반흔성 무기폐

폐에 만성 섬유화를 초래할 수 있는 질환은 반흔성 무기폐(cicatrization atelectasis)를 가져올 수 있으며, 이때 폐는 폐포가 파괴되고 폐의 탄성이 줄어들어 폐의 부피가 감소하게 된다[4]. 폐에 국소적으로 반흔성 무기폐를 초래할 수 있는 질환으로는 폐결핵 또는 곰팡이 감염과 같은 만성 국소적 감염이나 방사선 피폭 등이 있으며, 양측 폐에 미만성으로 반흔성 무기폐를 초래할 수 있는 질환으로는 특발폐섬유증(idiopathic pulmonary fibrosis)과 피부경화증(scleroderma)을 비롯한 많은 콜라겐병(collagen disease)과 진폐증, 사르코이드증(sarcoidosis), 석면증(asbestosis) 등이 있다(**그림 6-2**). 만성 폐결핵에서는 국소적 반흔성 무기폐와 함께 반흔성 섬유화로 인한 기관지협착 및 견인에 의해 늘어난 기관지 확장증(traction bronchiectasis)을 보일 수 있으며, 이러한 기관지 병변에 의해 기관지 내에 점액 플러그(mucus plug)가 채워져 기관지를 폐쇄하게 되면 흡수성 무기폐를 동반할 수 있다.

3. 유착성 무기폐

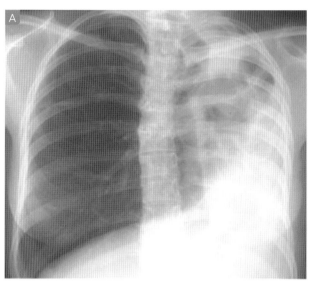
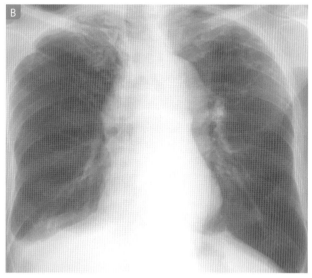

■ 그림 6-2. 반흔성 무기폐

흉부X선 후전사진에서 폐결핵에 의한 좌측폐의 반흔성 무기폐(A)와 진폐증에 의한 양측 상엽의 반흔성 무기폐(B) 소견이 보인다.

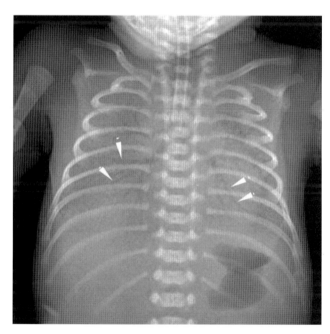

■ 그림 6-3. 유착성 무기폐

흉부X선 전후사진에서 소아의 유리질막병에 의한 유착성 무기폐 환아로 증가된 음영 내부에 공기기관지조영상(화살촉)이 보인다.

유착성 무기폐(adhesive atelectasis)는 여러 가지 원인에 의한 표면활성제(surfactant)의 불활성화 또는 결핍에 의해 발생한다. 표면활성제는 폐포 표면의 장력을 감소시켜 폐포 팽창을 용이하게 하는 물질로, 이것이 부족하면 폐포는 팽창 장애를 가져와 쉽게 허탈되어 전반적인 무기폐가 발생할 수 있다. 신생아에서 발생할 수 있는 유리질막병(hyaline membrane disease)이 대표적인 예로, 폐포의 미만성 허탈에도 불구하고 기도는 통기되어 증가된 음영 내에 공기기관지조영상(air-bronchogram)이 보인다(그림 6-3)[1, 2]. 폐색전증, 급성 방사선폐렴, 바이러스 폐렴, 성인호흡곤란증후군, 독성가스

흡입, 관상동맥 우회로 수술, 만성적 저호흡, 만성 신부전증 등에서도 표면활성제의 이상에 의한 국소적 또는 미만성 무기폐를 볼 수 있다[3].

4. 폐쇄성 또는 흡수성 무기폐

폐쇄성 또는 흡수성 무기폐(obstructive or resorption atelectasis)는 가장 흔한 형태의 무기폐로 근위부의 기도 폐쇄에 의하여 발생한다. 근위부 기도가 폐쇄될 경우 원위부 폐포 내에 갇혀 있던 공기가 폐포에 있는 모세혈관 내의 혈액으로 확산에 의해 흡수되고 폐포는 허탈되어 무기폐가 발생한다. 무기폐에서 용적의 변화는 기도 폐쇄의 원인이나 발병 시기, 폐쇄 부위의 위치, 그리고 진행속도에 의해 다르게 나타날 수 있다.

폐쇄성 무기폐 중 일부에서는 무기폐가 진행되면서 허탈된 폐 내의 모세혈관으로부터 약간의 삼출액이 폐포 내로 흘러나오게 되는데, 일부에서는 삼출된 체액으로 폐포가 충만되어 폐의 용적이 거의 감소되지 않을 수 있으며, 이러한 형태의 무기폐를 익사폐(drowned lung)라고 한다. 따라서 익사폐에서는 흉부X선사진에서 폐의 용적은 유지되면서 음영만 증가되므로 폐경화와 감별이 어렵게 된다. 즉 흡수성 무기폐의 흉부X선사진에서 보이는 음영 증가는 공기흡수로 인한 폐포 허탈, 삼출된 체액 저류, 고인 혈액, 폐쇄 후 폐렴 등에 의하여 유발될 수 있다[6, 7].

중심부 기관지 폐쇄에 의한 무기폐는 대개 허탈된 폐 내의 공기가 흡수되어 공기 기관지조영이 보이지 않는다. 하지만 부분적인 폐쇄를 초래하는 중심성 폐종양의 경우 분비물의 점액섬모 배출(mucociliary drainage)을 방해하여 말초 소기도만 폐쇄시키는 말초성 무기폐를 초래할 수 있으며 이러한 경우 중심부 기관지는 통기된 채로 남아서 공기 기관지조영상으로 나타날 수 있다. 폐는 구획 사이 혹은 엽간열이 불완전한 경우 인접한 폐엽 사이에서도 측부공기편류(collateral air drift)를 통하여 정상적인 통기가 일어날 수 있으며, 이에 따라 기관지 폐쇄가 반드시 무기폐를 초래하는 것은 아니다.

흡수성 무기폐의 원인으로는 기관지 폐쇄를 초래할 수 있는 원발성 또는 전이성 악성 종양 및 양성 종양, 기관지 내 육아종을 형성하거나 기관지의 섬유성 협착 또는 기관지결석 등에 의해 기관지 폐쇄를 일으킬 수 있는 만성 염증성 병변인 기관지내 결핵 또는 곰팡이 감염, 그리고 점액 플러그, 이물질 흡인, 베게너육아종증(Wegener's granulomatosis)이나 아밀로이드증(amyloidosis) 등에 의한 미만성 기관지협착에 의한 기관지 폐쇄 등을 들 수 있으며, 그 외에도 폐문 림프절 확대, 종격 종양, 대동맥류, 혹은 확장된 좌심방 등 외부 압박 등이 있을 수 있다. 이들 중 기관지폐암은 매우 중요한 원인으로 중년이상의 흡연가가 대엽성 무기폐를 보이거나 특정 부위에 재발성 폐렴을 보일 때에는 기관지폐암의 가능성을 반드시 고려해야 한다.

근위부 기관지의 폐쇄성 종양이 없이 초래된 만성적 무기폐의 한 형태로 중엽 증후군(middle lobe syndrome)이 있다. 이는 우중엽과 설상분절(lingular division)에 호발 하는 데, 이러한 이유로는 아마도 비교적 길이가 긴 기관지 주위를 둘러싸는 많은 림프절과 완전한 엽간열 때문에 측부 공기통로를 통한 통기가 거의 생기지 않는 것에 기안하는 것으로 설명된다.

Ⅱ 대엽성 무기폐의 흉부X선 소견

대엽성 무기폐(lobar atelectasis)의 흉부X선 소견들은 허탈된 폐엽의 음영증가와 부피감소, 그리고 이에 따른 이차적 소견들로 이루어진다. 이의 초기에는 엽간열의 전위와 기관지혈관 음영의 밀집 등의 소견이 보이며, 점차 폐엽의 음영 증

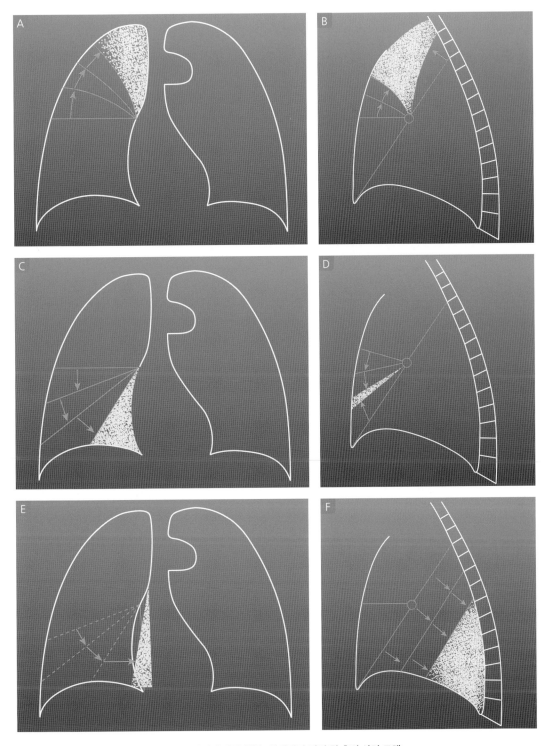

■ 그림 6-4. 우측 폐의 대엽성 무기폐에서 엽간열의 전위에 대한 흉부X선사진의 정면 및 측면 사진 도해
우상엽 무기폐(A, B), 우중엽 무기폐(C, D), 우하엽 무기폐(E, F)

가 및 부피 감소에 따른 소견으로 진행된다. 흉부X선사진에서 보이는 무기폐 소견은 감춰진 중심성 폐암을 의미할 수 있어 매우 중요하지만, 폐음영의 증가가 현저하지 않거나 허탈된 폐의 용적 감소가 극심하여 흉부X선사진에서 종격이나 척추 주위, 또는 심장 변연부에 달라붙은 얇은 선상음영으로만 보이는 경우에는 무기폐를 인지하기 어려울 수도 있다. 하지만 이런 경우에도 대엽성 무기폐에서 볼 수 있는 여러 가지 영상 징후들을 인식함으로써 올바른 진단에 이를 수 있으며, 이러한 소견들은 다음과 같이 직접 및 간접 징후들(direct and indirect signs)로 나누어 설명할 수 있다[1-5, 9].

1. 대엽성 무기폐의 직접 징후

1) 엽간열의 전위
허탈된 폐엽 주변의 엽간열의 전위(displacement of interlobar fissure)는 가장 믿을 만한 직접 징후이다 (그림 6-4, 6-5). 엽

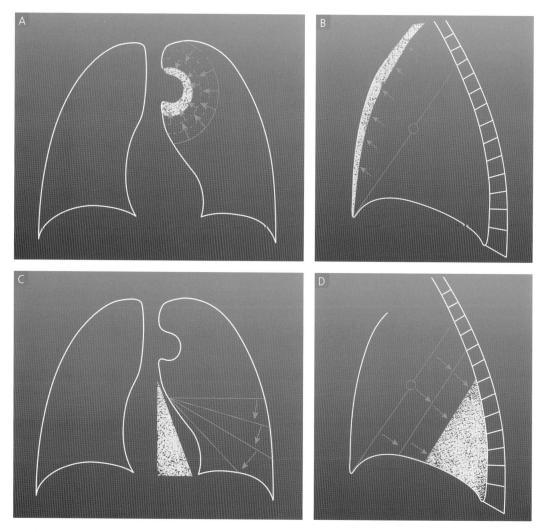

■ **그림 6-5. 좌측 폐의 대엽성 무기폐에서 엽간열의 전위에 대한 흉부X선사진의 정면 및 측면사진 도해**
좌상엽 무기폐(A, B) 및 좌하엽 무기폐(C, D).

간열의 전위 정도는 폐 용적의 감소 정도에 따라 다를 수 있지만, 엽간열의 전위가 보이면 폐 용적 감소를 예측할 수 있으며, 경우에 따라서는 엽간열의 전위가 대엽성 무기폐의 유일한 소견으로 관찰되는 경우도 있다.

2) 폐엽의 음영 증가

허탈된 폐엽의 공기 소실에 따른 음영 증가(increased radiopacity)는 대엽성 무기폐의 또 다른 직접 징후이다. 하지만 폐포에 공기 이외의 물질로 채워져 음영 증가를 보이는 폐경화(consolidation)와 구별되어야 하며, 이러한 경우 음영 증가 소견 이외에 또 다른 폐허탈 소견과 동반되어야 무기폐를 진단할 수 있다. 음영이 증가된 폐엽의 위치를 짐작하는 데는 실루엣 징후(silhouette sign)가 도움이 될 수 있다(그림 6-11). 특히 우중엽의 무기폐에서 흉부 정면 사진이나 측면사진에서 음영증가를 볼 수 없거나 미미하게 보이는 경우 심장의 우측 하방 경계면의 소실이 우중엽 무기폐의 유일한 소견일 수 있다. 또한 하엽의 무기폐에서 폐엽의 음영증가가 현저하지 않은 경우에도 병변부위 횡격막의 경계면 소실이 도움이 될 수 있다.

3) 기관지 혈관의 집속

허탈된 폐엽의 음영 증가 소견이 현저하지 않거나 비폐쇄성 무기폐에서 폐엽에 남아있는 공기에 의해 혈관이 보이는 경우, 혈관들이 집속되어(crowding of vascular bundles) 모여 있게 된다. 허탈된 폐엽에서 밀집된 공기기관지조영상이 보일 때에도 같은 소견이 보일 수 있다.

2. 대엽성 무기폐의 간접 징후

일반적으로 폐허탈의 간접 징후들은 폐엽의 허탈에 의한 흉강 내 압력의 감소를 보상하기 위한 수동적 과정의 결과들이다. 이러한 징후들로는 폐문의 이동, 동측 횡격막의 상승, 기관 또는 종격의 동측 전위, 인접 폐엽의 보상성 과팽창, 동측 흉곽크기의 감소 등이 일어난다.

1) 폐문의 이동

폐문의 이동(hilar displacement)은 무기폐의 흉부X선사진 소견 중 가장 믿을 만한 간접 징후로, 무기폐에서 허탈된 폐엽이 잘 보이지 않은 경우에 폐문의 이동이 무기폐의 유일한 증거일 수 있다. 정상 흉부X선 후전사진에서 좌측 폐문은 우측 폐문보다 1-3 cm 상방에 위치하며, 폐상엽의 무기폐에서는 상대적으로 상승되고, 폐하엽의 무기폐에서는 하강한다. 하지만 상대적으로 폐용적이 적은 우중엽이나 좌상엽의 설상분절의 경우 폐문 이동을 관찰하기는 어려울 수 있다.

2) 동측 횡격막의 상승

하엽의 폐허탈에서 비교적 자주 보이며, 상엽의 무기폐에서도 경미하게 볼 수 있으나, 상대적으로 용적이 적은 우중엽이나 좌상엽 설상분절의 무기폐에서는 보기 힘들다. 횡격막의 정상 위치는 개인적 차이가 있어 정상인에서도 횡격막 상승을 볼 수 있으며, 무기폐 이외에 복부 혹은 흉부의 다른 병변에 의해서도 볼 수 있다.

3) 기관 또는 종격의 동측 전위

기관의 동측 전위는 보통 상엽의 폐허탈에서 볼 수 있으며, 하엽이나 우중엽 또는 설상엽등의 폐허탈에서는 보기 어렵다. 이는 척추 측만증이나 흉막질환 또는 상엽의 섬유화 병변이 있는 경우에도 볼 수 있으며, 흉부X선사진 촬영 시 환자 자세의 편위에 의해서도 유사한 기관의 전위를 볼 수 있다. 허탈된 폐엽쪽으로의 종격 전위(mediastinal displacement)는 비교적 드물며, 이를 위해서는 상당한 음압이 필요하다. 종격 전위는 흉막이나 폐의 섬유화, 흉곽의 기형, 횡격막 상승 또는 탈장, 그리고 흉곽 내 종괴, 또는 심장의 발육기형에 의해서도 보일 수 있다.

4) 보상성 과팽창
허탈된 폐엽 주위의 정상 폐엽은 흉곽 내에서 감소된 폐의 부피를 보충하기 위하여 보상성 과팽창(compensatory hyper-aeration)이 발생하며, 흉부X선 후전사진에서 음영 감소와 함께 정상 폐엽에 비교하여 혈관 음영의 사이의 간격이 벌어져 보인다.

5) 동측 흉곽크기의 감소와 늑간 협소화
폐허탈이 상당히 진행되면 허탈된 폐엽쪽 흉곽의 크기가 반대쪽 정상 흉곽에 비하여 감소하며 늑골 간격이 협소(inter-costal space narrowing)해질 수 있다. 이러한 흉부X선사진 소견은 대엽성 무기폐 외에도 척추측만증과 같은 흉곽 기형과 흉막 및 폐의 섬유화에 의해서도 발생할 수 있으므로 감별이 필요하다.

6) 횡격막근접
횡격막근접정(juxtaphrenic peak)은 상엽 무기폐에서 보이며, 동측 횡격막의 중간 부위에 삼각형 모양의 뾰족한 음영을 말한다(그림 6-6). 이는 하엽의 보상성 과팽창에 의해 횡격막 부위의 흉막이 하부열(inferior accessory fissure) 안으로 끼어들어가 발생한 것으로 생각된다[8].

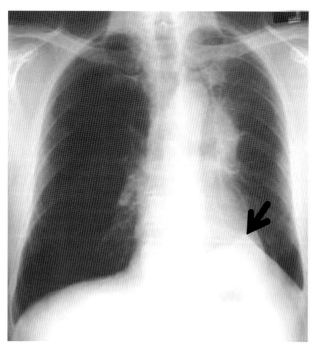

■ 그림 6-6. 좌상엽 무기폐에 의한 좌측 횡격막의 횡격막근접정 징후. 흉부X선 후전사진에서 좌측 횡격막의 중간 부위에 삼각형 모양의 뾰족한 음영이 보인다(화살표).

Ⅲ 대엽성 무기폐의 흉부X선 소견

대엽성 무기폐(lobar atelectasis)가 비정형적인 소견을 보이거나 흉부X선 소견에 의해 진단된 무기폐의 원인을 알기 위하여 CT 검사가 필요할 수 있지만, 대엽성 무기폐의 진단은 대개 위에서 설명한 흉부X선 소견에 의해 이루어진다. 여기에서는 대엽성 무기폐의 흉부X선 소견을 각각의 폐엽으로 구분하여 살펴보기로 한다.

1. 우상엽 무기폐

우상엽 무기폐(right upper lobe atelectasis)에서는 수평열(horizontal fissure)이 상부 내측으로, 빗열(oblique fissure)은 전방, 상방, 내측으로 전위되며, 우중엽과 우하엽의 과팽창을 초래하게 된다. 우상엽 무기폐의 정면 및 측면 흉부X선사진에서 폐문을 정점으로 거꾸로 서 있는 원추형 쐐기모양의 음영 증가를 보인다. 즉 정면 흉부X선사진에서 내측은 종격에 접하며 위쪽으로는 흉곽의 상부에 닿아 있고, 외측하방으로는 수평열(horizontal fissure)에 의해 경계 지어진 종격 쐐기(mediastinal wedge) 모양을 보인다. 우상엽의 부피 감소가 심해지면 수평열은 거의 수직으로 내측 종격에 붙게 되어 정면 흉부X선사진에서 상대정맥의 계면(interface)에 붙어 종격 확장이나 종격 종양처럼 보일 수 있으며, 때때로 폐첨부에 붙어서 첨부 흉막비후처럼 보일 수도 있다. 측면사진에서는 수평열과 빗열의 상부가 마치 부채가 접힐 때처럼 위쪽으로 이동하여 서로 가까워진다. 무기폐가 진행되어 우상엽의 용적이 매우 적어지면서 엽간열의 전위가 심해지면 엽간열들이 더이상 X선에 접선(tangential)방향이 되지 않게 되어 기관의 앞쪽으로 경계가 불분명한 증가음영으로 보이거나, 상행 대동

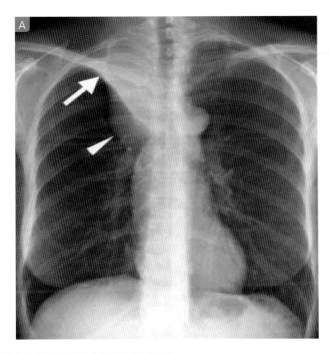
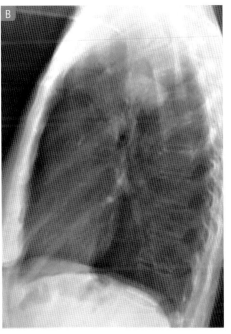

■ 그림 6-7. 우상엽 무기폐에 의한 역S자 징후

흉부X선 후전사진에서 우상엽의 무기폐에서 보이는 역S자 모양의 곡선은 폐암의 소견을 암시하며, 역S모양의 상외측(화살표) 선은 위로 이동된 수평열에 의해 형성되며 하내측(화살촉)은 폐암 종괴에 의해 만들어 진다. 이런 소견은 중심부 폐암에서 볼 수 있는 중요한 소견이지만 폐암 특유의 것은 아니며 비대한 림프절, 종격 종괴, 기관지 전이암이 대엽성 무기폐를 동반할 때에도 같은 모양의 흉부X선 소견을 보일 수 있다.

맥의 앞쪽 경계가 소실되는 소견으로만 보일 수 있다.

역S자징후(reversed S sign)는 커다란 중심부 종양에 의해 발생한 우상엽의 대엽성 무기폐에서 보이는 흉부X선 소견이다[10]. 일반적으로 우상엽의 무기폐는 과팽창한 인접 폐엽에 밀려서 하외측 계면이 오목한 모양을 보이지만, 인접 폐엽과 계면을 이룰 만큼 충분한 크기의 중심부 폐쇄성 종양이 있는 경우에는 무기폐의 오목한 계면과 종양의 불룩한 계면이 이어져서 정면사진에서 위쪽으로 전위된 수평열이 뒤집어진 S자 형태로 보인다(그림 6-7).

때때로 과팽창된 우하엽의 상분절은 상부 종격과 허탈된 우상엽의 내측 경계 사이로 기어 들어가 증가된 음영의 우상엽과 종격 사이를 가르는 초생달 혹은 낫 모양의 음영감소(공기낫, luftsichel) 소견을 보일 수 있으며, 이는 우상엽보다는 좌상엽 무기폐에서 자주 볼 수 있다[9, 12].

2. 좌상엽 무기폐

허탈된 우상엽은 상부 방향으로 이동하는 반면, 수평열이 중엽이 없고 폐동맥이 좌측 주기관지의 위를 주행하여 좌상엽의 상부 전위를 방해하는 좌측폐에서는 허탈된 좌상엽은 전방 상부 방향으로 이동한다. 한편 좌상엽 무기폐에서 과팽창된 좌하엽 상분절은 허탈된 좌상엽의 경계를 형성하는 엽간열의 내측 및 외측을 따라 앞쪽 및 위쪽으로 밀고 들어간다. 이때 내측을 따라 기어 들어간 상분절 부분은 흉부X선 후전 또는 전후사진에서 종격과 허탈된 좌상엽 사이에 끼어 초생달 혹은 낫 모양의 음영 감소 소견으로 보이며, 이에 의해 대동맥궁의 외측 계면이 명확히 보인다. 이것이 우상엽 무기폐에서 설명한 대동맥주위 공기낫(periaortic lucency, 대동맥주위 감소음영) 소견이다(그림 6-8)[9, 12]. 즉 좌상엽 무기폐는 흉부X선 후전사진에서 좌측 폐문 주위의 상부 폐야에 종격과 심장 경계를 소실시키고 주변부로 갈수록 경계가 불분명한 균질의 음영증가 소견을 보인다. 폐허탈이 진행되면 음영 증가의 범위는 감소하고 음영은 더욱 증가하면서 폐문 주위에 더욱 밀집하여 흉부X선 후전사진에서 폐문 종괴처럼 보일 수 있다(그림 6-9).

위에서 설명한 바와 같이 좌상엽의 무기폐는 좌하엽의 보상성 과팽창을 초래하고, 이에 따라 좌측 폐문이 상승하면서 좌측 주기관지는 더욱 수평상태에 놓이고 엽간동맥은 상부 외측으로 선위된다. 좌상엽 부피감소가 심화되면 종격과

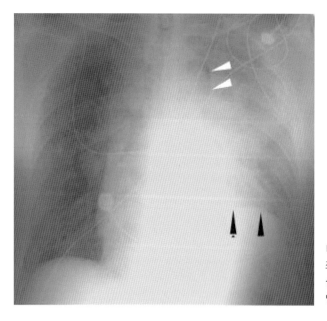

■ 그림 6-8. 기의 좌상엽 무기폐
좌측 상폐야의 음영 증가와 함께 내측부위에 낫 모양의 음영 감소(흰색 화살촉) 부위가 보이며, 좌측 횡격막의 상승 소견(검정색 화살촉)이 함께 보인다.

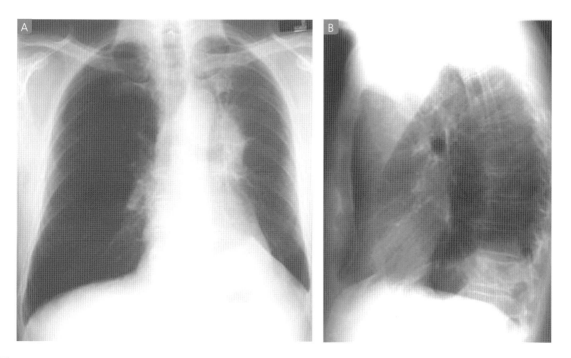

■ 그림 6-9. 진행된 좌상엽 무기폐
흉부X선 정면사진(A)에서는 좌측 폐문부위의 종괴 모양의 음영 증가 소견과 함께 횡격막근접정 징후가 보이며, 측면 사진(B)에서 좌측 엽간열의 전상방으로 전위가 보인다.

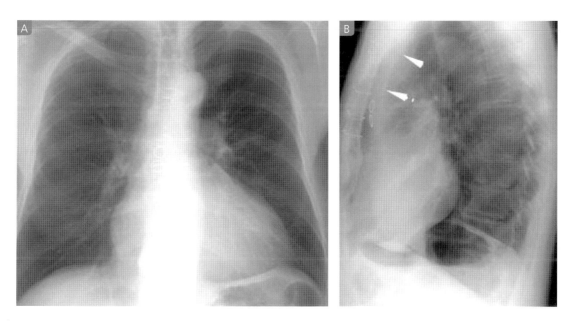

■ 그림 6-10. 더욱 진행된 좌상엽 무기폐
흉부X선 정면사진(A)에서 좌상폐야의 음영 증가 소견은 관찰하기 힘들고, 오히려 좌측폐의 전반적인 음영감소 소견이 있으며, 측면사진(B)에서는 엽간열의 전방 전위가 더욱 심해져 보인다(화살촉).

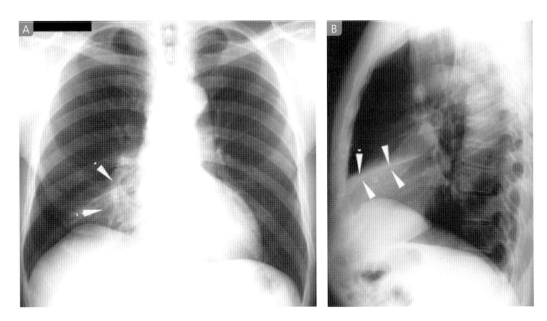

흉부X선 정면사진(A)에서 우측 폐의 하부 내측에 음영 증가 소견과 함께 우측 심장 음영의 아랫부분이 소실되어 보이며, 측면사진(B)에서는 쐐기 모양의 음영 증가 소견을 보인다(화살촉).

심장은 왼쪽으로 이동하고, 우측 폐의 앞쪽 부분이 상행 대동맥의 앞쪽을 통하여 좌측 흉곽 내로 밀려들어올 수 있으며, 이로 인하여 흉부X선 측면사진에서는 상행 대동맥의 앞쪽 경계가 잘 보인다. 또한 측면사진에서 빗열의 외측 부분이 전상방으로 전위되면서 X선에 접선 방향으로 놓이게 되어 전방 종격 부위에 명확한 경계를 보이는 음영 증가를 보인다.

우상엽 무기폐에서와 같이 거상된 횡격막 위에 횡격막근접정(juxtaphrenic peak)이 보일 수 있다(그림 6-6). 경우에 따라서 설상분절을 제외한 좌상엽의 상분절만 허탈될 경우 우상엽 무기폐의 모양과 유사한 흉부X선 소견을 볼 수 있으며, 설상분절의 무기폐에서는 우중엽 무기폐와 유사한 소견을 보일 수 있다.

3. 우중엽 무기폐

우중엽의 부피가 감소하면 우측 수평열과 빗열은 각각 내측 하방과 내측 상방으로 이동하여 서로 가까워지게 되며, 이에 따라 정면 흉부X선사진에서 폐문 하방에 우측 심장 변연을 소실시키는 경계가 불분명한 음영 증가 소견으로 보인다(그림 6-11). 우중엽의 허탈이 심해지면 정면사진에서는 이를 알아보기 어려워지며, 심장의 우측 하방 경계의 소실이 유일한 소견일 수 있다. 이처럼 우중엽의 무기폐는 경사진 형태 때문에 흉부X선 후전사진에서는 경계가 불분명한 음영으로 보이지만 폐첨전만위상(apical lordotic view)에서는 심장의 우측 변연에 닿아 있고 그 첨부는 외측을 향하는 경계가 명확한 삼각형의 음영 증가 소견을 보인다.

측면사진에서 우중엽 무기폐는 위쪽으로 수평열 그리고 아래쪽으로 빗열에 의하여 우상엽 및 우하엽과 구분되는 경계가 명확한 삼각형 모양의 음영증가 소견을 보이며, 삼각형 음영의 꼭지는 폐문에 위치하고 기저부는 전하방 흉벽에 닿는다. 우중엽 무기폐가 심해지면 허탈된 우중엽은 폐문에서 전방 늑골횡격막각 부위까지 사선으로 달리는 수 mm 두께의 얇은 선 모양 음영 증가 소견을 보인다. 이런 소견을 보이는 우중엽 무기폐는 우측 빗열 내에 고인 흉막삼출이나 엽간열 비후와 구별을 필요로 하며, 엽간열 내에 고인 흉막삼출액은 볼록한 계면을 보이는 반면, 허탈된 우중엽은 과팽창하는 우하엽에 밀려 약간 오목한 경계면을 갖는다. 또한 측면사진에서 허탈된 우중엽에서는 우측 수평열을 찾을 수 없으며 기저부가 대개 전하방 흉벽에 닿아 있지만, 흉막삼출이나 빗열의 비후에서는 수평열을 찾을 수 있거나 기저부가 원래의 빗열 위치인 횡격막 앞부분에 닿아 있다[1-3].

4. 하엽 무기폐

우하엽과 좌하엽의 무기폐는 모양이 거의 유사한 소견을 보인다. 이들 하엽의 부피가 감소하면 빗열의 상방 외측 부분은 하방 내측으로 전위하고, 빗열의 외측 부분이 뒤쪽으로 회전하여 X선 진행 방향인 전후 방향으로 재배치되면서 정상적으로는 정면 흉부X선사진에서 보이지 않는 빗열이 중하 폐야에 얇은 불룩한 곡선으로 보일 수 있게 된다. 하엽의 폐허탈이 점점 더 심해지면서 폐문 하부에 삼각형 모양의 음영증가로 보인다(그림 6-12). 하엽의 무기폐에 의한 음영 증가는 심장의 경계는 유지하면서 횡격막과 척추의 측면 경계 또는 하행 대동맥의 경계를 소실시킬 수 있다. 하엽 무기폐에 의해 증가된 음영의 외측 경계는 이동된 빗열이 X선의 진행 방향에 놓였는지의 여부에 따라 분명할 수도 혹은 불분명할 수도 있다.

측면 흉부X선사진에서는 빗열의 위쪽 반과 아래쪽 반이 각각 하방과 후방으로 회전하여 서로 가까워짐에 따라 원뿔형의 음영 증가 소견을 보이는데, 그 첨부는 폐문에 위치하고 기저부는 하부 후방 흉벽과 횡격막의 뒤쪽 부분에 닿는다. 그러나 이 쐐기 음영은 측면사진에서 경계면을 확인하기 어려운 경우가 더 많아 대개의 경우 후방 늑골횡격막각(costophrenic angle)에서 폐문에 이르는, 약간 증가된 음영 정도로만 보인다. 또한 측면 흉부X선사진에서 한쪽 횡격막의 후방

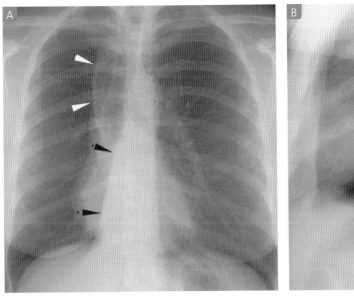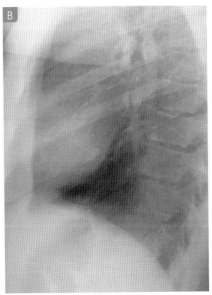

■ 그림 6-12. 우하엽의 무기폐
흉부X선 정면사진(A)에서 심장음영 뒤 에 외측 경계가 분명한 삼각형의 음영 증가 소견(검정색 화살촉)과 함께 전상방 종격의 우측으로 전위 소견이 보이며(하얀색 화살촉) 좌측 횡격막의 내측 경계 소실이 보인다. 측면사진(B)에서는 우측 횡격막 후방의 음영 소실을 보이며 하부 흉추 부위가 상부 흉추와 비슷한 정도의 음영증가 소견이 보인다.

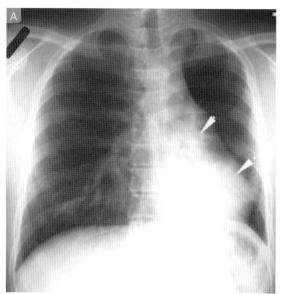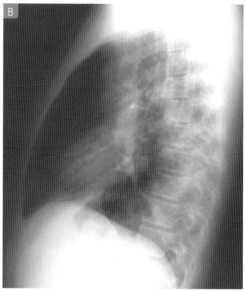

흉부X선 정면사진(A)에서 심장 뒤 에 외측 경계가 불분명한 음영 증가 소견이 있으며(화살촉), 이와 함께 좌측 횡격막의 내측 경계 소실이 보인다. 측면 사진(B)에서는 좌측 횡격막 음영의 소실을 보이며 하부 흉추 부위가 상부 흉추 부위보다 음영이 증가되어 보인다.

경계가 소실되고, 정상에서는 하부 흉추 부위의 음영이 상부 흉추 부위보다 감소되어 보여야 하나, 이의 역전 소견이 보이면 종격 쐐기가 있는 하엽 무기폐를 시사한다(그림 6-12, 6-13).

우하엽의 폐허탈이 매우 심해지면 흉부X선 정면사진에서 삼각형 음영 증가의 크기는 더욱 작아져 더이상 잘 보이지 않으며, 좌하엽 무기폐에서도 폐허탈이 심해지면 특징적인 심장 후방의 삼각형 음영보다는 좌측 척추측방의 종괴처럼 보일 수도 있다.

하엽 무기폐에서는 하엽의 큰 부피 때문에 무기폐에 따른 이차적 변화에 의한 간접 징후들을 자주 볼 수 있으며, 이에 따라 폐문과 주기관지는 하방 내측으로 끌려가고 종격과 심장도 병변 쪽으로 전위되며 횡격막의 상승이 있을 수 있다.

5. 복합 대엽성 무기폐

두 엽이 동시에 무기폐가 되는 경우를 복합 대엽성 무기폐(combined lobar atelectasis)라고 하며, 이 중 가장 흔히 볼 수 있는 것은 우측 중간기관지(bronchus intermedius) 폐쇄에 의해 발생한 우중엽과 우하엽의 동시 무기폐이다. 이외에도 우상엽과 우중엽, 우상엽과 우하엽의 복합 대엽성 무기폐 등이 보고되고 있다[14].

1) 우중엽과 우하엽의 복합 대엽성 무기폐

우측 폐의 중간 기관지가 종양, 이물질, 점액 플러그, 염증성 협착 등에 의해 폐쇄될 경우 우중엽과 우하엽의 복합 대엽성 무기폐를 초래할 수 있다. 이 경우 흉부X선 정면사진에서 허탈된 우중엽에 의해 우측 심장 경계를 소실시키고 허탈된 우하엽에 의해 우측 횡격막 경계를 소실시키는 음영 증가를 볼 수 있다. 흉부X선 측면사진에서는 허탈된 우중엽과

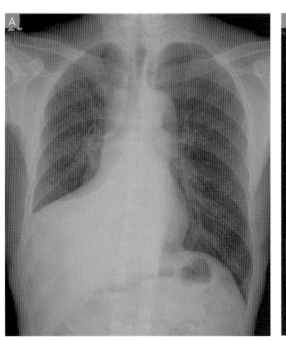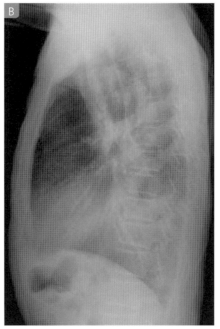

■ 그림 6-14. 우중엽과 우하엽의 동반 무기폐

흉부X선 정면사진(A)에서 우측 심장과 우측 횡격막 경계를 소실시키는 음영 증가 소견이 있으며, 측면사진(B)에서는 하부 폐야의 앞에서 뒷부분까지 이어지는 음영 증가 소견과 함께 우측 횡격막 음영의 소실을 볼 수 있다.

우하엽이 흉곽의 아래에 깔려 앞부분에서 뒷부분까지 이어지는 음영 증가 소견을 볼 수 있다(그림 6-14). 그 외에 볼 수 있는 소견들로는 우측 폐문의 크기가 작아지고 하방으로 내려오며, 과팽창된 우상엽의 혈관도가 감소하며, 종격은 우측으로 전위되고, 우측 횡격막은 상승한다. 우중엽과 우하엽이 완전히 허탈되면 정면이나 측면사진 모두에서 이상 소견을 발견하기 어려워지며, 이 경우에도 우측 폐문의 크기가 작고 우측 폐야의 혈관음영 분포가 감소되어 있는 등 간접 징후를 발견하는 것이 진단에 이를 수 있는 증거가 될 수 있다.

2) 우상엽과 우중엽의 복합 대엽성 무기폐

우상엽과 우중엽의 복합 대엽성 무기폐는 기관지폐암, 전이 암, 유암종(carcinoid), 점액 플러그, 기관지염 증 등에 의해 우상엽과 우중엽의 기관지가 폐쇄된 경우 일어날 수 있다. 기관지 폐암에 의한 경우 원발성 종양이 한 기관지를 막고 인접 폐로 직접 침윤해 퍼져나가거나 림프절 전이에 의해 다른 기관지를 막아 발생할 수 있다. 우상엽과 우중엽의 복합 무기폐의 흉부X선 소견은 우중엽이 설상분절과 대응되기 때문에 좌상엽 무기폐의 소견과 유사한 소견을 보여, 정면 흉부X선사진에서 외측으로 가면서 점점 엷어지는 폐문 주위의 균일한 음영 증가 소견을 보여준다. 상행 대동맥과 우심방 경계면은 이 증가음영에 의해 소실되고, 우하엽 폐동맥은 상부 외측으로 전위되며, 종격과 심장은 우측으로 밀려가고, 종종 횡격막 거상 소견도 볼 수 있다. 공기낫과 횡격막근접정도 간혹 보일 수 있다.

측면 사진에서 전상방으로 전위된 빗열를 볼 수 있으며, 이들의 부피감소가 심할수록 빗열은 점점 전면 흉벽에 가까워진다.

6. 이동성 대엽성 무기폐

체액, 만성폐렴, 종양 등 무거운 물질에 의해 채워진 폐엽은 체위 변동에 따라 흉곽 내에서 낮은 위치로 이동할 수 있다. 이동성 대엽성 무기폐(migrating lobar atelectasis)는 우상엽 무기폐에서 주로 볼 수 있지만 우상엽과 우중엽의 복합 무기폐에서도 보고되고 있다.

Ⅳ 기타 무기폐

1. 전폐허탈

전폐허탈(whole lung atelectasis)은 한쪽 폐가 전부 허탈되는 것을 말하며, 흉부X선사진에서는 흉곽 전체의 음영 증가 소견으로 보인다. 이렇게 흉부X선사진에서 한쪽 폐야 전체가 하얗게 보이는 경우로는 전폐허탈 외에도 다량의 흉막삼출, 전반적인 폐렴성 경화 등이 있을 수 있으나, 전폐허탈에서는 부피감소에 따른 이차적인 간접 징후가 나타남으로 감별할 수 있을 것이다.

2. 미만성 무기폐

미만성 무기폐(generalized or diffuse atelectasis)는 양 폐 전체의 전반적인 부피감소를 의미하며, 여러 가지 원인에 의해 횡격막 왕복운동이 감소된 경우 수동성 및 압박성 기전에 의해 발생할 수 있다. 미만성 무기폐의 경우 폐음영의 증가는 미미하며, 엽간열의 위치 변화도 관찰하기 힘들지만, 폐 용적 감소에 따른 횡격막 거상이 유일한 증거일 수 있다. 미만성 무기폐의 한 예로 신생아호흡곤란증후군을 들 수 있으며, 이때는 표면활성제의 결핍으로 인한 유착성 무기폐로서 전반적인 폐 음영 증가를 보인다[11]. 이 경우에도 폐 용적 감소에 의한 횡격막 상승을 관찰할 수 있어 미만성으로 폐 음영의 증가를 보일 수 있는 미만성 폐렴, 폐부종 등과 감별할 수 있다.

3. 세분절성 무기폐

대엽성 무기폐에서의 폐허탈과는 달리 기도 폐쇄 위치가 세분절 기관지(subsegmental bronchus)인 경우에는 람버트관(canal of Lambert)을 통한 세기관지 사이와 콘구멍(pore of Kohn)을 통한 폐포 사이의 측부 환기(collateral ventilation)가 활성화되어 일부 폐소엽(lobule)들은 허탈되지 않는다. 따라서 이러한 세분절성 무기폐(subsegmental atelectasis)에서는 허탈된 소엽들과 환기되는 소엽들이 섞여 나타나게 된다. 세분절성 무기폐에는 평판양 무기폐와 원형 무기폐의 두 가지 특이한 형태가 있다.

1) 평판양 무기폐
평판양 무기폐(plate-like atelectasis)는 세분절성 무기폐의 한 종류로서 그 모양 때문에 선상 무기폐(linear atelectasis) 또는

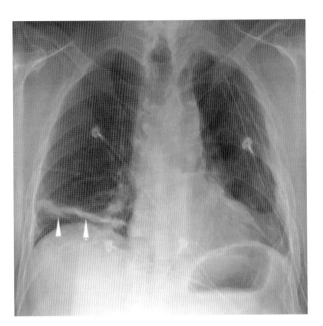
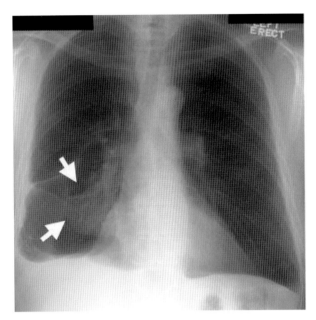

■ 그림 6-15. **평판양 무기폐**
흉부X선사진에서 우측 하폐야에 판상의 음영 증가 소견이 보인다.

■ 그림 6-16. **원형 무기폐**
흉부X선 정면사진에서 우측 하폐야에 종괴 모양의 음영 증가 소견이 있으며(화살표), 우측 늑골횡격막각의 소실이 보여 흉막질환이 있었음을 짐작할 수 있다.

원반형 무기폐(discoid atelectasis) 등으로 불리기도 한다(그림 6-15). 이는 흉부X선사진에서 수 mm에서 1 cm 두께의 선, 띠, 원반 형태를 보이며 흉막으로 이어진다. 이 자체는 임상적으로 별로 중요하지 않지만, 때때로 미만성으로 생겨서 저산소증을 유발할 수도 있다. 평판양 무기폐는 소기도의 점액 플러그에 의해 발생할 수 있으나, 장기간의 저호흡에 의해 생기는 흉막 직하부에 위치한 폐의 허탈에 의해 발생할 수 있다[4, 7].

2) 원형 무기폐
원형 무기폐(rounded atelectasis)는 만성 수동성 무기폐의 특이한 형태로서 세분절성 무기폐의 또 다른 형태이다. 이는 나선형 무기폐(helical atelectasis), 접힌 폐(folded lung), 흉막종(pleuroma), 무기폐성 가성종양(atelectatic pseudotumor) 등 여러 가지 이름으로 알려져 있으며, 흉막 하부의 종괴나 경화로 보여 말초성 폐암과 매우 유사한 소견을 보이기도 한다[15].

원형 무기폐가 일어나는 기전으로는 흉막삼출과 흉막섬유화의 두 가지 원인이 알려져 있다. 흉막 삼출과 관련된 경우 석면증(asbestosis)에서 나타나는 흉막 삼출, 결핵성 또는 세균성 흉막염, 신부전증 흉막염, 폐경색 등에 의한 흉막 삼출과 연관 지을 수 있다. 흉막 삼출이 있으면 인접한 폐 기저부에는 수동성(압박성) 폐허탈이 발생할 수 있으며, 이 부분이 흉막의 틈새 또는 함몰 부분을 따라 한쪽으로 접혀 말려 들어갈 수 있다. 이 경우 접혀진 폐는 섬유소성 흉막 유착에 의해 지지되어 종괴 같은 음영으로 발달하는데, 흉막 삼출액이 없어진 후에도 남아 있을 수 있다. 흉막 섬유화와 연관되어 발생한 경우에는, 안쪽으로 접혀 들어가면서 수축하는 장측 흉막(visceral pleural)에 의해 인접한 폐에 압박성 무기폐가 발생하고 이것이 원형의 무기폐성 종괴로 발전할 수 있다.

원형 무기폐의 특징적인 흉부X선 소견은 폐하엽의 흉막 아래에 위치한 종괴 모양의 균일한 음영 증가이다(그림 6-16). 주로 하엽의 후분절에 호발하지만 설상분절이나 우중엽에서도 발생할 수 있다. 원형 무기폐로 향하는 기관지혈관

속은 밀집되어 혜성꼬리 징후(comet tail sign)를 나타내는 특이한 곡선 형태를 보인다. 이러한 모양은 흉막 유착에 의해 허탈된 폐가 소용돌이 형태로 접혀 들어가기 때문에 생긴다. 경우에 따라서는 무기폐 내에 공기기관지조영상이 관찰될 수 있다. 석면증에서는 다른 부위에도 흉막 비후나 석회화된 흉막반(plaque)을 볼 수 있다. 시간이 지나도 큰 변화는 없는 것이 일반적이지만, 크기가 증가하거나 수축되어 감소할 수 있으며 저절로 없어지기도 한다.

▰▰▰ 참고문헌 ▰▰▰▰▰▰▰▰▰▰▰▰▰▰▰▰▰▰▰▰▰▰▰▰▰▰▰▰▰▰▰▰▰

1. Woodring, JH, Reed JC. Types and mechanisms of pulmonary atelectasis. J Thorac Imaging 1996;11:92-108.
2. Reed JC. Chest radiology: plain film patterns and differential diagnosis. 3rd ed. St. Louis: Mosby, 1991;167-193.
3. Freundlich IM. Atelectasis. In Freundlich IM, Bragg DG, eds. A radiologic approach to disease of the chest. Baltimore: Williams and Wilkins, 1992;60-71.
4. Wescott JL, Cole S. Plate atelectasis. Radiology 1985;155:1-9.
5. Proto AV, Tocino I. Radiographic manifestations of lobar collapse. Semin Roentgenol 1980;15-117-173.
6. Stein LA McLoud TC, Vidal JJ, Hogg JS, Fraser RG. Acute lobar collapse in canine lungs. Invest Radiol 1976;11:518.
7. Amstrong P, Wilson AG, Dee P, Hansell DM. Imaging of disease of the chest. 2nd ed. St. Louis: M osby, 1995;77-96.
8. Davis SD,Yankelevitz DF, Wand A, Chirarella DA. Juxtaphrenic peak in upper and middle lobe volume loss: assessment with CT. Radiology 1996;198:143-149.
9. Woodring JH, Reed JC. Radiographic manifestations of lobar atelectasis. J Thorac Imaging 1996;11:09-144.
10. Mintzer RA, Sakowicz BA, Blonder JA. Lobar collapse: usual and unusual forms. Chest 1988;94:615-620.
11. Gurney JW. Atypical manifestations of pulmonary atelectasis. J Thorac Imaging 1996;11:165-175.
12. Webber M, Davies P. The Luftsichel: an old sign in upper lobe collapse. Clin Radiol 1981;32:271-275.
13. Robbins LL, Hale CH. The roentgen appearance of lobar and segmental collapse of the lung. VI. Collapse of the upper lobes. Radiology 1945;45:347-355.
14. Lee KS, Logan PM, Primack SL, Muller NL. Combined lobar atelectasis of the right lung: imaging findings. AJR Am J Roentgenol 1994;163:43-47.
15. Batra P, Brown K, Hayashi K, Mori M. Rounded atelectasis. J Thorac Imaging 1996;11:187-197.

| 함수연 |

Contents

흉부X선 촬영에 대한 의존도는 과거에 비하여 많이 감소하는 추세이며 종양 환자의 병기 결정과 추적 검사를 위한 검사에서도 흉부X선 촬영을 생략하고 전산화단층촬영을 실시하는 유형으로 검사가 변화되고 있다. 2019년부터 국가암 검진에 포함되는 폐암의 진단에도 저선량 CT를 이용한 검사가 포함되어 준비 작업이 이루어지고 있다. 폐암 선별 검사를 실시하는 경우 저선량 전산화단층촬영에 의존도가 증가하며 추적 검사로서의 자리를 CT에게 내어주고 있는 실정이다. 그러나 흉부 X선 촬영이 기본 검사로서의 역할이나 중환자실 환자의 추적 검사로서의 중요성은 결코 간과할 수 없으며 수술 전 검사로써 시행한 흉부X선 촬영에서 중요한 단서가 되는 소견을 발견하는 경우도 드물지 않게 경험하게 된다[1].

폐결절 혹은 폐종괴는 국소적으로 둥글게 증가한 음영이며 수에 따라 단일결절, 다발결절 그리고 좁쌀모양의 미만결절(크기 2 mm 이하)들로 구분된다. 정의에 의하면 단일폐결절은 무기폐나 림프절 비대를 동반하지 않는 3 cm 이하의 결절을 지칭하며 3 cm를 기준으로 3 cm 미만은 결절, 3 cm 이상을 종괴로 정의한다[2-4].

단일폐결절 혹은 폐종괴는 병리학적 성상에 따라 양성과 악성으로 구분하는데, 대체로 영상소견에서 크기가 작고 경계가 좋으면 양성결절, 종괴의 크기가 크며 경계가 불규칙하면 악성병변의 가능성이 높지만[5-7] 크기나 모양으로 구분하는 것이 실제로 용이하지 않은 경우가 많다. 따라서 임상소견, 검사소견 그리고 추적검사를 통하여 두 질환을 감별하려는 시도가 이전부터 계속되어 왔으며[5-7] 흉부질환의 진단 영역에서 중요 주제로 남아있다.

❶ 단일폐결절

1. 결절의 정의 및 분류

단일폐결절은 흉부X선사진에서 1 cm가 되어서야 발견되는 경우가 많은데[6], 흉부X선사진에서 결절이 발견되었을 때 고려해야 할 주요사항은 1) 새로운 병변인가? 2) 과거 사진이 있을 경우 크기 변화가 있는가? 3) 실제 폐병변인가? 혹은 젖꼭지 음영이나 늑골 병변, 아니면 피부 병변은 아닌가? 4) 뚜렷한 석회화 등의 전형적인 양성을 시사하는 소견이 존재하는가? 등이다.

1) 새로운 병변

병변이 새로 발생했는지 여부를 결정하는데 있어서는 이전 사진과의 비교가 필수적이다. 한 달 이내에 크기가 두 배로 된 병변이거나 이전에는 없던 병변이 지난 한달 내에 처음으로 나타난 것이라면 종양의 가능성은 거의 없다[6-8]. 그러나 예외적으로 생식세포종양(germ cell tumor)이나 림프종(lymphoma), 육종(sarcoma), 흑색종(melanoma) 등의 전이성 종양인 경우 빠른 크기 증가를 보일 수 있다[9]. 또한 2년 이상 변화가 없을 경우 양성으로 간주되지만(그림 7-1)[8, 10], 천천히 자라는 종양은 흉부 사진에서 2년 간 변화를 거의 보이지 않는 경우도 드물게 존재한다[6].

새로운 폐 결절인 경우, 대표적인 질환이 표 7.1에 예시되어 있고, 실제로는 95% 이상에서 3가지 질환, 1) 원발성 혹은 전이폐암(그림 7-2), 2) 결핵이나 곰팡이균 등에 의한 감염성 육아종, 3) 양성종양, 특히 과오종(hamartoma)이 가장 흔하게 발견하는 폐결절이다. 이들 중 특히 앞의 두 질환, 폐암과 육아종이 단일폐결절의 80% 를 차지하므로[2, 4, 5] 이들 두 질환을 감별하는 것이 중요하다.

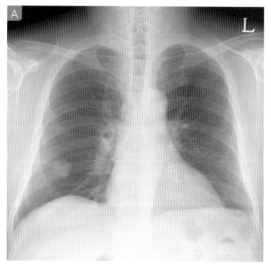
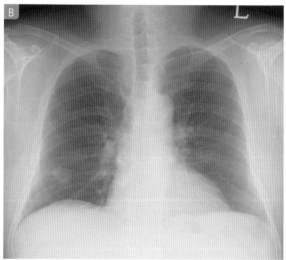

■ **그림 7-1. 흉부X선사진에서 3년간 변화 없는 양성 단일폐결절**
A. 63세 남자의 흉부X선사진에서 우중엽에 3 cm 크기의 경계가 좋은 단일 폐결절이 보인다. **B.** 3년 전 흉부X선사진에서도 동일한 부위에 동일한 크기의 결절이 보인다.

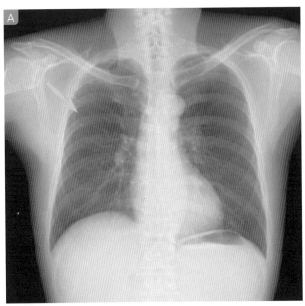
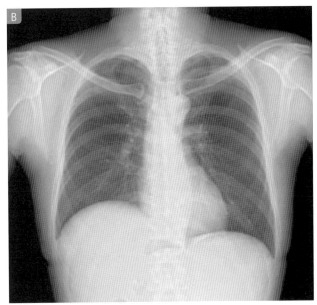
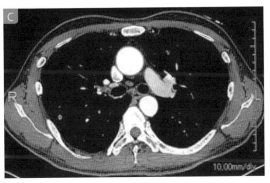
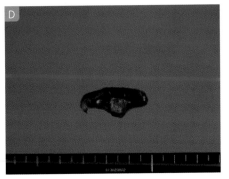

■ 그림 7-2. 폐외 종양의 추적 검사 중 새로이 발견된 전이 폐암
59세 남자 환자로 간암으로 간이식 수술 후 새로이 발견된 비석회결절(화살표)이 흉부X선사진에서(A) 발견되어 전산화 단층 촬영(C)을 시행함, 이식 전 흉부X선은(B) 정상 소견을 보였다. (D)수술 후 간암의 폐 전이로 진단되었다.

2) 크기 변화

크기가 1 cm 이하의 작은 결절의 경우는 흉부X선 사진에서 미세한 직경 증가가 있어도 부피는 두 배가 될 수 있다. 예를 들어 직경 1 cm에서 1.25 cm로 증가한 경우 부피는 두 배가 증가한 것이 된다. 특히 선암(adenocarcinoma) 중에서는 전산화 단층촬영에서 간유리 음영으로 시작되어 매우 천천히 커지는 종양의 경우는 미세한 크기의 변화도 무시할 수 없는 소견이다[10].

3) 임상 소견

단일폐결절의 감별에 있어서는 환자의 나이, 임상 증상, 흡연력, 직업력 혹은 과거 병력 등의 임상정보가 매우 중요하다 [5, 6]. 예를 들면 30세 이하 비흡연자에서 보이는 단일폐결절이 폐암일 가능성은 비교적 드물 것이며, 반면 65세의 흡연력이 있는 중증의 만성폐쇄폐질환 환자에서의 단일폐결절은 폐암의 가능성이 높다(표 7-1)[5]. 또한 다른 부위 원발암이

표 7-1. 단일 또는 다발성 결절의 감별 진단

원인		단일	다발성
	선천성	기관지 낭종	
		혈관기형	혈관 기형
	감염성(infectious)	결핵	색전증
		폐농양	폐농양
		국소 폐렴	침윤성 진균증
	염증성 (Inflammatory)	베게너 육아종증	베게너 육아종증
		류마티스 결절	류마티스 결절
		지방폐렴	Churg-Strauss 증
	진폐증	거대섬유증	
	종양성	원발 폐암	다발성 선암
		carcinoid	임파종
		과오종	카포시 육종
		전이암	다발성 폐전이
	외상성	혈종	혈종

없는 상태에서 단일폐결절이 전이폐암일 가능성도 적어진다[10].

단일폐결절이 보이는 환자는 두 그룹으로 나뉘는데, 첫째는 거의 악성종양일 가능성이 없는 군과 둘째는 폐의 원발암의 가능성이 높은 군이다. 이들 두 군의 감별을 위하여 단일폐결절의 모양, 크기, 공동여부 및 석회화 양상 등을 살펴보는 것이 도움이 된다[5-7]. 하지만 어떤 소견도 100% 폐암에 특이한 소견이 될 수 없기 때문에 오히려 악성의 가능성을 배제하는 방식의 진단 방법이 도움이 된다[5, 7]. 단일폐결절이 악성보다 양성을 시사하는 소견들은 1) 양성패턴의 석회화가 있는 경우, 2) 원발폐암으로 보기에는 성장속도가 너무 빠르거나 너무 늦을 경우, 3) 혈관기형이나 원형무기폐 등 특징적인 모양을 보일 때, 4) 이전 사진과 비교 시 2년간 변화가 없을 경우 등이다(표 7-1).

2. 결절의 성상에 대한 분석

1) 석회화

동심원(concentric) 혹은 판자모양(laminated)의 석회화는 결핵이나 곰팡이균에 의한 육아종의 가능성이 높다. 반면 팝콘혹은 반지모양의 석회화는 연골의 석회화를 의미하므로 과오종의 특징적 모습이다(그림 7-3). 점상의 석회화는 양성이나 악성 모두에서 보이는데 육아종, 과오종, 아밀로이드, 카르시노이드 등의 양성 병변과, 골육종(osteosarcoma) 등의 전이 암에서도 보일 수 있다[2, 6]. 점상의 석회화가 기관지암에서는 드물지만(그림 7-4), 과거 존재하던 결핵종에 동반하여

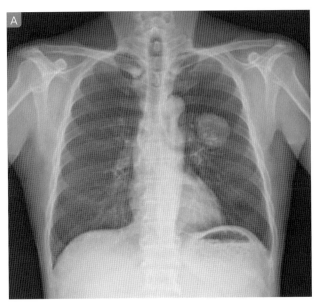

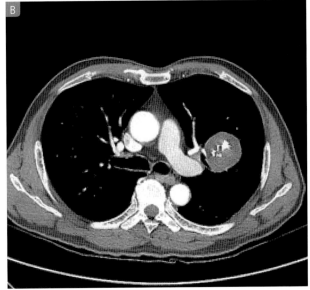

■ **그림 7-3. 팝콘양 석회화를 보이는 과오종**
61세 남자 환자로 위암 수술을 위해 입원하여 시행한 흉부 X선사진(A)에서 좌상엽에 폐종괴(화살표)가 보인다. (B) CT사진에서 내부에 전형적인 팝콘
양상의 석회화가 관찰된다.

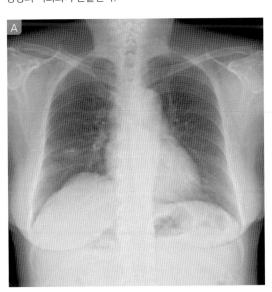

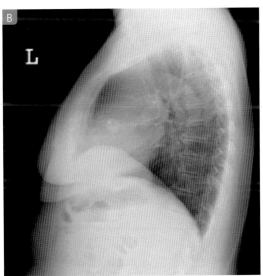

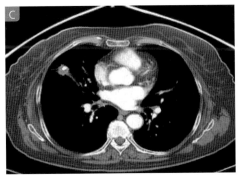

■ **그림 7-4. 변연부 석회화를 동반한 원발성 폐암**
(A, B)갑상샘암으로 2년 전 갑상샘 제거수술을 받았으며 우중엽에 크기가 증가하는 폐결절이
발견되었다(화살표). (C) CT사진에서의 변연부에 결절성 석회화가 동반되어 있었다. 조직 검
사를 통해 선암으로 진단되었으며 수술로서 T2a 원발성 폐선암으로 확진되었다.

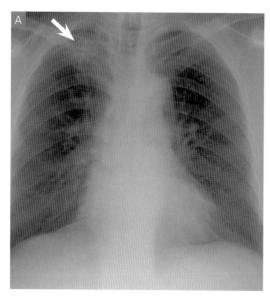
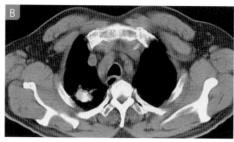

■ 그림 7-5. 67세 흡연가의 흉부X선사진에서 폐암이 의심되었으나 CT에서 석회화 육아종으로 판정된 증례
A. 우상엽에 난원형의 비석회화 종괴로 추정(화살표)되었다. **B.** CT촬영에서 대부분이 석회화로 구성된 양성 육아종으로 진단된 증례이다. 더이상의 추가검사가 필요없다.

생길 수 있으며 추적 검사에서 크기 증가가 있을 때 반드시 악성 여부는 조직 검사로 확진하여야 한다. 결절 전체에 걸쳐 미만성 석회화가 있는 경우는 악성 종양의 가능성이 매우 낮아진다.

만일 석회화된 정도가 풍부하거나 결절의 크기가 5 mm 이상인 경우는 흉부X선사진에서도 보일 수 있다[7]. 최근에는 폐결절의 진단과 거의 동시에 전산화 단층 촬영을 시행하므로 X선 촬영에 대한 의존도는 이전에 비하여 많이 적어졌다고 할 수 있다. 흉부X선사진에서는 8 mm 이하의 비석회화된 결절은 잘 보이지 않는 것으로 알려져 있고[8], 만일 수 mm의 결절이 흉부X선사진에서 보일 때는 석회화 결절일 가능성이 높다[11-13]. 1 cm 이상의 결절의 경우 흉부X선사진만으로 석회화 유무를 결정하는 것은 정확하지 않을 수 있는데 석회화되지 않은 결절이라도 늑골 및 인접 장기와 겹쳐 있을 때는 마치 석회화된 결절처럼 음영이 증가되어 보일 수 있다. 반대로 CT에서는 전체가 석회화된 결절이지만 칼슘의 농도가 낮으면 흉부X선사진에서는 비석회화 결절로 오인할 수가 있다[12]. 흉부X선사진상 석회화 결절의 진단 정확도가 50% 내외라고 할 때, 수 mm 미세 결절을 제외하고는 병변을 석회화 결절로 진단하는 것은 매우 신중하여야 하며 석회화 여부의 정확한 판단을 위해서는 CT로 확인할 것을 권장한다(그림 7-5).

2) 성장속도

통상적으로 종양의 부피 증가를 평가하는데 tumor doubling time (종양용적 배가시간)을 기준으로 하면 정의상 종양의 부피가 두 배로 증가하는 데 걸리는 시간으로 대체로 종양의 모양을 삼차원적 공 모양으로 가정할 때 $4/3\pi r^3$으로 계산하여 종양의 반지름(r)이 약 1.3배가 되는 시간을 말한다. 지금까지 알려져 온 바로는 악성 종양의 부피가 두 배로 증가하는 데 1-18개월(평균 4.2 - 7.3개월)이 걸린다. 그러나 소수에서 종양용적배가시간이 24개월 이상으로 천천히 자라는 악성 종양도(예: 선암) 특히 선암의 경우 가능하며 2개월 이내로 빨리 자라는 경우도 있다(그림 7-6)[9, 14].

그러므로 보통 1개월 이내로 두 배의 부피(직경은 26% 증가)가 되거나 18개월 이상이 걸리는 결절이 악성 병변일 가능성은 떨어지나 완전히 배제할 수는 없으며, 종양용적배가시간이 1달 이내인 경우에는 감염, 괴사, 조직구성림프종(histiocytic lymphoma), 성장 속도가 빠른 전이암(생식기암, 육종 등) 등의 가능성을 고려할 수 있다[5]. 18개월 이상으로 천천히 자라는 질환은 대부분 양성병변 가능성이 많으며 육아종, 과오종, 원형무기폐 등이다. 실제 임상에서 흉부X선사

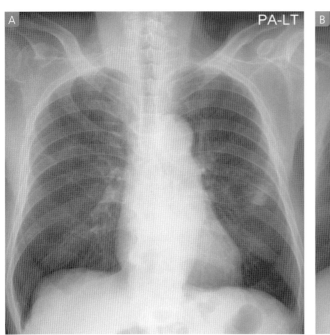
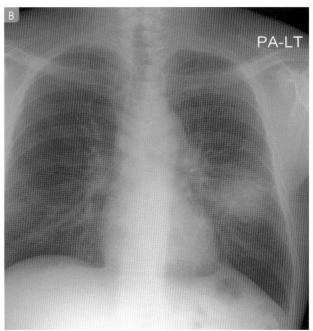

■ 그림 7-6. 2개월 만에 4배 이상으로 증가한 소세포암
A. 67세 남자가 전신의 무력함을 주소로 내원하여 촬영한 흉부X선사진에서 좌폐 중간에 2 cm의 단일폐결절이 보였다. B. 2개월 후 추적검사에서 이전의 결절이 4배 이상으로 커진 소견을 보였다.

진 추적검사 중 크기가 감소하거나 2년 동안 변화가 없으면 양성병변의 가능성이 큰 결절이다[2, 5]. 만일 추적기간 중 기존의 결절 크기가 조금이라도 커지면 CT 검사와 필요에 따라 조직 검사가 필수적이다. 그러나 1 cm 미만의 결절은 보통 흉부X선사진에서 보이지 않으므로 병변의 성장속도를 정확히 계산하는 것은 어렵다. 그러므로 전에 정상처럼 보였던 곳에 소결절 음영이 보이는 경우 성장하는 조기암 가능성을 고려해야 한다[8, 9].

3) 크기

단일폐결절은 크기와 무관하게 악성의 가능성을 가질 수 있다. 1 cm 미만의 폐암은 흉부X선사진에서 잘 보이지 않으며[13] 만일 경계가 분명한 소결절(수 mm)이 흉부X선사진에서 뚜렷이 보이면 석회화결절, 즉 양성일 가능성이 많다. 하지만 1 cm 미만의 폐암도 CT에서는 쉽게 발견할 수가 있다[13]. 단일폐결절 혹은 종괴의 감별에 대한 정리는 표 7-1에 요약하였다. 종괴의 크기가 4 cm을 넘으면 암의 가능성이 훨씬 많아진다[7]. 양성병변으로 4 cm 이상인 경우는 폐농양, 원형폐렴, Wegener씨 육아종증 등이다[2, 4, 5]. 이와 같은 병변은 임상증상과 혈액 검사, 영상소견으로 감별이 필요하다.

4) 모양

흉부X선사진에서 보이는 폐결절의 모양이나 경계양상만으로 양성과 악성을 감별하는 것에는 이견이 있으나 불규칙 혹은 침상모양의 결절의 대다수가 악성 결절이지만(그림 7-7)[5-7], 결핵종이나 만성염증성 병변에서도 보일 수 있다는 점을 고려하여야 한다(그림 7-8). 그러나 엽상 그리고 톱니모양의 경계는 양상이 많을수록 기관지암의 가능성이 더 높다[2, 7]. 반면 둥근 구형, 부드러운 경계 그리고 비엽상모양의 결절은 양성 병변 특히 과오종이나 결핵종, 악성 병변으로는 전

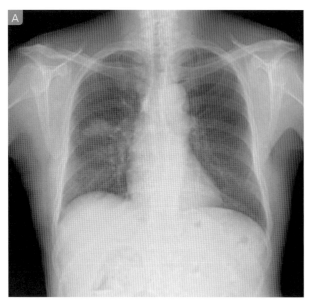
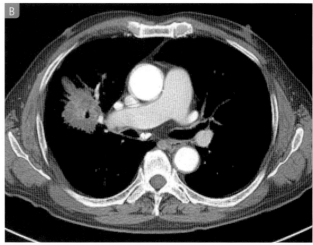

■ 그림 7-7. 전형적인 침상 경계를 보이는 원발폐암

(A, B)69세 남자 환자로 좌측 고관절 통증을 주소로 내원하여 시행한 흉부X선사진 및 CT에서 우상엽에 침상형 경계를 가진 폐종괴가 발견되었다. 경피적 폐조직 검사를 통해 선암으로 확진되었으며 고관절 및 척추에 원격 전이가 동반된 4기 폐암이다.

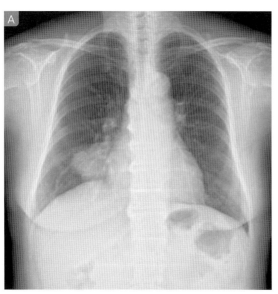
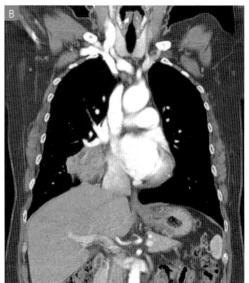
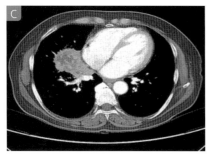

■ 그림 7-8. 단일 폐종괴로 폐암과 감별이 어려운 만성 육아종성 염증

61세 여자 환자로 기침과 경도의 호흡 곤란을 주소로 내원하였으며 발열 등의 전신 증상은 보이지 않았다. (A-C)흉부X선사진 및 CT에서 우중엽에 불규칙한 경계를 보이는 폐종괴가 보인다. 폐암의 가능성을 고려하여 경피적 폐침생검을 실시하였고 만성 육아종성 염증 소견을 보였으며 흉강경하 조직 검사에서 폐렴으로 확진되었다.

이암에서 보인다. 그러나 원발폐암에서 이와 같은 모양을 보이는 경우는 드물다. 말초부위의 폐암에서 특징적으로 보였던 흉막폐꼬리(pleuropulmonary tail)소견은 양성 병변 특히 육아종에서도 보일 수 있는 소견 중 하나이다.

5) 단일폐결절이나 폐종괴 내에 공기기관지조영상
흉부X선사진에서 단일폐결절이나 폐종괴 내에 공기기관지조영상이 보였을 때, 악성병변으로는 세기관지폐포암과 림프종을 우선 감별하지만 조기 선암은 전산화단층촬영에서는 드물지 않게 보이는 소견이다. 양성 병변으로는 원형폐렴이나 원형무기폐의 가능성을 고려할 수 있다[2].

6) 공동 및 공기초승달징후
공동(cavity)의 정의는 폐경화, 폐종괴 및 폐결절 내에 공기가 차 있는 것을 말한다. 공동벽의 두께가 두껍거나(15 mm 이상) 불규칙하면 악성의 가능성이 높고, 얇거나(4 mm 이하) 균일할수록 양성을 시사한다[2, 5, 7]. 흉부X선 사진에서 폐혈관이 휘어져서 그려지는 거짓공동음영을 관찰하고 공동의 벽이 연결되는지를 확인하는 것이 가성공동을 감별하는데 감별점이 된다.

급성 폐농양과 공동성 폐암은 임상적 증상과 추적검사로 감별이 가능할 수 있지만 공동성 폐암과 감별이 어려운 만성 염증질환들로는 크립토코쿠스증이나 바퀴살균증(actinomycosis), 폐혈색전증 등이 있으며 색전증은 늑막하 변연부에서 잘 보인다(그림 7-9). 그리고 교원혈관병 중 혈관염과 육아종증(granulomatosis with polyangitis)이나 류마티스관절염에서 보이는 공동결절과의 감별이 흉부X선사진이나 임상증상으로 용이하지 않은 경우가 있다. 공동 내에 공기초승달징후(air-meniscus sign)를 보이는 경우는 낭성기관지확장증, 결핵에 의한 공동 그리고 기존의 기포 등에 곰팡이덩이

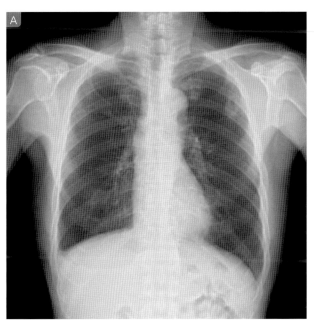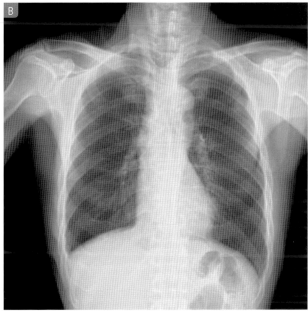

■ 그림 7-9. 추적 검사에서 크기가 줄어드는 공동성 병변
72세 남자 환자로 발열과 복통을 주소로 내원하여 시행한 흉부X선 사진에서(A) 좌상엽에 공기-물 층으로 보이는 공동성 병변이 보인다. 2주 전 시행한 흉부 사진(B)과 비교할 때 빠른 크기 증가를 보이고 공기-물층이 새로 발생하여 종양 보다는 염증성 병변의 가능성이 큰 병변이다. 간 조직 검사에서 Klebsiella pneumoniae로 확진되었고 항생제 투약 후 추적 검사에서도 폐 병변은 호전되었다.

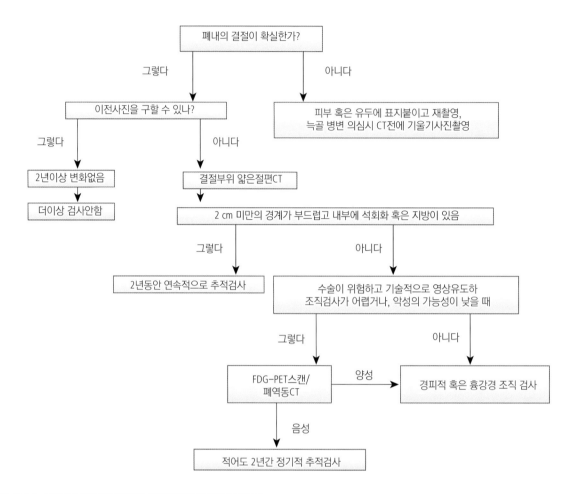

■ 그림 7-10. 흉부X선사진에서 관찰된 단일폐결절에 대한 진단과경

(fungus ball)에 의한 경우가 가장 흔하다.

그 외 폐열상(lung laceration)으로 인한 공동에 혈종이 고인 경우, 폐괴사, 농양, 괴사성폐렴 특히 클렙시엘라폐렴, 아스페르길루스폐렴(Aspergillus fumigatus)이 원인이 될 수 있다.

3. 단일폐결절 및 폐종괴의 진단과정(그림 7-10)

1) 병변의 양성, 악성 여부의 감별에 과거 사진과의 비교는 필수적이다.
2) 흉부X선사진에서 완전한 석회화 결절로 보이며 2년 간 변화가 없으면 양성가능성이 높다.
3) 흉부X선사진에서 발견되는 5 mm 이하의 결절은 육아종이거나 혈관의 말단부위의 단면의 가능성을 먼저 고려할 수 있다.
4) 이전 사진에서는 정상이었던 부위에 새로 생긴 소결절은 조기폐암의 가능성이 있으므로 반드시 단기 추적검사나 CT

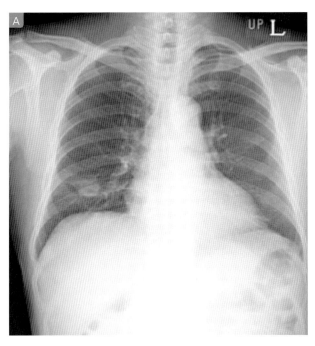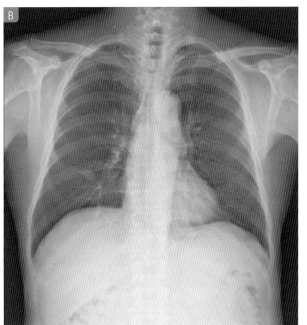

■ 그림 7-11. 폐 결절과 감별이 어려운 국소 폐렴
39세 남자 환자로 기침 및 객담을 주소로 내원하여 시행한 흉부X선사진에서(A) 폐결절이 의심되었으나 경도의 발열이 있고 혈액 검사에서 경미한 백혈구 증가 소견을 보였으며, 3주 간 항생제 치료 후 시행한 추적 검사에서(B) 병변의 호전을 보인다.

를 시행하여야 한다.

5) 놓친 폐암의 크기는 1.5-3 cm 사이이고 늑골, 폐문이나 동격에 가려져 있는 경우, 횡격막 하부, 기저부 폐에 있는 병변이 많으므로 흉부X선 사진 판독에서 특히 이 부위를 주의 깊게 관찰하는 것이 필요하다.

6) 1 cm 미만의 작은 결절은 흉부X선사진에서는 주의 깊게 관찰하지 않으면 놓치는 경우가 많다.

7) 암의 기왕력이 있는 환자에서의 소결절은 악성일 경우가 많으므로 추적 검사를 반드시 시행하여야 한다.

8) 종양의 크기가 증가함에 따라 악성 병변의 가능성이 높아지며 8 mm 이상 결절의 악성 가능성은 약 10-20% 정도로 보고되고 있으며 4 mm 이하 결절의 악성 가능성은 적은 것으로 알려져 있다[16].

9) 추적 검사를 실시하여 병변의 변화 추이를 관찰하는 것이 감별 진단에 도움이 되며 불필요한 조직 검사를 피할 수 있다(그림 7-11).

4. 폐 결절 및 종괴와 감별이 필요한 질환

실제로 판독 중에 보이는 병변 중 폐실질과 폐 외 병변의 구분이 어려운 경우가 드물지 않으며 이중 일부는 폐외 병변으로 판명되는 경우를 흔히 경험한다. 흔한 예로 피부에 있는 유두나 점 혹은 피하의 낭종, 지방종 등이고 골섬이나 골절 후 생기는 골애벌래, 간혹 척추의 퇴행성 변화도 폐종양처럼 나타나는 경우가 있다. 그 외 늑막간 삼출 또 늑막에서 생긴 섬유종, 지방종 또는 늑간의 신경계 종양도 폐병변으로 오인될 수 있다(표 7-2). 이 병변들은 X선 촬영 소견으로는 감별 진단에 어려움이 있어서 전산화 단층촬영을 필요로 하게 된다. 특히 폐암 선별 검사뿐 아니라 종양 환자에서 정기적으로 시행되는 폐 영상 검사가 증가하는 것을 고려할 때 해당 병변의 감별 진단에 더 많은 관심과 주의가 필요하며 검진 촬영뿐 아니라 많은 영상검사에 따른 의료 분쟁이 현실적인 문제가 되고 있다.

Ⅱ 다발성 폐결절/좁쌀모양 미만성 폐결절

흉부X선사진에서 다양한 크기의 다발성 폐결절이 보일 때 95%는 전이성 폐암이다[10, 16]. 그 외에 비석회화 다발결절의 원인으로 결핵이나 곰팡이균에 의한 감염이 있다(표 7-3). 다발폐결절들의 크기가 크고 다양할수록, 전이 암인 경우가 많다[10]. 반면 다발폐결절들의 크기가 너무 작아서 흉부X선사진에서는 잘 보이지 않고 CT에서만 보일 경우 좁쌀결핵에 의한 결절을 감별하여야 하며 감별이 용이 하지 않은 경우가 있다. 다발폐결절내 공동이 있는 경우(표 7-3)는 주로 급성 혹은 활동성 병변의 경우이다.

전이암은 주로 구형이며 경계가 좋고 주로 폐하부에 분포하는 것이 특징이다(그림 7-12)[16]. 드물게 불규칙경계나 불분명한 음영을 보이기도 한다. 전이암의 크기는 보통 다양하며 주로 흉곽 밖의 암의 진행과 관련되어 나타난다.

다발폐결절 내 석회화가 있는 경우는 결핵이나 아밀로이드증, 폐색전증 등의 양성병변이지만 골육종(osteogenic sarcoma)이나 연골육종(chondrosarcoma)과 같이 원발암이 석회화 또는 골화병소일 때 가능하며[11] 점액분비 선암, 위장관계 암에서도 석회화결절들을 보인다. 결절의 성장속도는 다발성육아종과 전이암과의 감별에 좋은 지표가 된다[14]. 전이암의 경우 종양용적배가시간의 범위가 원발폐암보다 더 넓어서 융모암(choriocarcinoma)은 두 배가 되는 시기가 한 달 이내로 짧은 반면, 갑상샘암은 상당기간을 같은 크기로 있기도 한다.

사르코이드증이 다발폐결절으로 나타날 수 있으며 전이암이나 림프종과의 감별이 필요하다. 동반하는 종격이나 폐문 림프절증대로 인해 감별이 힘든 경우가 많지만 사르코이드증은 늑막 삼출을 동반하는 예가 많지 않으며 전이암에 비하여 비교적 대칭적인 폐문 비대의 소견을 보인다[17]. 2 mm 미만의 좁쌀모양의 미만성 결절이 보이는 대표적 질환은 좁쌀결핵이다. 좁쌀결핵은 고열 등의 증상으로 감별이 비교적 쉽게 되나, 초기에는 흉부X선사진에서 정상처럼 보여서

표 7-2. 폐 결절과 감별이 필요한 폐외 병변

PSEuDO	
P	Pleural mass – 섬유종, 신경종
S	Skin lesion – 유두, 낭종
Eu	Effusion-loculated
D	Deformity – 골절 후 가골, 골섬
O	Osteophyte-spine

표 7-3. 다발성 폐결절, 종괴의 감별 진단

원인	질환
선천성	혈관기형
감염성	폐혈색전증
	폐농양
	아스페길루스증
	칸디다증
종양성	전이폐암
	다발성 선암
	림프종
	Kaposi육종
혈관염	ANCA 관련 혈관염
	류마티스성 결절
외상성	외상성 공기낭종

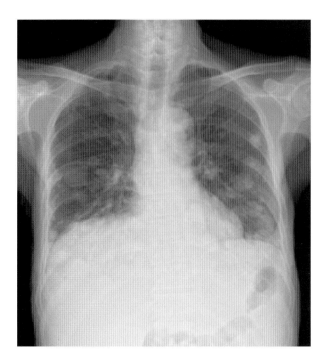

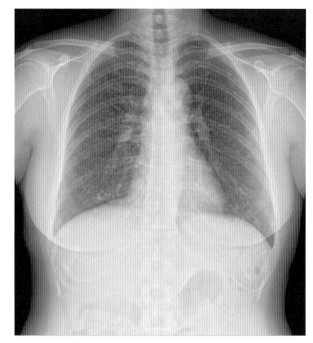

■ 그림 7-12. 비석회 다발성 결절로 보이는 전이폐암
65세 남자 환자로 수년 전 직장암으로 진단 후 시행한 흉부X선사진에서 다양한 크기의 다발성 결절이 보인다. 혈행성 전이로 상엽에 비하여 하엽에 결절의 분포가 우세한 것이 특징이다.

■ 그림 7-13. 미만성폐결절로 보이는 폐암
39세 여자 환자로 한달 간 지속된 기침을 주소로 내원하여 시행한 흉부 X 선사진에서 전폐야에 산재한 좁쌀 결절이 보인다. 동반된 우하 경부 림프절 조직 검사와 기관지내시경 세포검사에서 원발성 폐선암으로 진단되었다.

주의 깊게 관찰하여 경계가 불분명한 좁쌀모양의 미만성결절의 존재를 살펴보아야 한다(그림 7-13). 미만성폐전이와 좁쌀 결핵의 구분은 X선 소견만으로는 거의 불가능하다.

　　탄광부폐먼지증(Coal worker's pneumoconiosis)이나 만성규폐증(chronic silicosis)에서도 다발폐결절이 보이며 과거 직업력 및 상엽에 호발하는 점 등이 하엽에 더 호발하는 전이암과 감별에 도움이 된다. 간혹 진행성 거대섬유증(progressive massive fibrosis)이 양상엽에서 관찰되기도 하는데 대칭적이고 주변에 폐기종이 있는 것이 특징이다[17]. 거대섬유증이 비대칭적일 경우에는 폐암과의 감별을 위하여 조직 검사가 필요할 수 있다.

Ⅲ 흉부X선 사진에서 종양으로 진단하기 어려운 증례

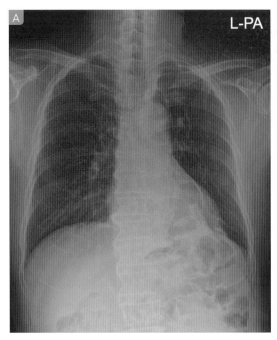

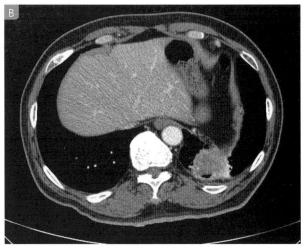

■ 그림 7-14. 69세 남자 환자로 좌하엽 종괴가 주변의 폐기종과 폐경화 양상으로 흉부X선 사진(A)에서는 폐 종괴로 진단하기 어려운 소견이나 CT 촬영(B)에서 경화성 폐종괴의 소견을 뚜렷하게 보여준다. 조직 검사를 통해서 편평세포암으로 진단되었다.

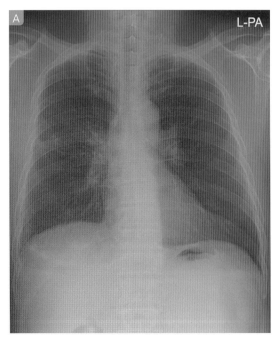

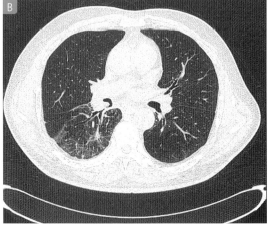

■ 그림 7-15. 64세 남자 환자로 기관지내 결절에 의한 반복되는 폐쇄성 폐렴이 재발하였고 X선 소견(A)만으로는 지연 진단이 되었던 편평세포 폐암의 예이다.

Ⅳ 흉부X선 촬영의 역할

1. 진양성– 성장하는 폐결절, 좌상엽

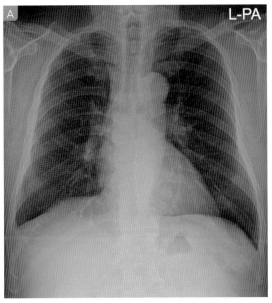

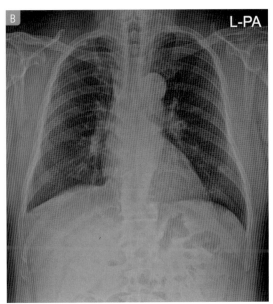

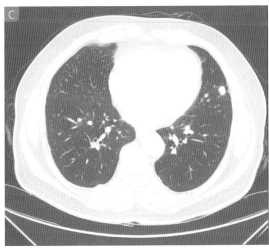

■ 그림 7-16. 2년 전 흉부X선 촬영(A, B)에서 삭는 결절 음영이 좌측 9번째 늑골의 경계를 따라서 보이며 2년 후 시행한 흉부X선 사진에서 크기 증가를 보였다. CT 촬영(C) 소견은 악성 폐결절을 시사하는 성장하는 결절이다.

2. 위양성

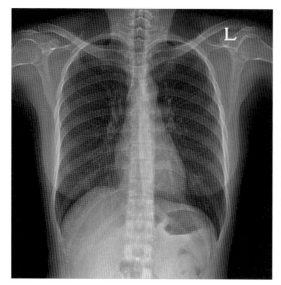
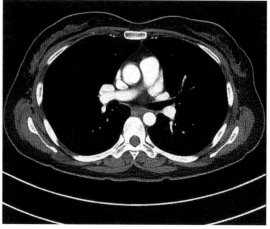

■ **그림 7-17.** 흉부X선 촬영(A)에서 좌 폐문 주위에 결절의 음영의 소견이 있으나 CT 촬영(B)에서는 결절의 음영은 보이지 않는 위양성 흉부X선 소견의 증례이다.

■■■ **참고문헌** ■■■■■■■■■■■■■■■■■■■■■■■■■■■■■■■■■■

1. Girvin F, Ko JP. Pulmonary nodules: detection, assessment, and CAD. AJR Am J Roentgenol 2008;191(4):1057-1069.

2. Winer-Muram HT. The solitary pulmonary nodule. Radiology 2006;239:34-49.

3. Hansell DM, Bankier AA, MacMahon H, McLoud TC, Muller LN, Remy J, et al. Fleischner Society: Glossary of terms for thoracic imaging. Radiology 2008;246:697-722.

4. Murrmann GB, Van Vollenhoven FH, Moodley L. Approach to a solid solitary pulmonary nodule in two different settings. J Thorac Dis 2014;6(3):237-248.

5. Erasmus JJ, Connolly JE, McAdams HP, Roggli VL. Solitary pulmonary nodules: Part I. Morphologic evaluation for dif-ferentiation of benign and malignant lesions. Radiographics 2000;20:43-58.

6. Tan BB, Flaherty KR, Kazerooni EA, Iannettoni MD. The solitary pulmonary nodule. Chest 2003;123:89S-96S.

7. Gurney JW. Determining the likelihood of malignancy in solitary pulmonary nodules with Bayesian analysis: Part I.Theory. Radiology 1993;186:405-413.

8. Lazarus DR, Ost DE. The solitary pulmonary nodule-deciding when to act? Semin Respir Crit Care Med 2013;34:748-761.

9. Mohammed TL, Chowdhry A, Reddy GP, Amorosa JK, Brown K, Dyer DS, et al. ACR appropriateness criteria screening for pulmonary metastases. J Thorac Imaging 2011;26:W1-3.

10. Yankelevitz DF, Henschke CI. Dose 2-year stability imply that pulmonary nodules are benign? AJR Am J Roentgenol 1997;168:325-328.

11. Sone S, Li F, Yang ZG, Takashima S, Maruyama Y, Hasegawa M, et al. Characteristics of small lung cancers invisible on conventional chest radiography and detected by population base screening using spiral CT. Br J Radiol 2000;73:137-145.

12. Ketai L, Malby M, Jordan K, Meholic A, Locken J. Small nodules detected on chest radiography: does size predict calcification Chest 2000;118:610-614.

13. Kaneko M, Eguchi K, Ohmatsu H, Kakinuma R, Naruke T, Suemasu K, et al. Peripheral lung cancer: screening and detection with low dose spiral CT versus radiography Radiology 1996;201:798-802.

14. Revel MP, Merlin A, Peyrad S, Triki R, Couchon S, Chatellier G, et al. Software volumetric evaluation of doubling times for differentiating benign versus malignant pulmonary nodules. AJR Am K Roentgenol 2006;187:135-142.

15. MacMahon H, Naidich D, Goo JM, Lee KS, Leung AN, Mayo JR, et al. Guidelines for management of incidental pulmonary nodules detected on CT images:From Fleischner Society 2017. Radiology 2017;284:228-243.

16. Boitsios G, Bankier AA, Eisenberg RL. Diffuse pulmonary nodules. AJR Am J Roentgenol 2010;194:W354-W366.

| 선주성, 박경주 |

■■■ Contents

흉부X선 영상의 음영은 X선이 공기와 혈액, 연부조직을 투과하면서 흡수되는 정도에 의해 결정되어진다. 모세혈관내 혈액의 양과 간질 또는 간질조직 내에 포함된 액체가 증가하면 폐의 음영은 증가하고, 폐가 공기를 많이 포함할수록 폐의 음영은 감소하여 흉부X선 영상은 까맣게 보이게 된다. 흉부X선 영상이 과다 투과되어 까맣게 보이는 경우에는 우선 흉부사진 촬영에 기술적인 문제가 없는지를 확인해보아야 한다. 과거에 필름을 사용하여 흉부X선 촬영을 할 때 낮은 에너지의 kVp를 사용해 촬영하여 대조도가 높아진 사진에서는 폐의 정상혈관이 잘 보이지 않아 폐가 까맣게 보여 음영이 감소된 폐질환처럼 보이는 수가 있었다. 환자의 자세가 정중앙을 향하지 않은 경우에도 한쪽 폐의 음영이 감소되어 보이는데, 특히나 유방조직이 큰 여성에서 더욱 두드러진다. 환자의 자세는 척추의 가시돌기를 잇는 선이 양측 쇄골 내측 끝 사이의 중앙으로 내려가는 지를 보면 확인할 수 있다. 촬영할 때 그리드(grid)를 제대로 정렬하지 못하거나 X선관의 정렬이 틀어지는 경우에도 한쪽 흉부의 음영이 감소된다. 이런 경우는 폐뿐만 아니라 주변의 연조직이나 뼈의 음영까지도 모두 까맣게 나타나는 것을 관찰하면 감별이 가능하다. 이런 기술적인 문제 외에도 매우 마른체형을 가진 사람은 양측 폐의 음영이 모두 감소되어 보이고, 한쪽 대흉근이 선천적으로 없는 환자(폴란드 증후군)나 유방제거술 같이 후천적으로 흉부의 연조직에 결손이 있는 경우에는 한쪽의 폐의 음영이 감소되어 보이는데 양측의 연조직 두께의 차이를 관찰함으로써 진단할 수 있다(그림 8-1). 기흉(pneumothorax)이 있을 때도 한쪽 흉부가 까맣게 나타나고, 흉막삼출(pleural effusion)이 있는 경우, 특히 누워서 촬영된 사진에서 한쪽의 음영증가로 인해 반대쪽이 음영감소로 인지될 수 있으므로 주의가 필요하다. 정상 폐의 음영을 만들어내는 중요한 두 가지 요소는 폐가 포함하고 있는 공기와 폐혈관내 혈액이므로, 폐질환에 의해 음영의 감소가 오는 원인은 폐가 포함하는 공기의 양이 증가한 경우와 폐실질 내의 혈액유입이 감소한 경우로 크게 나누어서 생각할 수 있다.

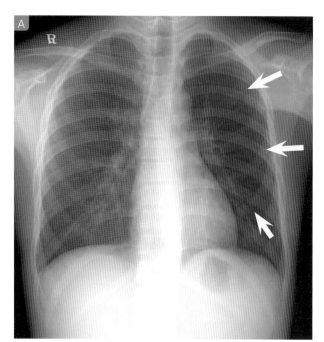 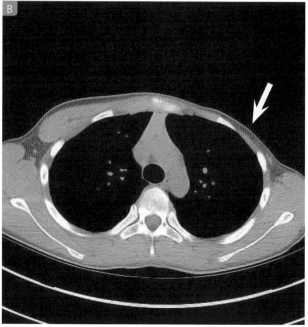

■ 그림 8-1. A.18세 남자의 흉부X선 영상에서 좌측 큰가슴근이 선천적으로 없는 환자로서 우측에 비해 음영이 낮고(화살표) 좌측 연조직의 음영도 우측에 비해 낮고 흉벽이 더 얇은 것을 볼 수 있다. B. 흉부CT 영상에서는 좌측 큰가슴 근육이 없음을 알 수 있다(화살표).

❶ 공기양의 증가

폐에 포함된 공기의 양이 증가하여 음영감소를 가져오는 질환은 침범 범위에 따라 폐기종(폐공기증, emphysema) 이나 천식(asthma) 등과 같이 양쪽 폐 전반에 걸쳐서 오는 경우, Swyer-James 증후군에서 볼 수 있듯이 한쪽 폐만 오는 경우, 또한 큰공기집(bullae)에서와 같이 국소적으로 침범하는 경우로 구분해 볼 수 있다(표 8-1).

폐에 공기 용적이 증가되는 기전은 크게 두 가지로 구분된다. 천식이나 세기관지염 등에서와 같이 공기 용적의 증가가 있으나 폐실질 조직의 용적이 유지되는, 즉 폐실질의 파괴를 동반하지 않는 질환과 폐기종과 같이 폐실질 조직의 파괴를 동반하는 경우이다.

1. 과도팽창, 공기가둠

폐의 과도팽창(overinflation)은 과다팽창(hyperinflation) 으로 표현하기도 하는데 폐에 포함된 공기가 과도하게

표 8-1. 폐음영 감소이 원인

양측폐	• 폐기종 • 천식의 급성발작 • 급성세기관지염(소아) • 양측유방절제술 • 우좌단락 • 폐동맥색전증 • 촬영의 기술적 오류
한쪽 폐 또는 폐엽에 국한되어 나타나는 경우	• Swyer-James 증후군 • 기도폐쇄(종양, 육아종성염증, 기관지결석, 이물질) • 주변의 무기폐 또는 폐절제에 동반된 보상성 과도팽창 • 편측유방절제술 • Poland 증후군 • 기흉 • 폐기종 • 폐동맥색전증 • 촬영의 기술적 오류
국소적인 폐음영 감소	• 큰공기집 • 공기낭종 • 낭

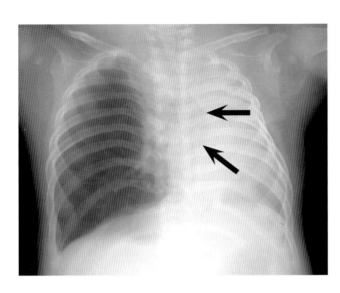

■ 그림 8-2. 급성 세기관지염을 앓던 1세 남아에서 좌측 무기폐에 동반된 우측폐의 과도팽창
납작한 횡격막음영과 좌측으로 건 간 우측폐 음영(화살표)을 볼 수 있다.

늘어난 상태를 말한다. 폐실질 조직의 파괴여부는 상관없이 사용되는 용어로서, 숨을 들이마셨을 때(흡기)의 폐용적이 정상보다 과도하게 늘어난 상태이며 숨을 내쉬었을 때(호기) 공기가 잘 빠져나가지 못해 폐가 늘어난 상태를 나타내는 공기가둠(air-trapping)과는 구별되는 개념이다. 과도팽창은 천식이나 국소적 기관지폐쇄에서와 같이 공기가둠이 원인이 되어 나타나는 경우도 있고 공기가둠이 없이 즉 기도병변이 없이 나타날 수도 있다. 과도팽창은 흉부X선사진에서 폐음영이 감소되고 그 용적이 증가하는 소견을 보이는데 자세한 징후는 아래 폐기종에서 설명하기로 한다. 과도팽창은 폐기종, 천식, 폐쇄세기관지염과 같이 폐전체를 침범할 수 있지만 일측성 또는 국소적으로도 올 수 있다. 폐엽 절제를 한 환자나 무기폐(atelectasis)가 있는 경우 주변의 정상 폐엽이 남아있는 공간을 메우기 위해 팽창(compensatory overinflation)함으로써 국소적인 폐음영 저하가 올 수 있다(그림 8-2).

공기가둠은 과도 투과된 흉부X선 영상의 중요한 원인 중 하나이다. 기도가 부분적으로 막혀 그 원위부 폐에 공기가 과다하게 포함되어 폐가 팽창되는 현상으로 폐포벽의 기질적인 변화가 없으므로 가역적일 수 있다. 공기가둠은 숨을 들이쉬었을 때보다 내쉬었을 때 더 확연한 변화를 보인다. 그러므로 호기시 촬영에서 정상측보다 더 심한 음영감소로 인지되고 횡격막의 운동범위도 줄어들어 있는 것을 볼 수 있다. 공기가둠과 함께 이로 인한 폐포 확장은 인접 모세혈관과 세동맥을 눌러 폐혈류를 줄여 과다투과에 영향을 미친다.

기관지천식과 세기관지염은 폐전체에서 공기가둠이 일어나는 질환이다. 일반적으로 기관지천식 환자의 흉부X선사진에서는 이상소견을 발견하기 어렵다. 그러나 급성발작이 있을 때는 공기가둠으로 인해 흉부X선사진에서도 폐진체의 음영감소와 함께 혈관음영이 감소하고 횡격막이 납작하게 눌리는 모양으로 나타날 수 있다. 소아에서는 폐 전반에 걸친 공기가둠을 보이는 원인 중에서 급성세기관지염(acute bronchiolitis)이 중요한 원인이며 기도주위비후와 경결, 폐문주위 선상음영과 함께 흔하게 나타난다. 천식의 급성발작과 소아의 급성세기관지염으로 인한 공기가둠은 호기시 촬영한 흉부X선 영상으로 확진할 수 있다.

공기가둠은 일측성 또는 국소적으로 올 수 있는데 기관지 내에 종양이나 이물질로 인한 부분적인 폐쇄로 인해 소위 체크밸브(check-valve) 현상이 생겨 그 원위부 폐에 공기가둠이 오는 경우가 있다. 침범된 폐에 국소적인 음영저하, 혈관음영감소와 폐열의 전위 등의 소견을 볼 수 있다. 성인에서 이렇게 기도의 부분 폐쇄가 있는 경우는 대부분 원위부에 무기폐로 나타나는 반면 소아에서는 공기가둠이 동반되는 경우가 많다[1].

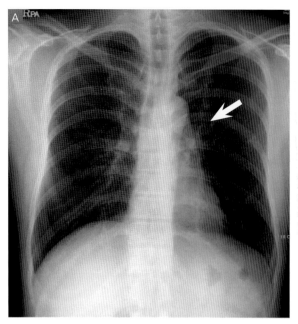
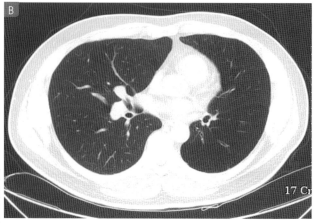

■ 그림 8-3. Swyer-James 증후군

A. 흉부X선 영상에서 좌측폐의 전반적인 음영감소를 볼 수 있고 우측 폐문보다 좌측 폐문이 작은 것을 확인할 수 있다(화살표). **B.** CT에서는 좌측폐의 음영저하, 기관지 확장, 작은 크기의 좌측폐혈관이 보인다.

Swyer-James 증후군은 어릴 때 급성 세기관지염, 특히 아데노바이러스(adenovirus)와 연관된 감염을 앓은 경우에 나타나는 질환이다. 대부분 한쪽 폐 또는 국소적인 음영감소로 나타나는데, 음영저하에도 불구하고 폐용적이 늘어나지 않고 정상측과 비교해 용적의 변화가 없거나 오히려 감소하는 소견을 보인다. 침범된 폐로 가는 동맥의 굵기가 가늘고 폐문의 크기가 감소되는 소견도 볼 수 있다[2]. 호기시에 X선 사진을 얻으면 공기가둠이 있고 종격이 반대쪽으로 밀리는 소견을 볼 수 있어 일측성으로 온 일종의 폐쇄세기관지염(bronchiolitis obliterans)이라 할 수 있다(그림 8-3).

2. 폐기종

폐기종(폐공기증, emphysema)은 만성기관지염(chronic bronchitis)과 함께 만성폐쇄폐질환(chronic obstructive pulmonary disease, COPD)의 중요한 구성요소가 되는 질환으로 "종말세기관지(terminal bronchiole) 원위부 공기공간의 비정상적인 영구적 확장으로 분명한 섬유화가 없이 폐포벽의 파괴가 동반되는 폐질환"으로 정의된다[3]. 폐기종은 폐혈류를 감소시키는 중요한 원인이며 폐의 과도팽창과 함께 X선 영상에서 과도투과를 유발한다[4, 5].

폐기종은 흉부X선사진에서 확연한 이상소견을 보이는 경우도 있으나(그림 8-4) 경미하거나 중간 정도의 폐기종은 흉부X선사진에서 진단되기가 무척 어렵다. 또한 흉부X선사진소견과 폐기능검사소견과도 잘 호응이 되지 않는 경우가 많다. 물론 폐기종이 심한 경우는 흉부X선사진에서 쉽게 진단될 수 있다. 흉부X선사진 소견은 크게 폐의 과도팽창과 폐조직파괴로 나누어 볼 수 있다. 과도팽창을 나타내는 소견은 매우 많지만 그중에 가장 민감한 소견은 납작한 횡격막(diaphragmatic flattening)이다[6, 7]. 특히 측면 촬영에서 민감한 것으로 알려져 있는데, 횡격막이 종격, 흉벽과 만나는 점을 서로 잇는 직선에서 가장 멀게 위치한 횡격막 돔음영(dome shadow)까지의 거리가 후전사진에서는 1.5 cm 미만, 측면

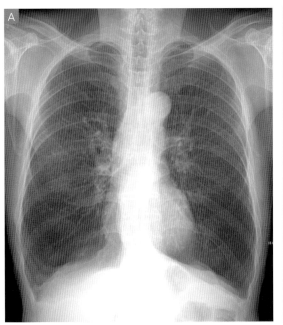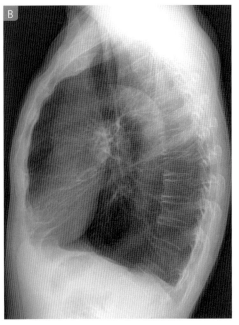

■ 그림 8-4. 폐기종
흉부X선 후전사진(A)에서 미만성의 폐음영감소, 납작한 횡격막, 좁고 긴 심장 음영 등의 과도팽창소견과 말단부폐혈관이 감소되고 가늘어진 소견을 보이고 측면사진(B)에서는 넓어진 흉골뒤 공간을 볼 수 있다.

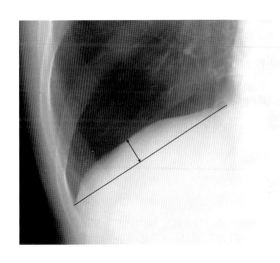

■ 그림 8-5. 납작한 횡격막의 판단기준
횡격막이 종격과 흉벽을 만난 점을 잇는 선에서 가장 멀게 위치한 횡격막 돔음영까지의 거리(화살표)가 후전사진에서는 1.5 cm 미만일 때이다.

사진에서는 2.7 cm미만이면 납작한 횡격막이라고 판단할 수 있다(그림 8-5). 과팽창을 나타내는 다른 소견도 많이 있으나 특이성이 높은 편은 아니다. 횡격막의 위치가 내려가 있는 소견도 도움이 될 수 있는데 빗장중간선(midclavicular line)에서 측정해 우측횡격막이 7번 늑골의 앞 끝보다 아래에 있는 위치를 기준으로 판단한다. 늑골횡격막각(costophrenic angle)이 둔탁해지는 변화도 후전 또는 측면사진에서 볼 수 있고, 측면사진에서 흉골뒤 공간(retrosternal space)이 확연하게 넓어진 소견이 유용할 수 있다. 후전사진에서 심장이 좁고 길게 나타나는 소견도 도움이 될 수 있으나 자주 나타나지 않는다. 그러나 통모양 가슴(barrel chest), 척추후만증(kyphosis), 또는 흉골이 앞으로 굽어지는 모양 등의 변화는 진단

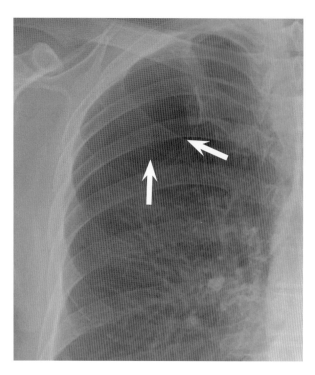

■ 그림 8-6. 큰공기집

우상엽 폐에 폐혈관음영이 소실된 국소적인 음영감소 병변(화살표)이 있다.

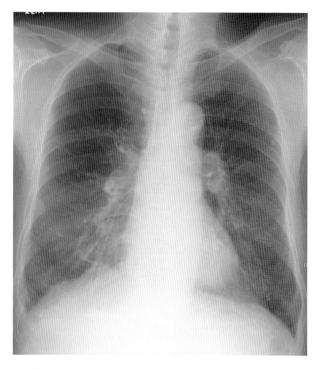

■ 그림 8-7. 폐기종 환자에서 동반된 폐심장증

양측 폐문과 중심성폐동맥의 크기가 현저히 증가되어 있는 폐동맥 고혈압 소견을 보인다.

적 가치가 낮다. 폐조직 파괴의 소견은 큰공기집과 폐혈관감소(vascular depletion)이다. 큰공기집이 흉부X선사진에서 발견되면 폐조직 파괴를 시사하는 특이적 소견이 되며 폐기종의 진단이 가능하다(그림 8-6). 큰공기집은 폐 주변부에서 국소적인 음영저하로 나타나고 그 벽이 매우 얇고 내부에 혈관음영이 없다. 폐의 말단부 폐혈관의 수가 감소하고 가늘어 지는 소견도 폐조직파괴를 시사하는 소견이나 정도가 매우 심한 경우가 아니면 발견하기 어렵다. 또한 중심성 폐동맥이 커져 폐문의 크기가 증가하는 소견으로 나타나는 폐심장증(cor pulmonale)의 영상소견이 동반될 수도 있다(그림 8-7)(표 8-2).

■ 표 8-2. 폐기종의 흉부 X선 소견

과도팽창	• 납작한 횡격막 • 낮게 위치한 횡격막 • 둔탁한 늑골횡격막각 • 좁고 긴 심장음영 • 흉골뒤공간 확장
폐조직파괴	• 큰공기집 • 말단부 폐혈관 감소
기타	• 폐심장증

폐기종은 병리적으로 세 가지 유형으로 구분되는데 세엽(acinus)의 중심부 특히 호흡세기관지와 그에 속한 폐포가 선택적으로 확장되는 중심소엽형(centrilobular), 소엽사이막(interlobular septa)에 인접한 소엽의 주변부 특히 흉막밑 부위(subpleural area)를 주로 침범하는 사이막옆형(paraseptal), 또한 소엽전체를 침범하는 범소엽형(panlobular)이 있다. 이러한 유형을 CT에서는 쉽게 구분할 수 있으나 흉부X선사진에서 구분하기는 어렵다. 중심소엽형은 상부 폐에 더 심한 침범을 보이고 범소엽형은 오히려 폐하부에 심하거나 미만성 분포를 보인다(그림 8-8, 8-9).

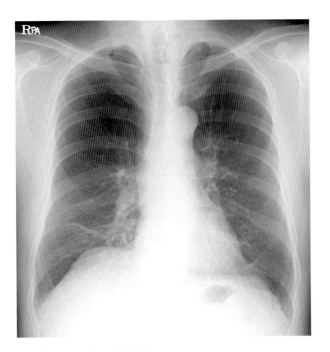

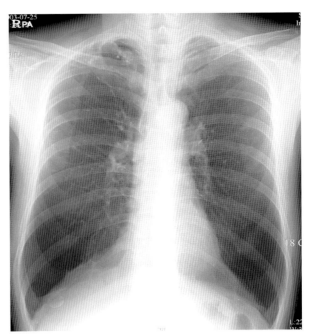

■ 그림 8-8. 중심소엽형 폐기종
폐상엽에 심한 분포를 보인다.

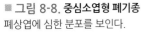

■ 그림 8-9. 범소엽형 폐기종
폐하부에 심한 분포를 보인다.

Ⅱ 폐혈류 감소

폐혈류 감소가 원인이 되어 폐음영감소로 나타나는 경우는 심장질환과 폐동맥 질환으로 구분해 볼 수 있다. 물론 앞에서 설명한 공기 용적이 증가되는 질환들에서도 폐환기관류의 불균형(ventilation-perfusion mismatch)에 의해 결과적으로 폐혈류의 감소가 동반된다.

1. 심장 질환

폐음영 저하로 나타날 수 있는 심장질환으로는 폐혈류 감소를 동반하는 우좌단락(right-to-left shunt)이 있다. 팔로네증후(tetralogy of Fallot)가 대표적인 질환으로 깔대기(infundibular) 폐동맥판협착과 심실중격결손에 의해 다량의 정맥혈류가 폐순환을 우회하여 직접 대동맥으로 흐르게 되어 폐혈류의 감소가 온다. 따라서 중심 및 말초 폐동맥의 굵기가 현저히 감소되어 흉부X선사진에서 폐음영저하로 나타난다. 그러나 폐혈류 감소가 있다고 해서 흉부X선사진에서 언제나 폐음영저하로 인지되는 것은 아니며 경우에 따라 정상음영으로 판독되는 경우도 많다. 엡스타인 기형(Ebstein's anomaly), 삼첨판폐쇄증(tricupid atresia), 또는 동맥몸통증(truncus arteriosus)의 일부 유형 등도 폐혈류 감소를 동반하는 선천성 심장질환이다(그림 8-10). 이런 질환에서는 해당되는 심장모양의 변화를 나타내는 흉부X선사진 소견 외에 폐 음영감소와 함께 말단부 폐혈관의 크기가 감소하고 폐문부위의 폐동맥도 작거나 혹은 정상크기로 나타난다. 폐의 음영감소는 있으나 과팽창은 동반되지 않는 소견이 감별진단에 도움이 될 수 있다. 우좌단락 외에 오래 지속된 좌우단락의 경우에도 말단부 폐동맥의 폐쇄성변화에 의해 아이젠멩거 복합체(Eisenmenger's complex)가 유발되면 폐음영저하로 나타날 수 있

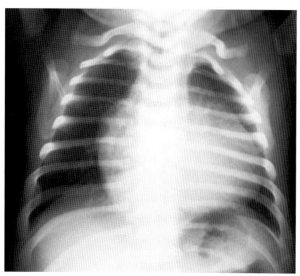

■ 그림 8-10. Ebstein 기형을 가진 소아환자에서 폐혈류감소로 인한 폐 음영감소
폐용적의 증가가 없는 점과 특징적인 심장모양에 유의한다.

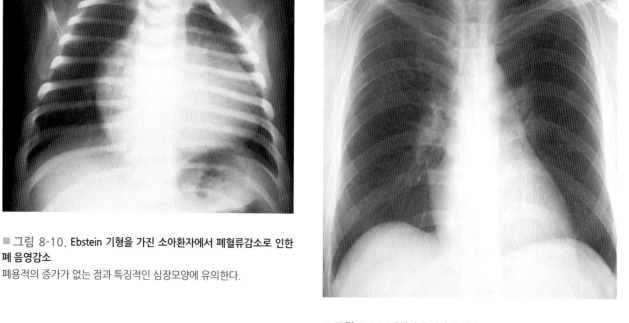

■ 그림 8-11. 폐색전에 의한 음영감소
심한 폐색전환자에서 우상부 폐에 비해 좌측과 우하 부위의 미세한 음영감소 소견과 폐문 크기 증가의 소견이 있다.

다. 이런 경우 우좌단락과 달리 중심성 폐동맥의 굵기는 증가되는 변화가 있기 때문에 우좌단락과 감별이 가능하다[8, 9].

2. 폐동맥 질환

광범위한 혈전(thrombi)에 의한 폐동맥 폐색(embolism)이 있을 때 이론적으로는 폐혈류 감소가 있고 이로 인해 흉부X선사진에서 폐음영 감소로 나타날 수가 있다(그림 8-11). 그러나 그 정도가 심한 경우라고 할지라도 폐혈류 감소를 흉부X선사진에서 인지할 수 있는 경우가 흔한 것은 아니며 많은 경우에 정상소견으로 보인다. 혈전에 의하거나 또는 급성 폐동맥고혈압에 의해 중심폐동맥의 크기가 증가되어 나타날 수 있지만 이것도 미세한 소견으로 나타나서 간과되기 쉽다. 폐동맥 혈전은 그 침범범위에 따라 폐전체의 음영감소를 가져오기도 하고 일측성 또는 국소적 병변으로 인지될 수도 있다. 폐쇄된 동맥 말단부에 나타난 국소적인 폐음영감소와 중심부폐혈관이 굵어지는 소견이 함께 보이는 경우(Westermark's sign)도 매우 드물게 발견되나 폐기종과 같은 다른 질환과 감별하기가 어렵다[10].

폐동맥 협착이나 폐동맥 무형성(aplasia) 등의 선천성 질환과 폐나 종격에 발생한 종양이 주변 폐동맥을 침범해서 협착을 유발하는 경우, 섬유화성 종격염(fibrosing mediastinis) 등에서도 혈류감소에 의한 폐음영감소 병변이 가능하다.

Ⅲ 국소적 음영감소 병변

국소적인 폐의 음영감소는 폐 전체, 엽, 또는 분절에 국한되서 발생할 수 있다. 낭(cyst) 등과 같이 국소적으로 공기를 포함하고 있는 것은 직경이 1cm 이상이어야만 주변 정상폐조직과 대조가되어 단순흉부X선 영상에서 확인이 가능하다.

1. 큰공기집

큰공기집(bulla)은 명확한 경계를 가지고 1 mm 이하 두께의 매끈한 벽을 가진 1 cm 또는 그 이상 크기의 공기를 포함하는 병변으로 정의된다(그림 8-6)[3]. 이 병변은 정상적인 폐에서 발생되는 경우도 있으나 주로 폐기종이나 결핵과 같은 만성감염성 질환에 병발되는 것이 흔하다. 큰공기집의 크기가 크면 용적효과로 인해 주변 폐를 누르거나 엽간열을 전위시키는 소견을 보이기도 한다. 공기포(bleb)는 내장쪽흉막(visceral pleura)에 위치한 공기집을 지칭하는데 대부분 폐첨부에 흔히 발생하고 1 cm를 넘지 않는 경우가 보통이다. 하지만 큰공기집(bulla)과 공기포(bleb)는 서로 혼용되어 사용되어진다.

2. 공기낭종

공기낭종(pneumatocele)은 얇은 벽을 가진 공기를 포함한 주머니이고 주로 포도알균폐렴(staphylococcal pneumonia)에 병발되어 나타나며 다른 공동성(cavity) 병변이나 큰공기집과 달리 시시각각 그 크기가 변화하는 특성이 있다. 소기관지나 세기관지의 체크밸브성 폐쇄에 의해 발생되는 것으로 설명되고 있으며[11] 폐렴의 회복기에 나타나기 때문에 좋은 예후를 지칭하는 것으로 알려져 있다. 사람폐포자충폐렴(Pneumocystis jirovecii pneumonia)이나 외상에 의해서도 발생된다(그림 8-12)[3].

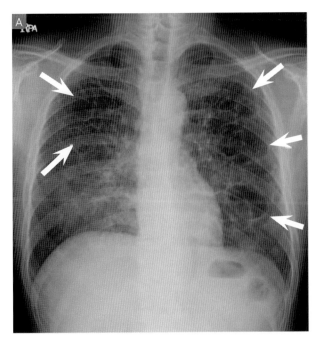
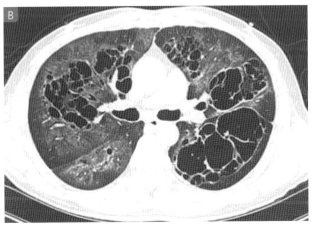

■ 그림 8-12. **사람폐포자충폐렴환자에서 발생한 공기낭종**
A. 43세 남자의 흉부X선사진에서 공기낭종으로 인한(화살표) 양측폐의 음영감소를 볼 수 있다. **B.** 흉부CT에서는 다양한 크기와 모양의 공기낭종이 양측폐에 있으며 주위 폐에는 간유리 음영이 동반되어 있다.

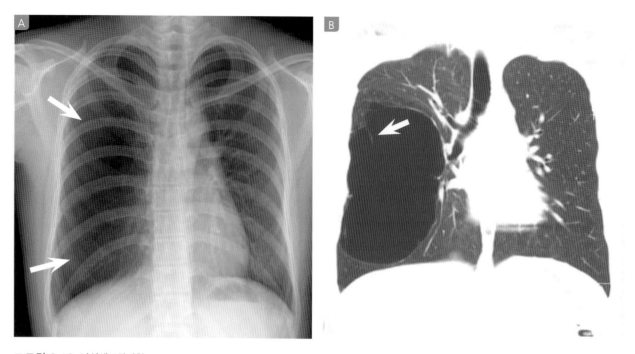

■ 그림 8-13. 낭성샘모양기형

A. 18세 남자의 흉부X선 영상에서 우측폐의 전반적인 음영감소를 볼 수 있다(화살표). **B.** 흉부CT의 관상면 영상에서도 장경이 10 cm인 경계가 잘지워지며 내부에 격벽(화살표)을 포함한 낭성샘모양기형을 확인할 수 있다.

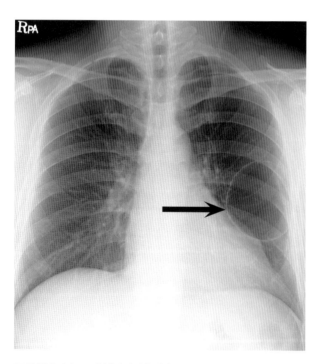

■ 그림 8-14. 34세 남자의 좌측폐에서 발견된 낭 음영(화살표)

3. 낭

낭(포낭, cyst)은 상피나 섬유성 벽을 가진 원형의 공간으로 정의되며 2 mm 미만 두께의 매끈한 벽을 가지고 주변의 정상 폐와 깨끗하게 구분되는 국소적 음영감소병변이다[3]. 낭은 보통 공기를 포함하지만 액체나 고형성분을 포함할 수도 있다. 기관지낭(bronchogenic cyst), 낭성샘모양기형(cystic adenomatoid malformation)(그림 8-13) 등이 선천적으로 오는 낭 질환이지만 폐에 오는 낭 질환은 많은 경우에 후천적인 병변이다(그림 8-14)[12].

참고문헌

1. Felson B. Chest roentgenology. Philadelphia: WB Saunders, 1973.

2. Moore AD, Godwin JD, Dietrich PA, Verschakelen JA, Henderson WR, Jr. Swyer-james syndrome: Ct findings in eight patients. Am J Roentgenol 1992;158:1211-1215.

3. Hansell DM, Bankier AA, MacMahon H, McLoud TC, M?ller NL, Remy J. Fleischner society: Glossary of terms for thoracic imaging. Radiology 2008;246:697-722.

4. Foster WL, Jr, Gimenez EI , Roubidoux MA, Sherrier RH, Shannon RH, Roggli VL, et al. The emphysemas: radiologic-pathologic correlations. Radio-Graphics 1993; 13:311 328.

5. Fraser RG. The radiologist and obstructive airway disease.The Am J Roentgenol radium therapy and nuclear medicine 1974;120:737-775.

6. Thurlbeck WM. Diaphragm and body weight in emphysema. Thorax 1978;33:483-487.

7. Thurlbeck WM, Simon G. Radiographic appearance of the chest in emphysema. Am J Roentgenol 1978;130:429-440.

8. Randall PA, Heitzman ER, Bull MJ, Scalzetti EM, Williams SK, Gordon LP, et al. Pulmonary arterial hypertension: a contemporary review. RadioGraphics 1989;9:905-927.

9. Steiner RM, Gross GW, Flicker S, Salazar A, Baron M, Loessner A. Congenital heart disease in the adult patient: The value of plain film chest radiology. J Thorac Imaging 1995;10:1-25.

10. Worsley DF, Alavi A, Aronchick JM, Chen JT, Greenspan RH, Ravin CE. Chest radiographic findings in patients with acute pulmonary embolism: Observations from the pioped study. Radiology 1993;189:133-136.

11. Quigley MJ, Fraser RS. Pulmonary pneumatocele: Pathology and pathogenesis. Am J Roentgenol 1988;150:1275-1277.

12. Nuchtern JG, Harberg FJ. Congenital lung cysts. Seminars in pediatric surgery 1994;3:233-243.

CHAPTER
08

| 윤순호, 허진 |

Contents

결핵은 우리나라에서 중요한 감염 질환 중 하나이며 우리나라의 결핵 발생률과 사망률은 OECD 참여 국가 중 가장 높다. 다만 국내 결핵 환자는 2011년 이후 지속적으로 감소하고 있으며 2017년에 신고된 전체결핵 환자는 약 3만6천 명, 신환자는 약 2만8천 명으로 10만 명당 전체 환자수는 70.4명, 신환자수는 55.0명이다[1]. 폐결핵은 전체 결핵의 80-90%를 차지한다. 결핵균(mycobacterium tuberculosis)은 굵기 0.2-0.5 ㎛, 길이 1-4 ㎛ 크기의 막대기 모양의 간균으로 증식 속도가 매우 느려 한 개에서 두 개로 분열하는데 약 18-24시간이 걸리며, 지방 성분이 많은 세포벽에 둘러싸여 있어 건조한 상태에서도 오랫동안 살 수 있고, 강한 산이나 알칼리에도 잘 견디는 항산화성 균이다[2,3]. 결핵균은 주로 공기를 통해 전파되는데, 폐결핵에 감염된 환자의 기침, 가래, 재채기 등을 통하여 배출된 결핵균을 흡입하여 기관지를 통해 가장 말단 부분인 폐포에 균이 도달하게 되면 감염이 이루어지게 된다[4,5]. 전통적으로는 일차결핵(primary tuberculosis)과 이차결핵(postprimary tuberculosis)으로 나누며, 결핵균에 감작되어 있지 않은 환자가 결핵균을 흡입함으로써 발생하는 최초 감염일 경우를 일차결핵, 결핵균에 감염되어 지연과민증(delayed hypersensitivity)이 생긴 후에 재활성화되어 발생하는 결핵을 이차결핵이라고 하였다[6]. 일차결핵과 이차결핵의 구별은 임상, 병리 및 영상 소견에 차이가 있는 것으로 생각되어 중요하게 여겨지는데[7], 최근에는 최초 감염이냐 재활성화 감염이냐에 관계없이 감염 당시 환자의 면역 상태

표 9-1 전형적인 결핵과 비전형적인 결핵의 비교

	비전형적인 결핵	전형적인 결핵
발생 연령	소아, 젊은 성인	성인
호발 부위	중엽, 하엽, 상엽의 전분절	상엽의 첨분절, 후분절, 하엽의 상분절
파급	림프행성 파급	기관지 파급
영상의학 소견		
폐실질 경화	흔함	드묾
림프절 종대	흔함	드묾
결절성 병변	보통	흔함
공동	드묾	흔함
흉막삼출	보통	드묾

가 결핵의 형태를 결정하는데 중요한 영향을 미치는 것으로 밝혀졌으며[8], 면역 상태가 정상(immunocompetent)인 경우 최초 감염이라 하더라도 이차결핵의 형태를 보일 수 있고, 면역 상태에 손상(immunocompromised)이 있으면, 재활성화 결핵이라도 일차결핵의 형태를 보일 수 있다[5]. 따라서 본 교재에서도 기존의 일차, 이차결핵이라는 용어 대신 각각 비전형적인 결핵 및 전형적인 결핵으로 기술하고자 한다(표 9-1).

최근 한국에서도 결핵의 빈도가 낮아지면서 결핵의 최초 감염이 점차 성인으로 변화하는 경향을 보이고 있고, 외국에서는 후천성면역결핍증후군(acquired immunodeficiency syndrome, AIDS)의 확산과 함께 폐결핵의 최초 감염 혹은 재활성화 여부에 관계없이 비전형적인 결핵 양상의 환자를 많이 접하게 되었으며, 다약제 내성 결핵 균주의 발생 빈도가 점차 높아지고 있는 것이 새로운 문제로 대두되고 있다[3].

흉부X선사진은 객담 도말, 배양 검사와 함께 폐결핵 환자를 진단 및 평가하는 가장 중요한 검사이며 World Health Organization에서 흉부X선사진에 대하여 객담 검사를 시행할 환자 우선순위를 분류하고, 결핵 진단에 도움을 주며, 폐결핵을 스크리닝 하기 위한 검사로써의 역할을 강조하고 있다[9]. 폐결핵의 영상 소견은 환자의 면역 상태 및 지연과민증 여부가 가장 중요하나, 기타 숙주의 내성이나 균의 독성(virulence) 등도 영향을 미칠 수 있다. 폐결핵 환자의 진단이나 치료 후 추적 검사에서 영상 검사가 차지하는 비중이 크므로, 폐결핵의 영상 소견을 잘 알고 이해하는 것이 중요하다.

Ⅰ 비전형적인 결핵 소견

결핵균에 감작되어 있지 않은 환자가 공기 전파를 통한 결핵균을 흡입함으로써 결핵균에 감염이 되는데 이렇게 흡인된 결핵균은 기도를 통해 폐포까지 도달하게 되고 국소적인 폐렴을 유발할 수 있다. 비전형적인 결핵은 주로 1-3살 사이의 소아나 젊은 성인 및 면역 저하자(표 9-2)에서 주로 보이기 때문에 소아 결핵이라고도 하지만, 최근에는 성인에서도 그 발생 빈도가 늘어나고 있는 추세이다[10].

표 9-2. 비전형적인 결핵 소견을 보일 수 있는 대표 질환들

HIV 감염인
스테로이드 또는 면역억제제를 복용 중인 사람
세포독성 항암제 투여 중인 사람
TNF 길항제 사용자
만성신부전
당뇨병
혈액암
고형암 병력
장기이식자
기타 면역저하 유발 질환

결핵균에 일차적으로 노출된 환자 중에서 임상적인 질환으로 발전하는 경우는 약 5-10% 정도로 알려져 있는데[5], 소아나 젊은 성인, 면역 저하자의 경우 결핵에 대한 환자의 면역 반응이 충분하지 않아 병변을 국소화하거나 결핵균을 죽이는 능력이 부족하여 광범위한 경화, 즉 폐렴으로 발전할 수 있다. 폐침윤은 감염의 경로가 결핵균의 흡입에 의한 것이므로 어느 엽에서나 생길 수 있지만 가장 흔히 침범하는 부위는 환기가 잘 되는 중엽, 하엽 그리고 상엽의 전분절로 알려져 있다[5,7]. 특히 성인에서 비전형적인 결핵이 발생하는 경우, 병변의 위치가 정상 면역인 성인의 결핵에서 흔히 보이는 특징적인 위치(상엽의 폐첨부, 후분절이나 하엽의 상분절)가 아닌 하엽의 저분절에 발생하여 세균성 폐렴과 구별이 어려운 경우가 있다[2,11]. 흉부X선사진에서는 폐실질의 작고 경계가 불분명한 음영에서 경화에 이르기까지 다양한 형태로 보일 수 있다. 이러한 폐실질 병변은 림프관을 통해 폐문부나 종격동의 림프절로 파급될 수 있으며, 이 부위의 림프절 종대 소견을 흔히 보이게 된다(그림 9-1). 특히 소아 환자에서 좀 더 흔하게 림프절 종대 소견을 볼 수 있는데, 보통 폐실질 경화 후에 림프절 종대가 생기고, 림프절 종대가 생길 때 폐실질 경화는 소실되는 경우가 많아, 폐실

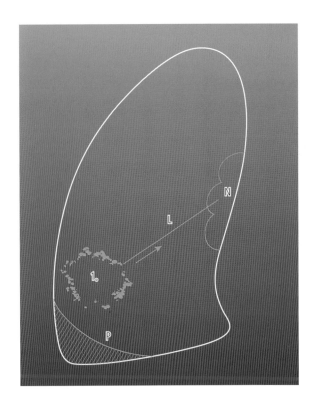

■ 그림 9-1. 소아, 젊은 성인 및 면역 저하자 결핵 감염의 발병 기전에 대한 모식도. 폐하엽의 폐실질 경화에서 림프행성 파급을 통해 폐문부에 림프절 종대 소견이 나타난다. 비전형적 결핵에서는 흉수를 흔하게 동반한다.(L=림프행성 파급, N=림프절 종대, P=흉수)

질 경화와 림프절 종대가 동시에 보이는 경우보다 시차를 두고 보이게 되는 경우가 보통이다. 반면 젊은 성인의 경우 폐실질 경화는 매우 흔한 반면 림프절 종대 소견은 흔하지 않다[7,11]. 그렇기 때문에 흉부X선사진에서 폐실질 경화와 함께 폐문부 및 우측 기관주위의 림프절 종대 소견이 보인다면 결핵성 폐렴을 시사하는 소견이나, 동반된 림프절 종대없이 폐실질 경화만 있는 경우 흉부X선사진만으로 세균성 폐렴과의 감별이 어렵다. 이런 경우 추적 검사에서 변화가 느린 점이 세균성 폐렴과 감별이 되는 점이다.

비전형적인 결핵에서 주로 흉막하 말초 폐야에 폐경화에 의한 조그마한 병소가 생기는데 이를 Ghon focus라 하며 이는 병소의 크기에 따라서 흉부X선사진에서 보이지 않을 수 있다[5]. Ghon focus 소견과 함께 폐문부나 종격동의 림프절염을 동반하게 될 경우, 이를 Ghon complex라 하며 소아 환자에서 결핵의 진단에 유용한 영상 소견이다. 이때는 환자의 증상이 경미하여 모르고 지나가는 경우가 많으며, 반흔 또는 석회화(calcification)를 남기게 되는데 폐실질의 반흔과 종격동의 석회화 림프절이 함께 동반될 경우 Ranke complex라고 하며 이전에 소아 폐결핵 앓았음을 시사하는 소견이다[7]. 정리하면, 비전형적인 결핵의 흉부X선사진에서 폐실질 경화, 무기폐, 림프절 종대 및 흉막삼출(pleural effusion) 소견을 비교적 흔하게 볼 수 있다(그림 9-2, 9-3, 9-4). 비전형적인 결핵은 1-2개월 후 지연과민증이 생기기 시작하면서 치료 여부와 관계없이 상당수에서 반흔을 남기지 않고 정상화가 되며, 이 과정은 대개 6개월에서 2년 정도 소요되는 것으로 알려져 있다. 하지만 치료 후 반흔을 남기기도 하며, 림프절염으로부터 혈행을 따라 결핵균이 퍼질 수도 있다. 이 경우 산소 분압이 높은 상엽의 폐첨부에서 증식하다가 저절로 치유되면서 반흔을 남기는 경우가 있는데, 이를 Simon focus라

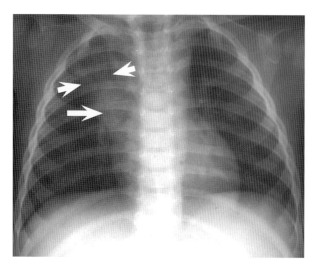

■ 그림 9-2. 1세 소아 환자의 비전형적인 결핵 소견
우측 폐문부의 림프절 종대 소견(짧은 화살표)과 우상엽의 폐경화 및 허탈(화살촉) 소견이 있다.

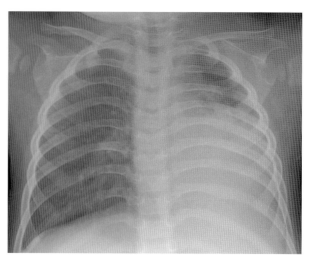

■ 그림 9-3. 14개월 소아 환자의 비전형적인 결핵 소견
좌측 폐야가 다량의 흉막삼출로 인해 하얗게 보인다.

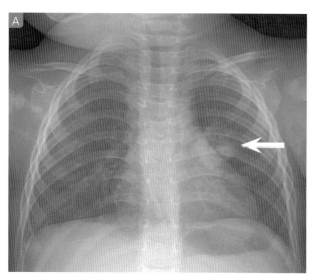

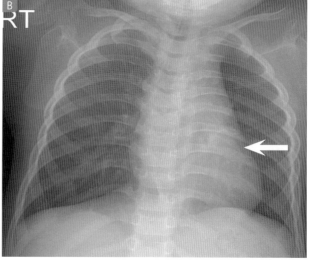

■ 그림 9-4. 13개월 소아 환자의 비전형적인 결핵 및 치료 후 사진
A. 좌측 폐문부의 림프절 종대 소견(화살표)과 함께 양측 폐야에 미만성 결절들이 산재해 있다. B. 결핵 치료 후 6개월 추적 검사에서 좌측 폐문부의 림프절 종대 소견이 소실되었고(화살표) 폐야의 결절들이 깨끗하게 호전되었다.

한다[3]. 결핵 림프절염의 경우, 기관지가 주위의 림프절에 의한 압박을 받거나, 림프절이 주변 조직으로 파열될 경우, 무기폐, 기관지결핵, 결핵성 심장막염, 식도 혹은 기관지루(fistula) 등의 다양한 합병증을 유발할 수 있다[3,12]. 진행성 일차결핵(progressive primary tuberculosis)은 비전형적인 소견을 보이는 결핵에 연이어 전형적인 소견의 결핵의 양상을 보이는 경우를 말하며, 영상 소견은 폐경화로 시작하여 광범위한 폐렴, 공동 형성, 치료제에 대한 반응 지연 등의 소견이 섞여서 보일 수 있다[3].

Ⅱ 전형적인 결핵 소견

정상 면역인 성인에서 폐결핵 약 10%만이 새로운 결핵균에 의한 재감염으로[6], 대부분은 이전 결핵 감염에 의해 생성된 잠복성 병소(Simon focus)의 재활성화에 의해 발생하는 것으로 생각된다. 상엽의 첨분절, 후분절이나 하엽의 상분절의 침범이 흔한데, 그 기전으로 폐환기와 혈류의 비율의 차이로 상부 폐의 산소포화도가 높고, 이 부위의 낮은 폐동맥압과 적은 호흡 움직임으로 림프액 배액이 저하되어 결핵균이 자라기 쉬운 환경이 조성되기 때문인 것으로 생각되고 있다[7]. 정상 면역인 성인에서 전형적인 결핵의 병리적 특징은 지연과민증으로 인한 건락괴사(caseous necrosis)이며, 이 과정은 결핵균의 괴사를 유도한다. 건락괴사는 간혹 드물게 결핵균을 완전히 절멸시켜 섬유화(fibrosis) 병변만 남길 수도 있지만, 대개는 섬유화 벽으로 둘러싸여 육아종을 만들거나, 건락괴사가 액화하면서 공동을 형성한다[2, 13].

정상 면역인 성인에서 전형적인 결핵 폐병변은 잠복성 병소들이 재활성화 되면서 기존의 작은 섬유화 결절들이 커지는 국소적인 결절성 병변을 보인다. 이는 이전 감염에 의해 면역학적으로 활성화 되어 있는 대식구가 결핵균을 탐식하여 병변이 널리 파급되는 것을 방어할 수 있기 때문이다[14]. 기관지를 통한 파급은 정상 면역인 성인 결핵에서 가장 흔한 파급 경로이며, 공동 형성과 함께 액화된 괴사 물질이 기관지 내강을 통해 다른 부위의 폐실질로 퍼지게 된다. 크기가 작고 (2-5 mm), 경계가 비교적 분명한 결절성 병변을 형성하며, 기관지 내에 끈적끈적한 물질이 가득 차 CT에서 나뭇가지발아 모양(tree-in-bud appearance)을 보이게 되는데, 이러한 소견은 결핵성 세기관지염을 의미한다[15]. 즉 정상 면역인 성인 결핵은 잠복 병소의 확장 및 기관지를 통한 병변의 파급으로 인한 위성 결절이 특징적이다(그림 9-5). 전형적인 결핵에서는 폐문부나 종격동의 림프절 종대 소견은 흔하지 않아 약 5%에서 볼 수 있는데, 주로 면역력이 감소되었거나 광범위한 폐실질 병변이 있는 경우 동반되어 나타날 수 있다[7]. 흉부X선사진에서 초기 소견은 주로 상엽의 첨분절 또는 후분절 혹은 하엽의 상분절에 경계가 불명확한 음영이 보이기 시작하면서 주위로 위성 결절들이 파급되는 소견을 보인다. 이런 소견은 시간이 지나면서 점차 윤곽이 뚜렷한 결절성 병변으로 진행하게 된다[7]. 결핵성 병변의 치유는 소실(resolution), 섬유화, 그리고 석회화의 경로로 진행하게 된다. 이 중에서 흔적없이 병변이 완전히 소실되는 경우는 드물고 대개는 치유 과정 후에 섬유화 및 석회화를 흔히 동반하게 된다. 따라서 항결핵제 치료 후에 흉부X선사진에서 실질 내 반흔이나 석회화, 잔

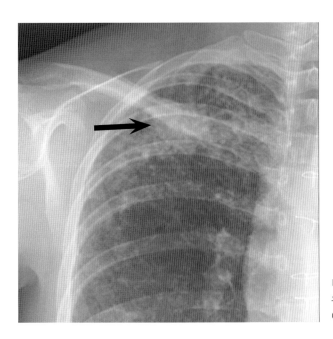

■ 그림 9-5. 27세 남자 환자의 활동결핵
우상엽에 결절성 경화(화살표) 소견과 함께 주위로 다양한 크기의 결절들이 산재해 있다.

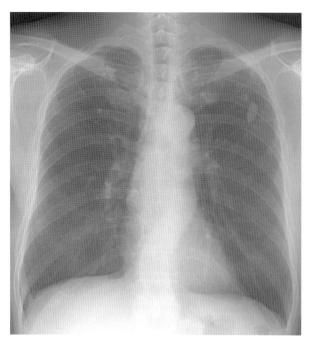

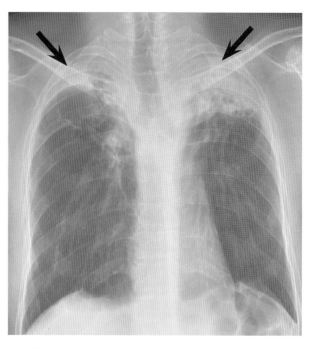

■ 그림 9-6. 56세 남자 환자의 비활동결핵
양측 폐상부에 다수의 잔여 결절 및 석회화 결절들이 보인다. 이런 병변들은 비활동결핵을 시사하는 소견들이다.

■ 그림 9-7. 71세 남자 환자의 비활동결핵
양측 폐첨부가 완전히 허탈(collapse)되어 있으며 폐첨부 덮개 소견(화살표)과 함께 폐용적 감소 소견이 동반되어 있다.

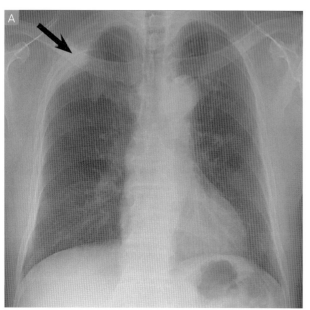

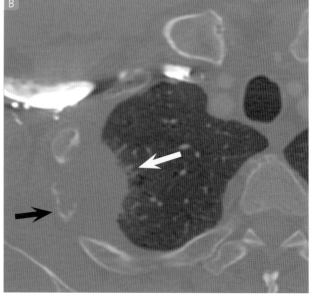

■ 그림 9-8. 63세 남자 환자의 판코스트 종양(Pancoast tumor)
A. 우측 폐첨부에 1 cm 이상의 두께의 폐첨부 덮개(apical cap) 소견(화살표)이 관찰되며 늑골의 골파괴 소견이 의심된다. **B.** 같은 환자의 CT에서 흉막 비후를 동반한 종괴(흰 화살표)가 관찰되며 늑골의 골파괴(검은 화살표) 소견이 동반되어 있다.

여 결절들을 흔하게 관찰 할 수 있다(그림 9-6)[15]. 정상 면역인 성인에서의 전형적인 결핵은 양측 상엽을 파괴시키는 경우가 많다. 간혹 흉부X선사진에서 흉막 비후가 폐첨부에 있는 경우를 '폐첨부모자(apical cap)'라고 부르는데(그림 9-7), 폐첨부의 섬유화와 이로 인한 폐용적의 감소 및 이차적인 흉막외지방층(extrapleural fat layer) 증식이 더해진 소견이다. 주의할 점은 소위 판코스트 종양(Pancoast tumor)을 감별하는 것인데, 우리나라에서는 특히 결핵성 폐첨부모자를 많이 볼 수 있기 때문에, 1 cm 이상 두께의 폐첨부모자 소견이 관찰되거나, 양쪽 폐첨부모자의 두께 차이가 5 mm 이상 나거나, 폐첨부에 종괴 음영이 의심되거나, 상부 늑골의 파괴 소견이 보이면 폐암을 반드시 의심해야 한다(그림 9-8)[16].

Ⅲ 기타 다양한 소견

앞서 언급한 결핵의 특징적인 소견 외에도 결핵은 다양한 양상의 영상 소견을 보일 수 있는데, 이는 면역 저하 여부와 상관없이 어느 것으로부터 생길 수 있으며, 그 원인을 구별하기 어려운 경우도 있고, 혹은 면역 상태에 따라 소견에 약간의 차이가 있어 별도로 기술하고자 한다.

1. 결핵종

결핵에 감염되면 감염된 세균을 파괴하기 위해 대식세포, T림프구, B림프구, 섬유아세포들이 모이게 되고, 이로 인해 결핵종(tuberculoma)이 형성된다[14]. 결핵종은 소아, 젊은 성인 또는 면역 저하자나 정상 면역인 성인에서 모두 보일 수 있으나 비전형적인 결핵의 결과물인 경우가 대부분인 것으로 알려져 있다[12]. 결핵종의 특징은 결절 안에서 세포가 괴사를 일으켜 비정상적으로 죽게 되는 것인데, 육안으로 보았을 때 부드러운 흰 치즈의 질감처럼 보여, 건락괴사(caseous necrosis)라고 한다[14]. 건락괴사가 나타나면 결핵종은 흉부X선사진에서 공동(cavity)의 형태로 보일 수 있다. 결핵종의 대부분은 비활동성이며, 따라서 수 년간 크기가 변하지 않는 것이 일반적이다. 흉부X선사진에서 우연히 발견되는 경우가 많으며, 보통 크기가 0.5-3 cm로 변연부는 비교적 완만하나 약간의 침상 소견을 보일 수 있다[3,12]. 석회가 침착될 수 있으며, 그 형태가 중심핵(central nidus), 층상(laminated) 혹은 균등(homogeneous)할 때 결핵종으로 확신할 수 있다[14,15]. 하지만 대부분의 결핵종은 섬유벽으로 둘러싸여 있을 뿐 완전히 치유된 것은 아니며, 그 내부에 생존하는 결핵균을 포함하는 경우가 대부분으로 숙주의 면역력이 감소하게 되면 재활성화 할 수 있다. 재활성화된 결핵종은 크기가 점차 커지며, 기존의 석회 침착이 용해될 수도 있는데, 이는 암의 성장 과정과 매우 흡사하여 흉부X선사진만으로 감별이 어려운 경우가 있다(그림 9-9). 또한 진행하면서 내부에 공동이 형성되고, 주변에 위성 결절이 많아지게 된다[10,14]. 한 개 혹은 수 개의 결핵종이 있을 수 있고, 수 개가 있을 경우 한 엽 혹은 구역에 여러 개가 모여 있는 경우가 많다[14]. 결핵종은 폐암과의 감별이 중요한데, 2년 이상 추적 검사에서 크기 변화 유무, 석회 침착 유무 및 그 형태가 감별 진단에 중요하며, 한 엽 혹은 한 구역에 다발성인 경우도 폐암과의 감별에 도움이 된다[10].

2. 공동 형성

공동(cavity) 형성은 건락괴사의 액화로 기관지 벽을 뚫고 배출되는 것이며, 이로 인해 결핵균이 산소와 접촉함으로써 폭발적으로 증식할 기회를 얻게 되는 일련의 성장 과정이다[4]. 흉부X선사진에서 공동은 폐결절이나 경화성 병변 내

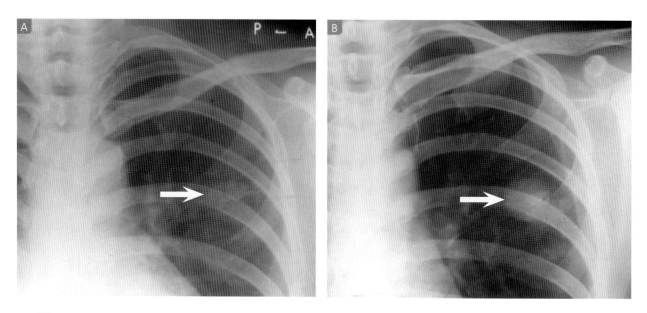

■ 그림 9-9. 재활성화 결핵종
A. 좌상엽에 단일 결핵종(화살표)이 관찰된다. **B.** 11개월 후 추적검사에서 결핵종(화살표)의 크기가 커졌다.

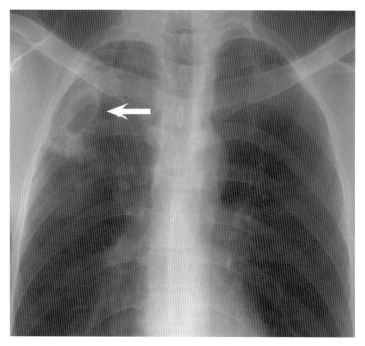

■ 그림 9-10. 31세 남자 환자의 활동결핵
우상엽에 공동(화살표) 소견과 함께 주변에 작은 위성 결절들이 동반되어 있다.

부에서 단독 혹은 다발성으로 보이게 되는데(그림 9-10), 약 50%의 결핵환자에서 나타나며, 비전형적인 결핵보다는 전형적인 결핵에서, 그리고 다약제 내성 결핵에서 보다 흔히 관찰된다. 공동이 있는 경우 약 80%에서 객담에서 결핵균이 검출될 수 있다[4,7].공동의 벽은 활동기일수록 두껍고, 내·외벽의 경계가 불분명하게 보이나, 시간이 경과할수록 벽 두

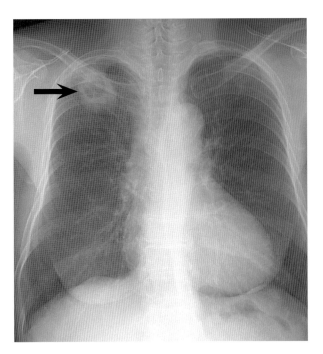

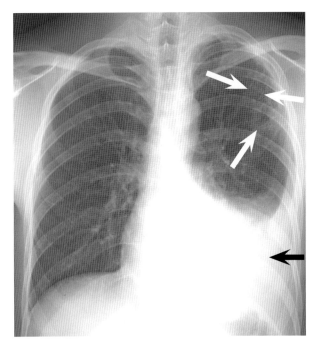

■ 그림 9-11. 61세 여자 환자의 폐암

우상엽에 두꺼운 벽을 가진 공동(화살표)이 관찰된다. 결핵과는 달리 주변에 작은 위성 결절들이 동반되어 있지 않다. 조직 검사상 편평세포암으로 확진되었다.

■ 그림 9-12. 흉막삼출을 동반한 활동성 전형적인 결핵

좌상엽에 작은 결절성 병변들(흰 화살표)이 관찰이 되고 있으며 좌측에 다량의 흉막삼출(검은 화살표)이 동반되어 있다. 좌측의 흉막삼출에 의해서 늑골횡격막각(costophrenic angle)이 소실되어 있다.

께도 얇아지고, 내·외벽이 분명한 변연을 가지게 되는 경향이 있다[15]. 다발성으로 보이는 경우 당뇨 등으로 숙주 면역력이 감소되어 있을 가능성이 많으며, 그 크기는 다양하다[17]. 공동 내에 공기-액체 층을 보이는 경우 다른 세균이나 진균에 의한 이차 감염을 의심해보아야 하나, 약 20%에서는 동반 감염이 없어도 공기-액체 층을 보일 수 있다[4]. 폐결핵은 일반적으로 공동 주변에 침윤성 병변이나 위성 결절들의 소견을 동반한다[17]. 그러므로 주위에 병변이 없는 단독 공동은 다른 질환의 가능성, 특히 폐암을 반드시 고려해야 한다(그림 9-11). 폐암과의 감별 진단을 위하여 공동 벽 두께가 4 mm 미만인 경우는 양성, 15 mm 이상은 악성, 그 중간은 미확정의 기준이 통상적으로 사용된다. 또한 평활한 공동 내벽도 양성을 시사하는 소견이다[18]. 공동이 흉막강으로 터지면 농흉, 그리고 폐동맥으로 터질 경우 라스뮤센 동맥류(Rasmussen's aneurysm)와 같은 심각한 합병증을 초래할 수 있다[7,12]. 공동은 괴사 물질이 배출되던 기관지가 막히면서 다시 결절 상태로 되돌아가는 경우가 대부분이며, 재활성화에 의한 공동 형성을 되풀이 할 수 있다[17]. 공동이 괴사 물질을 거의 다 배출하고 얇은 벽의 공기집(bulla)으로 될 수 있고(5%), 공동의 내벽이 완전히 기관지 상피로 치환되어 치유될 수 있는데(7-10%) 이를 음성개방공동(open negative cavity)이라 한다. 이는 2년 이상 영상의 변화가 없고, 지속적으로 객담에서 결핵균이 음성일 경우 진단할 수 있다[4].

3. 결핵성 흉막삼출

흉막삼출은 전형적인 결핵보다는 비전형적인 결핵에서, 성인보다는 소아에서 흔하며, 주로 한쪽에 국한되어 있는 경우가 많다(그림 9-12)[11]. 폐실질 병변이 육안적으로 보이지 않는 경우에도 병리적으로는 흉막하에 작은 폐실질 병변이 동

반되어 있다고 하며, 폐실질 병변이 3-7개월 정도 선행하여 나타날 수도 있다[4]. 비전형적인 결핵에서 흉막삼출의 원인은 tuberculoprotein에 대한 과민증 혹은 결핵균 감염에 의한 것이며, 전형적인 결핵에서 흉막삼출의 원인은 흉막하 폐실질의 공동이 흉막강으로 파열되거나, 결핵균에 의한 직접적인 감염이 대부분이다[4]. 전형적인 결핵에서 흉막삼출의 빈도는 비전형적인 결핵에 비하여 적으나, 결핵성 농흉으로 진행하는 경우가 많아서 예후가 나쁜 편이다[7].결핵성 농흉은 치유되면서 흉막의 비후, 석회 침착 소견을 남길 수 있으며, 석화 침착의 정도에 관계없이 재활성화되어 농흉이 재발할 수 있다. 흉막 비후가 심하면 제한성 폐기능 저하를 초래할 수 있다[7].

4. 결핵성 기도질환

기도의 염증성 협착을 일으키는 가장 흔한 원인은 기관지결핵이다. 폐결핵 환자의 약 10-20%에서 기관 및 기관지 결핵이 보고되고 있다[10]. 결핵의 기도 침범은 기관지벽을 통한 림프관 파급, 기관지 내강의 결핵균과의 접촉, 종격동의 결핵림프절염을 통한 파급 혹은 혈행성 파급에 의해 발생할 수 있다. 비전형적인 결핵의 경우 결핵림프절염을 통한 주기관지로의 염증 파급이 주요한 원인이나, 전형적인 결핵의 경우 초기에는 결핵종이 기관이나 기관지의 점막하층을 침윤하고, 이것이 진행하면서 기관지벽에 괴사와 궤양을 형성하는 경과로 보아, 기관지벽의 림프관을 통한 염증 파급이 주요한 원인으로 생각된다[19]. 이러한 기관지벽의 염증은 치유되면서 섬유화를 일으키고, 이로 인해 기도 협착이 발생한다[19].흉부X선사진에서 지속적인 분절상 혹은 엽상 무기폐, 엽상 과팽창이나 폐쇄성 폐렴의 소견이 보이는 경우, 주기관지 및 엽기관지의 협착 여부를 세밀히 관찰하여야 한다. 또한 공동 병변이 있으면서 그 크기가 급격히 커지는 경우 배

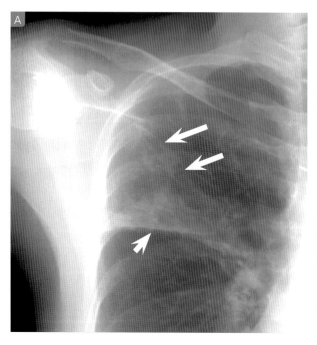
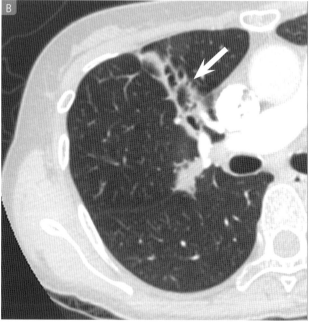

■ 그림 9-13. 56세 남자 환자의 결핵
우상엽에 경화(화살촉)와 함께 기관지확장증(짧은 화살표)이 의심되는 소견이 관찰된다. 같은 환자의 CT사진에서 기관지확장증(화살표)을 확인할 수 있다.

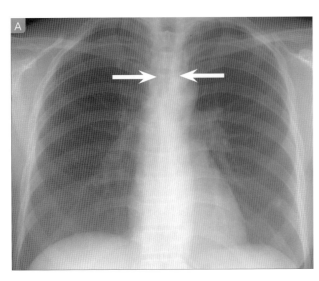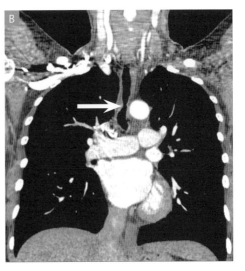

■ **그림 9-14. 43세 환자의 기관 결핵**
흉부X선사진에서 기관의 협착소견(화살표)과 함께 기관의 벽이 불규칙하게 관찰된다. 횡단면 CT상 기관의 벽이 불규칙하게 두꺼워져 있으면서 협착소견이 보인다(화살표).

액 기관지에 기관지염이 진행되어 공동 내 압력이 증가(tension cavity)되었음을 간접적으로 보여주는 소견이 될 수 있는데, 이는 결절의 괴사 물질을 배출하던 기관지의 염증으로 체크 밸브(check valve) 기전에 의해 공기가 포획되었기 때문이다[20]. 기관지 협착과 기관지확장증은 흉부X선사진보다는 CT에서 더 잘 보이나, 폐실질에 결핵을 의심할 수 있는 소견이 동반되어 있고 기관 및 주기관지의 협착 또는 폐쇄소견 및 이로 인한 무기폐 소견 등이 보이면 흉부X선사진만으로도 결핵의 기도 침범을 의심해볼 수 있다(**그림 9-13, 9-14**)[19, 21]. 비전형적인 결핵의 경우 림프절염이 림프절 주위의 엽기관지에 기관지 결핵을 일으키거나 림프절의 섬유화를 통해 기관지 협착을 일으키는 경우가 많으며, 원위부의 폐쇄성 화농성 혹은 결핵성 폐렴의 결과로 폐실질의 비가역성 섬유화 및 이로 인한 견인성 기관지확장증, 엽 및 구역 기관지의 결핵성 기관지염에 의한 기관지확장증 등의 후유증을 남길 수 있다[12]. 활동기의 결핵성 기관지염은 기도 협착 외에 림프절 비후가 동반되는 경우가 많아서 흉부X선사진에서 폐암과의 감별진단이 어려워 CT가 필요한 경우가 많다[21]. 기관지 결핵이라 함은 통상 주, 엽, 구역 기관지가 결핵에 의하여 침범되는 경우를 말하나, 병리적으로 관찰하면 그보다 원위부의 작은 기관지, 세기관지까지 광범위한 기도를 침범하는 것으로 알려져 있다. 하지만, 임상적으로는 단지 큰 기관지의 염증 및 폐쇄로 임상 증상을 초래할 때에만 진단이 되는 제한이 있다. 소위 CT에서 보이는 나뭇가지발아 보양(tree-in-bud appearance)도 세기관지를 침범한 결핵 기관지염의 소견이다[15]. 이들 세기관지염이 치유되면서 세기관지의 협착으로 인한 소기도 질환이 영구히 남을 수 있다. 이러한 병변의 범위가 넓으면, 결국 폐기능이 감소하게 되는데 이를 결핵에 의한 말기폐질환(end stage lung disease)이라 한다[10, 12]. 이와 같이 다양한 기도 질환이 있으면, 이차적 화농성 감염 혹은 기관지 출혈이 호발하게 되며 흉부X선사진에서 새로운 음영을 만들게 된다. 따라서 흉부X선사진에서 폐상엽에 새로이 나타나는 음영이 전부 결핵의 재활성화를 시사하는 것은 아니다[12].

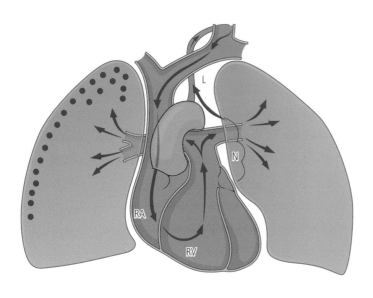

■ 그림 9-15. **좁쌀결핵의 발병 기전 모식도**
좁쌀결핵에서는 결핵균이 폐문부 림프절로 배액된 후 원심성 배액에 따라 혈류를 타고 혈행성 파급을 통해서 폐전체로 파급이 된다.(N = 폐문부 림프절, L = 림프행성 배액, RA = 우심방, RV = 우심실)

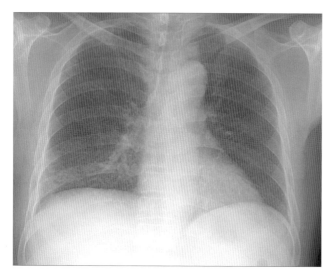

■ 그림 9-16. **57세 남자 환자의 좁쌀결핵**
양측 폐야에 미세 결절들이 고루 분포하고 있다. 이러한 결절들은 변연부 경계가 비교적 잘 그려지며 기관지로 파급된 결절과는 달리 크기가 훨씬 작다.

Ⅳ 좁쌀결핵

건락괴사가 혈관 벽을 뚫어 결핵균이 혈류를 타고 전신에 파급될 수 있으며, 이는 전신 질환이지만, 특히 폐에서 이런 현상이 나타날 경우 좁쌀결핵(miliary tuberculosis)이라 한다(그림 9-15). 좁쌀결핵은 비전형적인 결핵 및 전형적인 결핵 모두에서 나타날 수 있는데, 일반적으로 면역이 충분하지 않은 소아나 젊은 성인, 면역 저하자 결핵에서 발생하는 경우가 좀 더 흔하다[3]. 좁쌀결핵은 초기에는 흉부X선사진에서 약 50% 정도까지 정상으로 보일 수 있다. 이후에 1-3 mm 크기의 아주 작은 결절들이 형성되고 전 폐야에 고루 분포하게 되면 좁쌀 결절들을 흉부X선사진에서 관찰 할 수 있다(그림 9-16). 어떤 경우에는 결절이 너무 작기 때문에 흉부X선사진에서 간유리 음영을 나타내기도 한다. 이 좁쌀 결절들은 변연부 경계가 비교적 분명하여 기관지를 통해 파급된 경계가 불분명한 결절들과 구분이 된다[5,7]. 일부에서는 급성호흡곤란증후군(acute respiratory distress syndrome)으로 진행할 수 있으므로, 새로이 보이는 간유리 음영의 증가는 주의깊게

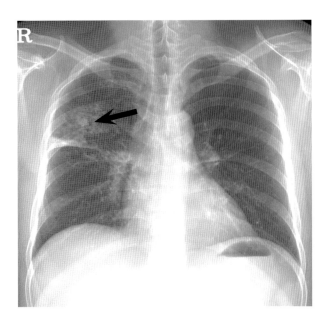
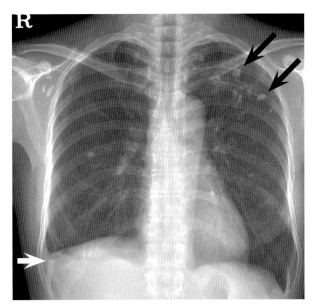

■ 그림 9-17. 45세 남자 환자의 활동결핵
우측 폐상부에 공동(화살표)과 함께 주변에 다양한 크기의 결절들이 산재해 있다.

■ 그림 9-18. 51세 남자 환자의 비활동결핵
좌측 폐상부에 석회화된 결절들(검은 화살표)이 관찰된다. 흉막 비후로 인해 우측 늑골횡격막각이 소실 되어 있다(흰 화살표).

관찰하여야 한다[3].

Ⓥ 결핵병소의 활동성 판정

폐결핵의 진단에 있어서 객담 도말 검사나 배양 검사로 결핵균을 증명하는 것이 가장 확실하다. 다만 균 음성인 활동 결핵의 경우 영상소견에 의해 활동결핵을 의심해볼 수도 있다. 결핵의 활동성 유무를 판정하는 것은 환자의 치료 및 예후에 매우 중요하다[17]. 활동결핵이 의심되는 환자에서 초기 검사로 가장 유용하게 쓰이는 검사는 흉부X선사진이며, 추적 검사에서 새로운 병소가 보이거나, 폐상부나 폐첨부의 음영이 증가하거나, 공동 형성 등의 전형적인 영상 소견이 있으면 어렵지 않게 진단할 수 있다(그림 9-17). 결핵 병변은 치유되면서 결절, 섬유화, 석회화 침착을 남기기 때문에 결핵의 과거력이 있는 환자에서는 재발 여부를 흉부X선사진만으로 진단하기 어려울 때가 있다(그림 9-18)[3,4,13]. 또한 객담 결핵균의 검출에도 불구하고 흉부X선사진에서 이상 소견을 발견할 수 없는 환자도 있다. 흉부X선사진에서 활동결핵의 판단이 정확하지 않은 경우, CT를 이용하면 흉부X선사진에서 보이지 않던 공동이나, 경기관지 염증 파급 등의 소견을 발견함으로써 활동성 판정이 정확해질 수 있다[4]. 비활동성의 진단은 객담 도말 검사에서 음성 소견을 보이며, 6개월간 흉부X선사진에서 영상 소견에 변화가 없는 경우 내릴 수 있다(그림 9-19)[13]. 따라서 진단의 정확성을 높이기 위해서는 양질의 영상을 얻어야 하고 임상소견, 병력, 과거 촬영과의 비교 및 충분한 경과 관찰 등이 고려되어야 한다.

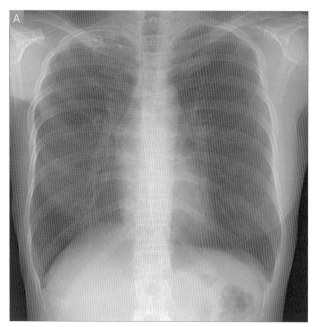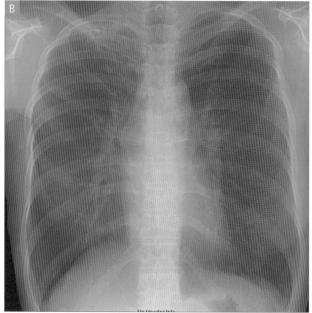

■ 그림 9-19. 41세 여자 환자의 비활동결핵

우측 폐첨부에 작은 결절들이 관찰이 된다. 6개월 후 추적검사상 결절들이 변화없이 관찰된다.

Ⅵ 성인에서 비전형적인 소견을 보이는 결핵

조기 진단과 예방에 따라 성인에서 비전형적인 영상 소견을 보이는 결핵에 대한 보고가 증가하고 있으며, 특히 고령이거나 다른 기저 질환이 있는 환자에서 비특이적인 증상과 비전형적인 영상 소견으로 인해 진단이 늦어지는 경우가 많다.

정상 면역인 성인에서 폐결핵은 주로 전형적인 결핵의 형태를 나타내어 상엽 첨분절, 후분절이나 하엽 상분절을 침범하는 경우가 흔하다. 그러나 약 30-40%에서는 흉부X선사진에서 비전형적인 위치를 침범하거나 비전형적인 결핵 소견의 형태를 나타낸다. 특히 고령 이거나 당뇨나 결체조직질환 등이 있는 경우에 폐 하부와 같은 비전형적인 위치를 침범한다고 알려져 있다(그림 9-20)[3,22]. 고령의 환자에서 비전형적인 위치를 침범하거나 폐실질의 경화 및 폐문부와 종격동의 림프절 종대 소견을 보일 경우 폐암과의 감별이 어려울 수 있다. 고령의 환자에서 폐결핵이 비전형적인 소견을 보이는 빈도가 높은 이유는 폐기종이나 간질폐렴과 같은 동반된 기저 폐질환과 나이가 많을수록 하부 폐야의 산소 분압이 증가하기 때문인 것으로 설명한다[3].폐결핵은 이외에도 다양한 비특이적인 소견을 흉부X선사진에서 보일 수 있다. 때로는 단일 폐결절(solitary pulmonary nodule, SPN)로도 보일 수 있으며 종양성 음영으로도 보일 수 있다(그림 9-21). 이런 경우에는 반드시 폐암과의 감별이 필요하다[10]. 좁쌀결핵의 경우에도 흉부X선사진에서 작은 소결절성 병변과 더불어 전 폐야에 광범위한 간유리 음영과 침윤성 병변들을 동반하여 혈행-림프행성 전이 또는 미만성 간질폐렴으로 오인할 수도 있다(그림 9-22)[3].

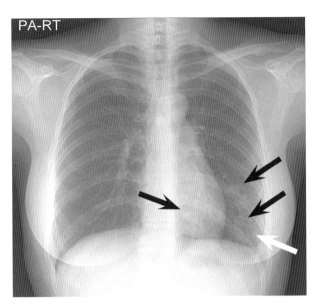

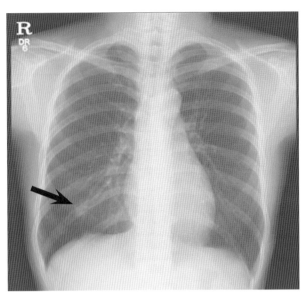

■ 그림 9-20. 61세 당뇨 환자의 폐결핵
좌하엽에 폐실질 경화성 병변들(검은 화살표)이 관찰되며 좌측의 흉막삼
출(흰 화살표)에 의해서 늑골횡격막각이 소실되어 있다.

■ 그림 9-21. 29세 남자 환자의 폐결핵
우하엽에 단일 폐결절(화살표)이 관찰되며 조직검사상 폐결핵으로 확진
되었다.

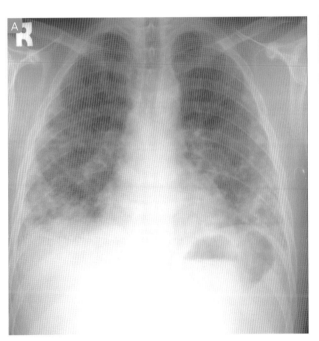

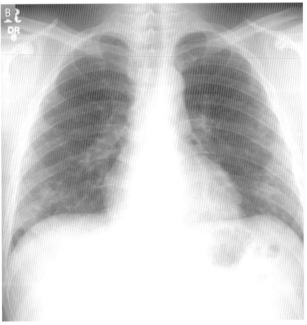

■ 그림 9-22. 59세 환자의 치료 전 및 치료 후 폐결핵 사진
A. 양측 폐에 미만성으로 파급된 소결절성 병변과 더불어 간유리 음영들이 관찰되며 흉막삼출에 의해서 늑골횡격막각이 소실되었다. B. 폐결핵 치료 1
개월 후 소결절성 병변들과 양측의 흉막삼출이 호전되었다.

VII 면역기능저하 환자의 결핵

1. 후천성면역결핍증후군(acquired immunodeficiency syndrome, AIDS) 환자에서의 결핵

HIV (human immunodeficiency virus) 감염에서는 HIV가 특이적으로 CD4 양성 T림프구를 죽여서 결핵에 감염이 잘되며, 일반 집단과 비교하여 결핵의 유병률이 약 500배 높은 것으로 알려져 있다. HIV 감염자의 폐결핵 흉부X선사진 소견은 면역력에 따라 다르게 나타난다. HIV 감염 초기에는 전형적인 결핵 소견과 유사하지만, CD4 양성 T림프구 수가 점차로 줄게 되면(<200/mm³), 즉 면역력이 급격하게 저하되면 종격동 림프절 종대, 좁쌀결핵 및 흉막삼출 등의 비전형적인 결핵 소견이 주로 나타나게 된다. 객담 도말 검사와 결핵 피부반응 검사(tuberculin skin test)에서 주로 음성을 보이게 된다[5].

2. 당뇨 환자에서의 결핵

당뇨는 면역 상태를 저하시켜 결핵의 발병을 증가시키는 질환으로 잘 알려져 있으며, 면역 상태가 정상인 사람보다 약 5-10배 정도 높은 빈도로 발병하며, 병변의 진행도 빠르고 광범위하다. 당뇨 환자에서 면역력이 저하되면 결핵 병변이 국소화 되지 못하고 폐포 내로 퍼져 광범위한 폐경화를 형성하게 되는데, 이 경우 흉부X선사진에서 세균성 혹은 화농성 폐렴과의 감별이 어렵다. 조절되지 않는 당뇨 환자에서는 흉부X선사진에서 커다란 폐실질의 경화, 다수의 작은 공동과 함께 병변이 우중엽이나 폐기저부와 같은 비전형적인 부위를 침범할 수 있다(그림 9-20). 흉부X선 사진에서 결핵성 폐렴이 세균성 폐렴과 감별되는 소견은 다수의 공동과 함께 침윤된 폐엽의 폐용적 감소, 그리고 기관지 파급으로 인한 염증 소견이다. 하지만 흉부X선사진으로 병변의 정확한 형태를 분석하는 데는 제한이 있다[22].

VIII 폐결핵과 동반된 질환

1. 폐암

결핵 환자에서 폐암의 발생 빈도가 정상인에 비해 약 1.6배 높은 것으로 알려져 있다[23]. 결핵 환자에서 폐암이 발생하는 원인으로는 면역기능의 저하, 반흔 조직, 흡연 등으로 설명한다. 폐결핵과 동반된 폐암이 중요한 이유는 상대적으로 높은 빈도 외에도 결핵으로 인해 진단이 늦어지는 경우가 많기 때문이다. 활동결핵과 폐암이 동반되어 있을 경우, 결핵으로 인한 증상이 암의 증상보다 더 많이 나타나고 흉부X선사진에서 보이는 활동결핵의 소견으로 인해 폐암이 간과되기 쉽다[12]. 흉부X선사진에서 폐결핵의 소견과 함께 새로운 병변이 발견되거나, 벽이 두꺼운 공동, 3 cm 이상의 종양성 음영, 치료에 반응이 없고 추적 검사상 병변의 크기가 커지는 경우에는 동반된 폐암의 가능성을 반드시 고려해야 한다(그림 9-23, 9-24)[24].

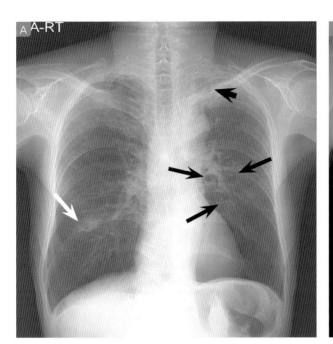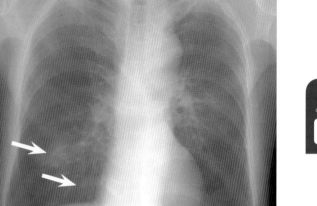

■ 그림 9-23. 71세 환자의 결핵과 동반된 폐암
A. 좌측 폐첨부에 공동(화살촉)과 좌폐 중부에 기관지확장증(검은 화살표)이 의심된다. 우측 폐하부에 결절성 병변(흰 화살표)이 보인다. **B.** 1개월 후 추적 검사에서 우폐 하부에 결절성 병변(흰 화살표)의 크기가 커졌다. 조직 검사상 선암으로 확진되었다.

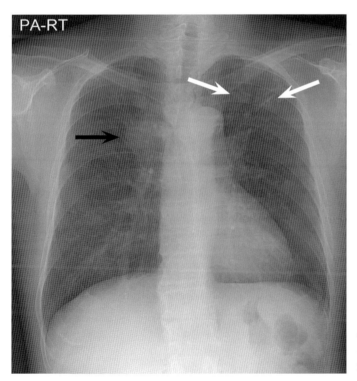

■ 그림 9-24. 69세 환자의 결핵과 동반된 폐암
좌상엽에 작은 공동과 소결절들(흰 화살표)이 관찰된다. 객담 검사상 활동결핵으로 판정되었다. 우폐문부 상부에 종괴성 음영(검은 화살표)이 관찰되며 조직 검사상 편평세포암으로 확진되었다.

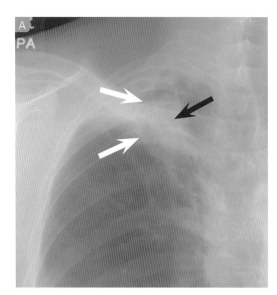
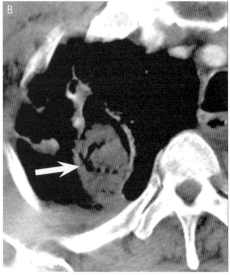

■ 그림 9-25. 59세 환자의 아스페르길루스종
A. 흉부X선사진에서 우상엽에 초승달 모양의 공기징후(흰 화살표)를 보이는 종괴 음영(아스페르길루스종, 검은 화살표)이 관찰된다. 우상엽에 용적 감소와 함께 폐첨부 흉막비후 소견이 관찰이 된다. **B.** CT상 우상엽 공동 내부에 아스페르길루스종(화살표)이 있다.

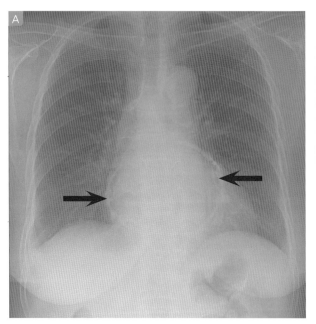
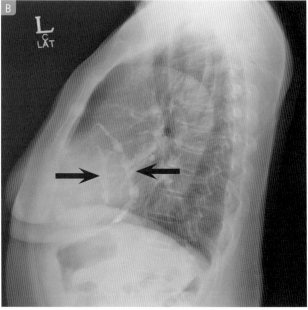

■ 그림 9-26. 67세 환자의 결핵성 심장막염
흉부X선 후전 및 측면사진에서 심장막을 따라서 석회화 침착(화살표) 소견이 보인다.

2. 아스페르길루스종

만성적인 폐결핵에서 공동이나 기관지확장증 내에 아스페르길루스(aspergillus)의 집락으로 종괴를 형성할 수 있는데 이를 아스페르길루스종(aspergilloma)이라 한다. 전형적인 흉부X선사진 소견은 폐 상엽의 공동 내에 초승달 모양의 공기음영을 보이는 공기초생달징후(air meniscus sign or air crescent sign)이며 체위에 따라서 종괴의 위치가 변할 수 있다(그림 9-25). 하지만 주변 폐실질의 변화나 흉막 비후 등의 소견으로 흉부X선사진에서 진단이 불확실한 경우도 있다[12].

3. 결핵성 심장막염

한국에서 심장막삼출의 흔한 원인 중 하나가 결핵이다. 대부분 인근의 결핵성 림프절염이 원인이 되나, 간혹 혈행성 전파에 의해 발병할 수 있다[10]. 결핵성 심장막염은 심장막삼출 이후 후유증으로 교착성 심장막염(constrictive pericarditis)이 발생할 수 있다. 교착성 심장막염은 섬유화된 심장막이 3 mm 이상 두꺼워지고 때때로 석회화가 동반되어 심장의 기능, 특히 이완기 혈액의 충만이 방해를 받는 특징이 있다. 결핵성 심장막염의 흉부X선사진에서는 심장막의 석회 침착이 보일 수 있다(그림 9-26). 심장 크기는 삼출액이 동반되지 않으면 정상 크기이다[12].

Ⅸ 비결핵성 항산성균 폐감염

비결핵성 항산성균(nontuberculous mycobacterium, NTM)에 의한 폐감염을 일으키는 균 중 가장 흔한 균은 M. avium-intracellulare (MAC)이고 다음으로는 M. abscessus, M. kansasii 등이 있다. 일반적으로 병원성이 약한 균으로 별다른 증상없이 만성 감염을 일으킨다[25]. 비결핵성 항산성균의 폐감염을 확진하기 위해서는 폐조직 생검물에서 균을 증명하거나 객담 혹은 기관지폐포세척(bronchoalveolar lavage) 배양에서 양성 결과가 수차례 나와야 한다. 감염을 일으키지 않고, 집락하고 있는 경우가 많아 특히 만성폐질환에서 가양성을 일으킬 수 있고, 공동 형성이 없는 경우 가음성이 자주 발생

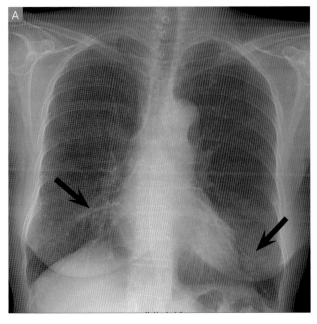

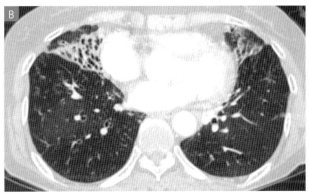

■ 그림 9-27. 69세 환자의 비결핵성 항산성균 폐감염
A. 흉부X선사진에서 우중엽과 좌상엽 설분절에 기관지확장증(화살표)이 관찰되며 작은 결절들이 산재해 있다. B. CT에서 기관지확장증이 우중엽과 좌상엽 설분절에서 관찰되며 작은 결절들이 양측 폐에 산재해 있다.

할 수 있다[25]. 비결핵성 항산성균 폐감염의 임상 소견 및 영상 소견은 일반적으로 면역 상태가 정상인 경우, 상엽 공동형(apical fibrocavitary form)이나 결절 기관지확장증형(nodular bronchiectatic form)의 형태로 나타나며, 간혹 과민폐렴(hypersensitivity pneumonitis)의 형태로 나타나는 경우가 있다. 상엽 공동형의 경우 전형적인 결핵 소견과 매우 유사한 점이 많고 만성 폐질환이 있는 노인 남자 환자에게서 많이 발생하는 편이다. 주로 상엽에 공동 형성과 함께 주위 작은 결절의 형태를 보인다. 아분절 무기폐에 의한 선상음영 및 흉막비후 소견도 관찰될 수 있다. 결핵과 감별점이라면 진행이 매우 느리고 공동이 크기가 작고 벽이 좀 더 얇은 점이다[26]. 결절 기관지확장증형은 노인 여자환자에서 호발하는 편이며, 기관지확장증이 있는 경우에 발생이 호발하는지, 감염 때문에 기관지확장증이 발생하는지는 아직 논란이 있다. 어느 분절이나 침범이 가능하나 주로 우중엽 및 설상분절에 호발하는 것으로 알려져 있고, 흉부X선사진에서 기관지 확장 소견과 함께 작은 결절의 형태를 보이게 된다(그림 9-27)[26].

Ⓧ 결론

결핵은 만성 질환이라 각 환자의 병기가 다르고, 질환의 파급 경로가 다양하며, 숙주 면역력, 질환의 활동성 여부 등에 따라 다른 영상 소견을 보이므로 염증성 질환 중 그 표현 양상이 매우 다양한 질환이며, 병변이 보이지 않거나 증상이 매우 애매한 경우도 많아서 국내에서 흔하면서도 진단이 까다로운 질환임을 주지하여야 한다.

■■■ **참고문헌** ■■

1. 결핵환자 신고 현황 연보. 질병관리본부. 2017.

2. Leung AN. Pulmonary tuberculosis: the essentials. Radiology. 1999;210(2):307-22.

3. Curvo-Semedo L, Teixeira L, Caseiro-Alves F. Tuberculosis of the chest. Eur J Radiol. 2005;55(2):158-72.

4. Kuhlman JE, Deutsch JH, Fishman EK, Siegelman SS. CT features of thoracic mycobacterial disease. Radiographics. 1990;10(3):413-31.

5. Jeong YJ, Lee KS. Pulmonary tuberculosis: up-to-date imaging and management. AJR Am J Roentgenol. 2008;191(3):834-44.

6. American Thoracic Society. Diagnostic standards and classification of tuberculosis. Am Rev Respir Dis. 1990;142(3):725-35.

7. Andreu J, Caceres J, Pallisa E, Martinez-Rodriguez M. Radiological manifestations of pulmonary tuberculosis. Eur J Radiol. 2004;51(2):139-49.

8. Geng E, Kreiswirth B, Burzynski J, Schluger NW. Clinical and radiographic correlates of primary and reactivation tuberculosis: a molecular epidemiology study. JAMA. 2005;293(22):2740-5.

9. CHEST RADIOGRAPHY IN TUBERCULOSIS DETECTION 2016: Summary of current WHO recommendations and guidance on programmatic approaches World Health Organization. 2016.

10. Lee KS, Song KS, Lim TH, Kim PN, Kim IY, Lee BH. Adult-onset pulmonary tuberculosis: findings on chest radiographs and CT scans. AJR Am J Roentgenol. 1993;160(4):753-8.

11. Leung AN, Muller NL, Pineda PR, FitzGerald JM. Primary tuberculosis in childhood: radiographic manifestations. Radiology. 1992;182(1):87-91.

12. Kim HY, Song KS, Goo JM, Lee JS, Lee KS, Lim TH. Thoracic sequelae and complications of tuberculosis. Radiographics. 2001;21(4):839-58; discussion 59-60.

13. Woodring JH, Vandiviere HM, Fried AM, Dillon ML, Williams TD, Melvin IG. Update: the radiographic features of pulmonary tuberculosis. AJR Am J Roentgenol. 1986;146(3):497-506.

14. Sochocky S. Tuberculoma of the lung. Am Rev Tuberc. 1958;78(3):403-10.

15. Im JG, Itoh H, Shim YS, Lee JH, Ahn J, Han MC, et al. Pulmonary tuberculosis: CT findings--early active disease and sequential change with antituberculous therapy. Radiology. 1993;186(3):653-60.

16. Im JG, Webb WR, Han MC, Park JH. Apical opacity associated with pulmonary tuberculosis: high-resolution CT findings. Radiology. 1991;178(3):727-

31.

17. Lee KS, Im JG. CT in adults with tuberculosis of the chest: characteristic findings and role in management. AJR Am J Roentgenol. 1995;164(6):1361-7.

18. Woodring JH, Fried AM, Chuang VP. Solitary cavities of the lung: diagnostic implications of cavity wall thickness. AJR Am J Roentgenol. 1980;135(6):1269-71.

19. Choe KO, Jeong HJ, Sohn HY. Tuberculous bronchial stenosis: CT findings in 28 cases. AJR Am J Roentgenol. 1990;155(5):971-6.

20. HV M. Bronchial obstruction in pulmonary tuberculosis. Tubercle. 1941;22:207-11.

21. Kwong JS, Muller NL, Miller RR. Diseases of the trachea and main-stem bronchi: correlation of CT with pathologic findings. Radiographics. 1992;12(4):645-57.

22. Ikezoe J, Takeuchi N, Johkoh T, Kohno N, Tomiyama N, Kozuka T, et al. CT appearance of pulmonary tuberculosis in diabetic and immunocompromised patients: comparison with patients who had no underlying disease. AJR Am J Roentgenol. 1992;159(6):1175-9.

23. Wu CY, Hu HY, Pu CY, Huang N, Shen HC, Li CP, et al. Pulmonary tuberculosis increases the risk of lung cancer: a population-based cohort study. Cancer. 2011;117(3):618-24.

24. Kim YI, Goo JM, Kim HY, Song JW, Im JG. Coexisting bronchogenic carcinoma and pulmonary tuberculosis in the same lobe: radiologic findings and clinical significance. Korean J Radiol. 2001;2(3):138-44.

25. Marras TK, Daley CL. Epidemiology of human pulmonary infection with nontuberculous mycobacteria. Clin Chest Med. 2002;23(3):553-67.

26. Martinez S, McAdams HP, Batchu CS. The many faces of pulmonary nontuberculous mycobacterial infection. AJR Am J Roentgenol. 2007;189(1):177-86.

CHAPTER
09

흉 부 영 상 진 단 X 선
THORACIC RADIOLOGY

CHAPTER

10

폐종양

| 박창민, 이기남 |

Contents

폐종양은 악성종양인 폐암 및 폐전이암과 양성 폐종양으로 분류할 수 있다.

Ⅰ 폐암

1. 폐암 진단에 있어서 흉부X선사진(chest radiograph)의 역할

흉부X선사진은 폐질환 진단을 위한 가장 기본적인 검사방법으로, 폐암 역시 흉부X선사진을 통해 최초로 발견되는 경우가 흔하다. 흉부X선사진은, 광범위한 보급률로 인한 높은 접근성, 저비용, 저방사선 노출, 그리고 상대적으로 높은 폐암 발견능으로 인해, 폐암진단을 위한 첫 영상검사로 가장 흔히 이용된다[1]. 폐암 발견을 위해서는, 후전(posteroanterior, PA) 사진뿐만 아니라 측면(lateral) 사진을 포함시키는 것이 바람직한데, 폐문부나 심장후부 등의 병소를 발견하는데 측면사진이 유용하기 때문이다. 또한 과거에 촬영한 흉부X선사진이 있어서 최근 촬영한 영상과 비교하면 진단에 많은 도움을 받을 수 있고, 특히 2년 이상 추적한 흉부X선사진에서 변화하지 않는 병변일 경우, 폐암일 가능성을 사실상 배제할 수 있다.

폐암은 국내에서 갑상선암, 위암, 대장암, 유방암에 이어 5번째로 흔한 악성종양이다[2]. 흥미로운 사실은, 국내뿐 아니라, 세계적으로 폐암에 의한 사망자가 전체 악성 종양 가운데 가장 많다는 점인데, 폐암의 상대적으로 높은 암발생률,

그리고 폐암 환자에서의 매우 낮은 생존율에 기인한다. 폐암 환자에서의 이와 같은 낮은 생존율은, 대부분의 폐암 환자들이 최초 진단 당시 이미 완치(cure)가 어려운, 진행 병기(advanced stage)에서 발견되기 때문인데, 실제로 전체 폐암의 80%에 달하는 비소세포암(non-small cell lung cancer, NSCLC)의 5년 생존율은 지난 20년간 14.5%에서 16.3%로 미미한 향상밖에 이루지 못하였다[3]. 폐암은 진단 당시 52%가 전신으로 전이된 상태로 발견되며, 29%에서는 주변부위로 퍼져 있어서, 실제로 수술로 제거 가능한 국소적 폐암은 전체 폐암 환자의 19% 정도에 불과하다. 그러나 조기폐암(Stage 1A)인 경우, 수술절제로 5년 생존율을 67-84%까지 향상시킬 수 있으므로 폐암의 조기 진단은 매우 중요하다.

폐암의 조기진단에 있어, 흉부X선사진을 이용한 폐암선별검사의 유용성에 대해서는 이미 대규모 전향적 연구들이 이루어졌고, 결론적으로 폐암으로 인한 사망률 감소에 있어, 흉부X선사진은 효과적이지 않은 것으로 결론이 났다[4]. 다행히 최근 저선량CT (low-dose CT)를 이용한 대규모 전향적 연구에서, 저선량CT를 이용한 폐암 선별검사가 폐암으로 인한 사망률을 비교군에 비해 20%이상 감소시킬 수 있다는 결과가 나와 향후 저선량CT를 이용한 폐암의 조기 진단 및 폐암으로 인한 사망률 감소가 기대된다[5].

흉부X선사진이 폐암 진단에서 가장 기본적인 검사법임에도 불구하고, 이를 이용한 폐암 진단에는 많은 한계점이 있다. 흉부X선사진은 병변을 발견하는 민감도(sensitivity)가 CT에 비해 낮기 때문에 처음 판독할 때 폐암을 진단하지 못하는 경우가 드물지 않게 발생한다. 흉부X선사진에서 놓친 폐암(missed lung cancer)을 후향적으로 분석해 보면, 폐결절(nodule) 형태가 대부분으로, 놓친 결절의 평균 크기는 말초부(peripheral) 폐에 위치한 경우, 13-20 mm, 폐문부위 경우는 27-30 mm였다. 쇄골(clavicle)에 가리는 경우도 22%에 이르렀고, 폐상엽 첨분절(apical segment) 혹은 후첨분절(apicoposterior segment)에 위치한 경우가 많았다[6]. 따라서 폐암 발생 가능성이 높은 고위험군(고령자, 폐암가족력, 현재 흡연자 및 과거 흡연력이 있는 경우)에서 변연(margin)이 불분명한 폐결절이 의심스러울 때, 정상 구조물들, 즉 폐상엽의 쇄골 및 늑골과 겹치거나, 혹은 양측 폐문부, 심장 및 횡격막(diaphragm) 하방부위에 분명하지는 않지만 결절이 의심된다면, 판독에 주의하여야 하며, 정상이라 단정하기 힘들거나, 양성이라 단정할 수 없는 폐결절이 의심된다면, 흉부CT를 시행하는 것이 좋다. 다만, 경제적인 면이나 의료 기관 접근도 등을 고려해야 하는 상황이라면, 흉부X선사진을 이용한 면밀한 추적이나 디지털단층촬영(digital tomography) 등도 대안으로 고려할 수 있겠다.

2. 폐암의 흉부X선사진 소견

흉부X선사진에서 폐암을 진단하는 데 있어, 폐암의 위치와 크기는 매우 중요하다. 특히 폐암과 기도와의 관계가 중요한데, 폐종양의 초기 소견은 종양 자체의 소견 보다 기도에 위치한 폐종양에 의해 유발된 폐쇄 폐렴(obstructive pneumonia) 혹은 무기폐(atelectasis)가 주된 소견으로 나타나는 경우가 흔하기 때문이다. 종괴(mass)나 결절(nodule)의 크기뿐만 아니라, 이들의 폐내 위치, 병변 자체의 방사선 비투과성의 정도, 동반된 폐실질 질환의 유무 등이 폐암의 발견에 영향을 미칠 수 있다.

폐종괴는 일반적으로 3 cm 이상인 경우를 지칭하고 3 cm 미만인 경우를 폐결절이라 한다. 흉부X선사진에서 폐종괴나 결절을 위시한 폐의 이상병변을 발견하려면 이상 병변과 그 병변에 인접한 정상 폐조직과의 대조도의 차이를 인지하여야 한다. 비록 육안으로도 3 mm 크기의 결절을 발견 할 수 있다고 하지만, 흉부X선사진에서 1 cm 미만의 결절을 발견하기는 현실적으로 쉽지 않다[7]. 특히 폐결절이 정상 해부학적 구조물인 폐혈관이나 늑골과 겹치거나 가려져 있는 경우는 더욱 어렵다.

폐암은 어떤 크기로도 나타날 수 있지만, 현실적으로 증상 없이 발견되는 대부분의 작은 폐결절들은 양성결절이다.

특히 크기가 매우 작은 결절의 경우 양성결절일 가능성이 매우 높은데, 폐암 고위험군을 대상으로 한 폐암선별검사에 관한 연구들에서 직경 4 mm 이하의 폐결절이 폐암일 확률은 거의 0%에 가까웠다[8]. 특히, 폐결핵이 많은 우리나라에서는 4 mm 이하인 작은 폐결절들은 거의 대부분 양성 결절일 것으로 판단된다. 폐결절의 추적검사를 결정할 때, 흡연력, 암병력, 고령 등의 임상적 특징을 고려하여 시행하는 것이 바람직한데, 특히 폐암 고위험군에서 증상을 동반할 경우 흉부X선사진에서 발견되는 어떠한 소견도 폐암의 가능성을 배제할 수 없다는 전제 하에 폐암을 놓치는 빈도를 줄여야 한다. 실제 한 연구에 따르면, 말초(peripheral)부위에 발생한 폐암의 90%, 중심(central)부위에 발생한 폐암의 75%에서 4개월 전 흉부X선사진을 후향적으로 분석한 결과, 종양진단이 가능한 소견을 찾을 수 있었다고 한다[9].

(1) 폐암의 해부학적 위치

폐암의 해부학적 위치는 어느 정도 폐암의 세포유형을 따르는 경향이 있는데, 일반적으로 편평세포암(squamous cell carcinoma)과 소세포암(small cell carcinoma)은 전형적인 중심성(central) 폐암이며, 선암종(adenocarcinoma)과 대세포암(large cell carcinoma)은 폐변연부(periphery)에 발생하는 말초성 폐암의 소견을 보이는 경향이 있다. 하지만 대세포암의 경우만 하더라도, 중심성 종괴형태가 말초성 종괴 형태 다음으로 많다. 그러므로 해부학적 위치와 폐암의 세포유형의 상관관계를 한 마디로 일반화하기에는 무리가 있다. 기도(airway)에서 발생하는 폐암의 경우, 대개 분절(segmental) 혹은 분엽(lobar) 가지(branch)에 위치한다. 기관(trachea)에 생기는 폐암은 드물어서, 전체 폐암의 1% 미만이며 세포형으로는 편평세포암이 가장 흔하다. 상엽의 첨분절에 발생하는 폐상구암(superior sulcus tumor; Pancoast tumor)은 전체 비소세포폐암의 약 3%를 차지하며, 위치상 2, 3번째 늑골, 팔신경얼기(brachial plexus), 쇄골하혈관 그리고 인접한 척추체

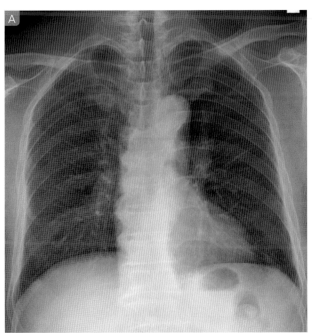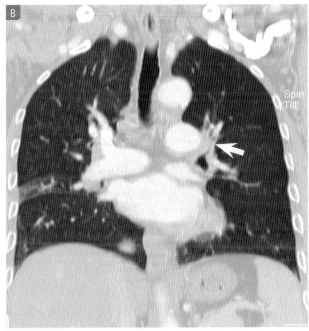

■ 그림 10-1. 71세 남자 환자에서 좌상엽의 과팽창 소견을 보이는 폐암
A. 흉부X선사진에서 우상폐야와 비교해서 좌상폐야가 더 검게 보이는 폐의 과팽창 소견이 보인다. **B.** 우상엽과 비교해서 좌상엽이 약간 검게 보이며 이는 좌상엽의 기관지 벽이 폐종양의 침범으로 비후되어 있고 침범한 기관지의 원위부 폐가 과팽창된 것에 기인한다.

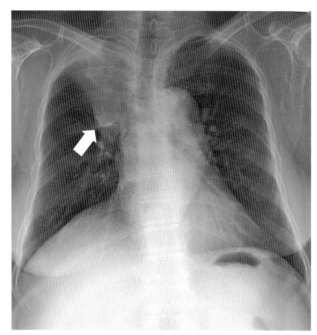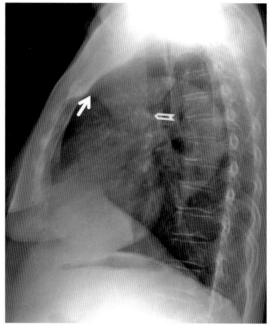

■ 그림 10-2. 70세 남자 환자의 대엽성 무기폐와 폐문부 종괴를 보이는 역S자징후(inverted S sign) 형태의 폐암
A. 흉부X선 후전사진에서 역S의 내측부는 종양자체의 음영(화살표)이며 우상엽은 음영의 증가를 보이는 무기폐로 아래 쪽은 우측 부엽간열로 경계가 지어진다. **B.** 흉부X선 우측면사진은 우폐문부의 종괴와 우상엽의 무기폐 소견으로 증가된 음영이 우측상부를 차지하고 우측 부엽간열(화살표)로 오목하게 경계가 선명하게 보이면서 폐문부 종괴(화살촉)를 중심으로 상측으로 끌려가고 있다.

(vertebral body)를 침범하는 경향이 높고, 예후가 나쁘다[10].

① 중심성 종양

종양은 자라면서 기관지내로 침범할 뿐 아니라 폐실질로 침범한다. 기관지내로 종양이 자라서 유발되는 중심성 폐암이 호기말(end expiration)에 과팽창 혹은 과투과(overinflation or hyperlucency)의 소견을 보일 수도 있으나, 이는 매우 드문 소견이다(그림 10-1). 중심 종양에서 주로 발견되는 소견은, 무기폐(atelectasis), 폐쇄 폐렴(obstructive pneumonitis), 혹은 폐암 자체에 의한 증가된 폐음영 소견이다(그림 10-2).

폐쇄 폐렴(obstructive pneumonitis)의 병리학적 소견은 감염과 관련된 염증이기보다는 폐포내의 단백성 물질과 간질 폐렴이나 간질 섬유화 및 점액충전(mucous plugging)등에 의한 것으로 밝혀졌다. 기관지 폐쇄로 인한 원위부(distal) 기관지는 확장되어 점액이나 농즙(pus)으로 충만해 있다. 무기폐는 분절, 엽 혹은 폐 전체에서 일어날 수 있는데, 기도가 완전히 폐쇄되어 공기가 말초부까지 관통할 수 없기 때문에 공기기관지조영상(air-bronchogram)이 보이지 않는다. 이 소견은 기관내 폐쇄병변이 있음을 의미하는 중요한 소견이다.

무기폐는 폐포내의 공기가 빠져버린 상태를 말한다. 기관지폐색, 기관지확장증, 외부압박 등으로 인하여 폐포내 공기가 빠지게 되면 폐포는 용적이 줄어서 폐의 부피가 줄게 된다. 무기폐는 흉부X선사진에서 증가된 음영으로 나타나며 폐의 용적이 줄어든다. 폐용적의 감소로 인한 엽간열(interlobar fissure)이 끌려오고, 폐혈관이 집중되며, 폐문, 종격, 횡격막 등이 끌려간다. 간혹 종양에 의한 국소적 볼록한 면(convexity)과 엽간열이 무기폐의 결과로 원위부에서 오목

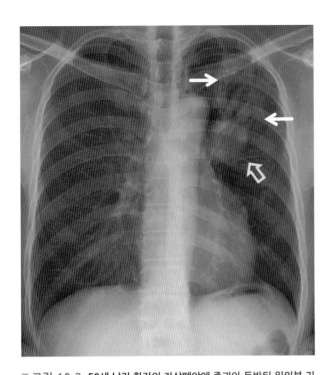

■ 그림 10-3. 50세 남자 환자의 좌상폐야에 종괴와 동반된 원위부 기관지의 점액 매복(mucoid impaction)을 보이는 폐암
좌상폐엽의 좌 폐문부에 위치한 중심 폐암(열린 화살표)과 원위부 기관지내에 점액 매복(mucoid impaction)으로 인하여 확장된 기관지 음영(화살표)이 장갑 낀 손가락 형태(finger-in glove)로 보인다.

(concave)하게 보이는 것을 역S자징후(Morton's inverted S sign 혹은 Golden's S sign)라 한다(그림 10-3). 이는 폐암을 시사하는 중요한 소견이다. 하지만 역S자징후가 없다고 해서 폐암을 배제할 수는 없다.

충분한 폐렴치료에도 불구하고 장기간 지속되는 폐음영 증가 소견이 있다면, 점액성 폐선암(invasive mucinous adenocarcinoma)을 비롯한 폐암의 가능성을 반드시 고려해야 하며, CT 검사, 기관지내시경검사 혹은 조직 생검과 같은 보다 적극적인 진단 노력이 필요하다[11].

국소적 폐용적의 변화
기관지내종양이 내강을 아주 서서히 막아서 기도의 완전폐쇄까지 상당한 시간이 걸린다면, 기도폐쇄 전까지 방사선학적 변화가 전혀 없거나, 부분적 기도폐쇄에 의한 이차적 소견만이 나타날 수도 있다. 폐종양에 의한 기도폐쇄가 발생할 경우 무기폐 혹은 폐경화에 의한 폐음영 증가가 특징적 소견이며, 이와 같은 기도 폐쇄가 발생하지 않을 경우에는 저환기(hypoventilation)에 의한 저산소성 혈관수축(hypoxic vasoconstriction) 혹은 주변의 폐동맥 침범이나 압박으로 인한 혈류의 감소로 폐음영 감소가 나타날 수 있으며, 호기(expiration)시에 기관내종양에 의해 기도내강이 감소하여 기류폐쇄(air flow obstruction)에 의한 공기가둠(air-trapping) 현상이 생길 수 있다.

i) 점액박힘
종양이 분절(segmental) 혹은 분절하(subsegmental)기관지에 인접한 부위에 위치하는 경우 원위부 기관지내로 점액이 매복(또는 박힘, impaction)된다. 무기폐가 동반되지 않으면 사진상으로 잘 보이지 않는 경우가 많다. 기관지폐쇄를 초래하는 중심 폐암은 간혹 원위부 기관지(distal bronchus)내에 점액박힘을 초래하여 가지치는(branching) 양상의 확장된 기관지('장갑낀 손가락 모양', finger-in-glove sign)를 보일 수 있다(그림 10-3). 이 경우, 점액박힘은 종양이 있는 부위에만 국한되어 나타나며, 폐의 여러 부위에서 다발성으로 점액매복을 보이는 기관지 천식 환자에서의 알레르기기관지폐아스페르길루스증(allergic bronchopulmonary aspergillosis, ABPA)의 점액박힘과는 감별이 된다[12]. 점액박힘은 중심부 종양 형태로 흔히 나타나는 편평세포암에서 흔하게 보일 수 있으며, 소세포암 및 전이종양, 유암종(carcinoid tumor), 기관지폐쇄증(bronchial atresia), 흡인된 이물질(aspirated foreign body) 등에서도 나타날 수 있다[12].

ii) 기관지벽비후
폐종양이 기관지주위간질조직(peribronchial interstitial tissue)을 비후시켜 기관지벽 두께가 증가할 수 있다(그림 10-4). 약 10%에서 무기폐 소견 없이 기관지벽에 국한된 종양으로만 나타나는데, 이런 경우는 양성 질환과의 감별이 쉽지 않다. 종양이 주변 폐동맥주위 간질조직으로 침범하여 혈관을 부분 혹은 완전히 침범할 수도 있다. 흉부X선 후전사진(posteroanterior view, PA view)에서 기관지벽의 비후소견은 폐상엽의 전분절(anterior segment)이나 좌하엽의 상분절(superior segment) 기관지에 병변이 있을 때 보인다. 정상 흉부X선 측면사진(lateral view)에서 중간기관지(bronchus intermedius)의 후벽은 기관의 후벽에서 기시하여 우측 기관지의 후벽을 거쳐 같은 수직선상의 직선으로 보인다. 앞쪽은 공기로 채워진 기관내면, 뒤쪽은 기정맥식도오목(azygoesophageal recess)의 폐실질에 의해 경계가 지어지는 대조도가 뚜렷한 선상의 구조로 나타나며 평균 두께는 1.3 mm (범위; 0.5-3 mm)이다. 흉부X선 측면사진에서 3 mm 이상 두꺼워지면 병적인 상태로, 기관지벽을 침범한 폐종양(그림 10-4)이나 폐부종, 림프절 비대의 가능성을 고려해야 한다[13]. 다방형(lobulated) 형태의 중간 기관지후벽의 비후는 폐부종이 아닌 림프절의 비대를 의미한다.

② 말초부 종양

단일성 폐결절(solitary pulmonary nodule, SPN)은 직경 3 cm 이하의 비교적 경계가 분명한, 구형 혹은 불규칙한 형태의 국소성 폐병변을 의미한다[14]. 3 cm보다 큰 병변은 종괴(mass)라 한다[14]. 다양한 폐질환들이 단일성 폐결절 형태로 나타날 수 있지만, 실제 임상현장에서는 대부분의 단일성 폐결절이 폐암, 폐전이암과 같은 악성 종양, 결핵, 진균증과 같은

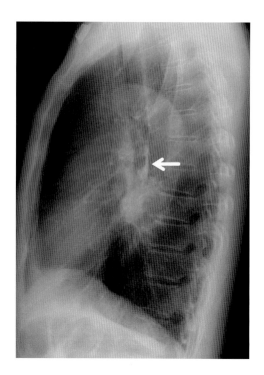

■ 그림 10-4. 76세 남자의 흉부X선 측면사진에서 우폐문하 종괴와 중간기관지후벽의 증가된 두께를 보이는 폐암
우하엽의 상분절에 위치한 종괴와 함께 우측 중간기관지의 후벽의 두께가 3 mm 이상 되어 보인다. 폐암이 우측 중간기관지후벽을 침범한 소견이다.

표 10-1. 단일 폐결절을 보이는 질환

원인별 단일 폐결절	종류	질환
종양성	악성	원발 폐암 원발 폐림프종 원발 카르시노이드 단일 전이 양성 과오종 연골종 경화성 혈관종
염증성	감염성	육아종(결핵, 진균) 노카르디아 감염 원형폐렴 농양 비감염성 류마티스관절염* 베게너 육아종증*
혈관성		동정맥기형 경색 혈종
선천성		기관지폐쇄증 폐분리증
기타		외부 물질(유두, 기태(mole)) 가성종양(엽간열 내 액체 저류) 흉막판(pleural plaque) 또는 종괴

* 대부분 다발성

감염증, 과오종과 같은 양성종양 중의 하나로 진단된다(표 10-1).

　방사선학적 소견뿐 아니라, 환자의 임상정보와 병력이 단일 폐결절의 감별에 도움이 된다. 흡연력, 고령(old age), 발암물질의 직업적 노출, 폐섬유화, 만성폐쇄폐질환과 폐기종, 폐암의 가족력 등이 있으면 폐암일 가능성이 증가한다. 반면 면역력의 저하가 초래된 경우, 결핵 또는 진균에 대한 양성피부반응, 류마티스관절염과 동반된 경우, 최근의 해외 여행력이 있는 경우는 양성결절일 가능성이 높다.

　또 폐 이외의 악성 종양의 병력이 있는 환자에서 단일 폐결절이 발견된 경우, 원발 악성종양의 종류가 감별진단에 중요하다. Quint 등[15]의 연구에 따르면 원발 악성 종양이 육종(sarcoma), 고환암 또는 흑색종(melanoma)인 경우, 단일 폐결절의 60%에서 단일 전이암으로 진단되었고, 폐암일 확률보다 3배 이상 높았다. 하지만, 두경부암, 방광암, 유방암, 자궁경부암, 담도암, 식도암, 난소암, 전립선암, 위암 등이 원발 종양인 경우, 단일 폐결절이 폐암일 가능성이 전이암일 가능성에 비해 3배 이상 높았다.

　폐결절의 감별진단에서 과거에 검사한 흉부X선사진 소견과 최근 검사 소견을 비교하는 것은 매우 중요하다. 이전의 흉부X선사진 소견에서 결절이 없었음을 확인하거나, 과거에 놓친 결절을 확인하여 결절의 크기 변화나 석회화의 유무 등 결절의 양상을 비교함으로써, 감별진단의 범위을 줄일 수 있다.

3. 방사선학적 감별진단

임상적, 방사선학적 소견 분석을 통해 양성 및 악성결절을 정확히 감별 진단하는 것은 쉽지 않지만, 단일 폐결절의 감별진단에 유용한 몇 가지 중요한 특징들은 알려져 있다. 대표적인 4가지 소견으로는 결절의 크기(size), 결절내 석회화(calcification) 유무 및 형태, 결절과 폐의 경계부위 모양(tumor-lung interface), 결절의 배가시간(doubling time) 등을 들 수 있다. 그 외 위성 결절(satellite nodule)의 유무도 양성 결절의 진단에 도움이 된다(표 10-2).

표 10-2. 폐결절 및 종괴의 양성과 악성의 방사선 소견의 비교

방사선 소견	양성	악성
크기	작음	큼
위치	결핵은 상엽, 그 외에는 특이 위치는 없음	상엽이 우세, 폐저이는 하엽
경계	매끈한(smooth) 경계	침상형(spiculated) 경계
석회화	중심성, 미만성, 적층형, 팝콘형의 경우 특징적	편심성(eccentric), 점상(punctate) 석회화 가능함
공동형성	벽이 얇고, 매끈한 내면 경계	두껍고, 결정성 혹은 불규칙한 내면 경계
위성병소	흔함	드묾
2년간의 크기 변화	작아지거나, 변화 없으면 양성으로 간주함	대부분 성장함
배가시간	1개월 이하 또는 18개월 이상	1 - 18개월 사이

1) 크기

폐암은 어떠한 크기의 결절로도 나타날 수 있지만, 일반적으로 결절의 크기가 클수록 폐암가능성이 높다. 대개 지름 4 mm 이하의 결절일 경우 폐암 가능성은 매우 낮고, 특히 우리나라와 같이 결핵 유병율이 높은 지역에서는 크기가 작은 결절은 양성인 경우가 많다. 결절의 크기가 지름 10 mm 이상인 경우 폐암 가능성이 현저히 증가해서 확진을 위한 절차를 밟을 필요가 있으며 지름 3 cm 이상의 종괴는 폐암 가능성을 반드시 고려해야 한다[16]. 유념해야 할 것은, 흉부X선사진에서 분명한 결절로 발견되는 경우는 대부분 지름 10 mm 이상이라는 것으로, CT검사에서 보이는 지름 10 mm 이하의 결절에 비해서 폐암가능성이 높다는 사실을 잊어서는 안된다. 예외적으로, 지름이 3 cm 이상인데도 폐암이나 전이암이 아닐 경우는 폐농양, 림프종, 원형폐렴, 베게너 육아종증, 원형무기폐 등에 의한 경우이다.

2) 석회화

석회화의 유무 및 형태는 양성과 악성을 구분하는 매우 중요한 소견이다. 중심형(central, bull's eye), 적층형(laminated, target), 미만형(diffuse), 팝콘형(popcorn) 석회화는 양성 결절을 강력히 시사하는 소견이다. 중심형, 적층형, 미만형 석회화는 결핵종에서 흔하고, 팝콘형 석회화는 양성 종양인 과오종의 특징적 소견이다(그림 10-5). 하지만, 양성 결절의 38-

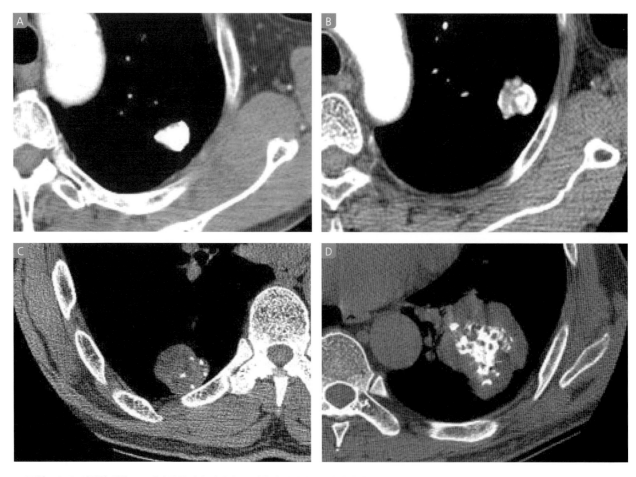

■ 그림 10-5. **석회화 양상. A.** 미만성 중심성 석회화, **B.** 적층형 석회화, **C.** 점상 석회화, **D.** 팝콘형 석회화

흉부영상진단X선

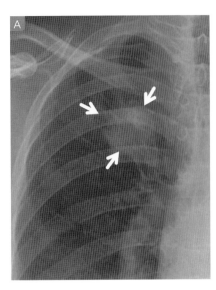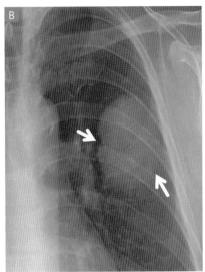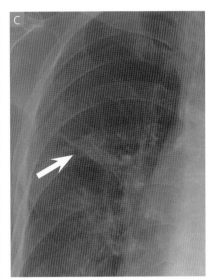

■ 그림 10-6. 종괴-폐 경계부위모양. **A.** 매끈한(smooth) 경계면, **B.** 다방형(lobulated) 경계면, **C.** 침상형(spiculated) 경계면

63%에서는 석회화를 보이지 않으며, 과오종에서 석회화를 보이는 경우도 5-50%로 알려져 있다. 유념해야 할 것은, 모든 형태의 석회화가 양성결절을 의미하지는 않는다는 점이다. 한 예로 점상(stipple) 또는 편심성(eccentric) 석회화는 양성결절뿐만 아니라 폐암의 10-15%에서도 발견되므로, 불확실한(indeterminate) 석회화로 간주해야 한다. 병변내 편심성 석회화(eccentric calcification)는 석회화된 육아종을 종양이 감싸면서(engulfing) 생길 수 있어, 역시 불확실한(indeterminate) 석회화로 간주한다. 종양내 석회화는 대부분 CT에서 보이며, 3 cm 이상의 종양에 더 흔하다. 따라서 3 cm 이상의 종괴에서 단지 석회화를 보인다는 이유만으로, 폐암가능성을 배제하는 일이 있어서는 안된다. 또한 이전에 골육종, 연골육종과 같은 골형성 암의 병력이 있던 환자에서 석회화를 동반한 단일성 폐결절이 발견된 경우 전이암의 가능성을 고려해야 한다. 주의해야 할 점은 흉부X선사진에서 석회화 여부를 정확히 진단하는데는 뚜렷한 한계가 있다는 것이다. 실제로, 흉부X선사진에서 석회화를 동반한 것으로 판단된 결절 중 7%에서 실제 석회화가 없었으며, 석회화되지 않은 것으로 판단된 결절 중 1/3은 CT에서 석회화가 관찰되었다는 보고도 있다.

3) 종괴-폐 경계부위 모양

종괴와 폐의 경계와 윤곽은 보통 평활(smooth), 다방형(lobulated), 불규칙(irregular), 침상(spiculated)으로 분류힌디(그림 10-6). 악성결절은 불명확하거나, 불규칙하고, 다방형 또는 침상의 경계를 보인다. 양성결절은 평활하고 명확한 경계를 보인다. 불규칙하거나 침상의 경계를 보이는 결절은 약 90%가 악성이지만, 평활하고 명확한 경계를 보이는 결절은 20% 만이 악성이다[16]. 전이암과 카르시노이드(carcinoid)는 경계가 좋고 평활한 경계를 띠는 경향이 있다. 다방형의 경계는 종괴의 불균질한 성장으로 인하여 나타나므로 악성을 시사한다. 그러나 양성결절의 25%에서도 다방형의 경계를 보인다. 불규칙하고 침상경계를 보이며 주변의 혈관을 왜곡시키는 결절은 악성의 가능성이 높다.

　침상형(spiculated) 경계면은 폐암에서 주로 보이지만 전이나 양성 병변에서도 보일 수 있다. 폐암에서의 침상소견(spiculation)은 주변 폐실질의 섬유화, 주변 폐실질로 종양의 직접 침윤, 혹은 국소 림프성전이 때문이다. 흉막 꼬리(tail sign 또는 pleural tag)는 말초 결절 및 종괴에서 장측흉막(visceral pleura)으로 뻗는 선상 음영으로, 종종 침상형태 또는 장측흉막의 함몰과 동반된다. 이는 소엽간 중격이나 혈관을 따라 생긴 결합조직형성반응(desmoplastic reaction)으로, 섬유성 조직의 띠(strand), 두꺼워진 장측흉막(visceral pleura)의 내측 위축(inward retraction) 혹은 반흔(scar)에 의해 나타나는 소견이며 악성 및 양성병변 모두에서 볼 수 있다.

CT달무리징후(CT halo sign)는 결절주위로 간유리음영이 동반된 것으로, 흉부X선사진에서 확인할 수 없는 경우도 많다. 이 소견은 염증성 병변과 종양 병변이 혈관을 침범하거나 결절주위에 출혈이 동반되는 여러 종류의 질환들, 비늘상전파(lepidic spread)를 보일 수 있는 폐선암 등 다양한 질환에서 나타날 수 있고 단기 추적검사가 이들 질환의 감별에 도움이 된다[17]. 출혈성 전이암, 폐선암, 침습아스페길루스증(invasive aspergillosis), 털곰팡이증(mucormycosis), 호산구성폐질환(eosinophilic lung disease), 기질화폐렴(organizing pneumonia), 거대세포바이러스폐렴(cytomegaloviral pneumonia)이 달무리징후를 보일 수 있다.

4) 결절의 배가시간(doubling time)

결절의 배가시간(doubling time)은 종양의 부피가 2배가 되는데 걸리는 시간(volume doubling time)으로, 결절의 직경 기준으로는 직경이 26% 증가하는데 걸리는 시간이다. 이는 종양의 성장 속도를 의미하며, 양성과 악성 결절을 감별하는데 매우 중요하다. 원발 폐암의 배가시간은 암세포형에 따라 다소 차이가 있지만, 대개 1개월에서 18개월 사이로 알려져 있다(평균배가시간 4.2 - 7.3개월)[18]. 폐암의 조직학적 진단에 따른 결절의 용적 배가시간은 소세포암이 1개월, 편평세포암과 대세포암이 3-4개월, 선암종이 6개월 정도이다. 결절의 배가시간이 30일보다 짧거나 결절이 2년 이상 변화가 없으면 대개 양성으로 간주한다. 30일보다 빠르면 감염성 병변, 폐경색증(infarction)을 시사하며, 18개월 이상이면 육아종이나 양성종양의 가능성이 높다. 다만, 공격적인(aggressive) 성장양상을 보이는 림프종이나, 악성 생식세포종 혹은 육종에서는 30일 미만의 결절 배가시간을 보일 수 있으므로 해석에 주의가 필요하다. 주의해야 할 것은 지름 1 cm 미만의 결절들은 흉부X선사진으로는 보이지 않는 경우가 많으므로, 흉부X선사진을 이용하여 작은 폐결절의 성장속도를 정확하게 측정하는 것은 불가능하며, CT 검사를 이용해야 한다. 다시 한번 언급하지만, 결절이 2년 이상 추적검사에서 변화 없거나 작아지면 조직생검과 같은 침습적인 진단 절차없이 양성병변으로 간주하는 것이 합리적이고 현실적인 접근법이라고 할 수 있다.

5) 위성 결절

위성 결절은 양성결절, 특히 결핵에서 흔히 보이는 것으로 알려져 있다. 결핵에서 보이는 위성병소는 경기관지 파급에 의하여 소엽중심성 결절이나 소엽성 경결로 보이며 종말기관지나 호흡세기관지 안에 있는 건락괴사 물질에 의해 나타난다. 암종에 동반된 위성결절은 드물며 주변의 기관지혈관속(bronchovascular bundle) 비후 소견이 동반되어 있는 경우가 많다. 폐암에서 보일 때는 대부분 전이 혹은 주(main) 종괴에서 연결된 종양의 말초부위의 침습에 의한 것이다.

6) 공동형성

일반적으로 낭종(cyst)은 2 mm 미만의 매우 얇고 평활한 벽을 갖는 병변으로 주변에 폐기종을 동반하지 않는 병변을 의미하며, 공동(cavity)은 3 mm 이상의 두꺼운 벽을 갖는 병변을 의미하며, 대개 내부의 괴사성 물질들이 기관지를 통해 배출되고 난 후 생긴다[14]. 양성이나 악성 모두에서 볼 수 있고, 악성 종양의 약 5-15%에서 병변내 공동형성이 있으며, 공동성 폐암의 80%는 편평세포암이다.

종괴 중앙부의 괴사, 폐쇄성폐렴의 농양형성, 폐렴이나 농양에서 전파된 부위의 농양이 공동을 형성할 수 있으며 호발 부위는 상엽의 후분절이나 하엽의 상분절이다. 공동의 내부는 괴사 조직의 결절과 괴사의 반점형(patchy) 양상에 의해 불규칙하다. 그러나 양성질환에서도 공동형성은 흔하고 폐농양, 감염성육아종성질환, 베게너육아종증(Wegener's granulomatosis), 폐경색 등이 원인 질환이다. 이처럼 많은 질환에서 폐병변내에 공동을 형성하므로 공동의 유무로 악성 및 양성결절을 감별하기에는 뚜렷한 한계가 있다. 하지만, 공동의 형태 및 두께를 분석함으로써, 이들을 감별하는데 도움을 받을 수는 있다. 일반적으로 양성 결절은 평활하고 얇은 벽을, 악성 결절은 불규칙하고 두꺼운 벽을 보인다(그림 10-7). Woodring 등[19]의 연구에 따르면, 공동벽 두께가 16 mm 이상인 경우 대부분 악성(95%)이었고, 4 mm 미만인 경우 대부분 양성이었다. 5-15 mm 두께의 공동성 병변 중 약 75%가 양성인 것으로 나타났다[19]. 하지만 악성 및 양성 병변에서 공동벽 두께에 있어서 상당한 정도의 중복이 있으므로 공동벽두께 단독 소견만으로 양성과 악성의 감별은 쉽지 않은 것이 현실이다. 간혹 이미 존재하고 있던 낭종 또는 공동의 벽에서 생긴 폐암이 있을 수 있으며, 이 경우 감별진단의 중요 소견은 공동벽의 부분적인 비후를 확인하는 것이다.

7) 공기공간형

공기공간(airspace)형으로 나타나는 폐암의 경우, 대부분 이전에 점액성 세기관지폐포암종(mucinous bronchioloalveolar carcinoma)로 불렸던 점액성폐선암(invasive mucinous adenocarcinoma)이다. 형태는 국소형(localized)이거나 미만형(diffuse)으로 보일 수 있다. 국소형인 경우가 60-90%로 많다. 방사선학적 소견으로 간유리음영(ground-glass opacity), 폐경화(consolidation)소견이 단독으로 나타나거나, 단일 혹은 다발성 결절들과 혼재된 형태를 보인다. 폐의 경화 소견이 분절 및 분엽의 분포를 보이는 경우 사슬알균폐렴(연쇄구균폐렴, Streptococcal pneumoniae)으로 인한 급성공기공간형폐렴(acute air-space pneumonia)과 유사하다. 공기공간형폐렴에 비하여 공기공간형폐암에서 결절이 훨씬 많이 동반된다(5% vs 55%). 공기공간형폐암인 경우에서 병변의 위치가 특이하게 말초부에 위치한다(70% vs 15%). 또한 공기기관지조영의 소견을 폐경화내에서 볼 수 있다(50-80%). 공기공간형 폐렴과의 감별에 있어서 가장 중요한 점은, 항생제 치료

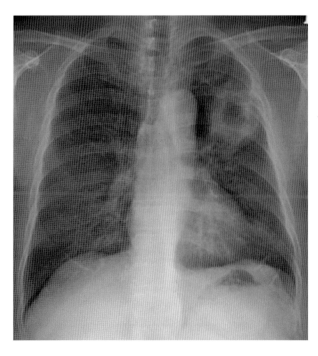

■ 그림 10-7. 65세 남자 환자의 **불규칙하고 두꺼운 벽의 공동을 보이는 폐암**
결핵이나 폐농양 등 양성에서 보이는 공동보다 폐암의 공동은 벽이 두껍고 내면이 불규칙하다. 대부분 편평세포암에서 볼 수 있다.

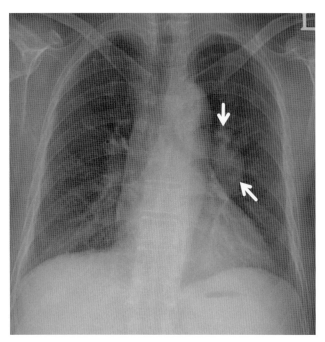

■ 그림 10-8. 53세 남자 환자의 좌측 편측성 폐문비대를 보이는 편평세포암. 좌측 주기관지에서 발생한 폐암과 인접한 좌측 폐문부 림프절의 비대 소견을 보인다.

에도 불구하고 추적검사에서 병변이 지속되거나 크기가 오히려 증가한다는 점이다.

Ⅱ 전이성 병변이나 주변 조직의 침범 때문에 보이는 소견

1. 폐문비대

흉부X선사진에서 편측성 폐문비대(hilar enlargement)는 폐암 가능성을 의심할 수 있는 소견 중 하나이다(그림 10-8). 이는 주기관지(main bronchus) 혹은 엽기관지(lobar bronchus)에서 생긴 폐암을 반영하거나 인접한 주변의 폐에서 전이된 림프절 때문이다. 인접한 폐의 간질조직 및 기관지벽의 비후가 림프절로 인한 폐문비대소견을 보이는 경우는 소세포암(small cell carcinoma)의 특징적 소견이며, 반대측(contralateral)의 폐문부로 전이되어 양측 폐문 비대를 보이기도 한다.

2. 종격 침범(mediastinal involvement)

림프절의 전이 혹은 근접한 폐암의 직접 침범에 의해 종격이 침범된다. 종격 종괴는 종격 림프절 비대로 오는 경우는 소세포암이 가장 흔하며(62%), 선암이 약 36%이다. 종격 림프절만 보이면 소세포암의 가능성이 높다. 주요한 방사선학적 소견은 종격의 확장(mediastinal widening)으로 다방형(lobulated) 혹은 파상성(undulating)의 경계를 보인다(그림 10-9).

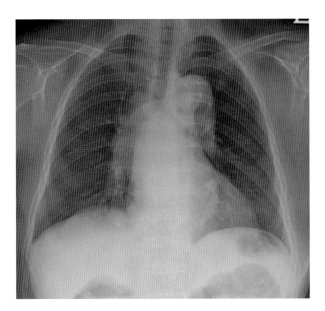
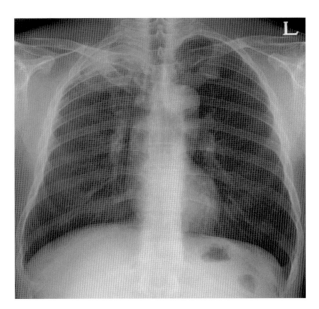

■ 그림 10-9. 75세 남자환자의 다발성 종격 림프절을 침범한 소세포암
양측 종격의 다방형 경계를 보이는 종격 림프절의 비대가 주된 소견이며
좌하엽에 폐결절이 보인다.

■ 그림 10-10. 51세 남자 환자의 우측 폐첨부를 침범한 폐선암
우측 폐첨부에 위치한 종괴와 우측 4번째 늑골의 골파괴 소견이 보인다.

3. 폐첨부 폐종괴(apical pulmonary neoplasms)

흉곽입구(thoracic inlet)는 외측은 첫 번째 늑골, 앞쪽은 첫 번째 늑연골과 흉골자루(manubrium), 뒤쪽은 첫 번째 늑골의 두부(head)와 흉추로 경계를 지으며 폐첨부가 차지한다. 이 부위에 생긴 폐암을 폐첨부 종괴(Pancoast tumor, pulmonary apical tumor, thoracic inlet tumor 또는 superior sulcus tumor)라고 부른다. 이 부위의 종양이 통증이나, 호너씨 증후(Horner's syndrome), 골파괴 및 손근육의 위축을 보이면 팬코스트 증후(Pancoast syndrome)라고 한다. 대부분은 선암 또는 편평세포암이다. 흉부X선사진 소견은 약 50-75%의 폐첨부 폐암이 종괴형태로 나타나며, 나머지에서는 일측성(unilateral) 폐첨부에 흉막비후(pleural thickening)와 유사한 증가된 음영(apical cap)으로 나타난다. 폐첨부의 흉막비후 형태에서는 양측을 비교해서 5 mm 정도의 폐첨부위 음영의 증가를 보이면 폐첨부 폐암의 가능성을 의심해야 하는데, 늑골, 쇄골 등으로 가려진 부위여서 한시점에서의 흉부X선사진만으로 진단하기에는 쉽지 않을 수 있다. 이 경우 추적검사가 도움이 되는데, 추적검사에서 지속적으로 커진다면 폐첨부폐암 가능성을 강력히 시사한다. 1/3의 폐첨부 폐암에서, 발견 당시 폐첨부 종괴에 의한 인접 늑골 혹은 척추체의 골파괴 소견을 보인다(그림 10-10).

4. 흉막 침범

흉막삼출은 원발성 폐암이 있는 경우 8-15%에서 볼 수 있다. 장액성 흉막삼출(serous pleural effusion)은 종양 자체의 흉막 침범보다는 림프관폐쇄(lymphatic obstruction)로 인하여 발생된다. 혈액성 흉수(hemorrhagic effusion)는 폐종양이 흉막에 직접 침범하여 생긴다. 흉막의 침범은 다발성 결절 및 종괴의 형태로 나타난다. 내측의 종격과 접한 흉막의 삼출을 보이는 소견도 흉막 침범의 소견이다(그림 10-11). 미만성 흉막 비후는 중피종(mesothelioma)에서 보이는 소견이지만 말

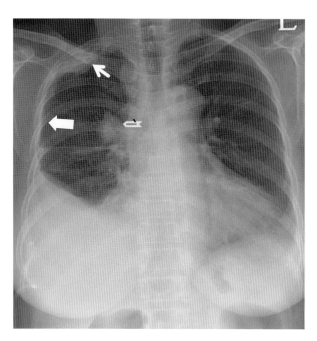

■ 그림 10-11. 43세 여자 환자로 폐선암
우폐문부 종양(열린 화살촉)과 동측의 흉막결절(열린 화살표)과 종괴(화살표) 및 흉수의 소견을 보인다.

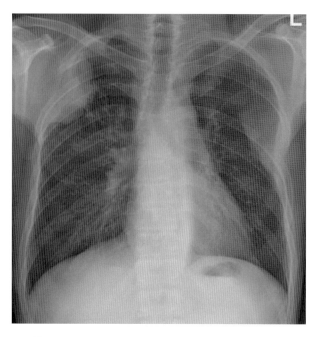

■ 그림 10-12. 47세 남자 환자에서 다발 골전이를 보이는 폐암
우상엽 변연부의 폐종괴가 우측 3번째 늑골을 직접 침범하여 골파괴를 보이며, 좌측 4번째, 5번째 늑골의 전이 골파괴와 늑막비후 및 연조직 형성의 소견을 보인다. 우측 폐문부주위에서 우측 상하폐로 림프행성 폐전이로 보이는 선형증가음영과 기관지혈관속의 비후가 보인다.

초성 폐암의 흉막 침범에서도 같은 소견을 보일 수 있다. 기흉(pneumothorax)은 드물지만 종양 세포에 의한 종양의 직접적 침습이나, 기도 폐쇄에 의한 농양의 천공 혹은 큰공기집(bulla)의 파열에 의해 생길 수 있다.

5. 흉벽 침습

늑골의 파괴(rib destruction)나 흉벽 종괴가 확연하게 보이면 흉벽 침습(chest wall invasion)을 진단할 수 있다. 이러한 소견은 흉벽 침습이 있는 경우의 20-40%에서 보인다(그림 10-12). 종괴와 폐의 경계가 둔각이나 국소적 흉막 비후 등의 소견도 볼 수 있다. 국소적인 흉통이 있는 경우 폐암의 흉벽 침습 진단에 민감도는 높지 않지만 매우 특이적인 소견으로 여전히 폐암에 의한 흉벽침습을 시사하는 가장 특이적인 소견으로 여겨진다. 흡기 및 호기 시 종양이 흉벽을 따라 미끄러지는(sliding) 소견이나 의도적으로 기흉을 유발하여, 종괴가 흉벽과 분리되는지 확인함으로써, 흉벽의 침습을 진단하기도 한다. 기억해야 할 사항은 폐암의 흉벽 침습이 있다 하더라도 수술적 절제는 가능하나 흉벽의 절제 및 재건술 을 시행함으로써 수술에 따른 이환율(morbidity), 사망률(mortality)은 증가한다는 점이다. 더불어, 흉벽침습과 종격동 림프절전이가 동반되어 있는 경우에는 환자의 예후가 불량하다.

6. 골 침습

폐암에 의한 골 침습은 인접한 폐암의 직접적인 침습(direction extension) 혹은 전이에 의해 발생한다. 골전이는 사망 시에 10.40%의 환자에서 보고된다(그림 10-12). 대부분 골파괴(osteolytic)이지만 골형성형(osteoblastic)으로 올 수도 있다. 척추에 가장 흔하게 전이되며(70%) 골반뼈(40%), 대퇴골(25%)의 순이다.

7. 혈행 및 림프관성 전이성 폐암

혈행성 폐전이(hematogenous lung metastasis)에 의한 양측성 폐실질 병변 및 림프관성 폐전이(lymphangitic carcinomatosis)에 의한 그물결절음영양상(reticulonodular pattern)을 볼 수 있다.

혈행성 폐전이의 대표적인 방사선학 소견은 다발성 결절(multiple nodules)인데, 양쪽 폐에 무수히 많은 미세결절성 음영(diffuse micronodular pattern)에서부터 몇 개의 크기가 큰 종괴 형태에 이르기까지 다양하게 나타난다(그림 10-13). 그 중 미만성 미세결절형의 폐전이암은 보통 혈관공급이 풍부한 암종에서 나타나고, 간세포암, 신장암, 갑상선암, 뼈의 육종, 그리고 융모막암종 등에서 볼 수 있다. 단일 폐결절로 나타나는 전이암으로 대장암과 육종을 들 수 있으며, 대장암에 의한 경우가 약 30-40%를 차지한다. 전이 결절의 분포는 폐혈류의 분포를 반영하여 하부 폐에 많이 분포하며 폐의 말초부에 80-90%가 위치한다. 혈행성 전이암에 의한 폐결절은 방사선학적으로 평활하고, 명확한 경계를 보이는데, 이들 전이암들이 주로 폐의 간질내에 분포하기 때문으로 설명한다. 그러나 전이 결절이 간질뿐 아니라 혈관에 인접한 폐포로 증식할 경우에는 불분명한 경계를 보일 수 있다.

림프관성 폐전이는 폐의 림프계 내부에서 종양이 증식되는 경우를 말한다. 폐의 림프계는 중심부간질(axial interstitium), 말초부간질(peripheral interstitium) 및 폐실질내 간질(parenchymal interstitium)로 구분한다. 대부분의 림프관 폐전이는 혈행으로 폐에 전이된 종양세포에서 진행된다. 즉 혈행으로 작은 폐동맥과 소동맥으로 전이된 종양이 혈관벽을 뚫고 인접한 세기관지 혈관주위의 림프관을 침범하여 림프계를 따라서 파급된다. 거의 모든 환자에서 원발 장기로부터의 혈행 전이가 동반되어 있다. 림프관성 폐전이의 흉부X선사진은 폐간질의 비후에 의한 그물음영양상(reticular opacities) 혹은 그물결절음영양상(reticulonodular opacities)으로서 Kerley B와 A선을 동반할 수 있다. 보통 양측 폐에 미만성

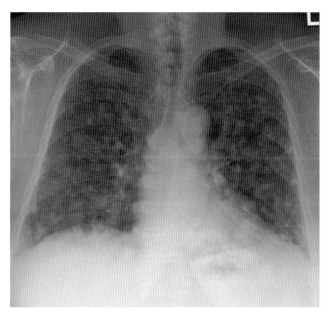

■ **그림 10-13. 원발 담낭암이 있는 61세 여자 환자의 전이 폐암**
다발 혹은 미만으로 폐결절이 산재해 있다. 특히 양폐 하엽에 전이 폐결절이 뚜렷하게 보인다.

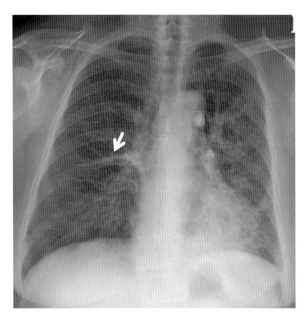

■ 그림 10-14. 유방암을 가진 68세 여자 환자의 림프관성 폐전이
양측 폐야에 미만으로 선형 및 망상형음영과 우측 부엽간열의 비후를 보인다.
좌측 폐문부 및 동맥-폐동맥창부위에 석회화된 림프절이 보인다.

병변으로 나타나고 하부폐에 더 심한 변화를 보인다. 엽간열의 비후나 흉막 삼출도 동반할 수 있으며(그림 10-14) 간혹 한쪽 폐나 하나의 엽(lobe)을 침범할 수도 있다. 그 외 폐전이암의 소견으로, 폐동맥 침범에 의한 폐문부 확대 및 폐경색이 보이기도 한다.

8. 횡격막 상승

폐암에 의한 횡격막신경(phrenic nerve) 침범이 있을 때 일측성횡격막마비(unilateral diaphragmatic paralysis)로 횡격막 상승이 생길 수 있다. 이는 폐하흉막삼출(infrapulmonary pleural effusion)에 의한 가성상승(pseudoelevation)이나 무기폐(atelectasis)에 의한 횡격막상승과 감별하여야 한다.

Ⅲ 양성 종양(benign tumors)

과오종(hamartoma)와 결핵종을 포함한 염증성 결절과 그 외 경화성혈관종(sclerosing hemangioma)을 들 수 있다.

1. 과오종(hamartoma)

과오종은 폐의 가장 흔한 양성 종양으로(75%) 단일 폐결절의 약 8%를 차지한다. 병리학적으로 폐의 정상 구성성분이 비정상적인 비율로 섞여서 종괴 형태를 이루며, 대개 40-50대에 흔하고 유년기에는 드물다. 대부분이 단일 폐결절로 나타나며, 1년에 직경 5 mm 미만의 느린 성장을 보인다. 방사선학적으로 주로(90%) 말초 폐야에서 단일 폐결절로 나타나며 10%에서 중심성 기관지내부에 나타난다. 결절내부에 존재하는 팝콘형 석회화, 지방조직이 특징적인 소견이다. 종양

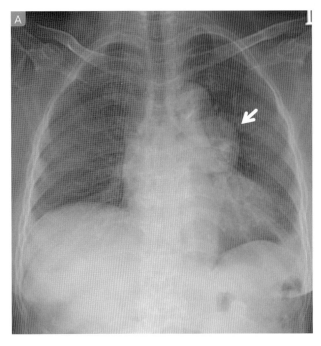

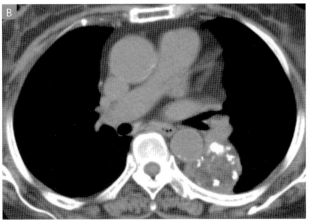

■ 그림 10-15. 83세 여자 환자의 과오종
A. 좌측 폐문부 주위에 석회화를 보이며 경계가 뚜렷하고 매끈한 종괴가 보인다. B. 같은 환자의 CT소견으로 다발의 석회화가 종괴내부에 잘 보인다.

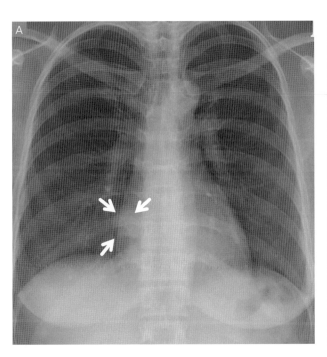

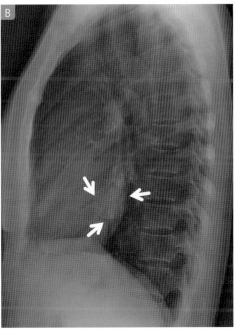

■ 그림 10-16. 44세 여자 환자의 경화성혈관종
A. 흉부X선사진에서 우측 심연에 걸쳐 매끈한(평활한) 경계의 종괴가 보인다. B. 흉부X선 우측면사진에서 우측 심연에 있는 결절은 우측 주엽간열에 위치해 있다.

의 윤곽은 매끈하거나 소엽형상경계면을 보인다(그림 10-15). 팝콘형 석회화 소견을 보이면, 실제적으로 과오종을 진단할 수 있지만, 이와 같은 특징적 소견을 보이지 않을 경우, 악성 폐종양, 특히 폐전이암과의 감별이 어려울 수 있다.

2. 경화성혈관종(sclerosing hemangioma)

경화성혈관종은 폐의 드문 양성 종양으로, 상피세포가 주된 기원이며 30-50대에 호발하고 여성에 많다. 흉막주위에서 호발하며 간혹 엽간열내나 엽간열에 걸쳐서 나타날 수 있다(그림 10-16). 경계가 뚜렷한 원형 또는 난원형의 종양으로 공기반달(air-meniscus)징후를 보이기도 하며 이는 종양자체와 이를 둘러싸는 피막사이의 수축 속도의 차이에 기인한다.

참고문헌

1. Heelan R. Lung cancer imaging: primary diagnosis, staging, and local recurrence. Semin Oncol 1991;18:87-98.

2. 국가암등록사업 연례보고서. Annnual report of cancer statistics in Korea in 2011. 2014. 국립암센터 국가암관리사업본부.

3. Siegel R, Naishadham D, Jemal A. Cancer statistics, 2013. CA Cancer J Clin 2013;63:11-30.

4. Oken MM, Hocking WG, Kvale PA, Andriole GL, Buys SS, Church TR, et al. Screening by chest radiograph and lung cancer mortality: the Prostate, Lung, Colorectal, and Ovarian(PLCO) randomized trial. JAMA 2011;306:1865-1873.

5. National Lung Screening Trial Research Team, Aberle DR, Adams AM, Berg CD, Black WC, Clapp JD, Fagerstrom RM, et al. Reduced lung-cancer mortality with low-dose computed tomographic screening. N Engl J Med 2012;367:11-19.

6. Shah PK, Austin JH, White CS, Patel P, Haramati LB, Pearson GD, et al. Missed non-small cell lung cancer: radiographic findings of potentially resectable lesions evident only in retrospect. Radiology 2003;226:235-241.

7. Kundel HL. Predictive value and threshold detectability of lung tumor. Radiology 1981;139:25-29.

8. Swensen SJ, Jett JR, Hartman TE, Midthun DE, Mandrekar SJ, Hillman SL, et al. CT screening for lung cancer: five-year prospective experience. Radiology. 2005;235:259-265.

9. Muhm JR, Miller WE, Fontana RS, Sanderson DR, Uhlenhopp MA. Lung cancer detected during screening program using 4-month chest radiographs. Radiology 1983;148:609-615.

10. Bruzzi JF, Komaki R, Walsh GL, Truong MT, Gladish GW, Munden RF, et al. Imaging of non-small cell lung cancer of the superior sulcus: part 1: anatomy, clinical manifestations, and management. Radiographics 2008;28:551-560.

11. Shah RM, Balsara G, Webster M, Friedman AC. Bronchioloalveolar cell carcinoma: impact of histology on dominant CT pattern. J Thorac Imaging 2000;15:180-186.

12. Martinez S, Heyneman LE, McAdams HP, Rossi SE, Restrepo CS, Eraso A. Mucoid impactions: finger-in-glove sign and other CT and radiographic features. Radiographics 2008;28:1369-1382.

13. Schnur MJ, Winkler B, Austin JH. Thickening of the posterior wall of the bronchus intermedius. A sign on lateral radiographs of congestive heart failure, lymph node enlargement, and neoplastic infiltration. Radiology 1981;139:551-559.

14. Hansell DM, Bankier AA, MacMahon H, McLoud TC, Muller NL, Remy J, et al. Fleischner Society: glossary of terms for thoracic imaging. Radiology 2008;246:697-722.

15. Quint LE, Park CH, Iannettoni MD. Solitary pulmonary nodules in patients with extrapulmonary neoplasms. Radiology 2000;217:257-261.

16. Klein JS, Braff S. Imaging evaluation of the solitary pulmonary nodule. Clin Chest Med 2008;29:15-38.

17. Park CM, Goo JM, Lee HJ, Lee CH, Chun EJ, Im JG, et al. Nodular ground-glass opacity at thin-section CT: histologic correlation and evaluation of change at follow-up. Radiographics 2007;27:391-408.

18. Park CM. Solitary pulmonary nodule. Imaging of lung cancer. Seoul: Koonja Publishing Inc. 2012:55-60.

19. Woodring JH, Fried AM. Significance of wall thickness in solitary cavities of the lung: a follow-up study. AJR Am J Roentgenol 1983;140:473-474.

❶ 종격의 정상 해부학 및 흉부X선사진 소견

1. 종격의 해부학 및 구획

종격(mediastinum)은 양측 폐 사이에 위치하며 심장과 주요 혈관, 기관 및 기관지, 식도, 림프절 및 신경 등 여러 장기들이 모여 있는 곳으로 양측이 흉막(pleura)에 의해 싸여있다(그림 11-1). 종격은 몇 개의 구획으로 나눌 수 있으며, 해부학적으로는 흉골(sternum)과 흉골자루(manubrium)가 만나는 점과 제4흉추를 연결한 선 위를 위종격이라고 한다. 전종격은 앞으로는 흉골, 뒤에는 심장막, 상행대동맥, 팔머리혈관(brachiocephalic vessel), 아래로는 횡격막(diaphragm)으로 둘러싸여 있으며, CT나 MR영상에서는 혈관앞 부위(prevascular region)에 해당하는 위치이다. 중간종격은 심장과 심장막이 있는 공간이며, 후종격은 팔머리혈관, 대동맥, 폐동맥, 그리고 심장과 같은 구조물들의 후연을 연결한 선의 후방 공간이다. 그러나 방사선학적으로는 위종격을 따로 나누지 않고 주로 전·중간·후종격 세 구획으로 나누는데, 이는 세 구획별로 호발하는 질환의 종류가 다르기 때문이다(그림 11-2)[1].

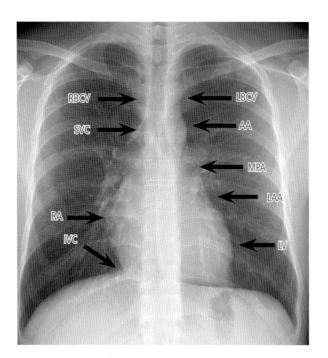

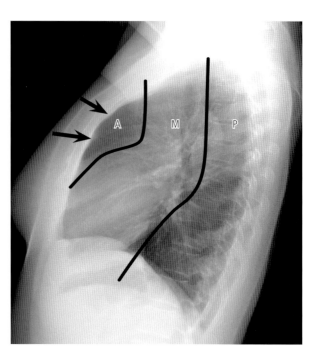

■ 그림 11-1. **흉부X선 후전사진**
LBCV = 좌측팔머리혈관(left brachiocephalic vessel), SVC = 상대정맥(superior vena cava), RA = 우심방(right atrium), IVC = 하대정맥(inferior vena cava), RBCV = 우측팔머리혈관(right brachiocephalic vessel), AA = 대동맥활(aortic arch), MPA = 주폐동맥(main pulmonary artery), LAA = 좌심방부속기(left atrial appendage), LV = 좌심실(left ventricle).

■ 그림 11-2. **흉부X선 측면사진**
A = 전종격, M = 중간종격, P = 후종격. 화살표가 가리키는 부위가 흉골 뒤공간으로 정상에서 저음영으로 보인다.

2. 정상 종격 및 종격 종괴의 흉부X선사진 소견

종격 질환은 흉부X선사진에서 정상 구조물들 특히 심장 및 혈관 음영에 의해 가려져 보이지 않는 경우가 많으며, 종격 질환에 의한 이상소견을 찾아내기 위해서는 흉부X선 후전 및 측면사진에서 종격의 윤곽을 이루는 정상 구조물들에 대해 잘 알고 있어야 한다. 정상 흉부X선 후전사진에서 종격의 우측 윤곽은 위에서부터 우측머리(완두, brachiocephalic)혈관, 상대정맥(superior vena cava), 우심방(right atrium), 하대정맥(inferior vena cava)에 의해, 좌측 윤곽은 좌측팔머리혈관, 대동맥활(aortic arch), 주폐동맥(main pulmonary artery), 좌심방부속기(left atrial appendage), 좌심실(left ventricle)에 의해 구성된다(그림 11-1). 흉부X선 후전사진에서 종격윤곽선이 정상 모양을 잃고 돌출되어 보이면 종격 종괴를 의심해야 한다(그림 11-3 A).

흉부X선 측면사진에서 종격은 흉골 뒤에서부터 뒤갈비뼈(늑골) 안쪽까지이다. 흉골과 심장 사이 공간을 흉골뒤공간(retrosternal space)이라고 하는데, 여기에는 소량의 지방조직, 림프절, 일부 남아있는 흉선(thymus) 조직만이 있어 흉부X선 측면사진에서 저음영으로 보이며(그림 11-2), 전종격 종괴가 있으면 흉골뒤공간의 저음영이 소실된다(그림 11-3 B).

흉부X선사진에서 종격 종괴는 종격에 넓게 붙어 있으면서 종격과 둔각을 형성하고 인접한 폐와의 경계가 평활하며 연필로 그린 듯이 선명하다.

흉부X선 후전사진에서 종격음영 내부에 몇 가지 정상구조물에 의한 세로선들이 보이는데, 이 구조물들에 연하여 종

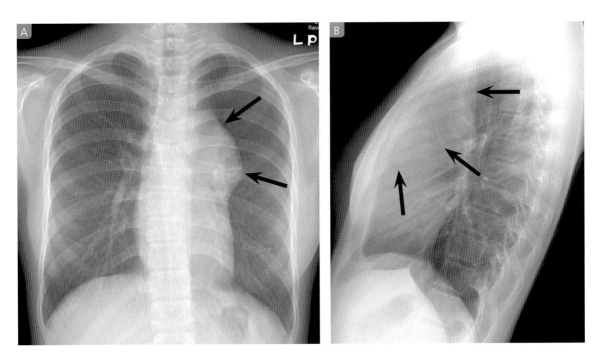

■ 그림 11-3. 전종격에서 발생한 기형종
A. 흉부X선 후전사진에서 대동맥활, 주폐동맥, 좌심방부속기의 정상 윤곽선이 소실되면서 돌출된 종괴가 보인다. 종괴는 종격에 넓게 붙어 있으면서 종격과 둔각을 형성하고 있고, 인접한 폐와 선명한 경계를 보인다(화살표). **B.** 흉부X선 측면사진에서 종괴에 의해 흉골뒤공간의 저음영이 소실되어있다(화살표).

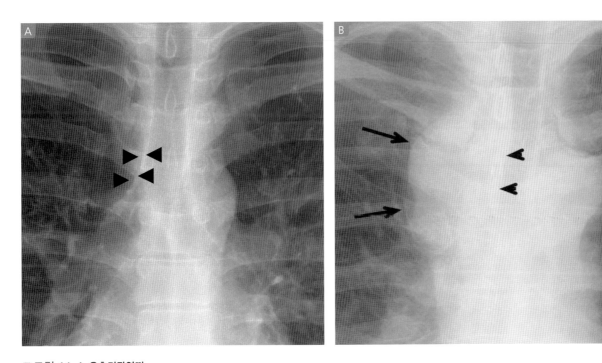

■ 그림 11-4. 우측기관옆띠
A. 정상에서 우측기관옆띠가 보인다(화살촉). **B.** 아밀로이드증에 의해 우측기관옆공간에 종괴가 있는 환자로 우측기관옆띠가 소실되었고(화살촉), 우측기관옆공간의 음영이 좌측 대동맥활음영만큼 증가되어 있으며 외측 윤곽도 돌출되어 있다(화살표).

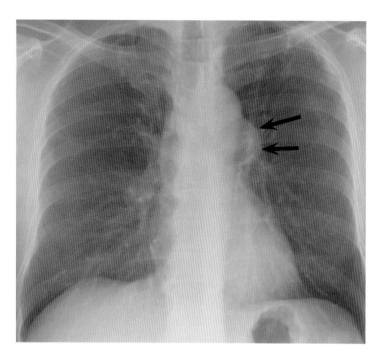

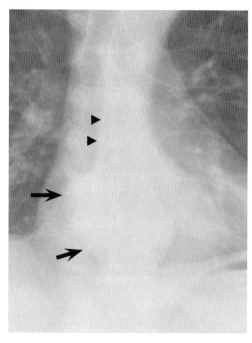

■ 그림 11-5. 대동맥폐동맥창에서 발생한 부신경절종
대동맥폐동맥창에 외측으로 돌출된 종괴음영이 보인다.

■ 그림 11-6. 식도에 발생한 신경집종
기정맥식도경계면(화살촉)이 식도의 신경집종에 의해 우측으로 돌출되어 있다(화살표).

괴가 있을 경우 세로선이 소실되거나 돌출되게 된다. 우측기관옆띠(right paratracheal stripe)는 기관의 우측벽과 여기에 붙어있는 내측흉막이 우측의 우상엽내 공기와 좌측의 기관내 공기에 의한 저음영 사이에서 선상으로 보이는 것으로, 최대 4 mm 이하이다(그림 11-4 A). 우측기관옆공간은 가슴에서 폐암이나 결핵 등에 의한 림프절비대가 가장 호발하는 부위로, 이 부위에 림프절비대나 종괴가 있으면 기관옆띠가 소실되고 우측기관옆공간의 음영이 증가되며, 림프절이 클 경우에는 윤곽선이 돌출된다(그림 11-4 B)[2]. 대동맥폐동맥창(aortopulmonary window)은 상방으로 대동맥활과 하방으로 좌폐동맥에 의해 형성된 공간으로 흉부X선 후전사진에서 볼록하게 보이면 비정상으로 간주되며, 이전 사진과 비교해서 변화가 있을 경우에도 비정상으로 간주된다. 대개 풍부한 종격지방, 림프절비대, 기관지동맥류 혹은 신경초기원종양 등에 의해 비정상적인 돌출음영을 볼 수 있다(그림 11-5). 기정맥식도경계면(azygoesophageal interface)은 기관분기부(tracheal carina) 아래에서 기정맥과 식도가 우측폐와 만나는 부위에 형성되는 세로줄로, 기관용골아래에 림프절비대, 엽간열탈장(hiatal hernia), 기관지낭, 식도 종괴, 흉막병변 혹은 좌심방비대를 동반한 심비대가 있을때 우측으로 돌출된다(그림 11-6). 척추옆경계면(paraspinal interface)은 척추 및 척추옆조직에 폐와 흉막이 만나 이루어지는 척추옆을 따라가는 세로선으로, 후종격에 척추옆농양이나 신경성종양이 있을때 바깥쪽으로 돌출된다(그림 11-7)[1].

❚❚ 전종격

전종격에는 정상적으로 흉선, 림프절, 지방조직이 존재하며 전종격의 질환 중에는 흉선이나 림프절에서 발생하는 경우

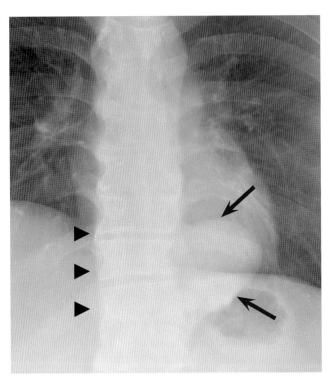

■ 그림 11-7. 후종격에 발생한 신경집종
우측 척추옆경계면이 정상으로 보이는데 비해(화살촉) 좌측은 척추옆에
있는 종양에 의해 외측으로 돌출되어 있다(화살표).

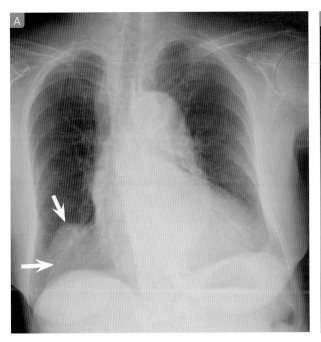

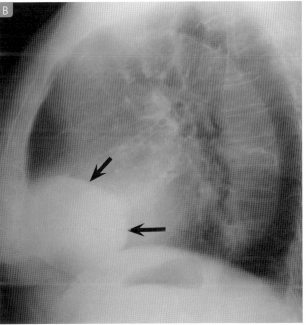

■ 그림 11-8. 전종격에 발생한 모르가니탈장
A. 흉부X선 후전사진에서 우측심장횡격막각에 경계가 좋은 종괴음영이 보인다. B. 흉부X선 측면사진에서 종괴음영이 흉골뒤공간에 보인다.

가 많다. 이외의 질환으로는 갑상선질환, 이소성부갑상선질환, 중간엽종양(mesenchymal tumor), 모르가니탈장 등이 있다(그림 11-8). 전종격에 가장 호발하는 질환은 예로부터 학생들의 암기를 돕기 위하여 '4T'라는 약자를 사용하는데, 여기에는 흉선종(thymoma), 기형종(teratoma), 갑상선종(thyroid goiter), 림프종("terrible" lymphoma)이 포함되며, 특징적으로 환자의 나이와 성별 그리고 증상의 유무가 진단 및 악성 여부에 도움이 될 수 있으므로, 판독 시 항상 고려하여야 한다.

흉부X선사진에서 종격에 종괴가 의심될 경우, 첫째 종격질환인지, 둘째 종격질환이라면 종격내의 위치는 어디인지, 마지막으로 종괴의 특성이 어떠한지 생각해 보아야 한다. 먼저 종격에서 발생한 종괴는 폐병변과 달리 공기기관지조영상(air bronchogram)이 없으며, 폐와 이루는 경계는 둔각이며, 전접합선, 후접합선, 기정맥식도경계면과 같은 종격선상음영이 소실되거나 왜곡된다(그림 11-3). 또한 흉골, 늑골, 척추이상이 동반될 수 있다. 두 번째로 흉부X선에서 전종격을 시사하는 소견은 전접합선의 전위, 심장횡격막각의 소실, 흉골뒤공간 저음영의 소실, 폐문덮개징후(hilum overlay sign), 경흉부징후(cervicothoracic sign) 그리고 상행대동맥 음영 소실 등이 있다. 폐문덮개징후는 흉부X선 후전사진에서 종격 종괴와 폐문이 겹쳐 보이나, 폐문혈관과 경계가 잘 구분되어 보이면, 그 종괴는 폐문에서 발생한 것이 아니라는 의미이다(그림 11-9)[1]. 또한 전종격의 상방은 정상적으로 쇄골에서 끝나지만 후종격은 쇄골 상방까지 이어지는 해부학적 구조로 인해 흉부X선 후전사진에서 병변의 상부경계가 불분명해지면 이는 전종격 병변을 시사하고, 병변의 경계가 쇄골 상부에서 선명하다면 기관보다 후방에 위치한 병변을 시사하는 것이 경흉부징후이다(그림 11-10)[1].

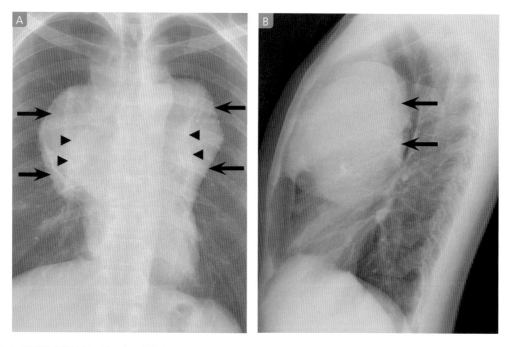

■ 그림 11-9. 폐문덮개징후를 보이는 전종격의 악성배아세포종양
A. 흉부X선 후전사진에서 종괴음영(화살표)이 폐문과 겹쳐 보이나, 폐문혈관(화살촉)과 경계가 잘 구분되어 보인다. B. 흉부X선 측면사진에서 종괴음영이 흉골뒤공간에 있으며 기관과 폐문혈관을 후방으로 전위시켜 보인다.

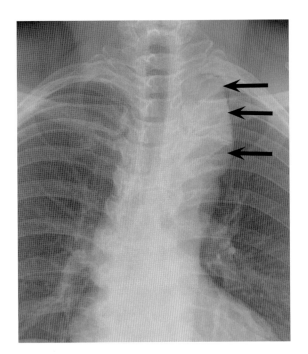

■ 그림 11-10. 경흉부징후
후종격에서 발생한 신경절신경모세포종으로, 흉부X선 후전사진에서 종괴의 경계가 쇄골 상부에서 선명하게 보인다.

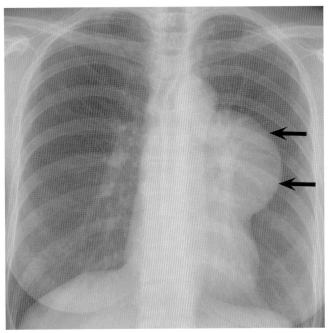

■ 그림 11-11. 흉선종
흉부X선 후전사진에서 좌심방부속기와 좌심실의 정상 윤곽선이 소실되면서 돌출된 종괴가 보인다. 종괴는 종격에 넓게 붙어 있으면서 종격과 둔각을 형성하고 있고, 인접한 폐와 선명한 경계를 보인다.

1. 흉선 질환

전종격 종괴의 대부분은 흉선에서 기원하는 것으로 이 중에서도 흉선종(그림 11-11)이 가장 흔하지만, 그 외에도 흉선증식증(thymic hyperplasia), 흉선낭(thymic cyst)(그림 11-12), 흉선지방종(thymolipoma), 흉선암종(thymic carcinoma), 흉선유암종(thymic carcinoid) 등이 발생할 수 있다.

흉선종은 성인에서 발생하는 전종격 원발성 종양 중 가장 흔하며 대개 중년에서 발생하고 평균호발연령은 50세이다. 많은 경우 특별한 증상 없이 우연히 발견되지만 중증근무력증(myasthenia gravis), 적혈구무형성(red cell aplasia), 저감마글로불린혈증(hypogammaglobulinemia) 등과 동반되어 나타나기도 한다. 중증근무력증 환자의 10-23%에서 흉선종이 있고, 흉선종이 있는 환자의 35-40%에서 중증근무력증을 가지며, 중증근무력증이 있는 환자에서는

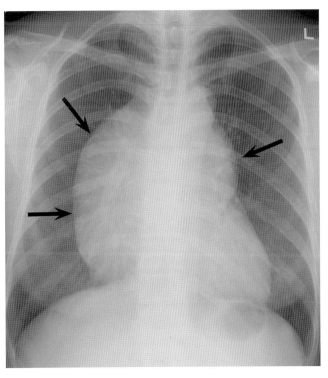

■ 그림 11-12. 전종격에 발생한 흉선샘낭
낭종에 의해 양측 종격윤곽선이 돌출되어 있다(화살표).

좀더 이른 나이에서 발생하기도 한다. 대부분이 심장보다 약간 위에 위치하지만, 흉곽입구(thoracic inlet)에서부터 횡격막까지 어디에서든지 발생할 수 있다. 흉부X선 사진에서 흉선종은 부드럽게나 울퉁불퉁한 윤곽을 동반한 일측성의 경계가 좋은 전종격 종괴로 주로 보인다. 국소 침범이 있으면 이웃한 폐와 불규칙한 경계를 보이거나 횡격막신경을 침범하여 일측성 횡격막 거상을 볼 수 있다. 또한 흉막 결절이 있다면 흉막 전이를 시사한다[3].

흉선증식증은 진성흉선증식증과 흉선림프구증식증으로 크게 나눌수 있으며, 진성흉선증식증은 정상 모양을 유지하면서 흉선이 커진 경우로 화학요법, 방사선 조사, 스테로이드 요법, 열화상과 같은 최근의 스트레스로부터 회복되는 시기에 나타나는 반동흉선증식증(rebound thymic hyperplasia)인 경우가 흔하다. 대부분 흉선이 미만성으로 비대되기 때문에 흉부X선사진에서는 종격의 윤곽선이 종양에서처럼 돌출되기 보다는 양측 혹은 일측성으로 미만성 확장을 보인다(그림 11-13). 흉선림프구증식증은 림프소포(lymphoid follicle)의 수가 증가한 것으로, 크기가 정상이거나 커지며 또는 국소 종괴로 보인다. 중증근무력증 환자의 50%에서 보이고 이외 전신홍반루프스, 갑상선항진증, 애디슨병, 하시모토병, 결절다발동맥염 등에서도 동반된다[4].

흉선낭은 선천성과 후천성이 있으며, 선천성 흉선낭은 단방낭이면서 증상이 없는데 반해 후천성 흉선낭은 다방낭이며 흉선종양, 가슴절개술 후, 호지킨병의 화학요법이나 방사선치료 후, 염증의 후유증에서 보일 수 있다. 흉부X선 사진에서 흉선낭은 다른 흉선종괴와 구별되지는 않는다[5].

흉선지방종은 젊은 성인에서 심장횡격막각에 잘 생기며, 다량의 지방, 소량의 연부조직과 섬유성격막을 보이는 경계가 잘 그려지는 병변이다(그림 11-14)[6]. 중증근무력증, 갑상선항진증, 혈액 장애가 동반될 수 있다[7].

흉선암종은 흉선 상피종양의 약 20% 정도를 차지하며 평균 발병 연령은 50세이다. 불규칙한 윤곽, 불균질한 조영증

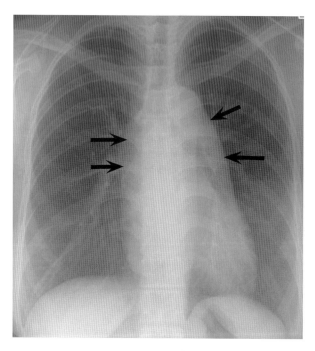

■ **그림 11-13. 갑상선과다증에서 동반된 흉선증식증**
흉선의 미만성 비대로 인해 종격의 양측 윤곽선이 확장되어 있다.

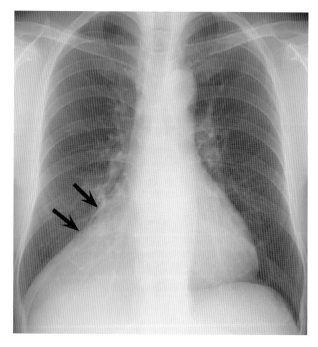

■ **그림 11-14. 흉선지방종**
흉부X선 후전사진에서 우측심장횡격막각에 경계가 좋은 삼각형모양의 종괴음영이 보인다.

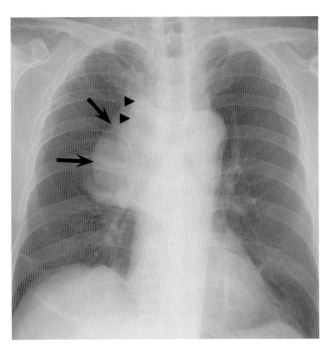

■ 그림 11-15. 흉선암종
전종격 종괴에 의한 종괴음영(화살표)이 우측폐문 주위에 보이며, 우측기관옆공간에 림프절증대로 인한 우측기관옆띠의 소실, 음영증가 그리고 외측 윤곽의 돌출이 보인다(화살촉).

강, 괴사 또는 낭성 변화, 림프절증대, 대혈관 침범 등은 흉선종보다 흉선암종을 더 시사하는 소견이다(그림 11-15)[7].

흉선유암종의 영상의학적 소견은 큰 전종격종괴의 소견과 유사하며, 신생물딸림증후군이 나타날 수 있고, 높은 재발과 전이로 인해 예후는 나쁘다[4].

2. 배아세포종양

전종격에 발생하는 배아세포(germ cell) 기원의 종양은 배아기에 난황주머니에서 비뇨생식능선(urogenital ridge)으로 이동하던 과정에서 전종격에 남겨진 원시배아세포나 혹은 다양하게 분화할 수 있는 잠재성을 가진 중간엽세포(pleuripotential mesenchymal cell)에서 분화하여 발생하는 것으로, 기형종이 가장 흔하지만, 다른 배아세포종양인 피부모양기형낭(dermoid cyst)이나 악성배아세포종도 발생한다. 배아세포종양은 성인의 전종격종양 중 10-15%를, 소아에서는 25%를 차지하고, 10-30대 사이에서 호발하며, 양성은 남녀에서 같은 빈도로 발생하나 악성의 경우 남성에서 훨씬 너 많다.

기형종은 가장 흔한 종격배아세포종양이며 3개의 배엽층(외배엽, 중배엽, 내배엽)에서 기원하는 다양한 종류의 세포조직이 섞여 있는 종양으로, 경계가 분명한 종괴로 흉부X선사진에서 다른 전종격 종괴와 동일한 소견을 보이나(그림 11-3), 매우 드물게 종양내에 치아에 의한 음영이 보이면 기형종으로 진단할 수 있다. 또한 기형종이 파열될 경우 주위에 기강경화, 무기폐 그리고 흉막삼출 혹은 심장막삼출이 더 흔히 보인다.

악성배아세포종은 젊은 성인 남성에서 호발하며 전종격에 경계가 잘 그려지는 종양으로 종종 조기에 폐전이를 하므로, 젊은 남자에서 전종격 종괴와 함께 폐에 다발성 결절이 보이면 의심할 수 있다(그림 11-16)[7].

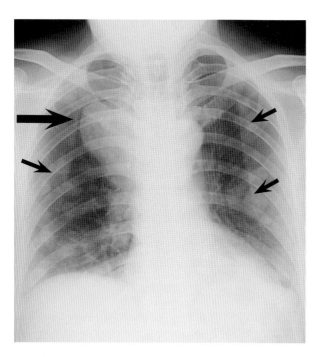

■ 그림 11-16. 다발성폐전이를 동반한 악성배아세포종
전종격 종괴에 의한 종격 종괴음영(큰 화살표)과 양측 폐에 혈행성 전이
에 의한 여러개의 결절들이 보인다(작은화살표).

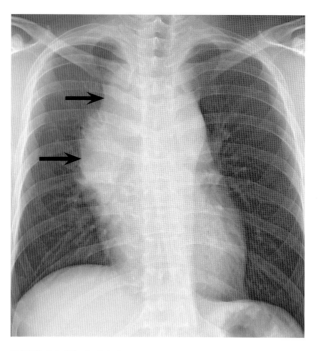

■ 그림 11-17. 호지킨병
흉부X선 후전사진에서 상대정맥과 우심방의 윤곽을 소실시키면서 돌출
하는 종괴가 보인다.

3. 림프종

종격림프종은 흉선과 림프절기원으로 알려져 있으며 성인에서 종격 종양의 20%, 소아에서는 50%를 차지하며, 종격림
프절증대가 흔한 형태이며 주로 전종격과 중간종격에서 발생한다(그림 11-17). 많은 경우 전신질환에 이차적으로 발생하
지만 진단 시에 종격에만 국한되는 경우는 10% 이하로 드물고 주로는 호지킨병이 많다.

호지킨병은 젊은 성인 여성과 50대 이후에서 호발하며, 종격림프종의 50-70%를 차지하고 결절경화형(nodular scle-
rosis)이 가장 흔한 조직형이다. 호지킨병은 한 곳에서 발병하여 전형적으로 주위의 림프절군에 연속적으로 퍼져 나가는
경우가 많고 비호지킨림프종은 여러 곳에서 발병하는 경향이 많고 흔히 비연속적으로 여러 곳으로 퍼져 나간다. 비호지
킨림프종은 종격림프종의 10-15%를 차지하고 림프모구림프종(lymphoblastic lymphoma)과 광범위큰B세포림프종(dif-
fuse large B-cell lymphoma)이 가장 흔한 형태이다. 림프모구림프종은 소아와 청소년에서 주로 발생하며 기도나 심혈관
을 누르는 큰 전종격 종괴로 보이고 흉관외의 림프절, 중추신경계, 골수, 생식샘으로 빠르게 확산된다. 흉막삼출, 심장막
삼출도 흔하다. 광범위큰B세포림프종의 평균 발병연령도 30세 정도이다. 대부분의 종격림프종은 공격적인 임상양상을
띠며 공통적으로 종격의 큰 종괴, 종격림프절비대, 흉막 혹은 심장막삼출을 보이고 내부에 괴사부위를 보일 수 있다(그
림 11-18)[7, 8].

4. 갑상선 종괴

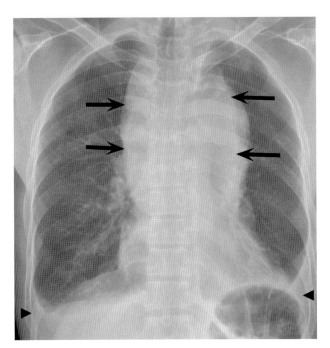

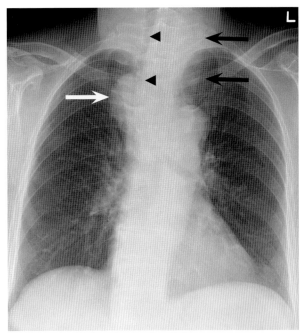

■ 그림 11-18. 비호지킨림프종
종양에 의해 양측 종격윤곽선이 돌출되어 있으며(화살표) 양측 흉막삼출이 보인다(화살촉).

■ 그림 11-19. 종격내로 자라 내려온 갑상선종
쇄골 상부에서 보이는 경부 기관이 좌측 갑상선 종괴에 의해 우측으로 밀려있고(화살촉), 종괴가 종격내로 자라 내려와 양측 팔머리혈관 및 상대정맥의 윤곽을 소실시키는 돌출음영을 보인다(화살표).

가슴내갑상선종은 갑상선이 가슴내 전종격 혹은 중간종격으로 자라 들어온 경우이며, 드물게 갑상선암도 내려올 수 있다. 극히 드물게 갑상선과 연결이 없는 경우도 있으나, 대부분 갑상선과 연결이 있으므로, 흉부X선 후전사진에서 목에 있는 기관이 종괴에 의해 한쪽으로 밀려있고 여기에서 아래로 연결된 종격 종괴가 보인다(그림 11-19).

Ⅲ 중간종격

중간종격에는 심장과 심장막이 있는 공간으로 정의되며 심장과 대혈관, 기관 및 주기관시, 기관주위림프질, 횡격막신경, 미주신경 및 좌반회후두신경(recurrent laryngeal nerve) 등을 포함한다. 중간종격의 앞쪽 경계는 심장막, 뒤쪽 경계는 후방 기관지벽으로 되어 있으며 상방으로는 흉곽입구, 아래쪽으로는 횡격막에 의해 구분된다. 중간종격에서도 다양한 선천성 낭종, 림프절 질환 및 종양 외에도 감염이나 출혈, 탈장, 대동맥혈관질환과 같은 비종양성 질환이 발생할 수 있으며 심혈관 질환은 뒤에 따로 다루기로 한다.

1. 림프절 질환

림프절비대를 일으키는 원인 질환은 매우 다양한데 대표적 악성질환으로는 림프종이나 림프절전이, 감염성질환으로는

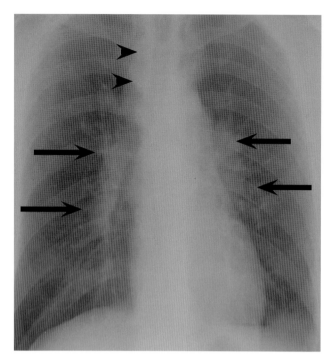

■ 그림 11-20. 사르코이드증
양측 폐문이 림프절비대에 의해 대칭적으로 커져 있으며(화살표), 우측 기관옆에도 림프절비대에 의한 음영증가를 보인다(화살촉)

결핵성림프절염이 있고 그 외에 사르코이드증(sarcoidosis) 등이 있다. 이 중 림프종은 앞서 기술하였듯이 전종격뿐만 아니라 중간종격에서도 흔하고 어느 종격에서도 발생할 수 있다.

결핵성림프절염은 주로 젊은 환자에서 결핵의 급성기에 종격림프절이 커지며 주로 폐가 침범된 측의 림프절이 비대칭적으로 커진다. 그 중 우측기관측부(right paratracheal)와 전종격, 폐문 림프절비대가 가장 흔하고 기관분기하부(sub-carinal)와 대동맥폐동맥창(aortopulmonary window) 림프절도 드물지 않게 병발한다. 동반되는 폐실질 병변 없이 림프절만 침범될 수 있다. 치료를 하면 폐실질 병변보다 림프절염이 좀더 더디게 호전되며, 점차 사라지거나 질환이 오래 경과하였을 경우 섬유화가 남거나 내부에 석회화가 생기기도 한다. 석회화의 유무가 질환의 활동성을 반영하지는 않는다.

사르코이드증은 비건락성 육아종(noncaseous granuloma)이 전신의 여러 기관을 침범하는 원인 불명 염증성 질환이다. 모든 연령대에서 생길 수 있지만, 20-40대의 젊은 환자에서 흔히 생기며 특별한 전신증상 없이 환자의 85%가 흉부 림프절비대를 보이는데 우측기관측부 림프절비대를 동반한 양측폐문 림프절의 대칭적 비대가 전형적 양상이다(그림 11-20)[9]. 사르코이드증에서 폐문 림프절의 대칭적 비대 소견과 특별한 증상이 없다는 점은 감별 질환인 림프종, 결핵, 전이성 질환과 구별되는 중요한 소견이다. 커진 림프절은 경계가 좋으며 석회화는 드물지만 만성 환자에서는 25-50%에서 동반되며 점상 모양이나 달걀껍질모양(eggshell)의 석회화를 보일 수 있다. 폐실질 소견은 작은 결절, 간유리혼탁, 망상음영, 폐실질섬유화 등이다[10, 11]. 대부분 호전되거나 안정된 병변으로 남지만 일부에서는 폐섬유화가 진행된다.

거대림프절증식증(Castleman's disease)은 드물게 생기는 양성 림프증식성 질환으로 흉부에서는 종격 림프절에 가장 흔히 생기지만, 폐, 흉막, 흉벽에서도 생길 수 있다. 병리조직학적으로는 유리질혈관형(hyaline vascular type, 90%)과 형질세포형(plasma cell type)의 두 가지가 있으며, 중간종격에서는 유리질혈관형이 흔하게 우연히 발견되는 경우가 많다. 유리질혈관형은 양성으로 대개 증상이 없으며 중간종격, 후종격 혹은 폐문주위 종괴로 발견된다. 형질세포형은 좀더 공격적으로 발열, 빈혈, 체중감소 등의 전신 증상을 자주 보인다. 임상적으로는 국소형(localized type)과 다중심형(multi-

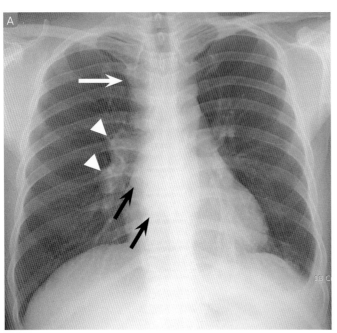
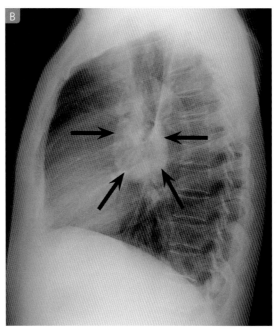

■ 그림 11-21. 림프종
A. 우측기관옆 림프절비대에 의해 우측기관옆띠가 소실되고 우측기관옆공간음영이 좌측 대동맥활과 유사한 정도로 증가되어 있으며 종격 윤곽선도 정상 혈관윤곽선에 비해 외측으로 돌출되어 있다(흰 화살표). 기관용골하부 림프절비대에 의해 기정맥식도경계면의 우측으로의 돌출이 보이고(검은 화살표), 우측 폐문음영이 결절모양을 보이면서 커져있다(화살촉). **B.** 흉부X선 측면사진에서 기관분기부하부에 림프절비대에 의한 종괴 음영이 보인다(화살표).

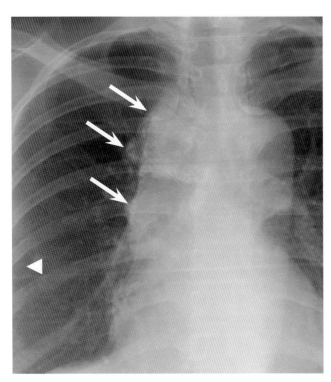

■ 그림 11-22. 치유된 결핵에서 석회화 림프절
우측기관옆과 폐문부에 석회화된 림프절이 보이고(화살표) 우측 폐에 폐결핵이 치유되고 남은 석회화된 육아종이 보인다(화살촉).

centric type)의 두 가지가 있으며, 국소형은 대개 고립성이며 두 가지 조직형 모두 가능하고 대부분의 환자에서 증상 없이 우연히 종격동이나 폐문 종괴로 병발한다. 다중심형은 다발성이며 간비장비대 등의 전신증상을 동반할 수 있고, 형질세포형이 많고 국소형보다는 나이 든 사람에 생기며 예후가 더 좋지 않다[12].

흉부X선사진에서는 림프절비대가 기관지 우측에 있으면 우측기관옆띠의 소실과 우측기관옆공간의 음영 증가를 보이고(그림 11-20 ~ 11-22), 기관용골 하부에 있으면 기정맥식도경계면이 우측으로 돌출되거나 흉부X선 측면사진에서 기관용골하부에 종괴 음영을 보인다(그림 11-21). 폐문부 림프절비대가 있으면 폐문 음영이 결절모양으로 커진다(그림 11-20, 11-21).

2. 낭성 질환

중간종격에 있는 구조물들에서 기원하는 다양한 선천성 낭종들이 발생할 수 있는데, 여기에는 기관지낭(bronchogenic cyst), 심장막낭(pericardial cyst), 신경창자낭(neurenteric cyst), 식도중복낭(esophageal duplication cyst) 등이 있다. 기관지낭은 선천성 질환으로 임신 26-40주 사이에 배아앞창자(embryonic foregut)의 비정상적인 싹에 의해 생기며 호흡상피세포로 내막이 구성되며 연골, 기관지샘(bronchial gland), 평활근 등이 확인될 수 있다. 구형 종괴로 종격 내에서는 주로 기관의 우측 옆과 기관분기부 하부에 호발하고(그림 11-23), 때로는 식도주위 혹은 심장뒤공간, 전종격, 폐안, 흉막, 심장막 그리고 횡격막에서도 발생하기도 한다[6]. 드물게 내부에 공기가 있는 낭종이 있을 수 있으며 이는 이차적인 감염이나 기관지와의 교통을 의미한다[7]. 심장막낭은 횡격막이나 앞쪽의 심장막에 붙어 있을 수 있고 드물게 심장막강(pericardial cavity)과 연결된다. 낭종벽의 석회화는 드물고, 70%는 우측 심장횡격막각, 22%는 좌측 심장횡격막각, 그리고 드물게

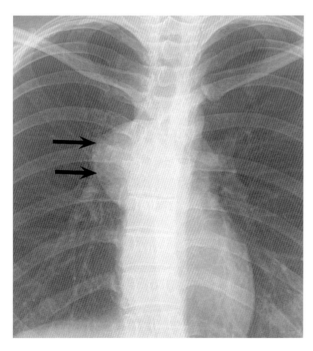

■ 그림 11-23. 중간종격에 발생한 기관지낭
기관 우측 옆과 기관용골하부에 걸쳐 우측으로 돌출된 종괴음영이 보인다.

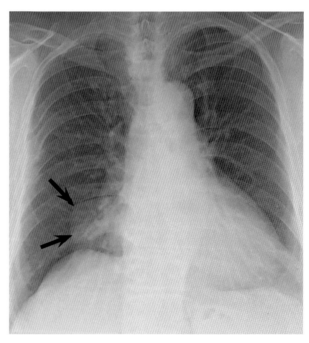

■ 그림 11-24. 우측 심장횡격막각에 발생한 심장막낭
심장의 우측 윤곽선을 소실시키는 종괴음영이 보인다.

심장의 다른 부위에 생긴다[6, 13]. 방사선학적으로 경계가 좋은 구형 혹은 난원형의 단방성 낭성 종괴이며 특징적으로 심장, 전흉벽, 횡격막에 닿아 있다(그림 11-24).

3. 중간엽 종양

다양한 중간엽 조직(mesenchymal tissue) 기원의 종양이 발생할 수 있는데, 양성 및 악성 지방종, 림프관종, 혈관종 등이 있다. 림프관종(lymphangioma)은 보통 주로 소아에서 발생하며 이때는 목이나 액와부에 호발하나, 성인에서 발견될 때는 종격에 병발하는 경우가 더 많다(그림 11-25). 대개 위가슴문에서부터 종격 상부에 위치하고, 목이나 액와 부위 병변과 연결이 되기도 한다[14].

4. 비종괴성 질환

종격내에 공기나 출혈 혹은 염증에 의한 액체저류는 주로 중간종격에 발생한다.

1) 종격동기흉
흉곽입구(pneumomediastinum)은 종격동 공간 내에 공기가 존재하는 것을 의미하며, 원인으로는 폐포 파열, 기관 내지 기관지, 식도의 파열이 있으며, 드물게 가스를 발생하는 종격동 감염이 원인일 수 있다. 또한 기관내삽관(endotracheal

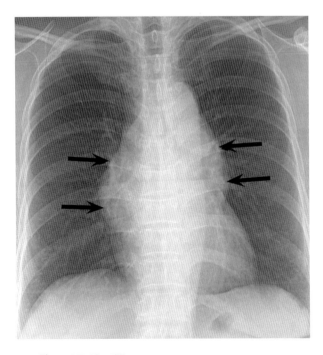

■ 그림 11-25. **림프관종**
종괴에 의해 양측 종격윤곽선이 돌출되어 있다.

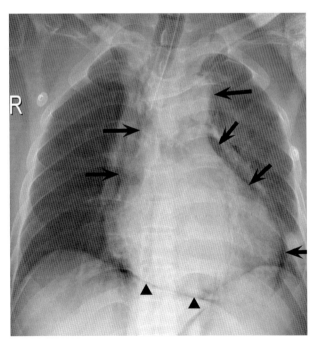

■ 그림 11-26. **기종격**
흉부X선 전후사진에서 기관, 대동맥활, 양측 종격윤곽선을 따라 주행하는 선상의 공기음영이 보이며(화살표), 심장의 아래 부분에도 공기음영이 보여 좌우 횡격막이 연결되어 보인다(화살촉).

intubation)을 시행한 직후나 외상환자에서 흔히 볼 수 있고, 때로는 기침을 심하게 하는 환자에서도 보이는데 이는 기침할 때 폐포 내압이 상승하면서 폐포가 파열되고 여기서 새어나온 공기가 폐의 간질을 따라 종격내로 유입되기 때문이다. 자연발생적인 폐포 파열은 젊은 연령에서 흔하며 천식, 심한 기침 또는 구토의 병력과 관련이 깊다. 그 외 크룹, 심한 운동, 코카인 흡입, 이산화질소 흡입, 미만성간질폐섬유화증이 원인이 될 수 있다. 흉강 내로도 파열된 공기가 새어나가서 기흉이 동반되기도 한다. 소아의 경우 호흡곤란증후군 등의 원인으로 기계호흡을 하는 환자에서도 폐포 파열에 의한 기종격과 기흉이 흔히 발생한다. 흉부X선사진에서 종격동 혈관, 기관 및 기관지, 식도, 횡격막 등의 구조물을 둘러싸는 방울 모양(bubbly)과 줄무늬(streaky) 모양의 공기 음영이 보이며 벽측 흉막이 종격동 혹은 흉벽으로부터 떨어져 종격동이나 흉벽에 평행한 공기음영이 보이기도 한다(그림 11-26). 또한 심장, 대동맥, 흉선의 경계부위가 공기의 저음영에 대비되어 명확하게 보이기도 하며 기관지주변 간질에 공기가 들어가서 간질성 폐기종(pulmonary interstitial emphysema)이 동반된다. 심장의 아래 부분에 공기가 확인되어 좌우 횡격막이 연결되어 보이기도 하며(continuous diaphragm sign) (그림 11-26) 흉선 하방에 공기가 들어가 흉선의 윤곽이 보이기도 한다(sail sign).

2) 출혈

종격내 혈관 손상으로 인해 출혈이 일어날 수 있다. 흔한 원인으로는 쇄골하정맥(subclavian vein)에 카테터를 삽입하면서 혈관에 손상을 주는 것으로 흉부X선사진에서 카테터가 삽입된 혈관주변으로 혈종에 의한 음영이 보인다(그림 11-27). 심한 가슴외상환자에서 대동맥 파열이 있으면 파열된 대동맥 주변으로 형성된 혈종을 흉부X선사진에서 볼 수 있는데, 주로 대동맥활과 하행대동맥사이에서 파열이 일어나므로 흉부X선사진에서는 대동맥활의 윤곽선을 소실시키는 돌출음영이 보인다(그림 11-28).

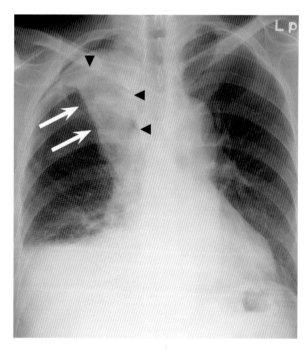

■ 그림 11-27. 쇄골하정맥내 카테터삽입후 발생한 종격혈종
삽입된 카테터(화살촉) 주변으로 혈종에 의해 종격윤곽선이 외측으로 돌출되어 있다(화살표). 혈액가슴에 의해 우측 늑골횡격막각이 둔화되어있고, 폐첨 위로 기흉이 보인다.

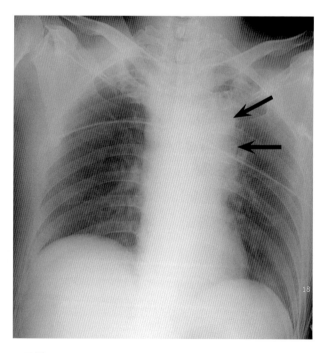

■ 그림 11-28. 교통사고환자에서 대동맥파열에 의한 종격혈종
대동맥활의 정상적인 윤곽선이 소실되면서 종격윤곽선이 돌출되어 있다(화살표).

3) 종격염

종격에 국소적 혹은 전반적인 염증으로 나타나는 질환을 말하며, 급성 혹은 만성 종격염(mediastinitis)이 발생할 수 있다. 여러 가지 원인의 감염성, 비감염성 종격염이 있으나 대부분의 원인은 감염성이며 급성은 세균 감염, 만성은 결핵이나 진균 감염에 의한 경우가 흔하다. 급성종격염의 가장 흔한 원인은 식도천공이며 진단적, 치료적 목적으로 시행하는 내시경 검사 중에 발생하는 경우가 많다. 그 외 식도암의 괴사, 방사선 치료 후, 수술 후의 합병증, 식도구멍탈장의 궤양 천공, 경부감염의 파급, 농흉, 횡격막하 농양 등의 파급도 원인이 될 수 있다. 사망률이 5-30%에 이르는 위험한 질환으로 환자는 고열, 오한, 빈맥, 흉통 등의 증상을 나타내며 호흡곤란과 쇼크 등 매우 심한 증세를 동반한다. 흉부X선사진에서는 염증성 액체 저류 혹은 농양에 의한 종격윤곽선의 확장, 종격동기흉, 지방층 음영의 소실, 국소 액체저류 등을 볼수 있으며 동반된 흉막삼출로 인해 늑골횡격막각(costophrenic angle)이 둔화되는 소견을 보인다(그림 11-29)[5, 15].

만성 종격염은 드문 질환으로 결핵, 사르코이드증, 악성종양, 방사선치료, 약제, 외상 등 다양한 원인에 대한 과민반응으로 혹은 이유 없이 발생할 수 있다. 그 중 섬유화종격염은 육아종 부위가 거의 없이 섬유화가 광범위하게 진행하여 혈관과 기도를 좁히는 질환으로 원인으로는 서구에서는 대부분 히스토플라스마 항원에 대한 비정상적인 면역반응으로 생각되지만 균체가 동정되는 경우는 약 50%뿐이다. 비교적 젊은 사람에서 발생하며 상대정맥, 주폐동맥, 중심성 기도, 신경, 식도 등이 좁아질 수 있다. 흉부X선 소견은 보통 비특이적이며 종격동 확대, 기관 또는 주기관지 협착, 식도협착, 폐동정맥의 폐색 등이 확인될 수 있다(그림 11-30). 약 80% 이상의 대부분은 국소적인 형태로 오며, 석회화가 더 흔하게 생긴다. 좀더 드물게는 확산형 형태로서 다발성으로 중간종격을 침범하며 다른 후복막섬유증과 관계가 있고 석회화는 그보다 드물다. 대개 만성 경과를 거치면서 종격내에 섬유화를 초래한다[16, 17].

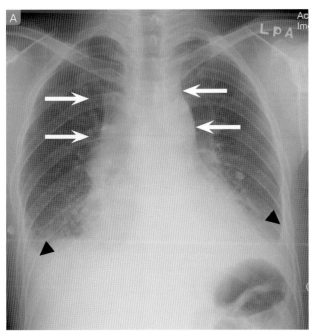
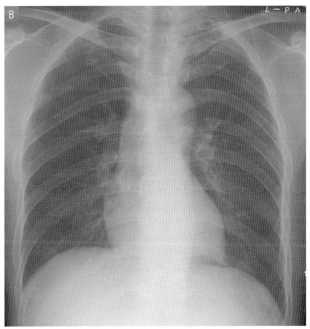

CHAPTER 11

■ 그림 11-29. 심부경부감염이있는 당뇨병환자에서 발생한 급성종격염
A. 종격내 염증성 액체저류에 의해 종격윤곽선이 확장되어 있다(화살표). 늑골횡격막각이 흉막삼출에 의해 둔화되어 있다(화살촉). 심장막삼출로 인해 심장음영도 커져 보인다. **B.** 같은 환자에서 종격염이 완전히 회복된 후 촬영한 흉부X선사진으로 종격확장은 더이상 보이지 않는다.

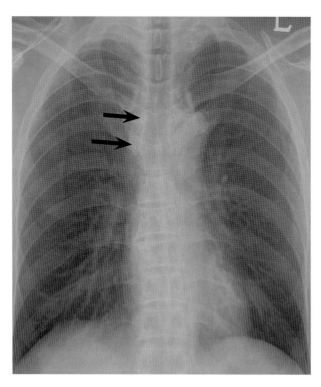

■ 그림 11-30. **섬유화종격염**
흉부X선 후전사진에서 우측기관옆띠가 소실되고 우측기관옆공간의 음영
이 증가되어 있고 외측윤곽도 다소 돌출되어 있다.

Ⅳ 후종격

후종격은 심장과 척추 사이의 진성 후종격과 척추 주위로 나뉘고, 외측 늑골과 연해서 발생하는 병변은 흉벽질환으로 분류된다. 후종격에는 하행대동맥, 식도, 가슴관, 미주신경, 림프절, 척추와 교감신경절(sympathetic ganglion) 및 늑간(갈비사이, intercostal)혈관과 신경이 존재하는데, 후종격에서 발생하는 대부분의 종괴는 신경성 종양이고, 그 외에 식도질환, 감염성 척추염에 동반된 척추옆농양, 골수외성조혈(extramedullary hematopoiesis)이 종괴를 형성할 수 있다.

후종격 종괴는 흉부X선 후전사진에서 척추옆경계면을 돌출시키는 종괴음영으로 보인다(그림 11-7). 후종격은 횡격막다리(diaphragmatic crus)가 척추에 붙는 뒤쪽으로 다리뒤공간(retrocrural space)을 통해 횡격막 아래로 연결되어 있어 후종격종괴가 횡격막 아래로 내려갈 수 있다. 그러므로 흉부X선사진에서 종격 종괴가 횡격막의 위아래에 걸쳐 있다면 이 종괴는 후종격 종괴이다(그림 11-7).

1. 신경성 종양

가장 흔한 후종격 종괴로, 발생 기원에 따라 ① 말단신경초(peripheral nerve sheath) 기원종양: 신경집종(neurilemmoma, schwannoma), 신경섬유종(neurofibroma); ② 신경절(ganglion) 기원종양: 신경모세포종(neuroblastoma), 신경절신경모세포종(ganglioneuroblastoma), 신경절신경종(ganglioneuroma); ③ 부신경절(paraganglion) 기원종양: 부신경절종(paraganglioma)으로 나뉘고, 양성과 악성이 있다. 신경성 종양의 70-80%는 양성이고 반수 이상에서 증상 없이 발견되나 가끔 신경을 누르는 증상을 호소하기도 한다. 성인에서 가장 흔한 종양은 신경집종이고 신경절종양은 소아에서 상대적으

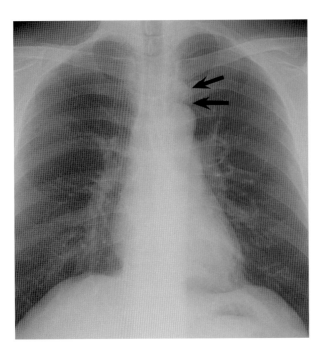

■ 그림 11-31. 미주신경에서 발생한 중간종격의 양성신경집종
대동맥활 상방에 돌출된 종괴음영이 보인다.

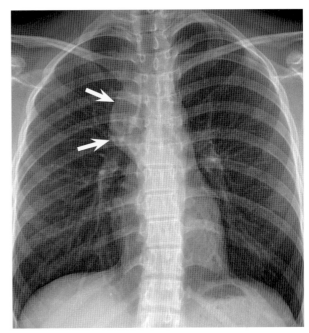

■ 그림 11-32. 12세 여아에서 발생한 신경절신경종
흉추 주변부에 경계가 명확한 종괴가 보이며, 종격과 넓게 붙어 있으며
상하로 길쭉해 보인다.

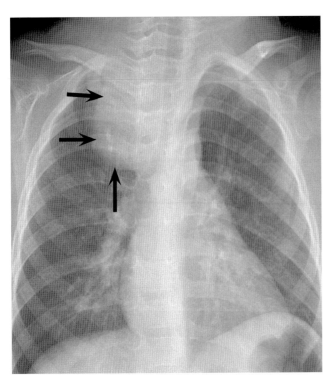

■ 그림 11-33. 3세 된 남아에서 발생한 신경절신경모세포종
종괴에 의해 우상 종격윤곽선이 외측으로 돌출되어 있으며, 종격과 넓게
붙어 있다.

로 흔하다.

신경집종과 신경섬유종은 서서히 자라는 양성 종양으로 주로 늑간신경이나 교감신경에서 발생하고 중간종격에 포함되는 횡격막신경이나 미주신경에서도 드물게 발생한다(그림 11-31)[7]. 방사선학적으로 경계가 분명한 타원형 종괴로 척추 주변에서 발생하며, 종양이 오랜 시간동안 자라면서 인접한 갈비뼈에 압력을 줘서 미란을 일으키면(압력미란, pressure erosion) 흉부X선사진에서 종괴가 닿아 있는 갈비뼈에 눌린 자국 같은 모양을 볼 수 있다[14].

총상신경섬유종(plexiform neurofibroma)은 신경섬유종증 환자에서 나타나는 종양으로, 비피낭성 종괴로 흉부에서는 교감신경을 흔히 침습하고 미주신경과 횡격막신경을 침범하기도 한다. 대개 말초신경의 광범위한 방추형 증대를 보이거나 다수의 불규칙하고 다엽성인 종괴로 나타난다.

악성신경초종은 신경집종과 신경섬유종의 악성종양에 해당하며, 40대에 흔하고 신경섬유종증과 동반되는 경우가 흔하다. 방사선학적으로 구형의 경계가 좋은 후종격종괴이지만 주변조직을 침윤할 수 있다. 악성종양을 시사하는 소견은 5 cm 이상의 크기, 종괴내 저음영, 불분명한 경계, 주위 구조물 파괴, 흉막삼출 및 비후, 전이성 폐결절 등이며, 이러한 소견이 신경섬유종증 환자에서 나타나면 가능성이 높아진다.

신경절 종양은 신경세포에서 기원하고 부신, 후복막강 혹은 종격 등에서 흔히 발생한다. 신경절신경종은 신경절 종양 중 가장 양성이며 평균 5.5세 이후에 발견된다. 경계가 명확한 척추 주변부 종괴로 주로 척추체의 외측 전방에 위치하며 상하로 길쭉한 모양을 나타내는 경우가 많다(그림 11-32)[18]. 측만이나 주위 골격계의 전위와 양성의 압력미란을 유발할 수 있고, 척추 내로 아령 모양으로 자라 들어가기도 한다[19].

신경절신경모세포종은 병리학적으로 신경절신경종과 신경모세포종 세포들이 섞여 있는 모양을 보이며 예후는 세포의 악성도에 따른다. 영상소견은 병리소견과 비슷하게 두 종양의 모양을 함께 보인다(그림 11-33).

신경모세포종은 가장 악성으로 95%가 5세 이전에 발생하고, 영상의학적으로 척추주위에 길쭉한 종괴로 발견되며

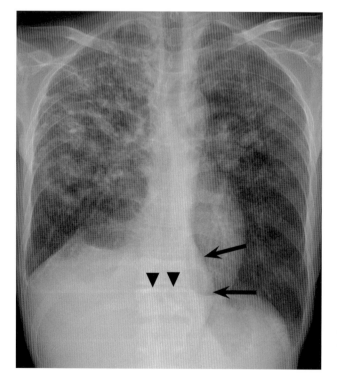

■ 그림 11-34. 결핵성 척추염에 동반된 척추옆농양
좌측 척추옆경계면이 농양에 의해 외측으로 튀어나와 있고(화살표), 인접 척추골 및 추간판이 염증에 의해 파괴되어 척추골의 높이가 감소되고 추간판공간이 좁아져 있다(화살촉). 양측 폐에 활동성폐결핵에 의한 광범위한 소결절 및 폐경결이 보이고, 우측 흉막삼출에 의해 늑골횡격막각이 둔화되어 있다.

주변부 조직을 흔히 침범하고, 30%에서 석회화를 볼 수 있다[19].

부신경절종은 교감신경절과 얼기(plexus)의 주위에 있는 부신경절 세포에서 기원하는 드문 신경 종양이고, 부신에서 흔히 발생하며 흉부에서는 신경성 종양의 2% 미만으로 드물다. 대동맥폐동맥창(aortopulmonary window)에서 2/3, 척추 주위에서 1/3 정도 발생한다(그림 11-5).

2. 척추옆농양

세균성 혹은 결핵성 척추염에 의해 척추옆농양이 형성되면 흉부X선사진에서 농양에 의해 척추옆경계면이 외측으로 돌출되고, 척추염에 의한 척추골 파괴 및 추간판공간이 좁아지는 소견이 동반된다(그림 11-34).

3. 식도질환

식도는 후종격에 위치한 구조물로서 식도종양이 흉부X선사진에서 기정맥식도경계면을 돌출시키는 종괴로 나타날 수 있다(그림 11-6). 식도이완불능증(achalasia)으로 인해 식도가 비정상적으로 확장되기도 한다.

틈새탈장(hiatal hernia)은 횡격막에 있는 식도틈새(esophageal hiatus)를 통해 위가 종격내로 탈장되는 것으로 주로 고연령층에서 볼 수 있다. 흉부X선 후전사진에서는 탈장된 위가 심장뒤에 겹쳐서 공기수면상을 갖는 구형의 종괴를 보이

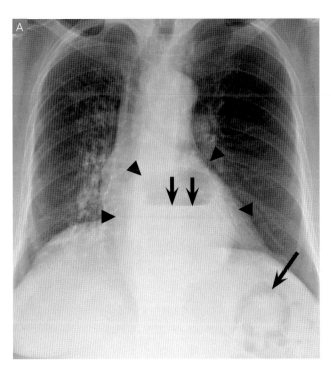
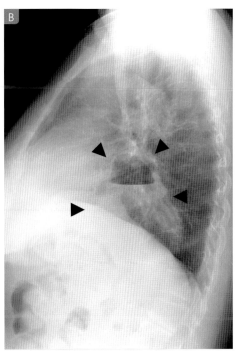

■ 그림 11-35. 틈새탈장
A. 흉부X선 후전사진에서 심장뒤로 내부에 공기수면상(작은 화살표)를 보이는 구형의 종괴(화살촉)가 보인다. 좌측 상복부에 대장 공기만이 보이고(큰 화살표) 정상적으로 보여야 할 위 공기음영이 보이지 않는다. **B.** 흉부X선 측면사진에서 종괴는 횡격막에 연하여 식도 위치인 심장과 척추 사이에서 보이고 있어 이 종괴가 식도틈새를 통해 종격내로 탈장된 위임을 알 수 있다(화살촉).

고, 복부 좌상부에 정상적으로 보여야 할 위의 공기음영이 보이지 않거나 작아지는데, 흉부X선 측면사진에서 이런 종괴가 횡격막에 연하여 심장과 척추 사이에서 위치하는 것을 보면 틈새탈장임을 알 수 있다(그림 11-35).

■■■■ 참고문헌 ■■

1. Whitten CR, Khan S, Munneke GJ, Grubnic S. A diagnostic approach to mediastinal abnormalities. Radiographics 2007 May-Jun;27(3):657-71.

2. Gibbs JM, Chandrasekhar CA, Ferguson EC, Oldham SA. Lines and stripes: where did they go?--From conventional radiography to CT. Radiographics 2007 Jan-Feb;27(1):33-48.

3. Benveniste MF, Rosado-de-Christenson ML, Sabloff BS, Moran CA, Swisher SG, Marom EM. Role of imaging in the diagnosis, staging, and treatment of thymoma. Radiographics 2011 Nov-Dec;31(7):1847-61; discussion 61-3.

4. Nishino M, Ashiku SK, Kocher ON, Thurer RL, Boiselle PM, Hatabu H. The thymus: a comprehensive review. Radiographics 2006 Mar-Apr;26(2):335-48.

5. Jeung MY, Gasser B, Gangi A, Bogorin A, Charneau D, Wihlm JM, et al. Imaging of cystic masses of the mediastinum. Radiographics 2002 Oct;22 Spec No:S79-93.

6. Takahashi K, Al-Janabi NJ. Computed tomography and magnetic resonance imaging of mediastinal tumors. J Magn Reson Imaging 2010 Dec;32(6):1325-39.

7. Juanpere S, Canete N, Ortuno P, Martinez S, Sanchez G, Bernado L. A diagnostic approach to the mediastinal masses. Insights into imaging 2013 Feb;4(1):29-52.

8. Shaffer K, Smith D, Kirn D, Kaplan W, Canellos G, Mauch P, et al. Primary mediastinal large-B-cell lymphoma: radiologic findings at presentation. AJR Am J Roentgenol 1996 Aug;167(2):425-30.

9. Koyama T, Ueda H, Togashi K, Umeoka S, Kataoka M, Nagai S. Radiologic manifestations of sarcoidosis in various organs. Radiographics 2004 Jan-Feb;24(1):87-104.

10. Park HJ, Jung JI, Chung MH, Song SW, Kim HL, Baik JH, et al. Typical and atypical manifestations of intrathoracic sarcoidosis Korean J Radiol. 2009 Nov-Dec;10(6):623-31.

11. Miller BH, Rosado-de-Christenson ML, McAdams HP, Fishback NF. Thoracic sarcoidosis: radiologic-pathologic correlation. Radiographics 1995 Mar;15(2):421-37.

12. Kim JH, Jun TG, Sung SW, Shim YS, Han SK, Kim YW, et al. Giant lymph node hyperplasia (Castleman's disease) in the chest. Ann Thorac Surg 1995 May;59(5):1162-5.

13. Feigin DS, Fenoglio JJ, McAllister HA, Madewell JE. Pericardial cysts. Aradiologic-pathologic correlation and review. Radiology 1977 Oct;125(1):15-20.

14. Duwe BV, Sterman DH, Musani AI. Tumors of the mediastinum. Chest 2005 Oct;128(4):2893-909.

15. Kim Y, Lee KS, Yoo JH, Rhee C, Koo H, Han J, et al. Middle mediastinal lesions: imaging findings and pathologic correlation. Eur J Radiol 2000 Jul;35(1):30-8.

16. Devaraj A, Griffin N, Nicholson AG, Padley SP. Computed tomography findings in fibrosing mediastinitis. Clin Radiol 2007 Aug;62(8):781-6.

17. Rossi SE, McAdams HP, Rosado-de-Christenson ML, Franks TJ, Galvin JR. Fibrosing mediastinitis. Radiographics 2001 May-Jun;21(3):737-57.

18. Forsythe A, Volpe J, Muller R. Posterior mediastinal ganglioneuroma. Radiographics 2004 Mar-Apr;24(2):594-7.

19. Lonergan GJ, Schwab CM, Suarez ES, Carlson CL. Neuroblastoma, ganglioneuroblastoma, and ganglioneuroma: radiologic-pathologic correlation. Radiographics 2002 Jul-Aug;22(4):911-34.

| 이정근 |

Contents

Ⅰ 정상 흉막

1. 해부학 및 생리

흉막(胸膜)은, 허파의 바깥을 감싸는 장측 흉막과 흉곽의 안쪽을 덮는 벽측 흉막, 둘로 구성되며 이 두 흉막 사이의 잠재적 공간(potential space)이 흉강이다. 흉막은 좌우 흉곽 안에서 폐, 종격동, 횡격막(가로막) 그리고 흉곽을 싸는 장막이고 중피 세포와 하부 결합 조직으로 구성되며 태생기 coelomic lining에서 기원한다. 위치에 따라 늑간, 횡격막, 종격동, 경부 흉막으로 나눈다. 정상 흉막은 얇고 투명한 막, 다섯 겹으로 이루어진다. 이 다섯 겹은 1) 중피세포층 2) 중피세포하 교원조직층 3) 표면부 탄력조직층 4) 이차 흉막하 교원조직층, 그리고 폐와 붙어 있는 5) 심부 섬유탄성층이다. 장측 흉막, 흉강 및 벽측 흉막을 더한 두께는 0.2-0.4 mm이다. 벽측 흉막 밖으로는 0.25 mm 두께의 흉내근막(endothoracic fascia)이 있고 이 둘 사이에 흉막외 지방층(extrapleural fat layer)이 있는데 보통 0.25 mm 두께이고 일부 후외측에서는 더 두껍

기도 하다. 결핵 등의 염증이 만성화되면 이 부위에 지방이 쌓여 상당히 두꺼워질 수 있다. 흉내근막의 바깥에는 늑간근 (intercostal muscle) 세 개가 있는데 안으로부터 최내측늑간근, 내측늑간근 그리고 외측늑간근 순서다. 최내측간근과 내 측늑간근 사이에 느슨한 지방층이 있고 여기에 늑간 혈관과 신경이 지나간다. 흉막 사이 흉강은 -5 cmH2O의 음압이다. 장측 흉막이 체동맥에서 자양을 받는지 폐동맥에서 자양을 받는지 의견이 분분하였으나 지금은 주로 체동맥인 기관지 동맥에서 자양을 받는 것으로 이해된다. 벽측 흉막은 주로 늑간동맥에서 그리고 위치에 따라 심낭횡격막 동맥, 상횡격 막 동맥, 근횡격막 동맥에서 영양 공급을 받는다. 흉막액은, 고압의 체순환 동맥에서 영양을 받는 벽측 흉막과 음압의 흉 강 사이에 발생하는 Starling force에 의해 벽측 흉막에서 생성되는 간질액이다. 미량의 정상 흉수는 두 흉막간의 마찰을 줄이고 폐와 흉곽이 결합하도록 하여 표면장력이 생기게 한다. 흉수의 정상 흡수 경로에 대하여는 여러 학설이 있으나, 벽측 흉막에서 대부분 흡수하고 일부 장측 흉막으로 유출되는 것으로 이해하고 있다[1-5].

2. 엽간열(interlobar fissure)

두 대엽을 싸고 있는 장측 흉막이 서로 접촉하여 생기는 사이가 엽간열이다. 오른쪽에는 대엽간열과 소엽간열이 있고 왼쪽에는 대엽간열 하나만 있다. 대엽과 대엽 사이에 대엽을 싸고 있는 각각의 장측 흉막이 만난다는 것을 알면 영상 에 보이는 병변이 폐실질에 생긴 것인지 흉강에 생긴 것인지 알 수 있다. 엽간열은 완벽하지 않은 경우가(incomplete fis-sure) 많은데 대엽간열은 12-73% 소엽간열은 60-90%에 이른다[6, 7].

1) 오른쪽 소엽간열(minor fissure), 대엽간열(major fissure)
오른쪽의 소엽간열(평행간열)은 우상엽과 우중엽의 상부를 구분한다. 정면 사진에서 50-80% 정도 소엽간열을 관찰할 수 있고 굴곡은 있으나 전체적으로는 수평 방향이고 네 번째 갈비뼈 앞부분과 높이가 비슷하다. 정면 사진에 바깥쪽이 낮고 안쪽으로 폐문 부근에서 올라가는 경향이 있다. 측면 사진에서는 앞이 낮고 뒤가 올라가는 경향이 있다. 오른쪽의 대엽간열은 우상엽, 우중엽을 우하엽과 구분한다. 뒤로는 대동맥궁 위, 5번 흉추에서 시작하여 앞쪽 아래를 향하여 6번 갈비뼈와 평행하게 주행한나. 아래로는 횡격막 흉막의 앞쪽, 전 흉벽의 3 cm쯤 뒤에서 끝난다[8].

2) 왼쪽 대엽간열(major fissure)
왼쪽 대엽간열은 좌상엽과 좌하엽을 구분하고 오른쪽 대엽간열과 거의 비슷한 위치에 있다. 다만, 측면 사진에서 왼쪽 대엽간열의 뒷 부분은 오른쪽 대엽간열보다 약간 위에 보이는 경우가 많다(75%). 좌우 대엽간열은 소엽간열과 달리, 하 엽의 부피가 줄지 않은 이상, 정면 사진에서 분명하게 보이지 않는 경우가 많다[8].

3) 부열(accessory fissure)
부열은 폐 분절(segment)이나 대엽을 부분적으로 나누는 것으로 어느 대엽에나 생길 수 있다. 해부학적으로는 50% 정 도 된다고 하나 흉부X선사진으로는 확인하기는 어려우나 CT로는 정확히 구분할 수 있다. 기정맥 부열(azygos fissure)이 제일 흔하고 인구의 0.5%에서 볼 수 있다. 우상엽의 폐첨분절, 후분절에 기정맥 분절이 생기는 것으로 기정맥의 하향이 동이 멈추어 생기므로 다른 부열과 달리 벽측 흉막 두 장, 장측 흉막 두 장, 모두 네 겹으로 이루어진다. 정면 사진에서 기 정맥 부열은 밖으로 볼록한 곡선이 되고 아래에는 기정맥이 눈물방울(tear drop) 모양으로 보인다(그림 12-1). 좌소엽간열 은 좌상엽의 설상분절과 나머지 분절을 나누는데 모양은 오른쪽과 같다(그림 12-2 A, B). 그 밖에 하부열, 상부열 등 여러

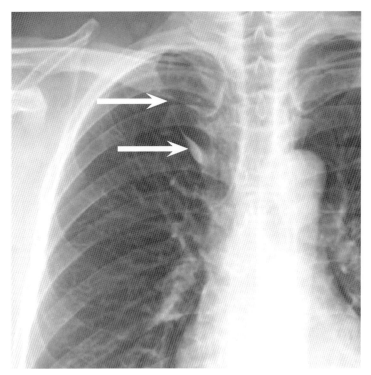

■ **그림 12-1. 기정맥 부열**
폐첨에서 시작하는 얇은 곡선이 바깥쪽으로 볼록하고 엽간열의
아래 끝은 눈물방울 모양의 기정맥(아래 화살표)이 있다.

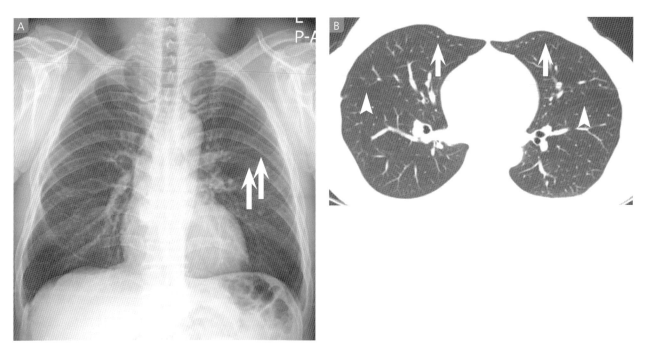

■ **그림 12-2. A.** 좌부엽간열. 오른쪽 부엽간열과 같은 모양, 같은 위치로 왼쪽에 있으며(화살표) 좌상엽의 설상분절을 나머지 소엽과 구분한다. **B.** 좌
부엽간열의 흉부 축상면 CT lung setting. 좌우부엽간열(화살표), 좌우대엽간열(화살촉)

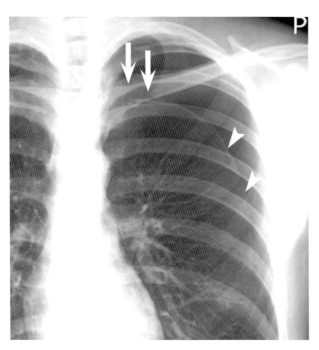

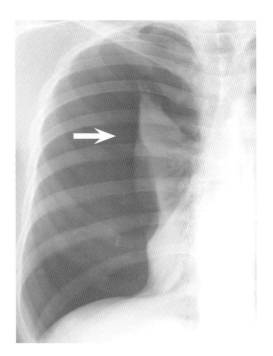

■ 그림 12-3. 19세 남자에게 생긴 일차성 자발성 기흉
왼쪽 폐의 바깥쪽 장측흉막(화살촉)이 흉곽과 나란히 가는 것이 보인다. 폐첨에는 기흉의 원인인 기낭 몇 개(화살표)가 보인다. 기흉이란, 장측흉막을 관찰함으로써 진단한다.

■ 그림 12-4. 20세 남자의 일차성 자발성 기흉
다량의 기흉이 생겨 오른쪽 폐는 거의 전부 허탈 상태이고 그 바깥에 2 cm 크기 기낭(화살표)이 보인다. 기흉 양이 30% 이상이고 호흡 곤란이 심하면 흉관을 넣는다.

가지 부열이 다양한 곳에 생길 수 있다.

Ⅱ 기흉(pneumothorax)

1) 원인
흉강에 공기가 괴는 기흉은 흔한 흉부 병변의 하나로 외상이 원인인 경우가 많다. 이와 같은 외상이 없이 생긴 경우를 자발성(spontaneous) 기흉이라 한다. 자발성 기흉을 기존 질병의 유무에 따라 일차성과 이차성으로 나눈다.

2) 일차성 자발성 기흉(primary spontaneous pneumothorax)
일차성 자발성 기흉이란 평소 선행 질환 없이 건강하고 외상이 없이 생긴 경우다. 특별한 활동이 아닌 휴식 상태에서 잘 생기는데 그 가운데 70-100% 환자는 흉강경으로 폐첨에서 흉막하 기낭(bulla)을 발견할 수 있다. 흡연과 연관이 깊고 (90%) 20-40대 젊은 나이, 특히 남자에 많고(남 : 녀 4-5 : 1) 마르고 키 큰 사람에 많다[9]. 10-20%는 흉막 삼출이 있어 수기흉(hydropneumothorax)로 나타나기도 한다. 폐첨부에 생기는 공기주머니를 기낭이라 하는데 1 cm 이하 크기를 기포(bleb), 1 cm 이상을 기낭(bulla)이라 한다(그림 12-3, 4). 병리학적으로 기포는 장측 흉막내의 공간이고 기낭은 1 mm 이하 두께 벽이 있는 공간인데 대개 기낭이 기흉의 원인이라고 생각한다. 기흉은 오른쪽에 더 많고 40-50%에서 재발하는데

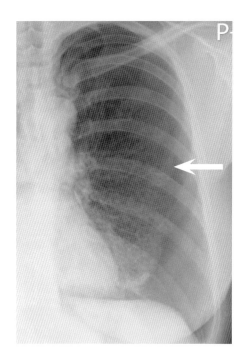

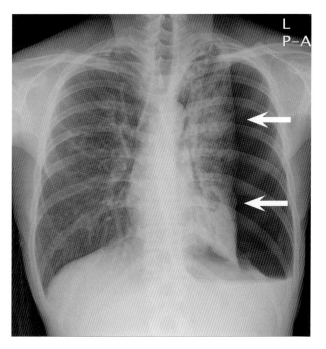

■ **그림 12-5. 이차성 자발성 기흉**
평소에 림프관근종증이 있던 50세 여성에게 외상없
이 생긴 왼쪽 기흉. 폐에 림프관근종증에 의한 수많은
저음영 낭종이 보인다.

■ **그림 12-6. 폐결핵에서 비롯된 자발성 기흉**
왼쪽에 심한 폐경결, 공동 등의 폐결핵 소견이 있고 커다란 수기흉이 생겼다.

약 30%는 같은 쪽에서, 10%는 반대쪽에서 재발한다. 한 번 재발하면 다음은 62%, 그 다음은 83%로 계속 재발할 확률
이 높아진다. 수술로 기낭을 제거하더라도 재발을 막지는 못한다.

3) 이차성 자발성 기흉(secondary spontaneous pneumothorax)

이차성 자발성 기흉은 원인 질병이 있고 외상이 없이 생긴 기흉을 말하는데, 원인 질환으로 만성폐쇄성폐질환이 흔하
다. 특히, 50-60대에 생기는 자발적 기흉에서 중요한 원인이다. 랑거한스 육아종증, 림프관근종증(**그림 12-5**) 같은 낭종
성 폐질환과 폐결핵(**그림 12-6**), 폐암, 폐전이암, 폐농양, 폐색전증 같은 공동성 폐질환, 특발성 폐섬유화, 방사선 폐렴, 교
원혈관질환 같이 폐의 탄력성(compliance)이 떨어진 경우와 Marfan 증후군, 엘러스-단로스 증후군, cutis laxa, 호모시스
틴뇨증, 알파1-안티트립신 결핍 같은 결체조직질환 및 폐사구내막증, 폐흡충증도 이차성 자발성 기흉의 원인이다. 이런
경우, 대개 원인 질환에 따른 증상과 영상 소견이 있고 기흉 소견이 있다.

4) Pneumothorax ex vacuo

기관지가 갑자기 막혀 폐엽 허탈, 특히 상엽 허탈이 온 경우 발생하는 기흉으로 드물다. 폐암 등에 의한 폐엽 허탈로 가
까운 흉강의 음압이 커지고 그로 인해 흉강 안으로 주변 조직이나 혈액으로부터 공기가 빠져 나가는 일종의 vacuum 현
상에서 생기는 기흉이다.

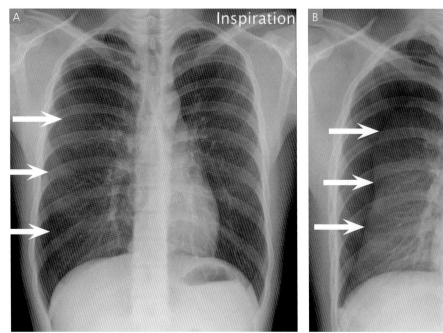
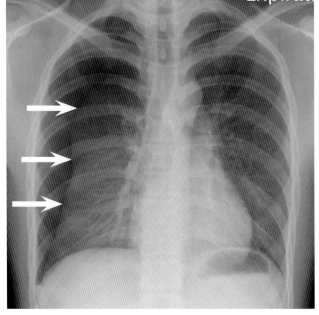

■ 그림 12-7. 20세 남자의 기흉 진단
A. 흡기 상태에서 오른쪽에 중등도 기흉이 보인다. **B.** 호기 사진에서 흉곽은 작아지고 흉강은 커보이며 폐는 좀더 작아져서 기흉이 더 뚜렷이 보인다.

5) 외상성 기흉

외상에 따른 기흉으로, 관통성(penetrating)과 비관통성으로 나누고 또 사고성과 의인성으로 나눈다. 외상으로 폐가 찢어져 기흉이 생기는 경우는 70% 정도에서 갈비뼈 골절이 있다. 교통사고, 추락, 자상 등이 원인이다. 기관, 기관지 손상이 있는 경우에는 기종격농이 먼저 오고 이어서 긴장성 기흉이 나타난다. 외상에 의한 기흉은 흉관을 삽입해야 할 경우가 많다. 의인성 기흉은 병원에서 치료 및 검사를 수행하는 과정에서 생기는 것으로 중심정맥관을 넣거나, 기계적 폐환기의 압력이 높을 때, 폐조직 검사, 수술 후 등에 생긴다. 경피적 폐조직 검사의 20% 정도에서 생긴다.

1. 기흉의 흉부 사진 소견

1) 기립 사진

벽측 흉막과 분리된 장측 흉막선이 1 mm 이하 두께로 얇게, 흉곽과 나란히 보이고 분리된 장측 흉막과 벽측 흉막 사이에 검은 공기가 보인다. 공기가 폐첨 쪽 위로 올라가므로 50 cc 정도의 기흉이 있다면 폐첨 위쪽에서 볼 수가 있다. 공기가 폐엽간열 사이로 들어가거나 기흉 양이 많으면 폐엽 간열 및 분리된 여러 폐엽을 확인할 수도 있다. 증상으로 기흉이 의심되나 X선사진에 잘 안 보인다면, 호기 촬영으로 기흉을 더 잘 볼 수 있는데, 이는 흉강의 음압을 줄여 기흉이 있는 흉강이 커지고, 폐는 더 작고 음영이 짙어져서 기흉과 나머지 폐가 대조가 잘 되기 때문이다(**그림 12-7**). 또 병변 쪽을 위로 하여 측와위로 촬영하면 5 cc 정도의 작은 기흉도 관찰할 수 있다.

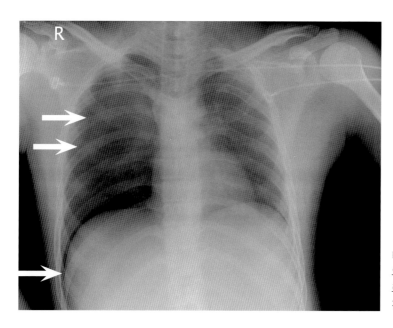

■ 그림 12-8. 20세 남자 기흉의 앙와위 사진
오른쪽 늑흉막각이 깊고 검게 보이며(deep sulcus sign) 위로 장측 흉막이 보이는 기흉이다. 오른쪽 횡격막과 심장의 경계도 뚜렷하게 보인다.

2) 누운 사진

중환자실과 응급실 환자는 외상이나 기존 질환 등으로 앙와위로 누워 촬영하는 경우가 많다. 이런 경우 공기가 폐 앞쪽으로 모여서 기립 사진과는 사뭇 다른 모습을 보인다. 기흉 양도 500 cc 정도로 많아야 진단이 확실하다. 공기가 주로 앞과 내측, 폐하부 그리고 늑횡격막각 부위로 모인다. 늑횡격막구가 아래로 깊고 검고 분명하게 보이는데 이를 deep sulcus 싸인이라 한다(그림 12-8). 따라서 기흉이 의심스러운 환자는 늑횡격막구를 유심히 관찰해야 한다. 또한 전방접합선, 심장 음영, 횡격막 음영, 심횡격막구의 경계도 뚜렷해지고 병변쪽 흉곽 음영이 낮아진다. 폐하부에 공기가 모이면 상복부음영도가 떨어지고, 그쪽 횡격막이 아래로 내려가고 전후방 횡격막 표면이 모두 보이기도 하는 double diaphragm 싸인이 보이기도 한다. 앙와위 사진에서 기흉이 종격동 쪽, 즉 내측에 있다면 기종격동과 구분이 어려울 수 있다. 심장은 횡격막과 단단히 붙어 있다. 따라서 심장 밑에 공기가 보여, 좌우 횡격막이 이어진 듯이 보이면, 이를 continuous diaphragm 싸인이라 하는데, 이는 기흉이 아니라 기종격동이 보이는 것이다(그림 12-9). 기흉의 확실한 소견은 기립 사진과 마찬 가지로, 떨어진 장측 흉막선을 보거나 흉강과 분리된 폐엽이 구분되어 보이는 것이다.

3) 기흉 양

기흉 양을 흉부X선사진으로 정확히 재기는 어렵고 또한 기흉 양이 얼마여야 치료를 하는지 구체적인 기준은 없으나 일반적으로 기흉 양이 30%이면 흉관을 삽입하고 여기에 더하여 환자의 증상을 고려한다. 기흉에 의한 증상은 기흉 양과 기존 질환의 심한 정도에 따라 나타난다. 기흉 정도를 아는 간단한 방법은, 직립 사진에서 측면 기흉의 두께를 재는 것이다. 측면 두께의 매 1 cm는 약 10%씩의 기흉 양에 해당된다. 또 다른 방법은 흉곽 첨부에서

표 12-1. 기흉 양을 재는 법

평균 흉막간 거리(mm)	기흉 양(%)	
	기립 사진	앙와위 사진
10	14%	19%
20	23%	29%
30	32%	39%
40	40%	49%
50	49%	59%

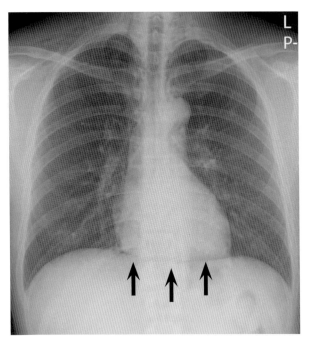

■ 그림 12-9. 31세 남자의 기종격동
평소에 천식이 있는 환자로, 좌우 가로막이 심장 아래를 지나며 서로 이어진다(화살표. continuous diaphragm sign). 목 주변에 근육을 따라 공기가 있고 기관지 바깥벽이 보인다.

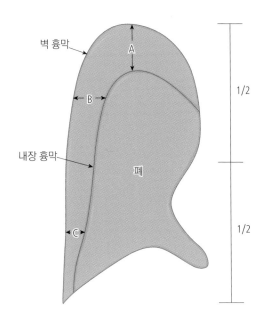

■ 그림 12-10. 기흉 양을 재는 방법
폐첨에서 기흉 맨위까지의 거리와 허탈된 폐를 넷으로 나눈 뒤 계산한다. Y(%) = 4.2 + [4.7 x (A+B+C)]

수축된 폐첨부까지의 거리(A)와 수축된 폐의 꼭대기부터 바닥까지 4등분하여 그 중 위 1/4과(B) 아래 1/4(C)의 기흉 폭을 재서 Y(%)=4.2 + (4.7 × {A + B + C})(그림 12-10)로 계산할 수 있다. 또 다른 방법은 평균 흉막간 거리를 재는 것으로 먼저, 폐첨부터 늑흉막각까지를 넷으로 나누어 폐첨 수직 거리(A)와 상부 1/4(B), 하부 1/4(C)을 더하여 3으로 나눈 값(그림 12-10)을 표(표 12-1)를 참고하여 기립 및 앙와위 사진 별 수치로 환산한다. 기립 사진인 경우, 그 거리가 기흉 양과 비슷하고 앙와위에서는 9를 더한 것과 같다.

4) 기흉과 감별할 것

피부 주름이나, 큰 기포, 정상 대엽간열 그리고 환자 몸에 부착된 각종 튜브, 선 등의 의료용 인공물이 기흉과 혼돈될 수 있다. 특히 응급실이나 중환자실에서 촬영한 경우가 그렇다(그림 12-11). 피부 주름인 경우, 정상 폐엽 구분이 없고 선의 바깥으로 폐혈관이 보일 수 있고 때로는 주름 선이 위나 아래로 흉곽을 벗어나기도 한다. 흉막 유착이 있는 상태에서 보이는 소방형성 기흉이나 폐하 기흉은 기낭성 폐기종이나 커다란 기포와 구분이 어렵다. 기흉은 그 끝 부분이 초승달 모양과 같이 가늘게 끝나는 반면 기포는 끝이 동그랗다. 기흉은 응급치료가 필요한 질환이므로, 흉부사진에 소견이 확실하지 않으나 강력히 의심된다면 CT로 확인한다. 폐하 기흉은 공기가 위쪽으로 볼록하게 폐를 누르기 때문에, 횡격막 아래의 자유 공기(기복강), 정상 오른쪽 대장 공기에 의한 가짜 병변, 왼쪽 위장 가스가 늘어났을 때와 구분이 어려운데 이 때는 측와위로 구분한다. 그러나 유착이 있어서 소방을 형성한 기흉은 흉부X선사진뿐 아니라 CT로도 감별이 어려울 수 있다.

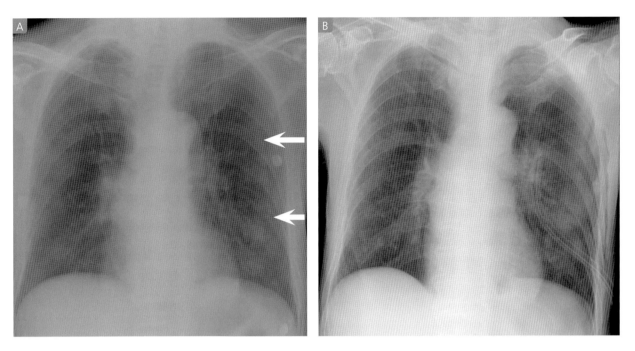

■ **그림 12-11. A.** 75세 남자의 피부주름, skin fold. 기흉과 구분해야 될 것으로, 정상 폐엽 구분이 없고 그 바깥으로 정상 폐혈관이 보이며 검은 Mach밴드(화살표)가 보인다. 때로 선이 흉곽을 벗어날 수도 있다. **B.** 피부주름을 기흉으로 잘못 판단하여 무리하게 흉관을 넣기도 한다. 기흉 진단이 어려우면 재촬영도 한 방법이다.

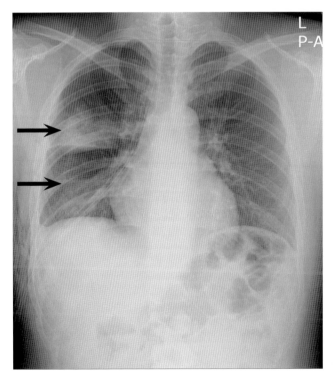

■ **그림 12-12. 재팽창성 폐부종**
기흉을 너무 빨리 감압하게 되면 폐부종이 생길 수 있다(화살표). 1~3일 정도면 사라지나 때로 생명이 위험할 수도 있다.

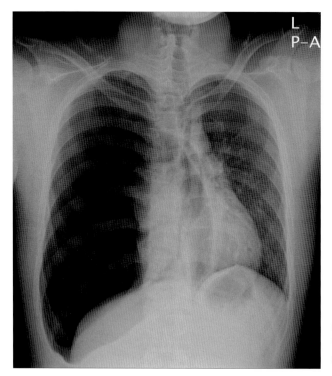

■ 그림 12-13. 긴장성 기흉
19세 남자로 심한 기흉이 오른쪽에 있고 종격동이 왼쪽으로, 횡격막이 아래로 밀리고 갈비사이 공간이 넓어졌다.

5) 재팽창성 폐부종

흉강에서 공기나 흉수를 너무 빠른 속도로 빼줄 때, 허탈된 폐엽이 펴지는 과정에서 생기는 폐부종으로, 기전을 정확히는 알지 못하나 일종의 투과성 폐부종으로 이해한다(그림 12-12). 드물지만 치명적일 수 있다. 83%는 공기를 뺀 쪽에 병변이 생기나 드물게 반대쪽에도 생긴다. 오래 지속된 폐허탈일수록 발생률이 높고, 배액속도가 빠를수록, 음압을 동원해 배액힐수록 질 생기는 편인네 보통은 24시간 내에 생기고 이르면 배액후 1 시간에도 생길 수 있으므로 배액할 때는 주의해야 한다.

2. 긴장성(tension) 기흉

흉강의 공기 압력이 대기압보다 높은 경우를 말한다. ball valve 기전에 의하여, 들이마신 공기가 흉강에 갇히면 흉강의 압력이 높아지는 긴장성 기흉이 될 수 있는데 심한 저산소증, 산증에 빠져 사망에 이를 수 있으므로(life threatening complication) 되도록 빨리 흉강의 압력을 낮춰주어야 한다[10]. 흉부 사진에는, 기흉이 있는 흉강의 높은 압력 때문에 종격동이 반대로 밀리고 같은 쪽 심장 경계면이 평평해지고, 횡격막이 아래로 밀리고 갈비뼈 사이가 넓어진다(그림 12-13). 기흉이 큰 경우에 종종 이를 긴장성 기흉으로 오인할 수도 있다. 기흉 환자가 순환 장애가 함께 있다면 긴장성 기흉일 가능성을 생각해야 한다. 기계적 폐환기(positive pressure ventilation)를 하거나 외상에 의한 기흉에서 생길 수 있다.

Ⅲ 흉수, 흉막삼출

1. 흉수

정상 흉수 양은, 여러 의견이 있으나 보통 0.26 ml/kg이고 대략 각각의 흉강에 15-20 ml가 있게 되며 날마다 10-20 ml 정도의 흉수를 만든다[11, 12]. 임신이나 운동을 할 때에는 그 양이 늘어나기도 한다. 만드는 흉수 양이 많거나 빠지는 흉수 양이 적을 때에 흉수가 괴는데 흉막 질환, 폐질환 그리고 흉막외 질환에서 생길 수 있다. 흉수가 많이 만들어지는 이유는, 1) 모세혈관 정수압 증가, 2) 교질 삼투압 감소, 3) 림프액 배출 장애, 4) 간질층, 중피세포층 또는 혈관의 투과성 증가 등이다. 보통 흉강에서 많은 양의 흉수나, 커다란 입자 그리고 세포 따위는 변연부나 아래 종격동 쪽 벽측 흉막에 주로 있는 구멍(stoma)을 통하여, 그리고 호흡운동의 도움을 받아 림프 시스템으로 배출된다.

1) 누출액(transudate) vs. 삼출액(exudate)

흉막 삼출에는 누출액(transudate)과 삼출액(exudate)이 있어 그 구분이 중요하다. 누출액은 모세혈관 정수압이 높아지거나 교질 삼투압이 내려가 생기며 배액할 필요가 없다. 누출액은 좌심부전, 간경화, 저단백혈증, 복막투석, 신부전, 이첨판 질환, 폐허탈, 갑상선기능저하, 수분 과잉(volume overload), 제한성 심막염 등이 원인이다. 한편, 삼출액은 염증이나 종양에 의한 투과성 증가로 생긴다. 1) 단백질 함량이 > 3 gm/dL, 2) 흉수와 혈장 단백 비가 > 0.5, 3) 흉수와 혈장 LDH

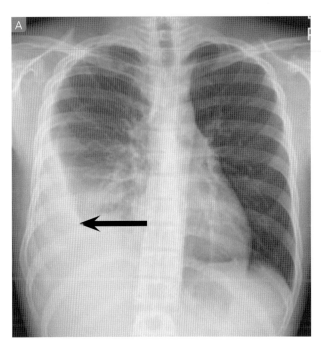
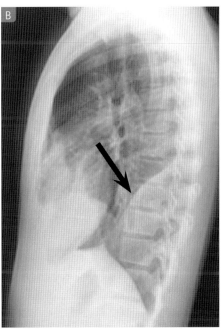

■ 그림 12-14. 다량의 자유 흉수

A. 직립 후전사진. 비교적 균질한 음영이 초승달 형태로 오른쪽 밑에 보인다(meniscus sign). **B.** 우측면 기립사진. 후늑횡격막각이 사라짐을 확인할 수 있다(화살표)(계속)

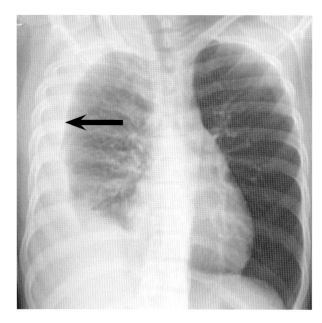

■ 그림 12-14. (계속) 다량의 자유 흉수
C. 오른 측와위 사진. 중력을 따라 낮은 곳으로 비교적 평행하게 그리고 폐첨 부분까지 흉막 삼출이 괸다(화살표).

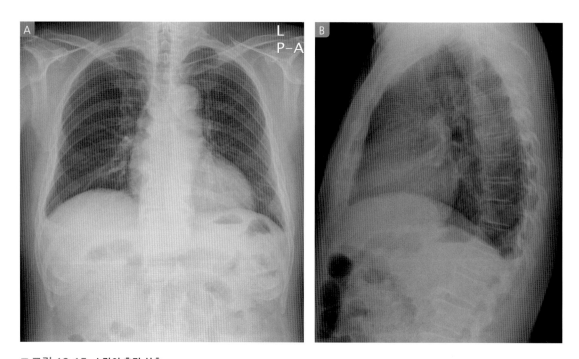

■ 그림 12-15. 소량의 흉막 삼출
A. 직립 후전사진에 좌우 늑흉막각이 예각으로 정상처럼 보인다.
B. 측면 기립 사진에는 좌우 모두의 후 늑횡격막각이 meniscus sign을 보인다. 정면보다는 측면사진이 민감하다.

의 비가 > 0.6. 이 셋 가운데 하나 이상이면 삼출액이다. 삼출액은 악성 종양, 폐렴, 폐동맥색전증, 류마토이드 관절염, 석면폐 등에 생긴다.

2) 흉부X선사진 소견

(1) 기립 사진(erect)

기립 사진에서 늑흉막강에, 비교적 균질한 음영이 위로 오목하고 바깥쪽이 높고 안쪽이 낮은 초승달 모양으로 보이면 (meniscus sign) 흉수라 진단할 수 있다(그림 12-14). 흉수 양이 적은 경우에는 사진에서 정상으로 보여 진단이 쉽지 않다. 촬영 자세에 따라 흉수 소견이 다른데, 50-75 ml 정도 소량 흉수가 있으면 측면 사진에 후늑횡격막각(posterior costo-phrenic angle)이 사라지므로 175-200 ml 정도 흉수가 있어야 늑횡격각 둔화가 보이는 후전 사진보다 측면 사진이 예민하다(그림 12-15). 때로는 525 ml 정도 흉수가 있어야 이런 둔화가 후전 사진에서 보이기도 한다. 네 번째 갈비뼈 앞부분까지 흉수에 의한 초승달 징후가 보인다면 약 1,000 ml의 흉수가 있는 것이다. 측와위(decubitus)에서는 중력에 따라 낮은 곳으로 물이 이동하기 때문에 3-10 ml 정도의 적은 흉수라도 민감하게 진단할 수가 있다[13](그림 12-16). 이 경우 병변

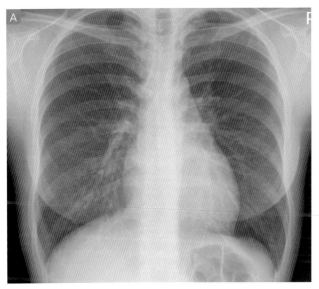
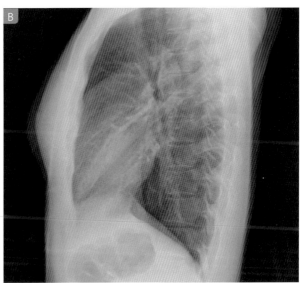
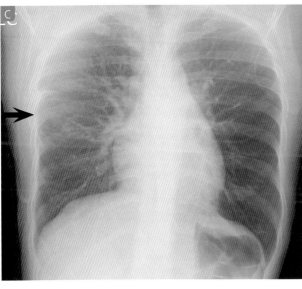

■ 그림 12-16. 측와위로 확인하는 아주 소량의 흉막 삼출
A. 후전 직립 사진에 좌우 늑흉막각이 정상처럼 보인다. B. 측면사진에도 늑흉막각의 예각이 유지되어 정상처럼 보인다. C. 오른쪽 측와위에서 엽간열 사이로 흉막삼출이 괸 것이 보인다(화살표). 측와위 사진은 흉수 양이 적어도 진단에 민감하다.

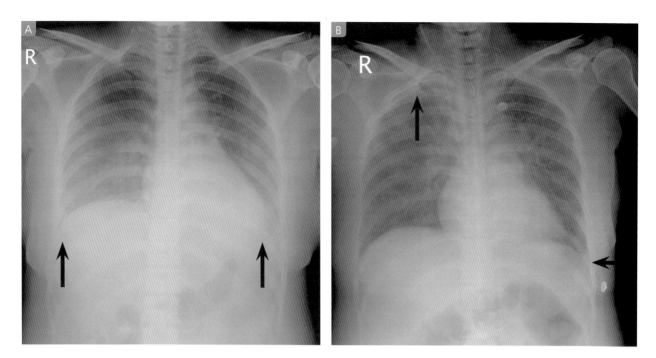

■ 그림 12-17. 흉막 삼출의 앙와위 사진

A. 좌우 늑횡격막각이 둔화되었고 전반적인 음영이 높고 횡격막이 뚜렷이 보이지 않으며 폐하엽 혈관이 눈에 띄지 않는다. B. 전반적인 음영이 높아진 것 외에도 폐첨이 두꺼워져 있다. 흉수가 더 많으면 폐첨뿐 아니라 외측의 흉막도 흉수에 의해 두꺼워 보인다.

쪽으로 흉수가 낮고 평평하게 움직인 것을 관찰하여 진단한다. 한편, 반대쪽 측와위를 하면 흉수가 종격동 쪽으로 움직여서 병변쪽 늑횡격막이 깨끗해지는데 이 소견 역시 흉수 진단에 도움이 된다. 소량인 경우, 측와위에서도 날숨에서 촬영하는 것이 들숨 때보다 민감하다는 보고도 있다[14]. 측와위 사진에서 흉수 윗부분과 흉벽 안쪽 사이 거리가 1.5 cm 이하이면 소량, 4.5 cm 이상이면 다량, 그리고 그 사이는 중간으로 그 양을 분류한다.

(2) 앙와위 사진(supine)

똑바로 누워서(앙와위) 사진을 촬영하면 흉수가 중력에 따라 등쪽 낮은 곳에 괴기 때문에 흉수가 많아야만 알 수 있고 보통은 그 양도 알기 어렵다. 200-500 ml는 되어야 어느 정도 진단이 가능하다[15]. 특히 양측성인 경우 진단이 어렵고 보통은 흉수 양이 과소 평가된다[16]. 그러나 실제로 응급실이나 중환자실 환자의 경우, 상당수가 이동(mobile) 촬영 장비로 앙와위 자세에서 촬영하기 때문에 진단이 제대로 안 되거나 폐경결이나 폐허탈로 잘못 진단하기도 한다. 소견으로는, 1) 늑횡격막각의 둔화가 제일 많고, 2) 폐첨이 두꺼워지거나, 3) 횡격막이 소실되거나 올라가 보이고 4) 폐하엽의 혈관이 안보이고 5) 미만성으로 음영이 증가한다(그림 12-17). 흉수가 많으면 한쪽이 전반적으로 하얗고 종격동이 반대쪽으로 밀리게 되는데, 병변쪽 폐가 허탈되거나 악성 종양 침범으로 종격동이 고정되어 있다면(frozen mediastinum), 종격동 이동이 없거나 적을 수도 있다. 거기에 덧붙여 환자의 체형이나 흉수의 분포, 찍는 자세에 따라서도 다양하게 보일 수 있다.

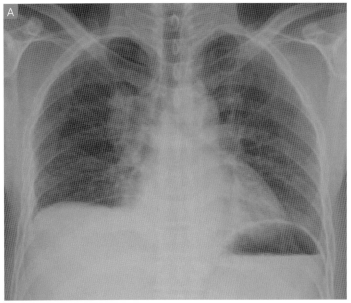

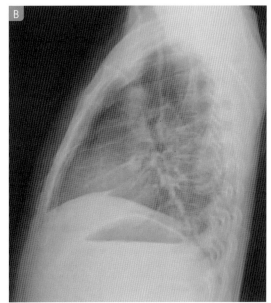

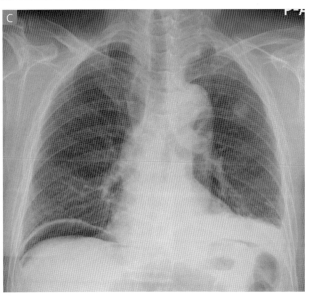

■ 그림 12-18. 폐하 흉수
A. 우하엽 밑에 물이 괴면, 위횡격막 음영이 짙어지고 폐혈관이 안 보이며 횡경막의 높은 부위가 바깥으로 밀린다. B. 측면사진에 후 늑흉막각이 둔화되거나 meniscus sign을 봄으로써 폐하 흉수를 확인한다. 물론, 측와위 사진으로도 확인이 가능하다. C. 좌하엽 밑에 물이 괴면 좌하엽과 위장내 공기 사이가 2 cm 이상 멀어 보인다. 오른쪽 횡격막 밑은 기복강.

3) 폐하흉막삼출(subpulmonic effusion)

흉수가 폐 아래쪽에 많이 고여 횡격막이 평평해지거나 오히려 뒤집혀 늑횡격막각 소실이 불분명한 경우를 폐하 흉수라 한다. 폐가 물 위에 떠있다고도 할 수 있는데, 누출액인 경우가 많아 진단이 쉽지 않다. 이때 측면, 측와위 사진 또는 초음파 등으로 확인할 수 있다. 기립 흉부 사진에서 종종 횡격막 상승으로 잘못 판단하게 된다(elevated hemidiaphragm) [13]. 폐하 흉수 때문에 보이는 음영 즉, 위(僞)횡격막(pseudo diaphragm)의 높은 부위가 정상보다 바깥쪽으로 밀려 보이고(50%) 그 곡선이 바깥쪽 늑횡격막각 쪽으로 급한 경사가 되고 안쪽은 경사가 작아진다(그림 12-18). 또, 위횡격막의 짙은 음영 때문에 그 아래 폐혈관이 잘 보이지 않는다. 때로는 이 위횡격막 아래로 폐혈관이 안 보이는 것이 유일한 소견일 수도 있다. 왼쪽에서는 폐 아래부위와 위내 공기 사이 거리가 정상인 1 cm 이하와 달리 2 cm 이상 멀어지기도 한다. 측면 사

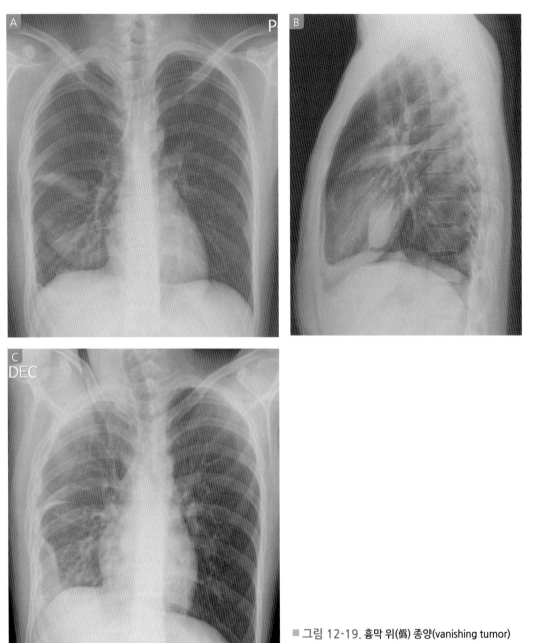

■ 그림 12-19. 흉막 위(僞) 종양(vanishing tumor)
A. 폐우중하엽 부분에 경계가 분명한 고음영 병변이 있다. B. 측면 사진에서 그 음영은 소엽간열 및 대엽간열에 괸 흉수다. C. 측와위 사진에서 흉수는 오른쪽 바깥으로 사라졌다(vanished).

진에서는 흉수에 의한 위횡격막이 앞의 주엽간열을 따라 급격히 아래를 향하고 뒤의 늑횡격막각은 둔하게 보인다. 폐엽 사이에 있는 흉수는 엽간열의 모양, 방향에 따라서 그리고 그 양과 촬영 방향에 따라서 다양하게 보인다. 대엽간열에 있는 경우, 대엽간열 방향을 따라 안쪽으로 흐리고 바깥쪽으로 진하게 보이는, 불완전 간열 싸인(incomplete fissure sign)이 정면 기립 사진에서 보일 수 있다[17].

4) 흉막 위종양(pseudo tumor, vanishing tumor)

주로 좌심부전 환자에서 대엽간열에 흉수가 있을 때 보이는 것으로, 폐종양 또는 흉막 종양으로 잘못 판단할 수 있기에 붙은 이름이다. 후전 기립 사진에서, 흉수가 엽간열의 아래쪽에 있어서 폐하엽 종괴처럼 보이나 앙와위나 측와위로 자세를 바꾸어 찍은 흉부사진이나 앙와위의 CT에서 그 모양, 즉 물의 위치가 중력에 따라 바뀐다(그림 12-19). 종양으로 보이던 것이 사라지는 형상이다. 실제로 자세가 바뀌어서 흉수의 위치와 모양이 낮은 쪽으로 이동하며 바뀐 것이다. 이것을 직립 측면사진에서는 엽간열의 아래쪽으로, 측와위에서는 옆으로 그리고 CT나 흉부사진에서 앙와위로 찍으면 엽간열의 낮은 쪽 즉, 윗 부분에 렌즈모양으로 중력에 따라 낮은 쪽으로 물이 움직여 괸 것을 볼 수 있다. 자세를 바꾸면 사라지므로 vanishing tumor라고도 한다.

2. 누출성 흉막 삼출(transudative pleural effusion)

흉막 삼출의 성분이 누출액인 경우이고 흉막에는 특별한 병이 없다. 심부전증이 제일 흔한 원인이고 심막 질환, 간경화, 임신 및 출산, 저단백혈증, 수분 과잉, 신부전, 신증후군, 복막투석, 점액수종 등이 원인 질환이다. 정수압이 높거나 교질 삼투압이 낮은 것의 부조화에 따른 것으로 원인 질환이 치료되면 흉막에 별 흔적이 남지 않고 사라진다. 양측성 흉막 삼출 환자가 위와 같은 기존질환이 있어 누출액일 가능성이 높다면 굳이 흉수 천자로 확인할 필요가 없다. 88%는 양쪽에 생기나 한쪽에 생기는 경우도 있는데 간경화에 따른 흉막 삼출은 오른쪽에 많다(2/3). 이는 복수가 오른쪽 횡격막 결손이나 림프관을 따라 올라가는 것으로 이해하고 있다.

3. 삼출성 흉막 삼출(exudative pleural effusion)

흉막 삼출(pleural effusion)이 삼출액(exudate)이라는 것은 흉막에 병이 있거나 국소적으로 흉막 모세혈관의 투과성이 높아졌다는 것을 뜻한다. 폐렴, 농흉, 결핵, 종양, 폐색전증, 교원혈관질환, 복부 질환(췌장염, 농양, 수술 후), 드레슬러 증후군, 석면노출 등 수 많은 원인 질환이 있다. 흉막 삼출이 삼출액이냐 누출액이냐는 흉수 천자 검사로 확인한다. 이 경우는 원인질환이 있을 가능성이 높으므로 원인을 찾도록 한다.

4. 폐렴주위 삼출(parapneumonic effusion) 및 농흉(empyema)

폐렴주위 삼출은 폐렴, 폐농양, 폐색전증 등 세균성 폐감염에서 비롯된 흉막 삼출(pleural effusion)로 삼출액(exudate)이다. 폐렴의 40% 정도에서 폐렴주위 삼출이 생기고 다음 세 단계로 진행한다. 1) 삼출액 시기(exudative stage). 단순 폐렴주위 삼출이라고도 한다. 폐감염으로부터 비롯된 장측 흉막의 투과성 증가로 생기는, 양도 적고 균도 없는(sterile) 삼출액인데 이 때 삼출액의 포도당 농도와 pH는 정상 범위이다. 양이 많지 않고 낮은 부위에 괴고 소방을 형성하지 않는 상태다. 흉부사진에서 meniscus 싸인, CT에서 초승달(crescent) 모양으로 보인다(그림 12-20). 단순 폐렴주위 삼출은 원인에 맞게 항생제로 적절히 치료하면 되고 배액할 필요는 없다. 2) 섬유화농성 시기(fibrinopurulent stage). 농흉(empyema)이라고도 하고 흉막삼출이 감염된 시기이다. 대부분 폐렴과 관계가 깊고 -75%까지는 비호기성 세균이나 혼합 감염에 의하여 생기며 결핵균도 흔한 원인균이다. 흉막 삼출에서 그람 염색이나 균배양으로 균을 찾아내거나 중성백혈구수가 10,000/μL을 넘고 포도당과(< 40 mg/dl) pH(< 7.2)는 내려가고 LDH (> 1,000 IU/L)는 올라간다. 항생제만 사용하는 폐

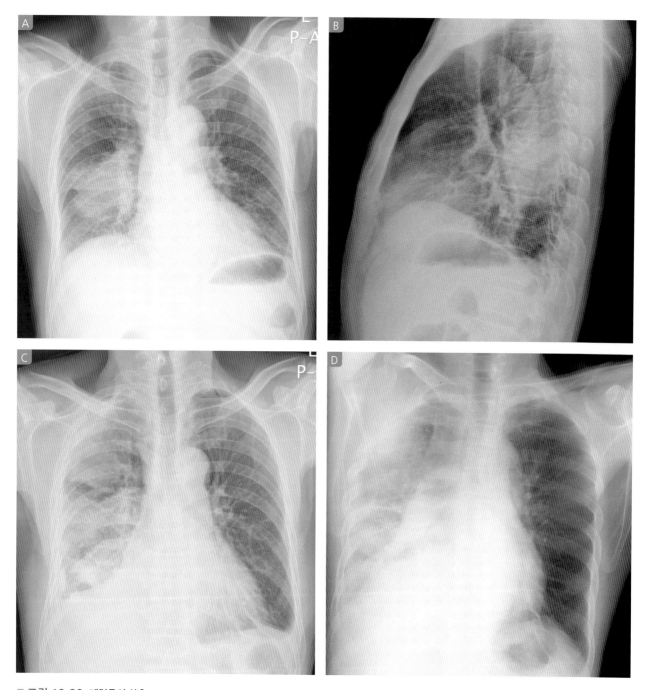

■ **그림 12-20. 폐렴주위 삼출**

A, B. 정면 및 측면 기립사진에 우하엽 상분절폐렴에 의한 폐경결이 보인다. **C.** 섬유 화농성 시기가 되어 삼출액의 양이 늘고 오른쪽으로 퍼져서 방을 형성한 상태다. **D.** 측와위 사진에 삼출액은 방을 많이 형성하였고 따라서 물의 자유 이동(free fluid shifting)이 없다.

농양과 달리, 이 시기에는 항생제 치료와 함께 체외로 고름을 빼주는 배액술이 도움이 된다. 이때에는 섬유소 혈전과 섬유소 막이 형성되어 삼출액이 국소화되거나 소방(loculation)을 많이 만들게 되어 누출성 흉막 삼출과 달리 사진에서 타

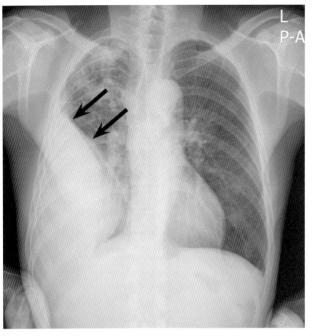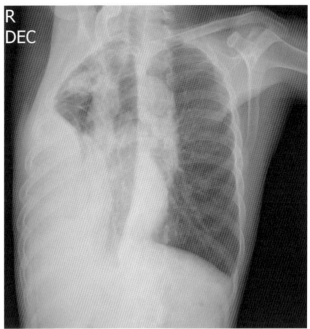

■ 그림 12-21. 결핵성 농흉

A. 우상엽에 결핵에 의한 폐경결이 보이고 오른쪽 밑에는 커다란 렌즈 모양의 농흉이 안쪽 폐를 누르고 있다(화살표). **B.** 오른쪽 측와위를 하여도 볼록한 렌즈 모양은 거의 바뀌지 않는다. 농흉이 방을 형성하고 흉막이 두꺼워졌으며 내부에 격막이 있다.

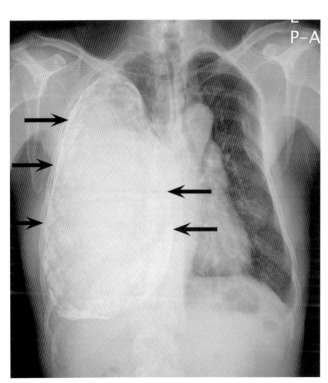

■ 그림 12-22. 오른 농흉의 석회화

두껍게 석회화된 흉막이 좌우로 분리되어 거의 원형을 이룬다. 바깥 이 벽측 흉막, 안 이 장측 흉막이 석회화된 것이고(화살표) 내부에 흉막 삼출 이 있다(split pleura sign). 대부분 오른쪽 폐는 수동 허탈 상태이다.

원형 또는 렌즈형이고 경계가 분명해지고 낮은 곳에 괴지 않고(non-dependent) 액체의 이동이(free fluid shifting) 적다(그림 12-21). 장측과 벽측 흉막은 삼출액에 분리되고(split pleura sign) 비교적 고르게(smooth) 두꺼워지며 안쪽 폐실질을 압박하게 된다[18](그림 12-22). 농흉 안에 공기가 포함되면 흉벽 가까이에 있는 폐농양과 감별이 어려울 수 있다. 3) 기질화 시기(organization stage, pleural peel), 장측 흉막과 벽측 흉막 사이에 섬유소 막을 따라 섬유세포가 증식하는 시기이다. 흉막 삼출을 적절하게 치료하지 못하면, 이렇게 흉막이 섬유화되어 가며 드디어는 탄성이 없는 흉막 껍질(pleural peel) 또는 섬유흉(fibrothorax)의 시기가 된다. 이렇게 섬유흉이 되고나면 폐 움직임에 제한이 생기고 부피가 줄어든다(trapped lung). 비교적 매끈한 흉막 비후가 보이고 시간이 흐르면 벽측 흉막과 흉벽 사이에 흉막외 지방(extrapleural fat)이 쌓이는데, 흉부사진에서 흉막 석회와 흉벽 사이가 벌어져 보이게 되며 CT로 그 사이의 흉막외 지방을 확인할 수 있다. 만성화하면 한쪽 흉곽이 반대쪽보다 작아진다.

1) 폐 농양과 폐렴주위 삼출

폐 농양은 폐의 내부에 있어(intra-axial) 원형으로 보이고 경계가 불분명하다. 또 주변 폐렴에 의한 폐경결 및 공기 기관지 조영이 보이며 주변 흉벽과 예각을 이루는 반면, 농흉은 흉강에 생기는 것이라(extra-axial) 길죽한 모양에 경계가 분명하고 흉벽과 둔각을 이룬다. 또 진행 단계에 따라 소방을 만들거나 국소화되어 이동이 없고 초승달이나 불규칙적인 렌즈 모양이 되기도 한다. 다른 흉수와 마찬가지로 바로 안쪽의 폐를 압박하고 폐혈관과 기도를 밀어 수동 허탈(passive atelectasis)을 일으키기도 한다. 많은 경우에 이런 차이로 농양과 농흉을 구분할 수 있다. 그러나, 때로는 폐농양이 폐 중심보다 변두리에 있으면 농흉처럼 보일 수 있고 폐렴주위 삼출에서 폐렴 병소가 크거나 수동 허탈이 있거나 삼출 내부에 공기가 있다면 농흉도 폐농양처럼 보일 수 있다. 이럴 때는 CT가 도움이 된다.

5. 결핵성 흉막 삼출

흉막 병변은 결핵에 흔한 소견이며 우리나라처럼 결핵 유병율이 높은 곳에서 젊은 환자가 중등도 이상이 많은 흉막삼출이 한쪽에 있다면 빈드시 한 번은 결핵을 생각해봐야 한다. 폐결핵 병소가 있다면 어느 때든지 흉막 삼출이 생길 수 있으나 대개 3-7개월 정도 전에 발병한 1차 폐결핵의 후유증이다. 결핵성 흉막염 환자의 80% 정도는 폐에 활동성 결핵이 있다. 결핵성 흉막삼출을 적절히 치료해야만 폐결핵이나 다른 부위의 결핵, 결핵성 농흉, 기관지흉막 누공 등이 생기는 것을 막을 수 있다. 지연성 과민 반응이 결핵성 흉막삼출의 주된 기전이므로 PPD에 강하게 양성 반응이 나타난다. 특징적으로 삼출액이 맑은 노랑색이며 단백질 농도가 높다(>3 gm/100 ml). 초기에 다형핵백혈구가 많을 수 있으나 점차 림프구가 70% 이상을 차지하므로 림프구 수는 진단에 중요하고 PCR의 정확도도 높다. 다형핵백혈구가 50%를 넘는다면 다른 원인을 찾아야 한다.

1) 흉부X선 소견

흉부 사진에 특징적인 흉수, 흉막 비후, 석회화, 공기액층, 기관지흉막루(Broncho Pleural Fistula), 섬유흉 등이 보이고 더불어 특징적인 폐결핵 소견을 볼 수 있다. 결핵성 흉막염이 진행하면 만성 지속성 흉막 삼출이나 결핵성 농흉이 된다. 이는 농흉에 결핵균이 많이 포함되어 있음을 뜻한다. 결핵성 농흉은 소방성 흉막삼출과 폐실질의 결핵 병소가 함께 보이고 결국에는 광범위한 섬유흉으로 진행하게 된다. 흉막비후가 2 cm 이상되면 만성 지속성 흉막삼출을 생각해야 하는데 이 때는 흉막 삼출, 흉막 비후 및 석회가 함께 있다(그림 12-22). 만성 결핵성 농흉이 흉벽 쪽으로 밀고 나가서 감압하게 되면 empyema necessitans가 되고 기관지와 교통하여 기관지흉막루가 되어 공기액층이 보이기도 한다(그림 12-23). 만성 결핵성 농흉에서 때로 악성 종양이 생기는데 폐암, 악성 림프종, 악성 중피종, 육종, 악성 섬유조직구종 등이 가능하고 주로는 폐암과 악성 림프종이 생긴다.

2) 흉벽침습농흉(empyema necessitans/necessitatis)

농흉이 벽측 흉막을 뚫고 흉벽을 침범하면 empyema necessitans가 된다. 흉강에서 늑간으로 그리고 흉벽쪽 근육층으로도 농흉이 퍼지는데 이런 병변은 결핵에 의한 것이 제일 흔하여 70%를 이루며, 방선균증(Actinomycosis), 노카르디아증(Nocardiasis) 및 다른 진균증에도 생길 수 있다. 병변이 크면 흉부 사진에서도 흉강 내와 흉강 밖으로 볼록 나온 액체를 볼 수 있으나, 그리 진단이 쉽지 않고 CT로는 흉강 및 흉벽 쪽에 고름이 연결되어 괸 것을 잘 볼 수 있다.

6. 유미흉, 유미 삼출(chylothorax)

유미 삼출은 장 림프액(intestinal lymph, chyle)이 흉강에 괸 것으로 단백질 및 지방산 농도가 높고 콜레스테롤 농도는 낮으며 육안적으로 젖처럼 하얗고 불투명하다. 모든 유미 삼출이 젖빛은 아니고 또 만성 흉막염으로 생긴 흉수 가운데 젖빛으로 보이는 경우가 있는데 이를 위유미 삼출이라 한다(pseudo chylothorax, chyliform effusion). 유미 삼출은 흉관(thoracic duct)이 손상되거나(25%) 악성 종양에 의해 흉부 림프 흐름에 장애가 있을 때(50%) 유미액이 새나가서 생긴다. 흉

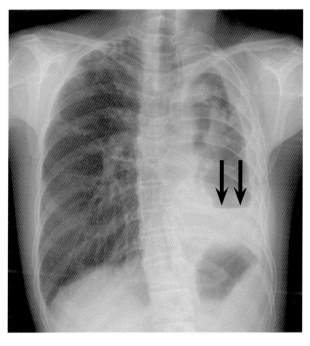

■ **그림 12-23. 기관지흉막루**
기관지흉막루는 장측 흉막이 터져서 생기는 것으로, 오래된 결핵성 농흉으로 기관지와 흉강이 연결되었고 공기액체층이 생겼다.

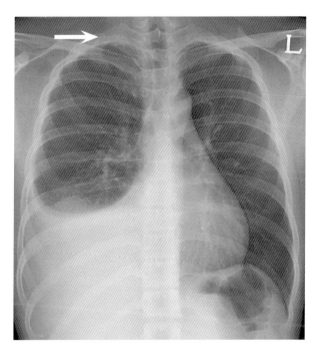

■ **그림 12-24. 20세 남자 Gorham 씨병 환자의 유미 삼출**
특별한 호흡기 증상이 없이 오른쪽 2번 갈비뼈가 점차 녹아 없어지고(화살표) 유미 삼출이 생기는 병이다. 오른쪽에 meniscus sign을 보이는 흉막 삼출이 있다. 일반 누출액에 의한 흉막 삼출과 비슷한 모양이다.

관은 정상적으로 상복부의 cisterna chyli에서 시작하여 흉추의 오른쪽으로 올라가다 6번 흉추 정도에서 왼쪽으로 가로질러 식도 뒤, 대동맥 뒤를 지나 왼쪽 쇄골하 정맥이나 완두정맥으로 이어지는데 하루에 2 L 정도 통과한다. 악성 림프종, 전이암, 종격동 종양 등 악성 종양이 50%, 식도나(식도 수술 환자의 -4%) 심장 등의 수술 뒤에 20%, 교통 사고 등 외상 및 종격동의 염증성 림프절 질환, 섬유화 종격동염, 중심정맥 혈전, 림프관근종증 등에서 생길 수 있다[19]. 악성 림프종은 전체 원인의 35%를 차지할 정도로 유미흉의 흔한 원인이다. 선천성 유미 삼출은 태아 흉수의 가장 큰 원인이기도 하다. 뼈가 녹고 유미흉이 생기는 Gorham씨병은 매우 드문 선천성 질환이다.

1) 흉부X선사진 소견

유미 삼출의 양은 다양하며 한쪽 또는 양쪽 모두에 생기기도 하다. 흉부 사진에서 일반적인 흉막 삼출과 다른 특별한 소견이 있는 것은 아니다(그림 12-24). 지방 성분 때문에 CT에서 저음영으로 보일 수도 있으나 단백질 양에 따라 다양한 음영으로 나타난다. 림프종, 교통사고 그리고 식도 수술 뒤에 괸 흉수는 유미 삼출일 가능성이 높다. 대개 유미 삼출이 되기 며칠 전에 종격동에 물이 괴어 종격동 확장으로 보일 수 있고 흉관의 정상 해부학적 위치에 따라, 흉부 아랫쪽 손상은 오른쪽에, 흉부 윗쪽 손상은 왼쪽에 유미 삼출이 생기기 쉽고 식도수술 뒤 생기는 경우는 왼쪽에 많다. 림프혈관조영술(lymphangiography)로는 유미흉의 진단 및 림프액의 누출을 관찰하여 림프관 손상 부위를 알아내는데 도움이 된다. 유미흉은 뽑아낸 흉막 삼출의 지질을 검사하여 확인한다. 유미흉은 트리글리세라이드가 보통 1.24 mmol/L (>110 mg/ml) 이상으로 높다. 결핵이나 류마토이드 관절염에 생기는 위유미 삼출(pseudo chylothorax)은 색깔은 우윳빛이나 유미액이 아니어서 트리글리세라이드가 높지 않고 만성 염증 때문에 콜레스테롤 성분이 5.18 mmol/L (>200 mg/dl) 이상으로 높다.

7. 혈흉(hemothorax)

흉막 삼출에 혈액이 섞인 것으로, 흉수 헤마토크릿이 혈액 헤마토크릿의 50%를 넘을 때를 말한다. CT로는 흉수의 CT 번호가 높고(> 50 HU), 고음영 혈종, 액체 - 액체층이 있을 때 또는 직접 조영제가 혈관으로부터 새나가는 것으로 진단할 수 있는데, 흉부사진 만으로, 보이는 흉막 삼출이 혈흉인지 단순 삼출액인지 알기는 어렵다. 흉부 외상 환자의 50%에 혈흉이 생기고, 또한 혈흉의 대부분 원인이 외상이므로 혈압, 헤마토크릿이 낮고 외상력이 있다면 또는 기흉, 늑골 골절, 횡격막 열상 등과 함께 흉막 삼출을 사진에서 본다면 혈흉 가능성을 생각할 수 있다. 동맥혈이 출혈된다면 그 진행이 빠르고 위험할 수 있으며 늑간정맥처럼 저 압력 혈관의 출혈은 그 출혈 양도 적고 스스로 멈출 가능성이 있다. 대동맥 파열이나 박리, 악성 종양, 기흉, 혈액 응고 장애, 폐동정맥 기형의 파열, 자궁내막증 등에서는 외상없이 혈흉이 될 수 있다. 혈흉은 나중에 기질화 과정을 거쳐서 섬유흉이나 석회화가 될 수 있다.

8. 섬유체(fibrin body, fibrin ball)

흉막의 삼출액(exudate)이나 혈흉이 치료되는 과정에서 흉강에 섬유소 혈전이 침착할 수 있다. 이 경우를 섬유체라 한다. 시간이 지나면서 서서히 작아지는데 1-2 cm 크기의 폐결절처럼 보일 수 있는데 그 위치는 폐실질이 아닌 바깥쪽 또는 엽간열 사이의 흉강이라는 것이 감별점이다.

9. 악성 흉막삼출(malignant pleural effusion)

50세 이후에 보이는 흉막 삼출은 좌심부전에 의한 것이 제일 많고 그 다음으로 악성 흉막 삼출일 가능성이 높다. 악성 흉막 삼출의 흔한 원인은 폐암(36%)과 유방(25%)이다. 남자의 폐암과 여자의 유방암이 악성 흉막 삼출 원인의 50-65%가 된다. 폐선암은 폐 변연부에 많이 생기는 까닭에 폐암 가운데에서 악성 흉막 삼출을 일으키는 빈도가 높다. 유방암, 흉선암, 난소암, 췌장암, 갑상선암, 위장관암과 콩팥의 악성 종양도 흉막 전이의 원인이다. 악성 흉막 삼출 환자에서 1차 암을 못 찾는 경우도 7-15%정도 된다. 최근 PET-CT가 전이성 폐 선암 환자에서 1차 암을 찾는데 도움이 되고 있다. 악성 흉수가 생기는 기전은, 1) 종양이 흉막을 침범하여 염증 반응 및 모세혈관 누출을 일으키고 2) 림프관 및 림프절을 막아 림프액 배액을 막고 3) 기관지 폐쇄로 흉강의 음압을 높여 누출액을(transudate) 증가시키고 4) 저단백혈증으로 여출액의 분비가 많고 5) 폐쇄성 폐렴에 따른 폐렴주위 흉막 삼출 6) 약물반응, 방사선 치료 등에 따른 흉막 모세혈관 투과성 증가가 있다. 악성 흉수는 대개 삼출액이고 단백질 농도는 평균 4 gm/dL 정도로 그리 높지 않다. 특히, LDH는 삼출액 기준에 맞게 높으나 단백질 농도가 그 만큼 높지 않으면 대개는 악성 흉수이다. 악성 흉수는 흉수나 흉막에서 악성 세포를 확인하면 된다. 암 종류 및 병기에 따라 예후가 다르나, 악성 흉수 진단 후 평균 생존 기간은 3-12개월이다. 모든 흉막 전이 환자에 흉수가 있는 것은 아니고 흉막 전이가 있는 환자의 60% 정도에만 흉막 삼출이 있으며 그 흉수 양도 흉막 전이 정도에 비례하지는 않는다. 종격동 림프절을 종양 세포가 침범해서 림프 배액이 안 되는 것으로 이해하고 있다. 흉수 양이 많을수록 악성 흉수인 경향이 있다.

1) 흉부X선사진 소견

흉수와 더불어 흉막 결절이나 흉막 비후가 보이는 것이 주요 소견이다(그림 12-25). 그러나 악성과 양성의 구분이 쉽지 않고 악성중피종도 유사한 패턴을 보여 감별이 어렵다. 특히, 치유기의 결핵성 흉막염과는 구분이 쉽지 않다. 나이가 50세 이상이고 폐암 등과 같은 악성 소견이 함께 있다면 악성 흉막 삼출일 가능성이 높고, 나이가 젊고 폐결핵 등 다른 양성 소견이 있다면 악성과 감별하는데 도움이 된다. 폐암이나 유방암인 경우, 대개 한쪽에 흉수가 오고 병의 진행에 따라 양측성이 되기도 한다. 폐암은 직접 흉막을 침범하거나 폐동맥을 침범하여 흉수를 만들고 유방암은 흉벽에서 림프관을 따라 바로 흉막을 침범하기 때문에 흉수가 생긴다. 반면에 난소암이나 위암은 병변이 있는 쪽에만 가는 것이 아니라 양측성 흉수로 나타는데, 간을 먼저 침범하고 그 이후 흉막으로 퍼지기 때문이라 생각한다. CT에서 판 모양의 흉막 비후나 1 cm 이상 크기 흉막 종괴가 보이면 악성 가능성이 높다. 흉부X선사진에서 횡격막, 종격동, 장측 흉막에 결절이 보이거나 둘러싸는 비후가 보이면 거의 틀림없이 악성이고

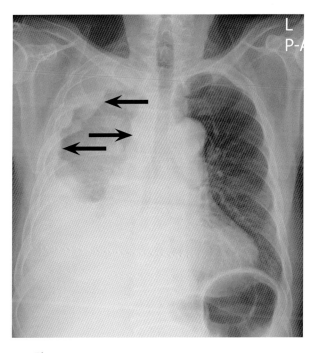

■ 그림 12-25. 악성 흉막 삼출
50세 여성으로 악성중피종이다. 위로는 흉막이 결절 모양으로 광범위하게 두꺼워져 있고 아래로는 흉수가 있다. 흉수가 많더라도 종양에 의하여 종격동이 왼쪽으로 밀리지 않고 고정되어 있다(frozen mediastinum).

반면 50% 정도의 악성 흉수에서는 단순한 흉수 소견 밖에 없어서 흉수 소견만으로 악성을 배제하기는 곤란하다.

Ⅳ 양성 흉막 비후

섬유화에서 비롯되는 양성 흉막 비후는 흉막 삼출에 이어 두 번째로 흔한 흉막 질환이다. 여러 흉막 질환 그리고 폐의 염증성 질환에서 이런 섬유화로 진행한다. 다양한 모양의 흉막 섬유화가 될 수 있는데 폐첨 모자(apical cap), 흉막반, 원형 허탈 등 국소적인 비후와 미만성 비후가 생길 수 있다. 외부로부터 오는 손상에 대하여 흉막의 중피 세포가 자신을 보호하려는 반응에 따라서 정상 치유 또는 섬유화 과정으로 이어진다. 미만성 비후는 교원혈관질환, 석면노출, 약품 등에 의한 반복되는 흉막 삼출이 원인인 경우가 대부분이다.

1. 폐첨부모자(apical cap)

폐첨 부위 흉막이나 때로 엽간열의 비후는 비교적 흔한 소견으로, 주로 장측 흉막에 나타나는 변화이며 보통은 5 mm 이하로 두꺼워지며 심할 때는 10 mm 가까이 두꺼워지기도 한다(그림 12-26). 흉막염 이후에도 생기며 우리나라에는 폐상엽 결핵 및 그에 따른 흉막비후가 많은 관계로 결핵성 흉막비후로 오해받기도 한다. 대개 원인은 잘 모르며 5 mm 이하 두께 매끄러운 경계로 나타난다. 일측성과 양측성인 경우가 각각 10% 정도로 비슷하고 45세 이상에서는 16%에서 보인다. 남녀 차는 없으며 결핵, 폐기종, 특발성 폐섬유화, 석면폐 등과 관계는 없다. 그 정확한 기전은 모르나 나이를 더할수록 흔해진다. 흉막 및 그 바로 아래 폐조직의 섬유화가 병리 소견이며 주로 폐 병변이 흉막 병변보다 크다. 사진에서는 폐첨 위에 있는 경계가 불규칙적이고 비교적 명확한 그리고 음영은 균실한 흉막 비후로 보인다. 폐결핵 반흔, 방사선 폐렴, 악성 림프종, 흉막 종양, 출혈, 커진 혈관, 늘어난 지방조직과 구분해야 하는데, 특히 한쪽에만 오고 brachial plexus와 늑골파괴가 가능한 폐첨 폐암(superior sulcus tumor)과 구분하는 것이 중요하다.

2. 흉막반(pleural plaque)

무혈성, 유리질성 변화가 있는 교원결합조직(collagen with hyalin change)이 국소적으로 치밀하게 침착된 것으로, 육안적으로 하얗거나 노랗고 경계가 분명한 덩어리다. 석면에 노출된 환자에서 가장 흔한 병변으로 20년 이상의 잠복기를 갖고 노출이 오래될수록 발현율이 높다. 비교적 전형적으로, 좌우 횡격막 돔쪽에 많고 7-10

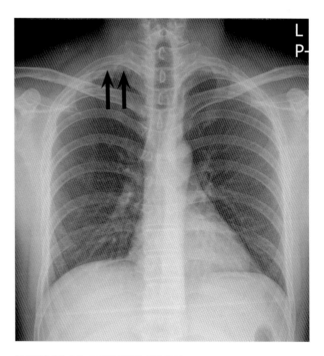

■ **그림 12-26. 50세 남자의 폐첨 모자**
오른쪽 폐첨 흉막에, 경계가 불규칙적이며 비교적 명확한 음영 증가가 있다. 폐첨에 생기는 폐암과 구분하여야 한다.

번째 늑골 사이의 후외측 흉막, 주로 벽측 흉막에 생기는 것이 특징이다. 일부 엽간열, 장측흉막에 생겨서 폐결절처럼 보일 수도 있다. 폐첨과 늑횡격막각에는 잘 생기지 않는다. 장측 흉막에 생긴다면 그 주변 폐실질 병변과 함께 하여, 흉막반에서 뻗어나가는 간질성 선, interstitial line(hairy plaque)으로 보이기도 한다. 대부분 좌우 흉막에 함께 생기지만 25% 정도 환자에서는 한쪽에만 생기기도 한다. 미만성으로 오지 않는다면 폐기능 저하는 없다. 석면 보다는 덜하지만 규소에 노출되거나 흉부 외상, 혈흉, 기질화된 농흉에도 흉막반이 생긴다. 질환의 특성상 이런 질병에서는 한쪽 그리고 위쪽에 잘 생기며 규소폐의 경우에는 석면과 달리 장측 및 벽측 흉막 모두에 생긴다.

1) 흉부X선사진 소견

표면이 매끄럽고 불규칙한 모양의 흉막 비후로 보이며, 석회가 있을 때는 측면(tangential view)에서 선상음영으로 보인다. 측면에서 볼 때는 발견이 쉽지만, 석회가 많지 않을 때에는, 정면 사진만으로(en face view) 진단이 어려울 수 있다. 흉막 부위의 석회는 석면 노출 후 30-40년

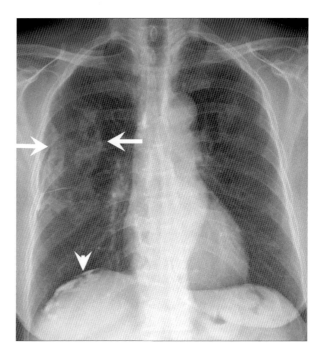

■ 그림 12-27. 65세 여자의 석면 관련 흉막반
횡격막쪽 흉막에 생기는 석회(화살촉)가 pathognomonic하고 위로는 holly leaf 모양(화살표)의 흉막반이 있다. 주로는 벽측 흉막에 생기는 석회이다.

뒤에 생긴다. 이런 오랜 잠복 기간이 걸려도 석회가 보이는 경우는 15% 정도이다. 병변이 크고 석회가 많아지면 서양호랑가시나뭇잎(holly leaf) 같은 특징적인 모양이 나타난다(그림 12-27). 흉부사진의 진단 민감도는 30-80%, 특이도는 60-80%이다. 흉막외 지방 침착, 다발성 늑골 골절, 염증성 흉막 비후, 특히 우리나라에서는 결핵성 흉막석회와 구별해야 하고 subcostalis, transverse thoracis 근육, companion shadow 및 여러 흉막 종괴와 구분해야 한다.

3. 미만성 흉막 섬유화(pleural fibrosis, diffuse pleural thickening)

흉부사진에서 흉막 바깥쪽의 흉막 선이 미만성으로 두꺼워지고 때로 엽간열이 진하고 두껍게 보이는 경우가 많은데 이는 세균성 또는 결핵성 흉막염의 결과가 대부분이고, 석면에 의힌 경우가 벽측 흉막 비후인 것과 달리 장측 흉막의 병변이다. 미만성 흉막 섬유화에서 미만성이라 함은 다소 인위적이나 늑흉막각이 두꺼워지는 경우와, 전체 흉벽의 1/4을 넘게 5 mm 이상 두꺼워졌을 두 경우를 말하기도 한다. 미만성 흉막 섬유화는 석면 노출, 전신성 홍반성 낭창, 류마토이드 관절염, 결핵성 흉막염, 관상동맥수술후, 혈흉, 요독증, cryptogenic fibrosing pleuritis, 약물, 방사능 조사 등으로 생긴다. 대부분은 벽측 및 장측 흉막 모두가 두꺼워지고, 폐실질의 반흔이나 섬유화가 흉막 섬유화로 진행되기도 한다.

4. 섬유흉(fibrothorax)

섬유흉은 미만성 흉막 섬유화의 가장 심한 형태라 할 수 있는데, 장측 흉막이 심하게 섬유화되어 벽측 흉막과 붙게 되며 결국 흉곽 용적이 심하게 줄고 환기 기능이 떨어지며 양측성이면 호흡부전이 될 수도 있는 상태다. 혈흉, 결핵성 흉막삼출, 농흉, 석면관계 흉막질환 등이 선행 원인으로 흉강의 섬유성 폐쇄가 초래된 상태이다. 사진에는 결핵이나 농흉 등, 원인 질환에 따른 특징적인 폐실질 병변 및 석회같은 특이 소견이 보이고 석면에 노출된 경우는 석면 흉막반이나 *holly leaf* 모양의 특징적 석회가 보일 수 있다. 일반적으로, 섬유흉이 진행되면, 늑간이 좁아지고 한쪽 흉곽이 상대적으로 작고 종격동이 당겨지며 횡격막이 올라간다(그림 12-28).

5. 원형 무기폐(rounded atelectasis)

부분적인 흉막비후가 있고 그 인접 부위 변연부 폐허탈이 생기고 그 내측 기관지-혈관구조가 폐문 방향으로 당겨지는 변형이 온다. 이 허탈이 원형 무기폐이고 기관지-혈관이 길게 보이는 것이 혜성 꼬리 모양이라 할 수 있다. 주로는 석면과 관련된 흉막 질환에서 나타나고 드물지만 다른 원인의 흉막 질환에서도 생길 수 있다. 흉부 사진에는 3-5 cm 크기 원형 또는 난원형 종괴가 흉막을 기준으로 넓게 붙어 있고, 이 종괴와 폐문 사이로 여러 굽어진 선 모양의 폐혈관이 보일 수도 있다(그림 12-29). 이와 같은 형태의 무기 폐가 중요한 것은 종종 변연부 폐암으로 오인되기 때문이다. CT에서는 비

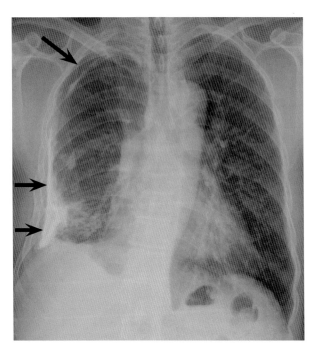

■ **그림 12-28. 섬유흉**
폐결핵을 오래 앓았던 환자로, 오른쪽 장측 흉막과 벽측 흉막이 광범위하게 붙어서 석회화되었고 흉곽은 작아졌다. 석회와 흉곽 사이 공간은 흉막외 지방층에 지방이 침착하여 두꺼워진 것으로 병변이 오래되었음을 뜻한다.

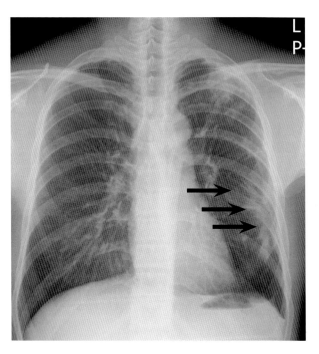

■ **그림 12-29. 원형 무기폐**
흉막 비후가 있고 그 안으로 둥근 모양의 폐허탈에 의한 짙은 음영이 있다. 더 안쪽으로는, 폐문을 향한 기관지-혈관구조가 혜성 꼬리 모양(화살표)으로 보인다.

교적 전형적인 소견이 보여 진단이 가능하다. 설상분절에 제일 많고 이어 우중엽 좌우하엽 순이다.

Ⅴ 흉막 종양

1. 흉막 국소 섬유 종양(Localized Fibrous Tumor of Pleura)

다양한 이름으로 불러왔는데, localized mesothelioma, fibrous mesothelioma, benign fibrous mesothelioma, fibrosing mesothelioma 등의 이름은 중피세포 기원이라는 가정에서, subpleural fibroma, submesothelial fibroma 등으로 부른 것은 중피하 세포(submesothelial) 기원을 또 pleural fibroma, pleural fibromyxoma, solitary fibrous tumor of pleura, localized fibrous tumor of the serosal cavity 등으로 다양하게 불렀고 지금은 localized fibrous tumor of pleura라 하고 submesothelial mesenchymal 세포 기원에 섬유배아세포로 분화한 것으로 이해하고 있다. 그 만큼 전구세포에 대한 학설, 병리 소견, 생물학적 행태 등이 다양하다. 이 종양은 중피세포 기원이 아니고 또한 양성만도 아니다. 이 가운데 30-40%는 병리적으로 악성이고 한편으로는 예후가 좋은 경우도 많다. 천천히 자라는 종양으로 흡연, 석면, 다른 공해 물질과는 관계가 없다. 흉막 종양의 5% 이하이며 대부분(70-80%) 장측 흉막에서 기원하고 나머지는 벽측 흉막 그리고 드물게 종격동, 폐에서 심지어 간, 복강, 후복강, 뇌수막, 갑상선, 유방 등 흉곽 밖에서 생긴 보고도 있다. 출혈, 낭성 변화, 괴사 등이 흔한데 악성과 양성에 따른 차이는 별로 없다. 50% 정도가 pedunculated인데 안에 풍부한 공급 혈관이 있다. 오른쪽이 좀 더 많고 (60%) 남녀 모두에, 다양한 나이에(5-87세) 생기나 대개 50 이후에 많다.

1) 흉부X선사진 소견
경계가 매끄럽고 균질적인 종괴나 결절로 변연부에서 주로 보인다. 흉막 또는 흉벽과 맞닿아서 보이는 경우가 많으며

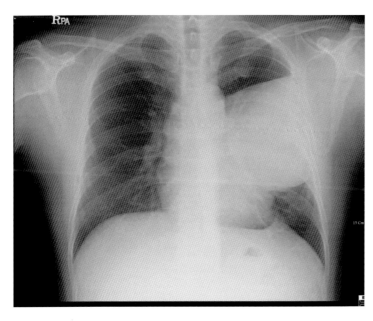

■ 그림 12-30. 50세 남자의 흉막국소섬유종양
왼쪽 벽 흉막에 생긴 13 cm 크기 종괴로 경계가 분명하고 수술 결과 줄기(stalk)가 있었다.

엽간열 사이에 위치하기도 하며 크기는 다양하며(1-30 cm, 평균 13 cm) 7 cm가 넘는 경우가 많다(그림 12-30)[20, 21]. 종양의 내측은 경계가 분명하고 바깥쪽은 불분명하게 보이는 흉막 병변의 특성을 보이는 경우도 많다(incomplete border sign). 병변이 작으면 흉벽과 둔각을 이루는 편이지만 종괴가 커지만 예각으로 보이기도 한다. 흉곽 내에서 위보다는 중간이나 아래쪽에 많고 종괴 자체는 아래를 향하는 경향이 있는데 횡격막과 넓게 만나면 횡격막 거상(raised hemidiaphragm)이나 eventration처럼 보이기도 한다. 종격동 가까운 쪽에서 생기면 폐와 종격동에 종괴 효과를 주거나 심지어 종격동 종양처럼 보이기도 하고 때로 종격동 쪽으로 밀고 들어가거나 엽간열에서 생겨 폐종양처럼 보일 수도 있다(그림 12-31).

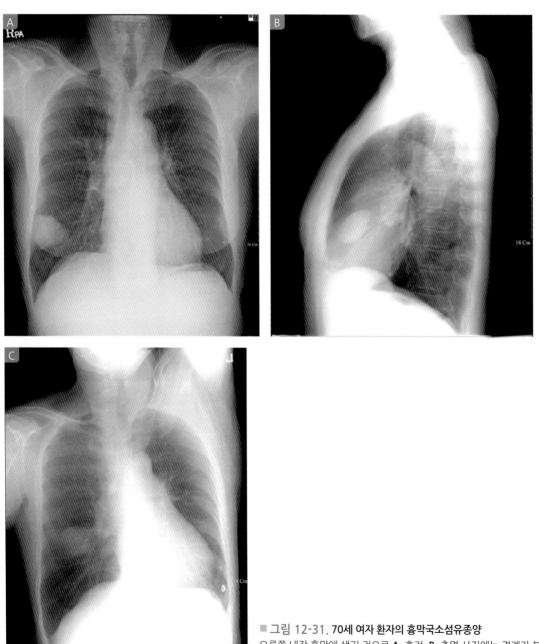

■ 그림 12-31. 70세 여자 환자의 흉막국소섬유종양
오른쪽 내장 흉막에 생긴 것으로 A. 후전, B. 측면 사진에는 경계가 분명한 달걀모양의 종괴다. C. 최측와위 사진에는 종괴에 줄기가 달려서 약간 왼쪽으로 움직였다(moved).

pedunculated라면 호흡이나 자세 변화에 따라 모양과 방향이 바뀌고 움직이는 것도 중요한 특징이다[22]. 출혈, 낭성 변화, 괴사 등은 CT 및 MRI로 관찰할 수 있는데 영상으로 악성과 양성을 구분하기는 쉽지 않고 종괴가 비균질적이거나 종괴 효과, 흉수가 있다면 악성일 가능성이 더 있다. 석회가 있는 경우는 1/4 이다. 흉수가 있는 경우는 드물고 주변 늑골의 과형성이 있기도 하다. 증상이 없이(50%) 우연히 사진에서 발견되는 경우가 많다. 수지 곤봉증이나 골관절 과형성 같은 증상이 있다면 종괴가 크거나 악성인 경우가 많다. 기침, 호흡곤란, 객혈, 가슴이 무겁고, 무언가 가슴 속에서 움직이는 느낌이 들 수도 있다.

2. 악성중피종(malignant mesothelioma)

흉막 기원의 악성 종양으로는 제일 흔하나 그 빈도는 매우 드문 종양으로 과거에 사용한 석면의 양에 비추어 앞으로 발생이 늘 것으로 보인다. 흉막의 중피세포에서 기원하고 때로는 심낭막, 복막, 심지어 고환의 tunica vaginalis에서 기원하기도 한다. 국한성 섬유 종양과 달리 50-70대에 호발하는(2-6배) 경향이 있고 남자 발생율이 여자보다 많은데(2-6 : 1) 이는 性적인 차이보다는 직업적인 차이에 기인하는 듯하다. 석면에 노출된 과거력이 많고 노출된 사람이 그렇지 않은 사람보다 300배 정도 확률이 높은데 노출 후 20-40년 뒤에 발생한다. 호흡곤란, 흉통, 기침, 체중감소가 주 증상이다. 장측, 벽측 흉막 모두에 생길 수 있고 흉곽내 림프절 전이, 원격 전이나 광범위한 흉막 침윤 등을 많이 하여 예후가 매우 나쁘다. 진단후 평균 생존기간은 12개월 정도이다. 주변 흉막을 따라 침범하고 흉수에 피가 보이는 혈성 흉수가 흔하고 진단 당시 원격 혈행성 전이가 50%에서 발견된다. 병리적으로는 상피세포(50%), 육종성(25%) 그리고 혼합형(25%)로 나누는데 그 중 상피세포형의 예후가 상대적으로 좋고 흉수가 동반되는 편이다.

1) 흉부X선사진 소견

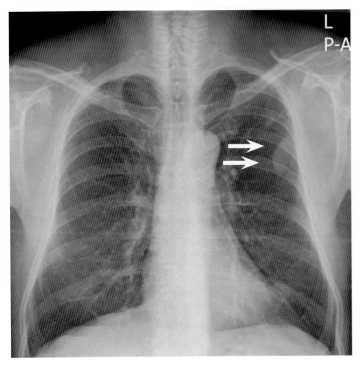

■ 그림 12-32. **흉막 지방종**
좌상부에, 안쪽으로는 경계가 분명하고 바깥 으로는 경계가 불분명한(pleural 또는 extrapleural sign) 종괴로 CT에서는 지방 음영으로 보인다.

초기에는 정상으로 보일 수 있고 흉수만 발견되기도 한다. 병이 진행되면 한쪽 흉막 전체가 두꺼워지나 볼록한 흉막 병변으로 보이는데 이는 자체가 중피종 종괴이거나 여러 개 소방형 흉막삼출 등에 의한 것이다[23, 24]. 엽간열 침범에 따른 엽간열 비후나 결절이 흔하다(86%). 따라서 흉수와 더불어 여러 개 결절형 흉막 비후, 전반적으로 두꺼워지는 흉막 비후가 보인다면 폐암의 흉막 전이뿐 아니라 악성 중피종 가능성을 생각해야 한다(그림 12-25). 종양 침범이 광범위하고 흉수가 많이 있다면 대체로 흉곽 용적이 커지나 중피종의 경우, 오히려 종격동이 중간에 고정되거나(frozen mediastinum sign) 병변 쪽으로 당겨져 병변 쪽 흉곽이 작아 보이기도 한다. 흉벽을 침범한 경우에는 늑골의 골막 반응, 미란 및 골 파괴가 보이기도 하며 기흉이 올 수 있다. 80%에서 흉막 삼출이 보이며 석회도 20%에서 보인다. 석면 노출과 관계된 소견, 즉흉막 비후나 특징적인 흉막반이 보이면 진단에 도움이 된다. 폐렴 및 흉수, 농흉, 폐암 등과 감별해야 하고 특히 폐암의 흉막 전이와는 공통되는 소견이 많으므로 주의를 요한다. 병리 진단을 위하여는 흉수 천자후 세포진 검사, 흉막 조직 생검, VATS 생검 등 다양한 진단 수단이 있다. 영상 유도하 core 조직검사는 4%, 수술적 조직검사는 22%에서 조직 검사 침을 따라 암세포가 퍼질 수 있는데(tract seeding) 환자에게 상당히 고통스럽고 치료도 어렵다[25]. 그밖에 지방종(그림 12-32), 근육종, 횡문근육종, 악성 섬유 조직구종, 혈관육종 등이 생길 수 있는데 지방종 및 지방육종 외에는 특이한 소견이 적고 빈도도 매우 낮다.

3. 흉막 전이암

흉막에 생기는 신생물에는 악성 흉막 중피종, 국소형 섬유 종양, 지방육종 같은 1차 종양이 5-10% 정도이며 90% 이상은 전이암, 악성 림프종, 흉선종 등의 이차성 종양이고 그 중 전이암이 제일 흔하다. 흉막 전이의 40%는 폐암에서, 20%는 유방암에서, 10%는 악성 림프종에서, 기타 다른 암에서 30%가 기원한다. 공격성 흉선종은 드물고 조직학적으로는 그다지 악성이 아니나 흉막을 침범하여 넓게 흉막 비후가 오거나 흉수가 생기기도 한다. 노인 흉막 삼출의 25% 정도는

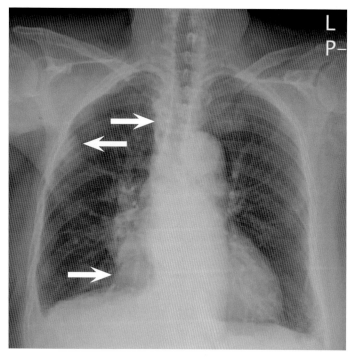

■ 그림 12-33. 45세 여자 유방암 환자의 흉막 전이
오른쪽 흉막에 바탕을 둔 다양한 크기의 결절이 여러 개 보인다. 결절형 흉막 비후는 흉막 전이뿐 아니라 악성 중피종의 흔한 소견이기도 하다.

악성이다. 흉막 전이는 원발 암과 가까이 있는 흉막으로 직접 퍼지는 것이 중요한 기전이고 침범된 폐혈관이나 림프관을 따라서 흉막으로 퍼지기도 한다.

1) 흉부X선사진 소견

흉막 전이의 전형적 소견은 흉막 삼출이고 대개는 유일한 소견이기도 하다. 흉막 삼출만 보이고 흉막 비후가 없을 수도 있다. 흉막이 매끈하게 두꺼워지거나 결절형 비후 또는 흉막 종괴처럼 보일 수 있다(그림 12-33). 흉막 종괴 하나가 보인다면 흉막 전이암일 가능성이 높다. 결절형 비후는 흉막 전이는 물론 악성 중피종의 소견이기도 하다. 폐암이 장측 흉막을 침범하면 폐암 병기가 T2, 종격동 흉막이나 흉벽을 침범하면 T3이며 악성 흉막 삼출이 있으면 M1a이다. 따라서 악성 흉막 삼출을 확인하는 것이 치료 및 예후 결정에 중요하다. 선암이 폐암 종류 가운데 흉막 전이가 많은데 그것은 선암이 폐 변연부에 생기는 경우가 많아 흉막과 가깝고 혈관을 잘 침범하는 특성 때문이다.

━━ 참고문헌 ━━

1. 김성진. 흉막 질환. In: 임정기, 이경수. 흉부방사선과학. Seoul: Ilchokak, 2000:460-480.

2. Webb WR. The pleural and pleural disease. In: Webb WR, Higgins CB, eds. Thoracic imaging: pulmonary and cardiovascular radiology. Philadelphia: Lippincott Williams & Wilkins, 2005:575-608.

3. Hansell DM, Armstrong P, Lynch DA, McAdams HP. Pleura and pleural disorders. In: Imaging of the diseases of the chest, 4th ed. Philadelphia: Elsevier Mosby, 2005:1023-1092.

4. Sealy JM. Pleural disease. In: Muller NL, Silva CIS. Imaging of the chest, Volume 2. Philadelphia, PA: Saunders/Elsevier, 2008:1307-1443.

5. Fraser RS, Colman N, Muller NL, Pare PD. Pleural disease. In: Synopsis of diseases of the chest, 3rd ed. Philadelphia: Elsevier Saunders, 2005:819-847.

6. Raasch BN, Carsky EW, Lane EJ, O'Callaghan JP, Heitzman ER. Radiographic anatomy of the interlobar fissures: a study of 100 specimens. AJR Am J Roentgenol 1982:138:1043-1049.

7. Heitzman ER. The mediastinum: radiologic correlations with anatomy and pathology. Berlin: Springer-Verlag, 1988.

8. Hayashi K, Aziz A, Ashizawa K, Hayashi H, Nagaoki K, Otsuji H. Radiographic and CT appearances of the major fissures. RadioGraphics 2001:21:861-874.

9. Abolnik IZ, Lossos IK, Gillis D, Breuer R. Primary spontaneous pneumothorax in men. Am J Med Sci 1993:305:297-303.

10. Greene R, McCloud TC, Stark P. Pneumothorax. Semin Roentgenol 1977:12:313-325.

11. Noppen M, De Waele M, Li R, Gucht KV, D'Haese J, Gerlo E, et al. Volume and cellular content of normal pleural fluid in humans examined by pleural lavage. Am J Respir Crit Care Med 2000:162:1023-1026.

12. Sahn SA. State of the art. The pleura. Am Rev Respir Dis 1988:138:184-234.

13. Vix VA. Roentgenographic recognition of pleural effusion. JAMA 1974:229:695-698.

14. Kocijancic I, Tercelj M, Vidmar K, Jereb M. The value of inspiratory-expiratory lateral decubitus views in the diagnosis of small pleural effusions. Clin Radiol 1999:54:595-597.

15. Woodring JH. Recognition of pleural effusion on supine radiographs: how much fluid is required? AJR Am J Roentgenol 1984:142:59-64.

16. Ruskin JA, Gurney JW, Thorsen MK, Goodman LR. Detection of pleural effusions on supine chest radiographs. AJR Am J Roentgenol 1987:148:681-683.

17. Lubner MG. The incomplete fissure sign. Radiology 2008:247:589-590.

18. Stark DD, Federle MP, Goodman PC, Podransky AE, Webb WR. Differentiating lung abscess and empyema: radiography and computed tomography. AJR Am J Roentgenol 1983:141:163-167.

19. Sassoon CS, Light RW. Chylothorax and pseudochylothorax. Clin Chest Med 1985:6:163-171.

20. Briselli M, Mark EJ, Dickersin GR. Solitary fibrous tumors of the pleura: eight new cases and review of 360 cases in the literature. Cancer 1981:47:2678-2689.

21. Rosado-de-Christenson ML, Abbott GF, McAdams HP, Franks TJ, Galvin JR. Localized fibrous tumors of the pleura. RadioGraphics 2003:23:759-783.

22. Soulen MC, Greco-Hunt VT, Templeton P. Cases from A3CR2. Migratory chest mass. Invest Radiol 1990:25:209-211.

23. Wang ZJ, Reddy GP, Gotway MB, Higgins CB, Jablons DM, Ramaswamy M, et al. Malignant pleural mesothelioma: evaluation with CT, MR imaging, and PET. RadioGraphics 2004;24:105-119.

24. Jeong YJ, Kim S, Kwak SW, Lee NK, Lee JW, Kim KI, et al. Neoplastic and nonneoplastic conditions of serosal membrane origin: CT findings. Radio-Graphics 2008;28:801-818.

25. Agarwal PP, Seely JM, Matzinger FR, MacRae RM, Peterson RA, Maziak DE, et al. Pleural mesothelioma: sensitivity and incidence of needle track seeding after image-guided biopsy versus surgical biopsy. Radiology 2006;241:589-594.

| 김진환 |

■■■■Contents

I. 선천성 기형
　1. 뼈 기형 2. 연조직 기형
II. 흉벽 외상
　1. 뼈 외상 2. 연조직 외상
III. 감염 및 염증성 질환
　1. 고름형성감염 2. 결핵 3. 흉벽침습농흉 4. SAPHO 증후군 5. 늑연골 뼈연골염
IV. 흉벽 종양
　1. 뼈종양 2. 연조직종양
V. 기타 질환

흉벽은 주로 근육과 뼈로 구성되며 심장, 폐, 간 등의 내부 장기를 보호하고, 호흡을 하는데 펌프 역할을 한다. 또한 어깨 관절과 팔이 운동하는데 필요한 유연한 골격을 제공한다. 흉부X선사진은 흉벽 질환을 진단하는데 있어 가장 먼저 시행하는 검사로[1] 질환에 따라 초음파검사, CT, MR 등을 적절하게 선택하여 정확한 진단을 하도록 한다.

I 선천성 기형

1. 뼈 기형

1) 오목가슴

오목가슴(pectus excavatum, funnel chest)은 흉골(sternum)과 늑연골이 흉강쪽으로 내려앉아 낮게 위치하는 기형으로 좌우 대칭 또는 좌우 비대칭으로 함요(depression)된다[2, 3]. 원인은 아직 명확하게 밝혀지지 않았으나 늑연골이 과도하게 성장하여 오목가슴이 되는 것으로 보이며 흉골의 어느 위치에서나 발생할 수 있지만 검상돌기에 가까운 하부 흉골과 늑연골에서 가장 흔하게 나타난다. 흉벽의 발달 장애 중 가장 흔한 질환으로(90%), 10,000명의 출생아 중 23명의 빈도를

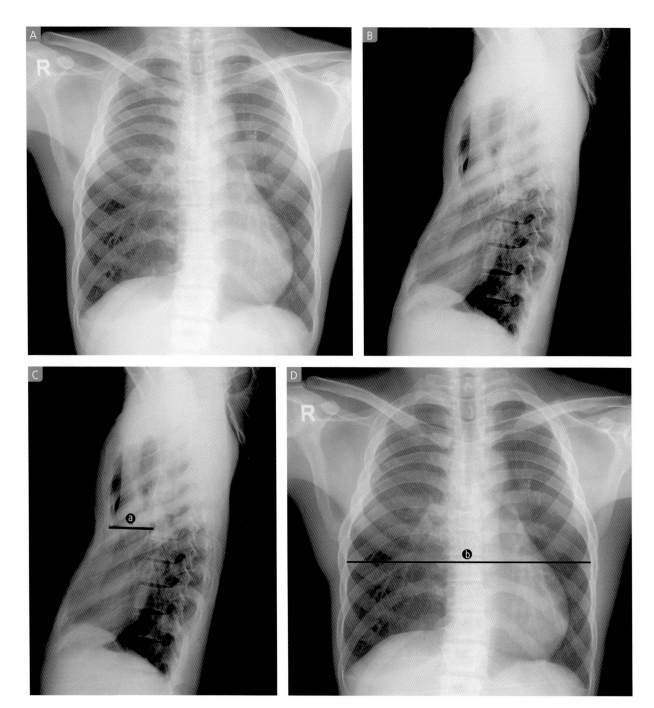

■ 그림 13-1. 오목가슴

A. 28세 남자의 흉부X선 후전사진에서 심장이 왼쪽으로 치우쳐 있고, 오른쪽 심장 가장자리가 희미하며, 늑골의 앞쪽 경사도가 정상보다 수직으로 증가되어 있다. **B.** 흉부X선 측면사진에서 흉골이 내려앉은 정도를 쉽게 볼 수 있다. 또, 정상적인 척추뒤굽음곡선이 펴져서 수직으로 보인다. **C, D.** 흉부 X선 Haller index. 흉부X선 측면 사진에서, 흉골이 가장 뒤쪽으로 내려앉은 위치에서 흉골의 뒤쪽부터 척추체의 전방까지의 최단거리 (a)를 측정한다(C). 흉부 X선 후전사진에서, 같은 위치의 최대 가로 직경 (b)를 측정한다(D). 흉부X선 Haller index는 ❺/ⓐ이다.

보인다. 남자에서 3:1의 비율로 더 흔하게 발생하고, 가족력은 35-45%에서 보인다[4]. 오목가슴은 출생 시나 직후부터 보일 수 있으며, 사춘기에 성장 속도가 빨라지면서 오목가슴의 정도가 진행하는 소견을 보이는 경우가 많고 출생 시는 뚜렷하지 않다가 사춘기에 발견이 되기도 한다.

척추옆굽음증(scoliosis) (15%), 불완전뼈발생(osteogenesis imperfecta), Ehlers-Danlos 증후군, 횡격막이상, 승모판 탈출증(mitral valve prolapse) (15%) 등의 선천기형이 동반될 수 있고, 환자의 2%에서 Marfan 증후군이 동반된다. 대부분 증상이 없지만 심한 정도에 따라 미용적인 문제나 심폐기능의 이상으로 나타날 수 있다. 흉골과 늑골연골이 낮게 위치하므로 흉부X선 후전사진에서 ① 척추앞공간(prevertebral space)이 좁아져서 심장이 왼쪽으로 치우치면서 축회전을 하여, 승모판 질환과 유사하게 보이며(mitral configuration) 거짓으로 심장비대가 있어 보이고, ② 복장옆 연조직(parasternal soft tissue)에 의해 오른쪽 폐의 아래 안쪽에 음영이 증가되어 오른쪽 심장 가장자리가 희미하게 되며, ③ 늑골의 앞쪽 경사도가 수직으로 증가된다. 흉부X선 측면사진에서 ① 흉골이 내려앉은 정도를 쉽게 볼 수 있으며, ② 정상적인 척추 뒤굽음곡선(kyphotic curvature)이 펴져서 수직으로 되고, ③ 심장이 뒤쪽으로 밀려 있는 것을 볼 수 있다(그림 13-1). 흉골이 내려앉은 정도는 Haller index (최대 가슴가로지름/최단 가슴앞뒤지름)로 평가하며 흉부X선과 CT에서 각각 측정할 수 있다. 흉부X선에서 측정하는 방법은, 우선 측면사진에서 흉골이 가장 뒤쪽으로 튀어나온 위치를 찾아서, 척추체의 전방까지의 최단거리를 측정한 다음, 흉부X선 후전사진에서 같은 척추체 수준에서 최대 가로 직경을 측정한다[5]. CT에서도 흉골이 가장 흉강 쪽으로 내려앉은 위치에서 측정한 가슴가로지름을 가슴앞뒤지름으로 나눈다[6]. 정상은 2.56± 0.35이고 3.25보다 크면 수술적 교정을 요한다. 오목가슴의 수술적 교정은 Nuss 술기(Nuss procedure, minimally invasive repair of pectus excavatum)와 수정 Ravitch 술기(modified Ravitch procedure)가 가장 흔하게 시술되고 있다. 흉부 X선 사진에서 기흉, 흉수, Nuss 또는 Ravitch 막대의 이동과 같은 수술후 합병증을 평가할 수 있다[7].

2) 새가슴

새가슴(pectus carinatum)은 흉골과 인접한 갈비 연골이 앞으로 돌출된 기형이다. 흉골의 체부가 튀어나오는 경우(chondrogladiolar variant)와 흉골자루(manubrium sterni)가 튀어나오는 경우(chondromanubrial variant)의 2가지 형태가 있으며 후자의 경우 흉골자루는 튀어나오고, 흉골 체부는 들어가는 혼합형으로 나타나기도 한다. 흉골의 체부가 튀어나오는 형태가 훨씬 빈도가 높아 92.3-95%를 차지한다[8]. 새가슴은 0.6%의 유병률로 흉벽 기형 중 두 번째로 흔하며 흉벽 기형의 5-7%를 차지한다. 남녀 비는 4:1로 남자에서 더 많고 가족력은 25%에서 발견된다. 흉요부 측만증(thoracolumbar scoliosis)이 12-34%에서 동반되는 것은 결합조직 질환의 일환임을 시사하는 소견일 수 있다. 유전 질환 중 Marfan 증후군, Noonan 증후군에서 새가슴이 나타나고[8], 후천적인 원인으로는 심방중격결손, 심실중격결손, 천식, 만성폐쇄폐질환 등에 의해서도 흉벽이 앞으로 돌출할 수 있다. 사춘기에 성장이 빨라지면서 기형이 더 뚜렷해져 병원을 찾게 되는 경우가 많다. 대부분 흉부X선 측면사진에서 흉골이 앞으로 튀어나온 것을 진단할 수 있으며 새가슴과 오목가슴이 혼합된 경우에는 CT나 MR로 평가하게 된다. 심폐기능의 이상은 흔치 않으나 체형으로 인한 심리적 위축과 같은 사회심리학적인 원인으로 교정을 하는 경우가 많고 교정기(brace)와 수술적 방법 모두 성공률이 높은 것으로 보고되고 있다[9, 10].

3) 늑골 기형

두 갈래 늑골(bifid rib, forked rib), 늑골 융합(fused ribs)은 비교적 흔하지만 임상적 의미는 없는 경우가 많다(그림 13-2) [11]. 목늑골(cervical rib, Eve's rib)는 주로 7번째 경추(C7)에서 별도의 늑골이 발생하는 기형으로, 드물게 5번째나 6번째 경추에서 나타나기도 하며 정상인의 0.2-1%에서 보인다. 목늑골은 4가지 형태로 분류되며(표 13-1), 대부분 증상이

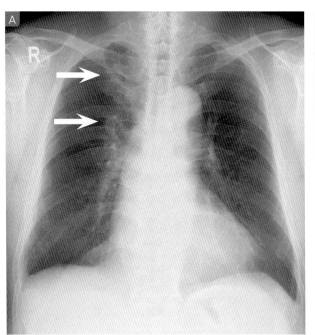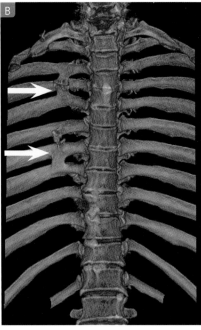

■ 그림 13-2. **늑골 융합**
63세 남자의 흉부X선 후전사진(A)과 CT(B)에서 오른 3-5번째 늑골과 6-8번째 늑골이 융합되어 있으며 거짓 관절(psudoarticulation)소견을 보인다.

표 13-1. **목늑골의 분류**

유형	설명
1형	목늑골이 C7의 횡돌기(transverse process)까지 미치는 경우
2형	목늑골이 C7의 횡돌기를 지나지만 첫 번째 흉부 늑골에 연결되지는 않은 경우
3형	목늑골이 C7의 횡돌기를 지나 첫 번째 흉부 늑골과 섬유대(fibrous band)나 연골로 부분 융합된 경우
4형	목늑골이 첫 번째 흉부 늑골과 뼈 가성관절(bony pseudoarticulation)에 의해 완전히 융합된 경우

없지만 3형과 4형의 경우에 가슴문증후군(thoracic outlet syndrome)이 발생하는 경우가 많다(그림 13-3)[12]. 가슴문증후군은 팔신경얼기(brachial plexus), 쇄골하동맥(subcalvian artery) 및 정맥이 첫 번째 늑골(1st thoracic rib)과 인접한 구조물들 사이에 눌리게 되어 발생한다. 관련된 주위 구조물로는 목늑골, 쇄골(clavicle), 목갈비근(scalene muscle), 쇄골하근(subclavius muscle) 등이 있다[13]. 동맥류, 혈전증, 팔의 감각이상, 통증 등의 증상이 나타나며, 흉부X선사진과 함께 혈관조영술, 다면재건(multiplanar reconstruction)을 한 CT나 MR이 진단에 유용하다.

4) 쇄골두개형성부전증

쇄골두개형성부전증(cleidocranial dysostosis)은 쇄골(clavicle), 머리뼈(cranium), 골반과 같이 막속뼈되기(intramembranous ossification)로 형성되는 뼈에 장애를 보이는 증후군이며, 정도는 덜하지만 연골속뼈되기(endochondral ossification)

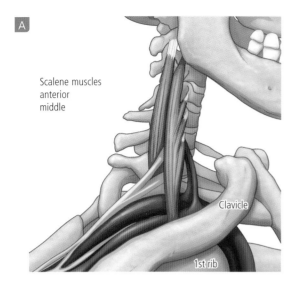

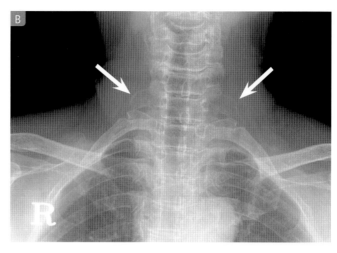

■ 그림 13-3. 목늑골

오른쪽 팔의 저린 감각과 양 어깨부위의 통증이 있는 67세 여자 환자의 사진에서 양측 7번째 경추로부터 발생한 별도의 늑골이 보인다(화살표).

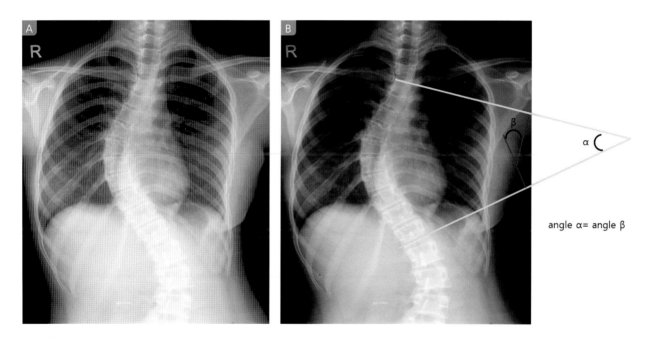

■ 그림 13-4. 척추옆굽음증

A. 가슴뼈가 중심축으로부터 오른쪽으로 굽어 있고 허리뼈는 이에 대한 보정으로 왼쪽으로 굽어 있다. B. Cobb각은 굽음을 보이는 맨 위의 척추와 가장 아래의 척추를 선택하여 각각의 위쪽과 아래 가장자리에 평행한 선을 긋고, 그 두선에 대하여 수직으로 선을 그어 두 선이 만나는 각도이다

에도 장애가 있어 가벼운 정도의 난쟁이증이 나타난다. 쇄골이 없거나 형성저하증(hypoplasia)을 보이며 견갑골(scapula)이 정상 위치로 내려오지 못하여서 견갑골의 위쪽 각(superior angle)이 첫 번째 늑골보다 높이 위치하는 Sprengel 기형(Sprengel deformity)이 같이 보인다.

5) 척추뒤옆굽음증

척추옆굽음증(scoliosis)은 척추가 중심축으로부터 10° 이상 외측편향된 경우이다. 척추뒤굽음증과 척추옆굽음증이 같이 있으면 척추뒤옆굽음증(kyphoscoliosis)이라고 한다. 척추옆굽음증은 Cobb 각(Cobb angle)을 측정하여 그 정도를 표시한다. Cobb각은 굽음을 보이는 맨 위의 척추와 가장 아래의 척추를 선택하여 각각의 위쪽과 아래 가장자리에 평행한 선을 긋고, 그 두 선에 대하여 수직으로 선을 그어 두 선이 만나는 각도이다(그림 13-4). 반척추뼈증(hemivertebra), 신경섬유종증(neurofibromatosis)에서도 보일 수 있으므로 원인불명인 경우와 감별해야 한다.

2. 연조직 기형

1) Poland 증후군

Poland 증후군(Poland syndrome)은 선천적으로 한쪽 큰가슴근(pectoralis major muscle)의 복장갈비 머리(sternocostal head)가 없는 질환이다. 같은 쪽의 짧은가락증-가락붙음증(brachysyndactyly), 유방 또는 젖꼭지 형성저하증이나 무형성, 피부밑조직 형성저하증, 작은가슴근(pectoralis minor muscle) 무형성, 2, 3, 4번째 또는 3, 4, 5번째 늑골이나 늑연골 무형성 등이 함께 나타날 수 있으며 임상적으로 위의 이상들이 다양한 형태로 보인다[14, 15, 16]. 정확한 원인은 아직 밝혀지지 않았으나 임신 중 흉벽 발달에 관여하는 쇄골하동맥에 혈액공급이 중단되어 생긴다는 설이 가장 유력하다[17]. 남자에서 더 흔하고 가족력은 드물다[18]. 거의 대부분 한쪽에서 생기고 그 중 오른쪽에서 더 흔하게 발생한다. Poland 증후군 환자에서 백혈병, 비호지킨림프종, 폐암, 유방암의 발생 빈도가 증가한다는 보고가 있다[15]. 흉부X선사진에서 한쪽 폐의 투과성이 증가되고 정상적인 겨드랑 주름이 보이지 않으며(그림 13-5) 한쪽 폐의 투과성이 증가되어 보이는 다른 질환들과 감별이 필요하다[17].

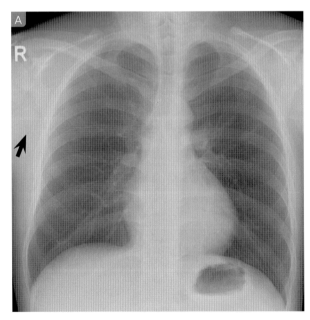

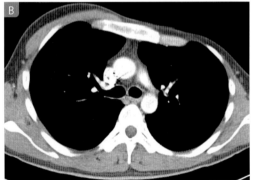

■ 그림 13-5. Poland 증후군
A. 20세 남자 환자의 흉부X선 후전사진에서 왼쪽 폐가 전체적으로 투과성이 증가되어 있다. 오른쪽에 정상적인 겨드랑 주름이 보이는 반면(화살표) 왼쪽에는 보이지 않는다. B. CT에서 왼쪽 큰가슴근이 보이지 않는다.

Ⅱ 흉벽 외상

흉부X선은 흉벽 외상 환자에서 많은 정보를 제공하는 중요한 진단 방법이다.

1. 뼈 외상

늑골 골절은 모든 형태의 흉부 외상에서 자주 발생하며, 무딘 힘에 의한 흉부 외상(blunt chest trauma)인 경우에 가장 흔하게 발생한다. 늑골은 흉강과 복강의 장기들을 보호하는 데 중요한 역할을 하고 있으며 따라서 늑골이 골절된 경우 인접 장기의 동반 손상 가능성에 대해서 고려해야 한다[19]. 첫 번째 -4번째 늑골이 골절된 경우는 상당히 큰 충격에 의한 외상임을 의미하며, 큰 혈관이나 팔신경얼기(brachial plexus) 손상이 동반될 수 있으므로 주의를 요한다. 5-9번째 늑골

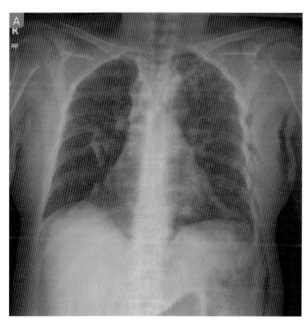
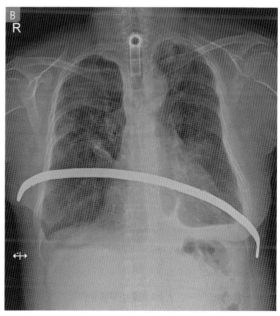

■ 그림 13-6. 동요가슴
69세 여자환자의 흉부X선 전후사진에서 왼쪽 여러 늑골 골절과 피하기종이 보인다(A).동요가슴으로 인한 호흡 기능 장애로 Nuss막대를 삽입하였다(B).

골절은 측면 또는 후면에서 골절이 잘 발생하며, 골절된 늑골 끝이 흉막, 폐등을 찢어서 폐 열상(lung laceration), 폐 타박상(lung contusion), 흉막외 혈종, 혈흉, 기흉등의 합병증이 동반될 수 있다. 하부늑골(10-12번째)의 골절은 간, 비장, 신장과 같은 복부장기 손상이 동반되었을 가능성이 있으므로 CT를 시행하는 것이 도움이 된다.

늑골 골절의 진단에 가장 적합한 영상기법을 선택하기 위해서는 미국영상의학회의 권고안{American College of Radiology (ACR) Appropriateness Criteria}이 유용하다[20]. 흉부X선 후전 사진은 늑골 골절 진단의 특이도가 높지만 민감도가 낮으며 흉부X선 전후 사진은 더욱 민감도가 낮다. 늑골 촬영술(Radiography with rib views)을 촬영하더라도 늑골 골절의 약 50%가량을 놓칠 수 있으며 방사선량이 조영 증강을 하지 않은 CT와 같은 정도이므로 흉부 외상환자에서 늑골 골절과 그에 따른 합병증을 진단하기 위해 CT 촬영의 빈도가 높아지고 있다.

동요가슴(flail chest)은 연속해서 최소한 5개의 늑골이 골절되었거나, 인접한 3개 이상의 늑골이 분절 골절(segmental fracture)된 경우 발생하게 되며(그림 13-6) 호흡을 할 때 모순운동(paradoxical motion)을 하게 된다. 뒤 동요가슴(posterior flail chest)은 근육과 견갑골이 지지해주기 때문에 심각한 합병증이 없을 수 있지만 앞외측 동요가슴(anterolateral flail chest)은 지지 구조 없이 자유롭게 움직이므로 심한 호흡 기능 장애에 의한 감염, 무기폐등이 잘 생길 수 있어 양압호흡, 수술 등이 필요할 수 있다[21].

흉골 골절 은 자동차 사고와 같은 무딘 힘에 의한 흉부 외상에서 발생할 수 있으며, 흉부X선 측면사진이나 흉골 영상(sternal view)에서 진단할 수 있고, 다중검출기 CT 특히 시상재구성 영상(sagittal reconstruction image)이 진단율이 높다[22].

2. 연조직 외상

피부밑공기증(subcutaneous emphysema)은 흉벽 감염, 호흡기 및 위장관계 외상, 관통상에 의해 외부 공기가 연조직으로 유입된 경우들에서 보인다. 흉부X선사진에서 피부밑 조직에 공기가 보이며 큰가슴근 섬유의 윤곽이 그려지면서 은행잎 징후(ginkgo leaf sign)가 보일 수 있다[21]. 공기가 근막을 따라 흉벽, 복벽, 머리, 목, 팔다리까지 확산될 수 있다. 피부밑혈종은 가슴혈관, 근육, 늑골 등이 손상된 경우 보이며, 흉부X선사진에서 증가된 음영으로 보이게 된다. 칼날이나 총알 파편이 함께 보일 수 있다.

KEY POINT 🔒

- 흉부 외상 환자에서 늑골 골절이 있으면 환자의 이환률과 사망률이 높아질 수 있다. 상부 늑골(1-4번째)이 골절된 경우는 큰혈관이나 팔신경얼기 손상이, 하부늑골(10-12번째)의 골절은 간, 비장, 신장과 같은 복부장기 손상이 동반되었을 가능성이 있다. 중간 부위 늑골(5-9번째) 골절은 폐 열상, 폐 타박상, 흉막외 혈종, 혈흉, 기흉등의 합병증이 동반될 수 있다. 최소한 5개의 늑골이 연속 골절되었거나 인접한 3개 이상의 늑골이 분절 골절된 경우 동요가슴이 발생한다.
- 피하기종에서 큰가슴근 섬유의 윤곽이 그려지면서 은행잎 징후(ginkgo leaf sign)가 보일 수 있다.

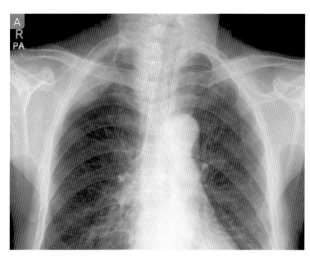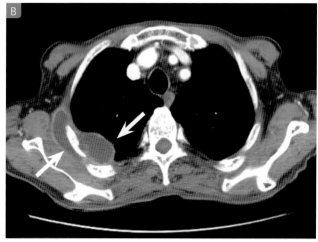

■ 그림 13-7. 흉벽의 결핵

A. 43세 남자의 흉부X선사진에서 오른쪽 폐 첨부에 연조직음영 병변이 보인다. 이 병변은 폐와 평활한 경계면을 보이고 완만한 각도를 보여 폐의 바깥에서 생긴 모양이다. **B.** CT에서 늑골을 중심으로 안과 밖의 흉벽에 괴사된 병소가 있고 인접한 늑골이 파괴된 소견이 보인다(화살표).

Ⅲ 감염 및 염증성 질환

흉벽의 감염은 흉벽 자체에서 발생하는 일차 감염과 폐감염, 농흉(pleural empyema)으로부터 흉벽으로 확대되는 이차 감염으로 나눠진다. 대부분 이차 감염으로 심장수술을 위한 정중 흉골절개술(median sternotomy)후 가장 많이 발생하여 0.25-6.4%까지 빈도가 보고되고 있다[23]. 일차감염은 드물고 당뇨, 후천성 면역결핍증 등의 면역이 저하된 경우에서 생길 수 있다. 원인균으로 고름형성 감염균, 결핵균, 아스페르길루스와 같은 곰팡이, 바퀴살균(actinomyces) 등이 있다. 흉부X선은 가장 먼저 시행하는 검사 방법이나 종종 진단이 어려운 경우가 있어 초음파 검사, CT, MR이 보완적으로 사용되며 CT는 뼈 파괴를 보는데, 초음파 검사와 MR은 연조직 감염 정도를 진단하는데 유용하다[24].

1. 고름형성감염

흉벽의 고름형성감염(pyogenic infection)의 흔한 원인은 황색포도알균(staphylococcus aureus)과 녹농균(pseudomonas aeruginosa)이다. 연부조직의 부종, 종괴가 보이게 되며, 흉부X선사진에서는 뼈 파괴가 진행될 때까지 잘 발견되지 않을 수 있다.

2. 결핵

결핵(tuberculosis)의 흉벽 감염은 혈행성인 경우가 많으며, 폐결핵이나 흉막 병변에서 직접 인접한 흉벽으로 퍼지기도 한다[25]. 흉부X선사진에서 늑골과 연골의 파괴, 뼈막반응(periosteal reaction), 연조직종괴(soft tissue mass) 등이 보인다 (그림 13-7).

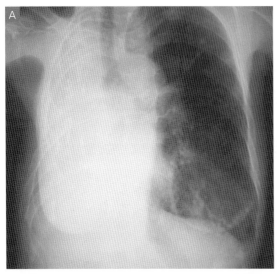
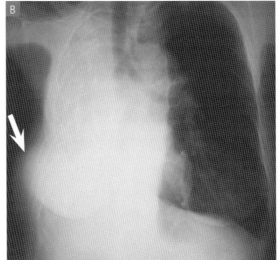
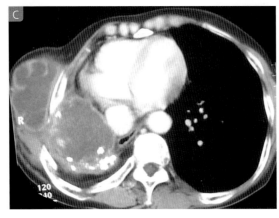

■ 그림 13-8. 흉벽침습농흉

A. 흉부X선사진에서 만성 결핵성 농흉으로 인해 오른쪽 폐 영역에 공기 음영대신에 연조직 음영이 보이고 그 내부에 흉막의 석회화가 보인다. 종격이 오른쪽으로 치우쳐 있다. B. 4년후의 흉부X선사진에서, 흉벽으로 돌출되는 연조직 음영(화살표)이 새로 보인다. C. CT에서 만성 결핵성 농흉이 흉벽으로 뚫고 나간 모양과 늑골 파괴가 보인다(증례제공: 이화의대 김유경 교수).

3. 흉벽침습농흉

흉벽침습농흉(empyema necessitatis, empyema necessitans)은 만성 농흉이 흉막으로부터 흉벽으로 파급되어 생기는 것으로 늑골 파괴가 같이 있을 수 있다. 결핵성 농흉이 가장 흔한 원인으로 약 3/4을 차지하며, 바퀴살균증(actinomycosis), 노카르디아증(Nocardiosis), 황색포도알균(staphylococcus), 아스페르길루스증(aspergillosis), 털곰팡이증(mucormycosis), 분아균증(blastomycosis)도 원인이 될 수 있다[26]. 흉부X선사진에서 흉막과 흉벽의 액(fluid)이나 종괴(mass)가 늑골의 안쪽과 바깥쪽으로 튀어나온 음영으로 보이고, 늑골 파괴, 병변 주변부의 석회화가 보일 수 있으며(그림 13-8), 진단에는 CT가 가장 좋은 검사방법이다. 드물지만 만성 농흉(chronic empyema)에서 악성 종양이 발생하는 경우가 있으며[27] 흉부X선사진만으로는 흉벽침습농흉과 감별이 어렵다.

4. SAPHO 증후군

SAPHO는 윤활막염(synovitis), 여드름(acne), 손발바닥고름물집증(palmoplantar pustulosis), 뼈과다증(hyperostosis)과 뼈

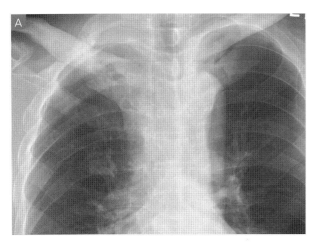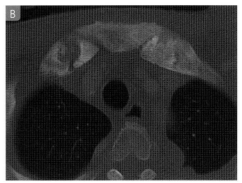

■ 그림 13-9. SAPHO 증후군
A. 흉부X선사진에서 양쪽 쇄골과 흉골에 골과다로 인해 증가된 음영이 보인다. B. CT에서 양쪽 쇄골과 흉골의 뼈과다증과 함께 흉쇄관절이 좁아진 소견이 보인다(증례제공: 이화의대 김유경 교수).

염(osteitis)의 머리글자를 딴 두문자어이다. 남녀에서 같은 빈도를 보이며 청소년이나 젊은 성인에서 주로 발생하고 20대 후반이 가장 많다[28]. 60-95%가 흉쇄늑골 부분에서 생기므로 흉쇄늑골 뼈과다증(sternocostoclavicular hyperostosis)이라고도 하며 갈비연골(costochondral), 복장빗장(sternoclavicular), 복장뼈몸통자루연결(manubriosternal) 그리고 갈비복장뼈 관절(costosternal articulation)에서 흔하게 발생하며, 그 다음으로는 척추, 엉치엉덩관절(sactoiliac joint)의 순으로 병발한다.

만성 재발성 골수염으로 초기에는 흉부X선사진에서 발견이 안되는 경우가 많으며, MRI가 초기의 부종성 골질환의 진단에 도움이 될 수 있다. 만성 염증기에는 흉골과 쇄골에 대칭적으로 뼈과다증, 뼈경화증(osteosclerosis)이 보이는 것이 특징이며[29], 흉쇄관절이 좁아지거나 관절굳음증(ankylosis)이 보인다(그림 13-9).

5. 늑연골 뼈연골염

늑연골 뼈연골염(costochondral osteochondritis, Tietze syndrome)은 늑골의 뼈연골이나 흉골연골관절(sternochondral joints)에 생기는, 통증을 동반한 비화농성 부기(nonsuppurative swelling)로 10-30대에서 호발한다. 대부분 원인 불명이며, 드물게 전신관절염(systemic arthritis), 건선(psoriasis)과 동반된다. 두 번째 갈비에 잘 생기며 흉부X선사진에서는 정상인 경우가 많다.

KEY POINT 🔒
- 흉벽의 감염은 정중 흉골절개술 후 잘 발생한다. 일차감염은 드물며 폐결핵, 폐의 곰팡이 감염이나 농흉으로부터 흉벽으로의 이차감염이 더 흔하다.
- SAPHO 증후군은 만성 재발성 골수염으로 흉골, 늑골, 쇄골에 대칭적으로 뼈과다로 인해 증가된 음영이 보인다.

Ⅳ 흉벽 종양

흉벽 종양은 흉부 전체 종양 중 5%를 차지하며 악성 종양이 50%를 넘는다[30]. 흉벽 종양은 발생 위치와 조직 구성에 따라 뼈종양과 연조직 종양으로 분류되며 뼈종양은 다시 양성과 악성 종양으로 나뉜다. 세계보건기구는 연조직 종양을 다음과 같이 9가지로 분류하고 있다: 지방세포종, 혈관종, 섬유모세포-근섬유모세포종, 섬유조직구종, 민무늬근육종, 혈관주위세포종, 골격근종, 연골-골 종양, 그리고 불확실한 분화를 보이는 종양[31]. 흉벽 종양은 영상의학적 소견이 비특이적일 수 있지만 무기질침착 형태등과 같은 특징적인 소견과 더불어 유병률, 임상 소견, 위치 등을 함께 고려하면 정확한 진단을 하는 데 도움이 된다.

1. 뼈종양

흉벽의 뼈종양은 전이성 종양이 가장 많으며 원발성 종양은 흔하지 않아 뼈종양의 5-8%에 불과하다. 성인에서 가장 흔한 원발성 악성 뼈종양은 연골육종(chondrosarcoma)이며 그 다음으로는 골수종이다. 소아에서 가장 흔한 원발성 뼈종양은 유잉육종이다[32]. 흉벽의 원발성 뼈종양은 약 95%가 늑골에 생기며 그 다음은 흉골의 순이다. 흉골 종양은 대개 악성인데 반해 늑골 종양은 양성과 악성의 빈도가 비슷하다[33].

1) 양성뼈종양

(1) 섬유형성이상
섬유형성이상은 발달이상으로, 뼈모세포(osteoblast)가 정상적인 형태분화 및 성숙이 되지 못하여 골수와 갯솜뼈(cancellous bone)가 미성숙한 뼈와 섬유성 간질로 대치되는 질환이다. 흉벽에서 뼈용해성 병변을 보이는 양성 뼈종양 내지 유사 종양병변 중 가장 흔한 원인으로 20-30대에서 잘 발생한다. 단일뼈(80%)와 여러뼈섬유형성이상(polyostotic fibrous dysplasia, 20%)의 두 가지 형태가 있으며 여러뼈섬유형성이상은 McCune-Albright 증후군, Mazabraud 증후군의 일부로

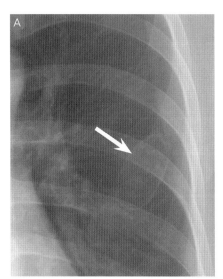 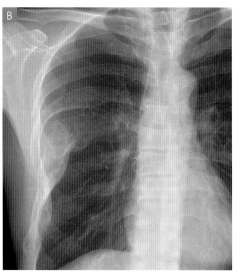

■ 그림 13-10. **섬유형성이상**
A. 단일뼈섬유형성이상(monostotic fibrous dysplasia)환자의 확대한 흉부X선 후전사진에서 늑골의 용해성 병변과 팽창이 보인다(화살표). **B.** 여러뼈섬유형성이상(polyostotic fibrous dysplasia) 환자의 흉부X선사진으로 여러 개의 늑골에 간유리음영과 뼈의 팽창 소견을 보인다.

나타날 수 있다. 단일뼈섬유형성이상은 늑골(28%), 넙다리뼈(femur) (23%), 머리얼굴뼈(craniofacial bones) (10%-25%)의 순으로 발생하고, 여러뼈섬유형성이상의 55%에서 늑골 병변이 있다.

흉부X선사진에서 뼈용해성 병변(osteolytic lesion)이나 균질한 간유리음영, 뼈의 팽창이 보이며 병적골절이 생길 수 있다(그림 13-10).

(2) 뼈안연골종

뼈안연골종(enchondroma)은 섬유형성이상 다음으로 두 번째로 흔한 양성 늑골 종양이다. 늑연골경계에서 발생하며, 서서히 자라고 소엽 모양이면서 경계가 명확한 뼈용해성 병변이다. 겉질뼈가 튀어나올 수도 있고 아닐 수도 있으며 석회화가 반드시 보이는 것은 아니다. 실제로 뼈안연골종보다 연골육종의 발생 빈도가 훨씬 많으므로 무기질 침착이 보이는 뼈용해성 병변이 보이는 경우 연골육종을 먼저 의심하는 것이 순서이다.

(3) 뼈연골종

뼈연골종(osteochondroma)은 뼈의 표면으로부터 뼈가 성장하는 과오종으로 연골모자가 씌워져 있다. 늑골에 발생하는 종양의 8%를 차지하며 10대에서 잘 발생한다. 늑연골경계에 잘 생기며 흉부X선사진에서 늑골이 확대되고, 뼈연골종과 원래 뼈의 겉질과 속질이 서로 연결되는 것이 특징이다. 병변 부위에 통증이 있고, 영상 소견으로 뼈 미란(bone erosion), 불규칙한 석회화, 또는 연골 모자가 두꺼워지면 악성 세포전환을 시사하는 소견들이다[34].

이외의 양성 뼈종양으로 연골모세포종, 거대세포종양, 동맥류뼈낭종, 랑게르한스세포조직구증 등이 있다.

2) 악성뼈종양

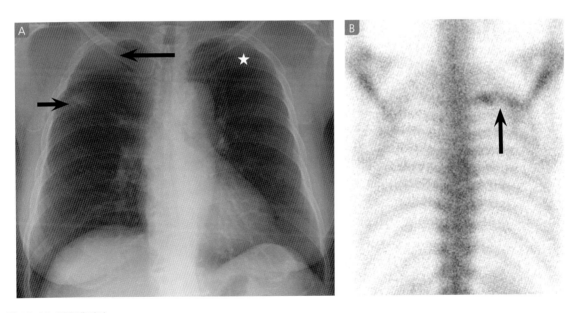

■ 그림 13-11. 뼈용해 전이
A. 흉부X선 후전사진에서 우상엽에 폐암(짧은 화살표)이 있고 오른쪽 3번째 늑골이 용해되어 보이지 않는다(긴 화살표). 왼쪽의 3번째 늑골은 정상적으로 보이고 있다(별표). **B.** 전신뼈스캔에서 오른쪽의 3번째 늑골에 방사선동위원소 섭취가 증가되어 있다.

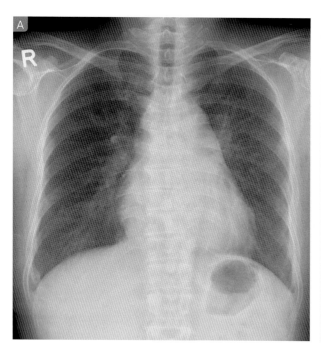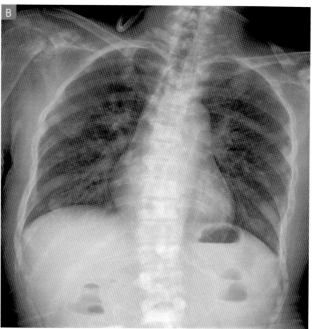

■ 그림 13-12. **뼈형성 전이**

A. 62세 남자의 흉부X선 후전사진에서 흉부의 뼈에 전이소견이 없다. **B.** 같은 환자의 1년 후 흉부X선사진에서 양쪽의 늑골, 어깨뼈, 척추에 미만성으로 뼈형성 전이 소견이 보인다.

(1) 전이

뼈의 악성 종양 중 가장 빈도가 높은 질환은 암종(carcinoma)으로부터의 전이(metastases)로, 유방암, 폐암, 전립선암, 갑상선암, 신장암에서 뼈로 전이를 잘 한다. 팔, 다리뼈보다 늑골, 골반뼈, 척추와 같은 축 뼈대에 전이가 잘 발생한다. 흉부X선사진에서 뼈용해나 형성, 또는 용해와 형성이 함께 있는 병변으로 보일 수 있으며 뼈가 용해되는 형태의 전이가 가장 흔하다. 신장암이나 폐암에서 전이되는 경우에 뼈용해전이의 소견을 보이며(그림 13-11), 반면에 전립선암으로부터의 전이는 뼈형성 전이의 소견으로 보인다(그림 13-12). 전이 병변은 경계가 불분명하게 뼈가 파괴되고, 연조직 종괴가 같이 보이며 병적 골절도 흔하다.

(2) 연골육종

연골육종(chondrosarcoma)은 성인의 흉벽에 발생하는 원발성 악성 뼈종양 중 가장 흔한 질환으로 늑골에 가장 흔하게 발생하고(90%), 흉골, 견갑골에서도 생긴다. 늑골에 생기는 경우 1-5번째 늑골의 늑골연골에 가까운 부위에 잘 생긴다. 원발성으로 발생하거나 뼈안연골종(enchondroma), 뼈연골종(osteochondroma)과 같은 양성 종양에서 악성 변성하여 발생하기도 한다. 30대-60대에서 호발하고 남성에서 더 발생 빈도가 높다.

흉부X선사진에서 경계가 불명확하고 겉질 파괴(cortical destruction)를 보이는 종괴로, 연골바탕질(chondroid matrix)의 석회화가 보인다. 연골바탕질의 석회화는 종괴의 가장자리에서 잘 생기며 반지모양, 화살모양, 양털모양, 반점모양 등이 전형적인 소견이다[35].

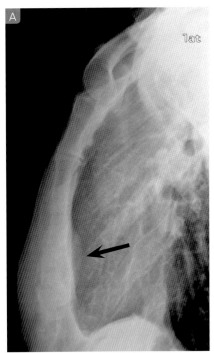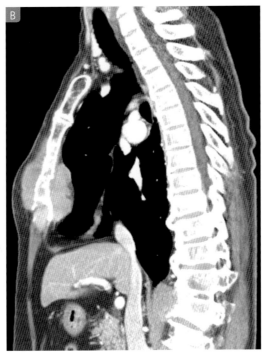

■ 그림 13-13. 골수종
72세 남자 환자의 흉부X선 측면 사진(A)과 CT(B)에서 흉골이 파괴되어 있고 그 앞, 뒤로 연조직 종괴가 보인다(화살표). 척추의 뼈 밀도가 전체적으로 감소되어 보인다.

(3) 골수종

골수종(myeloma)은 형질세포가 증식하여 뼈가 파괴되고, 혈액과 소변에서 단일클론면역글로불린(monoclonal immuneglobulin)과 가벼운고리단백(light chain protein)이 증가하는 질환이다. 뼈의 원발성 종양 중 두 번째로 흔한 질환으로, 다발골수종(multiple myeloma)과 고립골수종(형질세포종, solitary myeloma, 또는 plasmacytoma)이 있다. 다발성 골수종은 50-70세에 잘 발생하고, 고립골수종은 50세 정도에 자주 발생한다[36]. 조혈작용이 활발한 축 뼈대인 척추, 늑골, 머리뼈, 골반뼈의 순서로 잘 생긴다. 흉부X선사진에서 연조직 종괴와 함께 뼈가 용해되어 보여 전이와 감별을 요한다. 때로 전신의 뼈 밀도가 감소되어 보이기도 한다(그림 13-13).

(4) 뼈육종

뼈육종(osteosarcoma)은 넙다리뼈(42%), 정강뼈(19%) 등에 잘 생기며 흉벽에는 드물게 발생한다. 흉벽의 경우 늑골과 견갑골에 가장 많이 발생하며 흉벽의 원발성 악성 종양의 10-15%를 차지한다. 흉부X선사진에서 종괴 내에 풋뼈바탕질(osteoid matrix)의 뼈되기(ossification)로 인한 진한 상아 깊은 음영을 보이는 것이 특징이다. 이 소견은 종괴의 중심에서 가장 뚜렷하고 가장자리로 갈수록 덜하다(그림 13-14).

(5) 유잉육종

유잉육종(Ewing sarcoma)은 소아에서 가장 흔한 원발성 흉벽종양으로 30세 이하의 젊은 나이에서 호발한다. 대개 늑골, 견갑골, 흉골과 같은 뼈에서 생기지만 때로 연조직에서 발생하기도 한다. 유잉육종 중 공격적인 유형은 원시신경외배엽종양(primitive neuroectodermal tumor, Askin's tumor)라고 부른다. 흉부X선사진에서 크기가 큰 연조직 종양과 함께 뼈가 용해되어 보이며, 뼈의 병변에 비해 연조직 종양의 크기가 훨씬 크다.

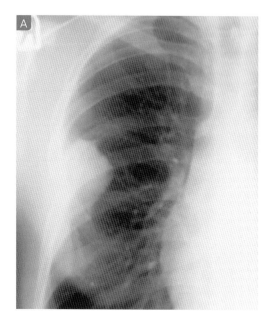
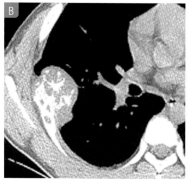

■ 그림 13-14. 뼈육종
16세 남자 환자의 흉부X선사진(A)과 CT(B)에서 늑골에 발생한 연조직종괴와 그 내부의 특징적인 뼈되기 소견이 보인다.

2. 연조직종양

흉벽의 연조직종양은 흔하지 않은 종괴로, 양성연부조직종양(benign soft tissue tumor)은 통증이 없고 천천히 자라는데 반해, 악성연부조직종양은 통증이 있고 빨리 자란다[34]. 성인 흉벽의 연조직종양중 가장 흔한 양성 종양은 지방종이며 악성 종양은 다형성 미분화 육종(pleomorphic undifferentiated sarcoma, formerly malignant fibrous histiocytoma 악성섬유조직구종)이다. 소아 흉벽의 가장 흔한 악성 연조직 종양은 횡문근육종(rhabdomyosarcoma)과 원시신경외배엽종양(primitive neuroectodermal tumor, Askin's tumor)이다. 악성연부조직종양은 비교적 크기가 큰 연조직 종양으로 양성종양과 달리 경계가 불분명하고 주위조직으로의 침윤소견을 보이며 인접한 뼈의 파괴소견이 보이는 경우가 많으니 각 종양에 따른 특징적인 흉부X선사신 소견은 없다(그림 13-15)[35].

1) 지방세포종양

(1) 지방종
지방종(lipoma)은 성숙한 지방 세포로 구성되어 있고 캡슐로 잘 싸여 있으며 등에 가장 잘 생긴다. 피하지방과 같은 음영을 보이는 것이 특징으로 CT와 MRI로 확진할 수 있다. 표피와 피하지방의 지방종은 대개 크기가 작고 주위의 피하지방과 구별이 안될 수도 있다. 근육내 지방종은 전형적으로 크기가 더 크고 경계가 덜 명확하며 골격근(skeletal muscle)내로 종양이 침윤하는 모양을 보인다(그림 13-16).

(2) 지방육종
지방육종(liposarcoma)은 악성섬유조직구증에 이어 두 번째로 흔한 악성연조직 종양이다. 세계보건기구는 지방 육종을 5가지 병리학적 아형으로 나누고 있으며 영상의학적 소견도 이 아형에 따라 다르게 보인다[33]. 고분화지방 육종이 약 50%로 가장 흔한 아형이며 지방종과 지방육종의 감별은 MR 소견이 도움이 된다[37].

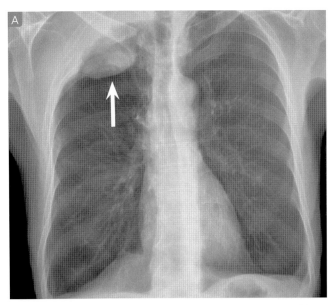

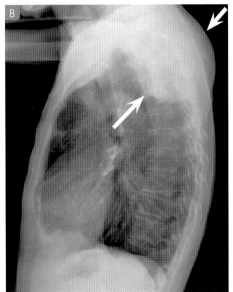

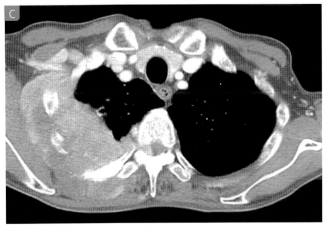

■ 그림 13-15. **원시신경외배엽종양**
A, B. 72세 남자 환자의 흉부X선 후전 및 측면사진에서 크기가 큰 연부조직 종괴가 오른쪽 폐첨부에 있고 3-4번째 늑골이 파괴된 소견이 보인다. **C.** CT에서 흉벽으로의 침범 정도를 잘 알 수 있다.

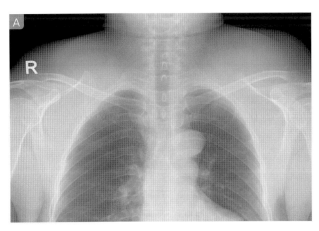

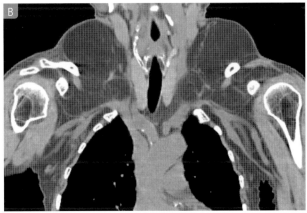

■ 그림 13-16. **근육내 지방종**
A. 67세 남자 환자의 흉부X선사진에서 양쪽 어깨와 겨드랑의 연부조직이 두꺼워지고 증가된 음영을 보인다. **B.** CT 관상영상에서 피하지방과 같은 음영을 보이는 병소가 주변 근육내로 침윤하는 소견을 보인다.

2) 혈관종양

흉벽의 양성 혈관종양에는 혈관종, 림프관종이 있으며 악성 종양에는 혈관육종이 있고 그 중간의 특성을 보이는 혈관내 피종이 있다.

(1) 혈관종

흉부X선사진에서 종양내 혈전이 석회화되어 생긴 정맥돌(phlebolith)은 해면 혈관종에서 가장 자주 보이며 매우 특징적 인 소견이지만 보이는 빈도가 높지 않다.

(2) 림프관종

림프관종은 목과 겨드랑이에서 잘 보이며 소아에서는 목가슴경계, 성인에서는 종격에 잘 생긴다.

3) 말초신경집 종양

신경집종(Schwannoma), 신경섬유종과 같은 양성 종양과 악성 말초신경집 종양이 있다. 악성 말초신경집 종양의 25-70%는 1형 신경섬유종증(type 1 neurofibromatosis)과 관련이 있다.

(1) 신경섬유종

신경섬유종(neurofibroma)은 20-30세에 잘 발생하며 국소형, 미만형, 얼기모양 신경종(plexiform neurofibroma)의 3가 지가 있다. 국소형이 가장 흔하며(90%), 단일 병변이고 이 경우에는 1형 신경섬유종증(type 1 neurofibromatosis)과 연관 이 없다[32]. 흉부X선사진에서는 종양이 발생하는 위치에 따라 다른 소견을 보인다. 갈비사이신경(intercostal nerve)에 종

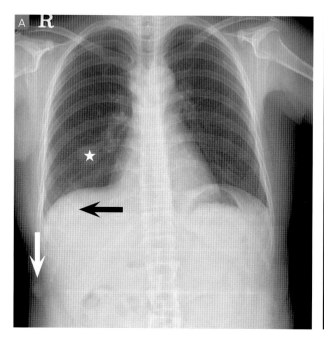
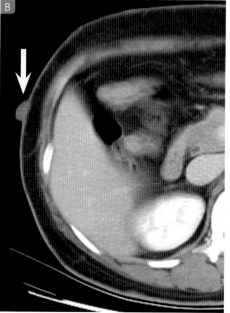

■ 그림 13-17. 신경섬유종
흉부X선 후전사진(A)과 CT(B)에서 피부의 결절들이 보인다(화살표). 폐결절(별표)이 동반되어 있다.

양이 생기면, 경계가 명확한 종괴와 함께 늑골의 미란(erosion), 패임(notching), 경화(sclerosis)가 보인다. 흉추신경뿌리에 생기는 경우, 종양으로 인해 척추의 신경구멍(neural foramen)이 넓어진 소견이 보일 수 있다. 흉벽의 말초신경에 생긴 신경섬유종이 피부에 보이기도 한다(그림 13-17).

4) 섬유모세포-근섬유모세포 종양

(1) 탄력섬유종

탄력섬유종(elastofibroma dorsi)은 연조직에서 발생하는 거짓종양(pseudotumor)이다. 4:1의 비율로 여자에서 더 흔하며 41-80세 사이(평균연령 60세)의 고령에서 잘 발생한다. 대부분(93%)의 경우 앞톱니근(serratus anterior muscle)과 넓은 등근(latissimus dorsi muscle)의 아래, 흉벽과 견갑골의 아래 1/3 사이에 발생하며[38] 10-66%가 양측성이다.

(2) 섬유종증

섬유종증(fibromatosis, desmoid tumor)은 근육, 근막, 널힘줄(aponeurosis)에 있는 결합조직에서 발생하는 종양으로 때로 외상이나 수술 후 흉터에서 생기기도 한다. 10-28%에서 흉벽에 발생하며 청소년과 젊은 성인에서 흔하다. 섬유종증은 캡슐에 싸여 있지 않으면서 경계가 불분명하고 침윤성의 종양으로 서서히 자란다. 국소적으로는 공격적인 병변이지만 악성이 아니므로 전이는 하지 않는다[32].

(3) 섬유조직구종양

깊은 근막이나 뼈대근육에서 발생하는 연조직 육종으로 성인에서 가장 흔한 악성 연조직종양이다. 여성에서 약간 더 많이 발생하며 평균 발병 연령은 55세이다. 넓적다리(thigh), 몸통, 후복막강에서 보이며 흉벽에서는 드물게 발생하고 영상의학적 소견은 비특이적이다.

KEY POINT 🔒

- 악성뼈종양 중 가장 빈도가 높은 질환은 전이로 축 뼈대에 잘 발생한다.
- 원발성 뼈종양의 감별

종양	빈도	호발연령	호발부위	특징
			양성종양	
섬유형성이상	가장흔함	20-30세	늑골 뒤 아크	간유리음영, 무정형 석회화
뼈연골끌종	두번째	20-40세	늑연골경계	연골 석회화
뼈연골종	흔치 않음	10-40세	늑연골경계	연골모자 석회화 종양과 원래 뼈가 겉질과 속질이 서로 연결
			악성종양	
연골육종	가장흔함(성인)	50세이상	1-5번째 늑골의 늑골연골에 가까운 부위	연골석회화(종양의 가장자리)
골수종	두번째(성인)	50세이상	축뼈대;척추, 늑골	뼈 파괴 + 연조직 종괴
뼈육종	드묾	20세이하	늑연골경계	풋뼈바탕질의 뼈되기(종괴의 중심)
유잉육종	가장흔함(소아)	0-20세	뼈 〉 연조직	뼈의 병변에 비해 연조직 종양의 크기가 훨씬 큼

Ⓥ 기타 질환

1. 늑골 패임

원인 질환에 따라 늑골의 위쪽 또는 아래쪽에 패임(rib notching)이 보일 수 있으며 아래쪽에 더 자주 보인다. 늑골 아래쪽에는 갈비 사이동맥, 정맥과 신경이 위치하므로 각각의 구조물이 오랫동안 늑골을 자극하는 경우 패임이 생기며, 혈관성과 비혈관성 원인이 있다. 혈관성 원인 중 동맥에 의한 경우는 대동맥축착(coarctation of the aorta), Takayasu 동맥염, Fallot 4징후(tetralogy of Fallot)로 Blalock-Taussig 지름술(shunt)을 받은 후에 생기며 정맥이 원인인 경우는 상대정맥이 막힌 경우이고 동정맥샛길(arteriovenous fistula)이 있으면 갈비사이 동맥과 정맥 모두 원인이 된다. 대동맥축착 환자에서는 양쪽 세번째에서 아홉번째 특히 세번째에서 다섯번째에서 늑골 패임이 자주 보인다[39]. 비혈관성질환으로는 신경섬유종증, 갈비사이신경종(intercostal neuroma)이 있다. 결절성 경화증(tuberous sclerosis), 부갑상샘항진증의 경우 거짓 늑골 패임이 보이기도 한다.

▬ 참고문헌 ▬▬▬▬▬▬▬▬▬▬▬▬▬▬▬▬▬▬▬▬▬▬▬▬▬▬▬▬▬▬▬▬▬▬▬▬▬▬

1. Mullan CP, Madan R, Trotman-Dickenson B, Qian X, Jacobson FL, Hunsaker A. Radiology of chest wall masses. AJR Am J Roentgenol 2011;197:W460-470.

2. Robicsek F, Watts LT. Surgical Correction of Pectus Excavatum. How Did We Get Here? Where Are We Going? Thorac Cardiov Surg 2011;59:5-14.

3. Fokin AA, Steuerwald NM, Ahrens WA, Allen KE. Anatomical, histologic, and genetic characteristics of congenital chest wall deformities. Semin Thorac Cardiovasc Surg 2009;21:44-57.

4. Kelly RE Jr. Pectus excavatum: historical background, clinical picture, preoperative evaluation and criteria for operation. Semin Pediatr Surg 2008 17:181-193.

5. Mueller C, Saint-Vil D, Bouchard S. Chest x-ray as a primary modality for preoperative imaging of pectus excavatum. J Pediatr Surg 2008 43:71-73.

6. Haller JA Jr, Kramer SS, Lietman SA. Use of CT scans in selection of patients for pectus excavatum surgery: a preliminary report. J Pediatr Surg 1987 22:904-906.

7. Mak SM, Bhaludin BN, Naaseri S, Di Chiara F1, Jordan S, Padley S. maging of congenital chest wall deformities. Br J Radiol. 2016;89(1061):20150595.

8. Desmarais TJ, Keller MS. Pectus carinatum. Curr Opin Pediatr 2013;25:375-381.

9. Bostanci K, Ozalper MH, Eldem B, Ozyurtkan MO, Issaka A, Ermerak NO, et al. Quality of life of patients who have undergone the minimally invasive repair of pectus carinatum. Eur J Cardiothorac Surg 2013;43:122-126.

10. Emil S. Current Options for the Treatment of Pectus Carinatum: When to Brace and When to Operate? Eur J Pediatr Surg. 2018;28(4):347-354.

11. Glass RB, Norton KI, Mitre SA, Kang E. Pediatric ribs: a spectrum of abnormalities. Radiographics 2002;22:87-104.

12. Chang KZ, Likes K, Davis K, Demos J, Freischlag JA. The significance of cervical ribs in thoracic outlet syndrome. J Vasc Surg 2013 57:771-775.

13. Barkhordarian S. First rib resection in thoracic outlet syndrome. J Hand Surg Am 2007;32:565-570.

14. Friedman T, Reed M, Elliott AM. The carpal bones in Poland syndrome. Skeletal Radiol 2009;38:585-591.

15. Urschel HC Jr. Poland syndrome. Semin Thorac Cardiovasc Surg 2009;21:89-94.

16. Romanini MV, Calevo MG, Puliti A, Vaccari C, Valle M, Senes F, et al. Poland syndrome: A proposed classification system and perspectives on diagnosis and treatment. Semin Pediatr Surg. 2018 ;27(3):189-199.

17. Wasilewska E, Lee EY, Eisenberg RL. Unilateral hyperlucent lung in children. AJR Am J Roentgenol 2012;198:W400-414.

18. Moir CR, Johnson CH. Poland's syndrome. Semin Pediatr Surg 2008;17:161-166.

19. Talbot BS, Gange CP Jr, Chaturvedi A, Klionsky N, Hobbs SK, Chaturvedi A. Traumatic Rib Injury: Patterns, Imaging Pitfalls, Complications, and Treatment. Radiographics. 2017;37(2):628-651.

20. Henry TS, Kirsch J, Kanne JP, Chung JH, Donnelly EF, Ginsburg ME, et al. ACR Appropriateness Criteria® rib fractures. J Thorac Imaging. 2014;29(6):364-366.

21. Ho ML, Gutierrez FR. Chest radiography in thoracic polytrauma. AJR Am J Roentgenol 2009 ;192:599-612.

22. Kim EY, Yang HJ, Sung YM, Hwang KH, Kim JH, Kim HS. Sternal fracture in the emergency department: diagnostic value of multidetector CT with sagittal and coronal reconstruction images. Eur J Radiol. 2012;81(5):e708-711.

23. Crabtree TD, Codd JE, Fraser VJ, Bailey MS, Olsen MA, Damiano RJ Jr. Multivariate analysis of risk factors for deep and superficial sternal infection after coronary artery bypass grafting at a tertiary care medical center. Semin Thorac Cardiovasc Surg 2004;16:53-61.

24. Chelli Bouaziz M, Jelassi H, Chaabane S, Ladeb MF, Ben Miled-Mrad K. Imaging of chest wall infections. Skeletal Radiol 2009;38:1127-1135.

25. Kim HY, Song KS, Goo JM, Lee JS, Lee KS, Lim TH. Thoracic sequelae and complications of tuberculosis. Radiographics 2001;21:839-858.

26. Kono SA, Nauser TD. Contemporary empyema necessitatis. Am J Med 2007;120:303-305.

27. Minami M, Kawauchi N, Yoshikawa K, Itai Y, Kokubo T, Iguchi M, et al. Malignancy associated with chronic empyema: radiologic assessment. Radiology 1991;178: 417-23.

28. Kundu BK, Naik AK, Bhargava S, Srivastava D. Diagnosing the SAPHO syndrome: a report of three cases and review of literature. Clin Rheumatol 2013;32:1237-1243.

29. Schaub S, Sirkis HM, Kay J. Imaging for Synovitis, Acne, Pustulosis, Hyperostosis, and Osteitis (SAPHO) Syndrome. Rheum Dis Clin North Am. 2016;42(4):695-710.

30. Souza FF, de Angelo M, O'Regan K, Jagannathan J, Krajewski K, Ramaiya N. Malignant primary chest wall neoplasms: a pictorial review of imaging findings. Clin Imaging 2013;37:8-17.

31. Fletcher CDM, Unni KK, Mertens F. Pathology and genetics of tumours of soft tissue and bone. In: World Health Organization classification of tumours. Lyon, France: IARC, 2002; 9-224.

32. Nam SJ, Kim S, Lim BJ, Yoon CS, Kim TH, Suh JS, et al. Imaging of Primary Chest wall tumors with radiologic pathologic correlation. Radiographics 2011;31:749-770.

33. Lee TJ, Collins J. MR imaging evaluation of disorders of the chest wall. Magn Reson Imaging Clin N Am 2008;16:355-379.

34. Tateishi U, Gladish GW, Kusumoto M, Hasegawa T, Yokoyama R, Tsuchiya R, et al. Chest wall tumors: radiologic findings and pathologic correlation. I. Benign tumors. RadioGraphics 2003;23:1477-1490.

35. Tateishi U, Gladish GW, Kusumoto M, Hasegawa T, Yokoyama R, Tsuchiya R, et al. Chest wall tumors: radiologic findings and pathologic correlation. II. Malignant tumors. RadioGraphics 2003;23:1491-1508.

36. Carter BW, Benveniste MF, Betancourt SL, de Groot PM, Lichtenberger JP 3rd, Amini B, et al. Imaging Evaluation of Malignant Chest Wall Neoplasms. Radiographics. 2016;36(5):1285-1306.

37. Kransdorf MJ, Bancroft LW, Peterson JJ, Murphey MD, Foster WC, Temple HT. Imaging of fatty tumors: distinction of lipoma and well-differentiated liposarcoma. Radiology 2002;224:99-104.

38. Nagamine N, Nohara Y, Ito E. Elastofibroma in Okinawa: a clinicopathologic study of 170 cases. Cancer 1982;50:1794-1805.

39. Guttentag AR, Salwen JK. Keep your eyes on the ribs: the spectrum of normal variants and diseases that involve the ribs. Radiographics. 1999;19(5):1125-1142.

CHAPTER

14

횡격막 질환

| 진광남, 이창현 |

■■■■■ Contents

Ⅰ **횡격막의 정상 해부학**

횡격막(diaphragm)은 돔(dome)모양의 중심건(central tendon)과 중심건으로부터 바깥쪽으로 연결된 근섬유로 이루어진

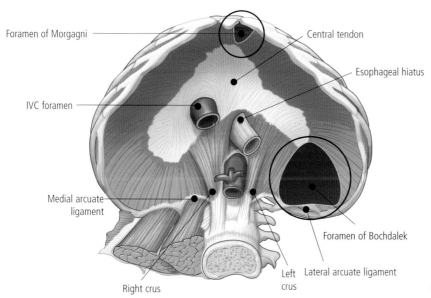

Foramen of Morgagni

Central tendon

Esophageal hiatus

IVC foramen

Medial arcuate
ligament

Foramen of Bochdalek

Right crus

Left
crus

Lateral arcuate ligament

■ 그림 14-1. **횡격막의 정상 해부학**

다(그림 14-1). 근섬유는 앞쪽으로 흉골(sternum), 바깥쪽으로 7-12번 늑골과 연골의 내측면, 뒤쪽으로 1-3번 요추와 연결되어 있다. 횡격막은 크게 전방의 늑골횡격막과 후방의 요추횡격막으로 나눌 수 있는데, 요추횡격막의 뒤쪽 경계는 각(crura)과 내측 및 외측 궁상인대(medial and lateral arcuate ligament)로 이루어져 있고, 횡격막 각은 1-3번 요추에서부터 형성된다. 양측 횡격막을 연결하는 내측 궁상인대는 대동맥열공(aortic hiatus)의 전방경계를 형성하고 양측 각은 대동맥열공의 외측경계를 형성한다.

내측 인대의 비후(hypertrophy) 또는 아래쪽 위치로 인해 복강 동맥(celiac artery)을 눌러서 상복부 통증과 체중 감소가 발생할 수 있으며 내측인대 증후군(medial arcuate ligament syndrome)이라 부른다[1, 2]. 횡격막에는 3개의 주요 통로가 있다. 가장 앞쪽에 위치한 대정맥열공(IVC hiatus)은 중심건내에 위치하며 8번 흉추 높이에 있고 하대정맥과 우측 횡격막 신경이 지나간다. 식도열공(esophageal hiatus)은 10번 흉추 높이에 위치하고 식도, 미주신경(vagus nerve), 교감 신

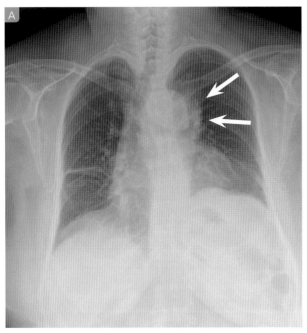

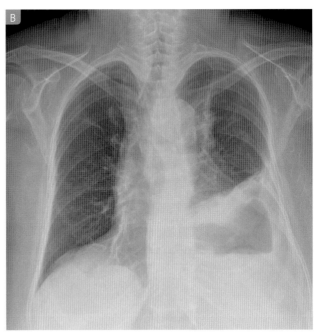

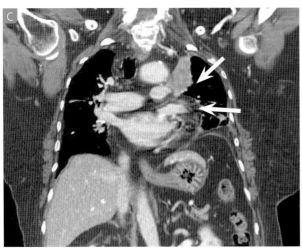

■ 그림 14-2. 폐암 침범에 의한 좌측 횡격막 마비

A. 흉부X선사진에서 좌측 횡격막이 우측보다 상승되어 있고 좌측 폐문이 바깥쪽으로 돌출(화살표)하고 있어 중심부 폐암이 의심된다. **B.** 추적흉부X선사진에서 좌측 횡격막 상승이 더 심해지고 좌측 폐문 바깥으로 돌출하는 종괴 음영이 커졌다. 좌측 하폐야에선 상폐허탈이 동반되어 있다. **C.** 흉부CT에서 대동맥폐창(AP window)으로 종격동을 침범한 좌상엽의 폐암 종괴가 있다(화살표). 폐암의 횡격막 신경침범에 의한 횡격막 신경마비에 의해서 좌측 횡격막이 상승되어 있다. 환자는 65세 남자이고 폐선암이었다.

경(sympathetic nerve) 및 식도 동맥(esophageal arteries)들이 지나간다. 대동맥 열공에는 대동맥이외에도 흉관(thoracic duct), 기정맥(azygos vein), 반기정맥(hemiazygos vein)이 지나간다.

Ⅱ 횡격막의 기능장애(dysfunction)

기능장애는 대부분 일측에 나타나지만 드물게 양측에 발생한다. 일측의 기능장애는 보통 증상이 없으며 우연히 발견된다. 증상이 발생하는 경우 누운 자세에서 호흡곤란, 운동시 호흡곤란을 호소하며 기저 폐질환이 있는 경우 증상이 더 심하다. 양측의 기능장애는 대부분 증상을 일으키고 호흡부전을 야기한다[3]. 횡격막의 기능장애는 크게 횡격막마비(paralysis), 전위(eventration) 또는 근육 약화(weakness)로 나눌 수 있다.

1. 횡격막 마비

일측 횡격막 마비는 종양에 의한 신경의 눌림 또는 침범에 의해 흔히 발생하고, 외상, 심장 수술(cardiac frostbite), 대상포진(herpes zoster), 경추 척추증(cervical spondylosis), 폴리오(poliomyelitis), 폐렴(pneumonia) 등에 의해 생긴다[4]. 하지만 원인불명인 경우가 가장 많다. 양측 횡격막의 마비는 대부분 척수 손상(spinal cord injury) 때문에 발생한다[5]. 이외에도 근위축성 측색 경화증(amyotrophic lateral sclerosis), 또는 중증근무력증(myasthenia gravis)과 같은 신경근육 증후군, 방사선 치료(radiation therapy) 등이 양측 횡격막 마비의 원인이다[6, 7]. 횡격막의 마비는 지속적인 경우도 있지만 원인에 따라 일시적으로 발생 후 호전될 수 있다. 심장 정지액(cold cardioplegia)을 이용하는 심장 수술 후 횡격막 신경의 손상(phrenic frostbite)이 흔히 발생하는데(2-20%), 일시적인 양측 횡격막 마비를 일으킨다[3, 8, 9].

흉부X선사진에서 마비된 횡격막은 상승하고 횡격막 돔 부분이 두드러져 보인다(accentuated dome configuration)(그림 14-2)[10]. 일측 횡격막 마비가 있으면 흉부X선사진에서 횡격막 마비의 원인이 될만한 폐암에 의한 종괴 음영이 보이는지 확인해야 한다. 횡격막 마비에 의한 기능장애는 투시(fluoroscopy)로 횡격막 운동이 감소되거나 없음(reduced or delayed orthograde excursion)을 확인하고, 재채기 검사(sniff test)에서 횡격막의 역행 운동(paradoxical motion)을 확인하여 진단한다[10]. 횡격막 마비가 있으면 투시 검사에서 호흡 시에 종격동이 횡으로 움직이며, 흉벽이 외측(outward)으로 복벽은 내측(inward)으로 움직이게 되는데 이를 흉복역행(thoracoabdominal paradox)이라고 한다. 호흡 시 보조근육(accessory muscle)의 수축으로 인하여 늑골이 상승하게 되는데 이는 횡격막이 하강하는 것처럼 보이게 할 수 있어 주의가 요구된다. 재채기 할 때 정상에서 양측 횡격막이 동시에 급속히 하강하지만, 횡격막 마비가 있으면 횡격막이 역행해서 상승하게 된다. 정상인에서 역행성 운동이 일어나는 경우가 있기 때문에, 횡격막 상승(reverse excursion)이 적어도 2 cm 이상 있을 때 진단을 내릴 수 있으며 90%의 정확도를 보인다[4, 11]. 호기 때 환자가 복부 근육을 횡격막상승에 사용하는 경우 위양성 결과가 발생한다[12].

2. 횡격막 전위(diaphragmatic eventration)

전위(eventration)는 선천적으로 횡격막 근육이 얇아져서(congenital thinning), 국소적으로 횡격막이 돌출한 것이다. 일측 횡격막의 일부분에 흔히 발생하며, 오른쪽 횡격막의 전내측(anteromedial portion of the right hemidiaphragm)에 가장 흔하다[13]. 일측 횡격막 전체 또는 양측 횡격막 전체에 전위가 발생하는 경우는 매우 드물고, 일측 전체의 전위는 거의 예외 없이 왼쪽에 발생한다. 대부분의 전위는 증상이 없으며 우연히 발견된다. 흉부X선사진에서 전위는 일측 횡격막의 일부가 상승하고 정상인 나머지 횡격막 부분은 정상 높이의 위치를 보인다(그림 14-3). 전위는 비만과 같이 복강 압력이 높으면 횡격막 상승이 더 강조되어 보이며, 국소적인 경우가 많기 때문에 흉부X선사진에서 횡격막 탈장으로 오인될 수 있다. 일측 전체의 전위는 횡격막 마비와 감별이 어렵다.

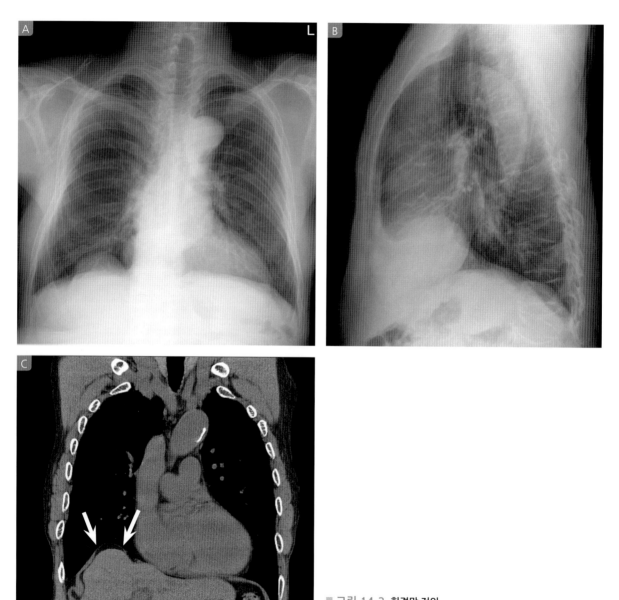

■ 그림 14-3. 횡격막 전위
흉부X선 전후사진(A)과 측면사진(B)에서 우측 횡격막의 전내측부가 국소적으로 상승되어 있다. 73세 남자이고 증상은 없었다. **B.** 흉부CT 관상면 영상에서 국소적으로 우측 횡격막이 얇아져 있고 상승되어 있다(화살표).

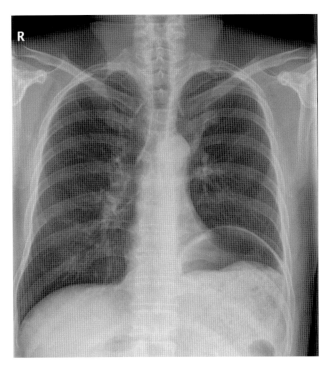

■ 그림 14-4. 좌상엽 절제술 후 좌측 횡격막의 상승
흉부X선사진에서 좌측 횡격막 상승이 있고, 좌측 폐문부 혈관 음영이 우측보다 감소되어 보인다. 48세 남자 환자로 폐선암에 대해서 좌상엽 절제술을 받았다.

Ⅲ 불충분한 흡기에 의한 횡격막 상승

흉부X선사진에서 횡격막 상승(diaphragmatic elevation)은 기능장애 이외의 원인에 의한 것이 흔하다. 불충분한 흡기는 횡격막 상승의 가장 흔한 원인이다. 복압이 올라가는 비만, 복부의 큰 종양이나 복수, 간비장 비대 등에 의해 불충분한 흡기가 발생한다. 복강내 대장이나 위장의 팽창으로 인하여 한쪽 횡격막이 상승하는 경우도 있다. 대장이 간과 오른쪽 횡격막 사이에 끼여서 횡격막 상승을 일으킨다. 때로 간 내의 큰 종양이 횡격막 상승을 일으키기도 한다. 반대로 양측성 무기폐, 폐절제술, 섬유성 폐질환과 같이 폐 용적이 감소하면 횡격막의 양측성 상승이 발생하는데, 이런 경우 폐하부에 음영의 증가가 동반된다. 무기폐는 횡격막 상승의 한 원인으로 폐 내의 음영증가와 동반된다. 횡격막상승은 하엽, 설상엽, 우중엽 무기폐와 흔히 동반되지만 상엽의 무기폐에도 동반될 수 있다. 폐절제술 후 동반되는 폐용적의 감소는 종격이나 심장의 이동, 금속성 실, 늑골의 손실 등의 동반 소견으로 쉽게 알 수 있다(그림 14-4). 염증 등의 원인에 의해서 흉막이 비후된 경우 횡격막이 흉벽에 매달리면서(tethering) 횡격막이 상승되고, 바깥쪽 부분이 더 상승되어 있는 횡격막 모양을 보인다.

Ⅳ 폐하흉수

횡격막 상승처럼 보일 수 있는 원인 중 폐하흉수(subpulmonic effusion)가 있다. 대부분 일측성이고, 우측에 더 흔하다 [14]. 흉부X선 전후사진에서 횡격막 첨부가 늑골횡격막각(costophrenic angle)으로 이동(lateral peaking of raised hemidiaphragm)하며, 소엽간열(minor fissure)과 횡격막 사이 거리가 정상보다 가까워 보이고, 늑골횡격막각이 무디게(blunting)

보인다. 측면사진에서는 위의 공기 음영과 폐 사이의 거리가 멀어지고, 폐하엽 아래쪽과 '상승된 횡격막'처럼 보이는 흉수와의 경계가 편평하게 보인다. 폐하 흉수가 국소화되지 않은 경우 측면으로 누워서 찍은 사진(decubitus image)으로 진단할 수 있지만 국소화된 경우 초음파나 CT가 진단에 필요하다. 또한 폐하흉수는 횡격막하 농양, 원발성 폐암, 간종양, 간농양, 포충낭종과 동반될 수 있기 때문이 주의가 필요하다. 횡격막하 농양은 복부 수술 후 동반되는 횡격막 상승의 원인 중 하나이며 대부분 흉수와 동반된다. 횡격막하 일부에 국한된 공기음영이 보일 경우 진단할 수 있으며 초음파 검사도 도움이 된다.

Ⅴ 횡격막 탈장

선천적 또는 후천적 원인으로 횡격막에 발생한 결손 부위를 통해서 장간막 지방이나 복강의 장기가 횡격막 위로 올라오는 횡격막 탈장(diaphragmatic hernia)은 흉부X선사진에서 종격동 또는 아래쪽 폐야에서 드물지 않게 발견되는 소견이다. 횡격막 탈장의 가장 흔한 비외상성 원인은 식도 열공을 통한 탈장이며, 선천적 원인에 의한 Bochdalek 탈장, Morgagni 탈장 등이 있다. 먼저 식도열공 탈장(esophageal hiatal hernia)은 흉부X선사진에서 흔히 발견되는 소견으로 나이에 비례해서 증가한다. 위식도역류에 의한 통증이 동반될 수 있으나, 대부분 증상이 없으며 우연히 발견되는 경우가 더욱 많다. 흉부X선사진에서 후종격동 아래쪽의 종괴 음영으로 보이며 경우에 따라 내부에 공기음영 또는 공기-액체층이 보인다(그림 14-5). 위의 대부분이 탈출된 경우 커다란 종괴로 보일 수 있다.

    Bochdalek 열공은 흉막복막 주름(pleuroperitoneal fold)의 결손 또는 흉막복막 주름과 중심건 연결 부분의 결손에 의

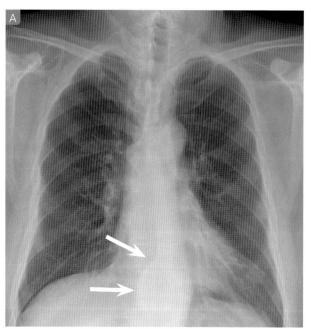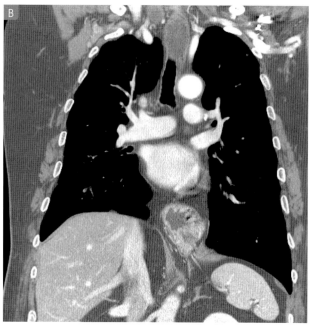

■ 그림 14-5. 식도 열공 탈장(esophageal hiatal hernia)
A. 흉부X선사진에서 후종1격동 아래쪽의 종괴 음영으로 보이며 기정맥식도 오목부위(azygoesophageal recess)가 우측으로 밀려있다(화살표). 증상이 없는 64세 남자이다. **B.** CT 관상면 사진에서 식도 열공을 통해 흉강으로 이동된 위가 보인다.

해 발생한다. 선천성 횡격막 탈장의 90%를 차지하며 특징적으로 횡격막각 근처의 뒤쪽 횡격막에 발생하고 간에 의해 눌려있는 오른쪽보다 왼쪽에 흔하다(75-90%). 소아에서 Bochdalek 탈장의 크기가 크면 폐의 발육부전이나 폐 고혈압으로 인해 성공적인 수술을 하더라도 사망률이 30%에 이른다. 성인에서는 대부분 크기가 작고 증상이 없다. 작은 Bochdalek 탈장은 흔하며(성인의 5-10%) 나이에 따라서 증가한다[15]. 결손의 크기가 작으면 소량의 신장 주위 지방조직(perinephric fat)이 횡격막 위로 올라가지만 드물게 크기가 큰 경우 신장, 위, 소장 등이 올라간다. 흉부X선사진에서 일측 뒤쪽 횡격막의 국소적인 돌출(그림 14-6) 또는 양측 횡격막 후내측 부위의 종괴 음영으로 보인다[16]. 위 또는 소장이 올라가는 경우 흉곽 내 비정상적인 공기음영이나 공기-액체층이 보인다.

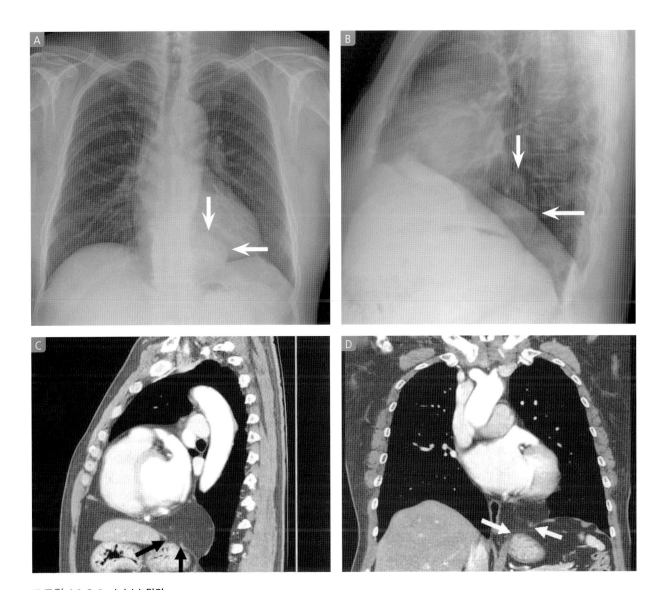

■ 그림 14-6. Bochdalek 탈장
A.B. 흉부X선사진 전후 및 측면 사진에서 심장 뒤쪽 아래에 종괴 음영이 있다(화살표). 죄측 횡격막의 내측 경계를 소실시키는 음영이다. 증상이 없는 63세 남자이다. **C.D.** 흉부CT 시상 및 관상면 영상에서 국소적인 횡격막의 결손이 보이고(화살표), 대망의 지방조직과 혈관에 의한 음영이 횡격막 위로 탈장되어 있다.

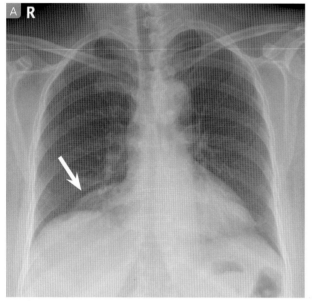

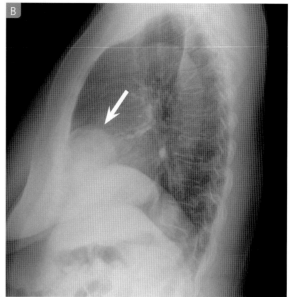

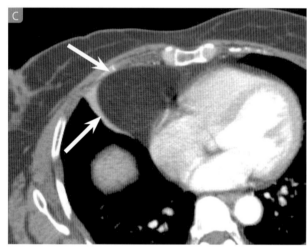

■ 그림 14-7. Morgagni 탈장
A. B. 흉부X선 전후 및 측면 사진에서 우측 횡격막 전내측의 국소적인 상승이 있으며 횡격막 경계를 소실시키는 경계가 명확한 종괴 음영으로 보인다 (화살표). 증상이 없는 66세 여자 환자이다. C. 흉부CT에서 우측 심장횡격막각(cardiophrenic angle)에 위치한 경계가 명확한 지방 음영의 종괴이며 심장 아래쪽의 횡격막에 국소적인 결손이 있고 탈장된 대망이다. 인접한 우하엽에 폐허탈이 동반되어 있다.

Morgagni 열공은 선천적으로 중심건(central tendon) 형성 과정에서 발생하는 결합 결손으로 흉골 뒤쪽에 발생한다. 모르가니 탈장은 선천성 횡격막 탈장의 10%로 비교적 드물고 왼쪽은 심장에 눌려 있어서 대부분의 탈장은 오른쪽에 발생한다. 비만이나 복압의 증가를 동반하는 심한 외상과 연관된 경우가 많다[17]. Bochdalek 탈장과 달리 탈출된 구조물은 복막에 둘러싸여 있고 대망, 대장, 위, 간, 소장의 순서로 잘 탈출된다[18]. 흉부X선사진에서 오른쪽 심장횡격막각(cardiophrenic angle)에 위치한 경계가 명확한 종괴 음영으로 보인다(그림 14-7). 심장막 낭종(pericardial cyst), 풍부한 심장 주위 지방 조직(prominent pericardiac fat pad), 국소적인 흉막 또는 폐실질 종괴(focal pleural or pulmonary parenchymal mass)가 비슷하게 보일 수 있다.

Ⅵ 외상성 횡격막 손상

횡격막의 급성 파열은 관통상(penetrating injury) 또는 둔상(blunt injury)에 의해 발생한다. 파열의 결과 복강의 장기가 흉강으로 탈장되어 폐를 누르면 호흡부전을 일으키고, 탈장에 의한 장폐색이 발생할 수 있다. 탈장은 급성으로 생기기도 하지만 시간 경과 후 발생하는 경우도 있다. 관통상에 의한 횡격막 파열을 보통 크기가 작아 탈장은 흔하지 않고, 폐와 같은 인접한 장기의 손상이 흔히 동반된다. 흉부X선사진에서 횡격막의 경계가 불분명해지는데, 폐 손상에 의한 음영 증가 또는 혈흉, 늑골 골절이 동반되기 때문에 횡격막 파열에 대한 진단이 늦어지는 경우가 많다[19]. 고속의 자동차 사고 또는 낙상에 의한 둔상과 연관된 횡격막의 파열은 왼쪽에 더 흔하고 후외측에 주로 발생한다. 오른쪽에서는 간이 완충 역할을 하기 때문이다. 오른쪽 횡격막의 파열은 매우 심한 손상에 의해 발생하며 진단이 쉽지 않다[20]. 흉부X선사진에서 왼쪽 횡격막의 상승과 인접한 폐의 허탈 소견으로 보인다(그림 14-8). 수술 전 횡격막 손상의 진단은 파열을 통한 장기의 탈장 소견이 흉부X선사진에서 보이지 않으면 진단이 어렵다. 따라서 급성 외상 환자에서 흉부X선사진에서 횡격막 파열을 염두하고 관찰해야 한다. 흉부X선사진에서 흉곽 내의 위 또는 소장에 의한 음영, 횡격막 위로 올라온 레빈 튜브, 때로 파열 부위에 위장이 목처럼 좁려 있는 음영은 탈장이 동반된 횡격막 파열을 시사한다[21].

또한 횡격막이 보이지 않거나 윤곽이 불규칙한 경우, 지속적인 아래쪽 폐야의 음영 증가, 횡격막 상승, 흉수나 기흉 없이 종격동이 반대측으로 밀리는 소견이 보이면 횡격막 파열을 의심해야 한다[22]. 외상 환자에서 횡격막 파열은 외상 후 횡격막 마비(posttraumatic diaphragmatic paralysis) 또는 외상성 공기 낭종(posttraumatic pneumatocele)과 감별이 어렵다[23].

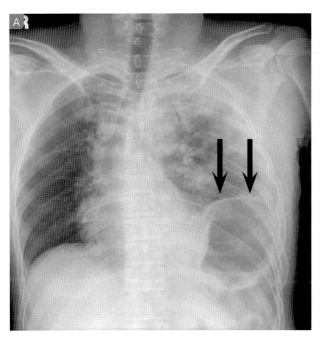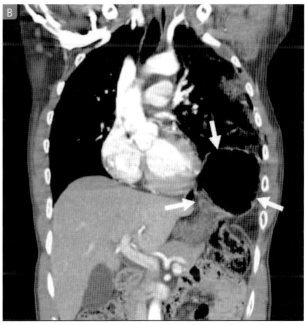

■ 그림 14-8. **외상성 횡격막 손상**
A. 흉부X선사진에서 좌측 횡격막이 상승된 것처럼 보이고(화살표), 종격동의 우측 이동, 늑골 골절, 폐손상과 흉수에 의한 좌측 폐야의 음영 증가가 보인다. **B.** CT 관상면 영상에서 횡격막 파열에 의한 국소 결손과 위의 흉강내 탈장이 있다(화살표).

Ⅶ 횡격막 종양

원발성의 횡격막 종양은 드물고, 주로 인대나 앞쪽 근육 부위에 생긴다. 가장 흔한 양성 종양은 지방종이고 그 외 신경종, 평활근종, 혈관종 등이 있다[24]. 횡격막 근처에서 지방조직의 탈장이 흔하기 때문에 지방종과 감별이 필요하다[25]. 양성 종양은 대부분 증상이 없고, 크기가 커지면 호흡 곤란이 동반된다. 섬유육종(fibrosarcoma)은 가장 흔한 악성종양이고, 그외 다형성 미분화 육종(pleomorphic undifferentiated sarcoma, formerly malignant fibrous histiocytoma 악성섬유조직구종), 평활근육종 등이 있다. 이외에도 lympangioma, endometrioma와 같은 양성 종양이 발생할 수 있다[26]. 폐암이나 중피종에서는 직접 침범에 의한 이차적인 횡격막 침범이 흔하다. 흉부X선사진에서 횡격막 종양은 횡격막에 바닥을 두고 폐하부로 돌출된 경계가 좋은 종괴 음영으로 보이며, 악성종양은 흉수를 동반하거나 횡격막의 대부분을 침범하여 횡격막의 윤곽이 소실되어 보이기도 한다.

참고문헌

1. Lindner HH, Kemprud E. A clinicoanatomical study of the arcuate ligament of the diaphragm. Archives of surgery (Chicago, Ill:1960) 1971;103:600-605.

2. Horton KM, Talamini MA, Fishman EK. Median arcuate ligament syndrome: evaluation with CT angiography. Radiographics 2005;25:1177-1182.

3. Qureshi A. Diaphragm paralysis. Seminars in respiratory and critical care medicine 2009;30(3):315-320.

4. Celli BR. Respiratory management of diaphragm paralysis. Seminars in respiratory and critical care medicine 2002;23:275-281.

5. Carter RE. Unilateral diaphragmatic paralysis in spinal cord injury patients. Paraplegia 1980;18:267-274.

6. Brander PE, Jarvinen V, Lohela P, Salmi T. Bilateral diaphragmatic weakness: a late complication of radiotherapy. Thorax 1997;52:829-831.

7. Gilchrist JM. Overview of neuromuscular disorders affecting respiratory function. Seminars in respiratory and critical care medicine 2002;23:191-200.

8. Dorffner R, Eibenberger K, Youssefzadeh S, Wisser W, Zuckermann A, Grabenwoger F, et al. Diaphragmatic dysfunction after heart or lung transplantation. The Journal of heart and lung transplantation 1997;16:566-569.

9. Gibson GJ. Diaphragmatic paresis: pathophysiology, clinical features, and investigation. Thorax 1989;44(11):960-970.

10. Nason LK, Walker CM, McNeeley MF, Burivong W, Fligner CL, Godwin JD. Imaging of the diaphragm: anatomy and function. Radiographics 2012;32:E51-70.

11. Arborelius M, Jr., Lilja B, Senyk J. Regional and total lung function studies in patients with hemidiaphragmatic paralysis. Respiration 1975;32:253-264.

12. Alexander C. Diaphragm movements and the diagnosis of diaphragmatic paralysis. Clinical radiology 1966;17:79-83.

13. Yeh HC, Halton KP, Gray CE. Anatomic variations and abnormalities in the diaphragm seen with US. Radiographics 1990;10:1019-1030.

14. Vix VA. Roentgenographic recognition of pleural effusion. JAMA 1974;229:695-698.

15. Caskey CI, Zerhouni EA, Fishman EK, Rahmouni AD. Aging of the diaphragm: a CT study. Radiology 1989;171:385-389.

16. Raymond GS, Miller RM, Muller NL, Logan PM. Congenital thoracic lesions that mimic neoplastic disease on chest radiographs of adults. AJR American journal of roentgenology 1997;168:763-769.

17. Gaerte SC, Meyer CA, Winer-Muram HT, Tarver RD, Conces DJ, Jr. Fat-containing lesions of the chest. Radiographics 2002;22 Spec No:S61-78.

18. LaRosa DV, Jr., Esham RH, Morgan SL, Wing SW. Diaphragmatic hernia of Morgagni. Southern medical journal 1999;92:409-411.

19. Demetriades D, Kakoyiannis S, Parekh D, Hatzitheofilou C. Penetrating injuries of the diaphragm. The British journal of surgery 1988;75:824-846.

20. Boulanger BR, Milzman DP, Rosati C, Rodriguez A. A comparison of right and left blunt traumatic diaphragmatic rupture. The Journal of trauma 1993;35:255-260.

21. Gelman R, Mirvis SE, Gens D. Diaphragmatic rupture due to blunt trauma: sensitivity of plain chest radiographs. AJR American journal of roentgenology 1991;156:51-57.

22. Shackleton KL, Stewart ET, Taylor AJ. Traumatic diaphragmatic injuries: spectrum of radiographic findings. Radiographics 1998;18:49-59.

23. Allbery S, Swischuk L, John S. Posttraumatic pneumatoceles mimicking diaphragmatic hernia. Emergency Radiology 1997;4:94-96.

24. Olafsson G, Rausing A, Holen O. Primary tumors of the diaphragm. Chest 1971;59:568-570.

25. Ferguson DD, Westcott JL. Lipoma of the diaphragm. Report of a case. Radiology 1976;118:527-528.

26. Anderson LS, Forrest JV. Tumors of the diaphragm. The American journal of roentgenology, radium therapy, and nuclear medicine 1973;119:259-265.

Contents

외상에 의한 흉부 손상은 심각한 후유증과 사망 원인이 될 수 있다. 흉부X선사진은 흉부 손상의 일차적인 검사로서 손상의 정도를 평가하고 앞으로의 진단 및 치료방침에 대해 중요한 역할을 한다. 이상적으론 흉부X선 후전사진과 측면사진을 얻는 것이 좋으나 외상환자에 있어 촬영 자체가 힘든 경우가 많아 전후 사진만을 찍는 경우가 많다. 전후 사진의 경우 내부 장기와 겹쳐진 연부조직과 뼈의 구분이 어렵고 공기액체층(air fluid level)이 보이지 않으며 심장음영이 커 보이고 폐혈관의 음영이 증가한 소견을 보여 이를 감안하여 판독하여야 한다. 늑골(rib) 골절의 33-50% 와 10-50%의 기흉은 흉부X선사진에서 안 보일 수 있다고 하며 이는 추가적인 CT 검사의 이유가 될 수 있으나 가벼운 흉부 외상에서는 꼭 필요한 검사라고 할 수 없다. 초음파의 경우는 흉부X선사진이나 CT를 얻기 힘든 경우 기흉이나 골절등을 보는 데 도움을 줄 수 있다[1 4]. 흉부 외상은 크게 둔상(blunt trauma)과 관통상(penetrating trauma)으로 나눌 수 있으며 둔상의 경우 교통사고로 인한 경우가 가장 흔하고 추락이 그 다음이다. 교통사고시 안전벨트 미착용의 경우 흉부 손상은 4번째로 흔한 손상부위이나 착용 시에는 손상이 두경부에서 흉부로 옮겨지는 양상을 보여 가장 흔한 손상 부위가 된다. 물론 심각한 흉부 손상은 훨씬 감소한 소견을 보인다. 관통상은 예리한 물건이 피부를 뚫고 손상을 야기하는 것으로 주로 칼이나 총상에 의한 손상이 많다. 흉부 손상 후 나쁜 예후를 예상할 수 있는 위험인자로는 65세 이상의 연령, 3개이상의 늑골 골절, 만성 폐질환, 손상 후 폐렴발생 등이며, 그 외에도 항응고제 사용, 25이상의 Body mass index (BMI), 250 미만의 PaO 2/FiO 2 비율, 90% 미만의 산소 포화도 등도 예후에 영향을 준다고 한다[2, 5].

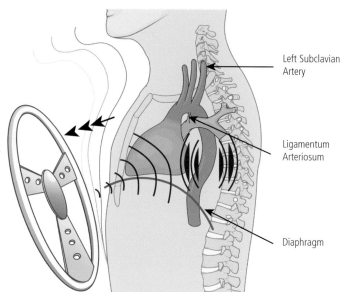

Left Subclavian
Artery

Ligamentum
Arteriosum

Diaphragm

■ 그림 15-1. **충격파에 의한 내부 손상 모식도**
빨리 움직이는 흉벽으로 인해 생기는 충격파가 내부 장기 특히
대동맥에 전달되어 내부 손상을 일으키며 이는 주위 뼈의 골절
없이도 내부 손상이 올 수 있는 이유가 된다.

❶ 흉부 외상의 기전

직접적인 압박은 흉벽 손상 특히 늑골 골절의 원인이 되며 나이가 들면서 뼈의 탄력이 떨어져 골절에 좀더 취약하게 된
다. 흉벽의 손상과 비교되게 흉부 내부의 손상은 압박으로 인한 변형(deformity) 정도가 아니라 압박에 의한 변형 속도
와 관련이 더 깊다. 이는 골절 없이도 내부 장기 특히 대동맥 등의 손상이 가능한 이유가 되고 또한 늑골 골절과 대동맥
손상 간에 상관관계가 없다는 보고도 있다(그림 15-1). 산업재해나 폭탄 등에 의한 폭풍(blast)에 의한 손상의 경우 폭풍에
의한 압력에 의해 폐포가 터져 흉부 사진에 경화(consolidation) 소견을 보일 수 있고 이는 밀폐된 공간에서 더 심하게 온
다[6,7].

❷ 흉벽 손상

1. 연부조직

흉벽은 혈류공급이 풍부하고 골절 등에 의해 혈관이 손상되거나 골 및 근육 등의 손상이 있는 경우 혈종이 생기며 흉부
X선사진에서 비특이적 음영이 연부조직에 나타나게 되고 관통상에 의한 경우 칼날 같은 외부 물질이 같이 보이는 경
우도 있다. 피부밑 기종(subcutaneous emphysema)은 가슴 벽 감염, 소화기나 호흡기에 대한 둔상, 또는 연부 조직에 외
부 공기가 들어오는 관통상 등에 의해 나타날 수 있고 흉부X선사진에서는 연부 조직내에 공기 음영으로 보이고 특히 큰
가슴근(pectoralis major muscle)에선 근섬유를 구분짓는 줄무늬 모양의 저음영을 보일 수 있다(은행잎 징후, ginkgo leaf
sign)(그림 15-2)[1].

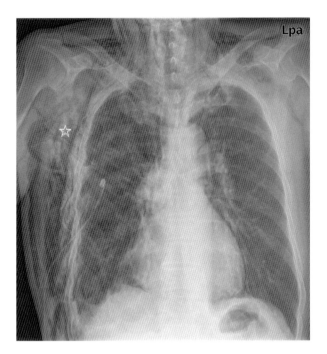

■ 그림 15-2. 피부밑 기종
피부밑 기종. 우측 흉벽과 목주위에 공기음영이 보이고 특히 큰가슴근
내에 줄무늬 모양의 공기 음영(☆)이 보인다(은행잎 징후).

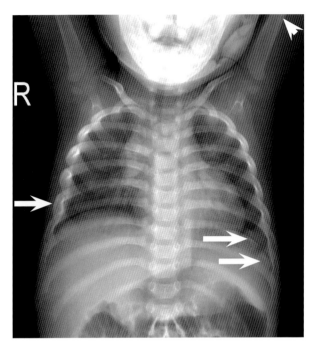

■ 그림 15-3. 아동학대
6개월 남아로서 발달 지연을 주소로 내원한 환자로서 흉부X선사진에서
가골을 보이는 늑골 골절(화살표)들이 오른 아래쪽 늑골과 왼쪽 아래 늑
골의 늑골연골 이음부에서 보이고 뼈막 반응(화살촉)이 왼쪽 상완골에
보여 여기에도 골절이 있는 소견으로 아동 학대에서 보이는 다양한 골절
의 소견을 보인다.

2. 뼈

1) 갈비뼈 골절

늑골 골절은 흉부 외상의 35-40%에서 보이는 가장 흔한 소견이다. 늑골 골절은 대부분 비수술적인 치료를 하므로 그
자체만으론 임상적인 큰 의의는 없으나, 이러한 골절은 다른 관련된 손상 가능성을 생각하게 하는 역할을 한다. 갈비뼈
들은 척추에 붙어 있는 뒷부분이 흉골(sternum)에 붙어 있는 앞부분보다 더 단단하게 붙어 있고 앞부분의 연골 등은 가
슴 움직임에 필요한 유연성을 제공하게 된다. 앞쪽으로 2-7번째 늑골까지는 윤활 관절(synovial joint)을 통해 흉골과 붙
어 있고 8-9번째까지는 7번째 연골에 붙고 11-12번째 늑골의 앞부분은 떠 있는 구조이다. 단지 하나의 늑골골절이나 일
부 근육 손상도 가슴을 움직이는 전체 근육에 영향을 주게 되므로 고령의 환자에게 있어 단순한 늑골 골절도 호흡에 지
장을 줌으로 조심하여야 한다[7,8]. 소아의 경우 탄력이 있어 골절이 드문 일이나 있는 경우 심한 손상을 의미하므로 조심
하여야 하고, 3살 이하의 소아에서 늑골 골절이 있는 경우 아동 학대 등의 경우도 생각해 보아야 한다(그림 15-3)[7]. 노인
의 경우 늑골 골절에 좀더 취약하고 늑골 연골 이음부(costochondral junction)의 골절의 경우 단순촬영에서 잘 안 보이는
경우도 많아 골스캔(bone scan)이 도움이 된다. 골스캔에서 골절은 6-72시간 내에 관찰되며 예민도가 거의 100%에 달
해 단순촬영에서 보이지 않는 골절에 도움이 되며 특히 피로골절 등의 진단에 도움이 된다(그림 15-4)[1, 9-11]. 전통적인
흉부 X선으로는 어긋나지 않은 늑골 골절을 정확히 진단하는데 한계가 있으며, 늑골 골절의 33-50%은 흉부X선사진에
서 보이지 않는다. 1-3번째 늑골는 견갑골와 주위의 근육에 의해 보호되어 골절이 상당히 드물지만 골절이 있는 경우 약

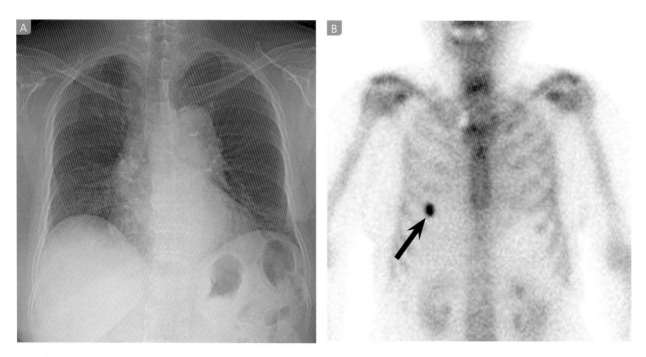

■ 그림 15-4. 늑골연골이음부의 골절

72세 여자 환자로서 흉부 통증을 호소한 환자로서 흉부X선사진(A)에서는 늑골 골절이 보이지 않았으나 골스캔(B)에선 늑골연골 이음부에 골절(화살표)이 보인 환자로서 이 부위의 골절은 단순 촬영에서 잘 보이지 않는 경우가 많다.

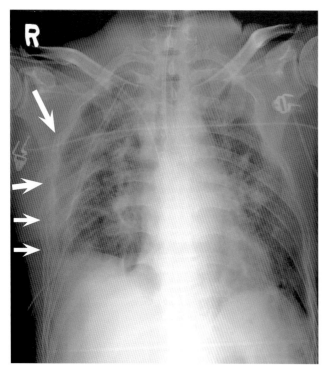

■ 그림 15-5. 팔신경얼기 손상

3번째부터 6번째까지의 오른쪽 늑골에 골절(화살표)이 있는 환자로서 팔신경얼기에 손상을 입은 환자이다. 흉부X선사진에서 1-3번째 사이의 늑골 골절이 있는 경우 팔신경얼기 또는 큰 혈관 등의 손상 가능성을 생각해야 한다.

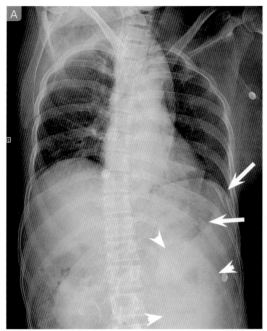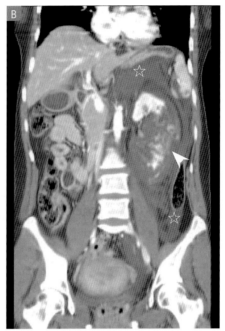

■ 그림 15-6. 늑골 골절 및 비장과 왼쪽 신장의 파열
흉부X선사진(A) 에서 왼쪽 7번째와 9번째 늑골의 골절(화살표)들이 보이고 왼쪽 신장이 파열되어 주변의 혈종들로 인해 신장의 음영이 반대 보다 커져 있어 보이고 일부분에선 경계가 불분명하다(화살촉). 관상면 CT 사진(B)에선 비장파열(열린 화살표), 신장파열(화살촉), 그리고 혈액 복막(☆)소견이 잘 관찰된다.

15%에서 쇄골하 혈관들이나 팔신경얼기(brachial plexus) 등이 손상을 동반하며 주위의 흉골, 견갑골(scapula) 또는 쇄골(clavicle) 등의 골절이 같이 동반 되는 경우가 많아 유심하게 살펴야 한다(그림 15-5). 아래쪽 즉 9-12번째 늑골의 골절은 간, 비장, 또는 신장의 손상이 동반되는 경우가 많으므로 유의하여야 한다. 한 보고에서는 이러한 우측과 좌측의 늑골 골절 시 각각 간 및 비장 손상이 56%, 28%라고 한다(그림 15-6)[2, 4, 8].

동요가슴(flail chest)의 엄격한 정의는 적어도 4개 이상의 연속된 늑골 골절이 두 군데 이상 있는 것을 말하나 기능상으론 환자의 호흡에 지장을 주는 흉벽(chest wall)의 움직임 감소를 의미하고 임상적으로 모순되는 흉곽의 움직임에 의해 진단된다. 이러한 경우 폐렴이나 혈흉 등의 합병증이 동반하는 경우가 많다(그림 15-7). 늑골 골절은 뼈의 피질이 얇아 골절이 비스듬하고 고정이 쉽지 않으며 고정 후 호흡이 제한되며 늑간 신경이 뼈에 가까이 있어 수술 시 손상받기 쉬우며 수술 후 통증도 흔하게 보고돼 수술적 교정을 잘 하지 않지만 동요가슴, 흉곽 기형, 골절되거나 융합이 안 된 뼈의 움직임으로 인한 통증의 경우 수술을 고려한다[1-4].

2) 기타 골절

쇄골 골절은 외상 시 비교적 흔히 발견되고 임상적으로 큰 의미가 없는 경우가 많으나 어깨뼈나 1-3번째 늑골 골절이 동반된 경우나 흉쇄골(sternoclavicular) 골절이나 탈골의 경우 심한 손상을 받았음을 의미하는 소견이 되며 흉쇄골 손상의 경우 보통 전방으로 탈구(dislocation)되나 후방으로 탈구된 경우 종격동 내의 장기나 혈관에 손상을 줄 수 있어 빠른 진단이 필요하다(그림 15-8). 견갑골 골절의 경우 두꺼운 근육이 둘러싸고 있고 구조 자체가 흉곽에 가해지는 충격을 흡수

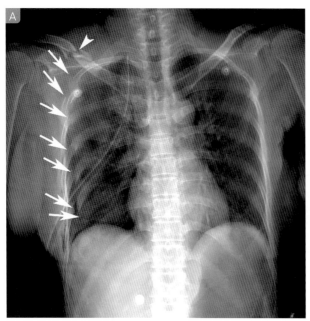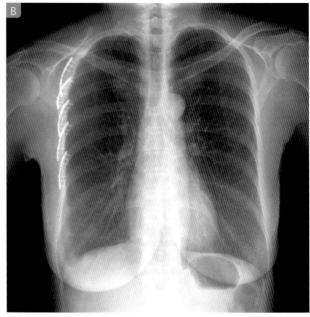

■ 그림 15-7. 동요가슴

흉부X선사진(A)에서 동요가슴을 유발하는 우측 2-8번째의 늑골골절(화살표)이 있으며, 우측 쇄골골절(화살촉)이 동반되어 있다. 우측 혈기흉으로 인해 흉관삽입상태이며, 우측 폐 타박상으로 인한 간유리음영이 있다. 늑골고정술 6개월 후 흉부X선사진(B)에서 우측 2-6번째 늑골에 늑골고정판이 보이며, 우측 폐의 폐 타박상은 소실되었다.

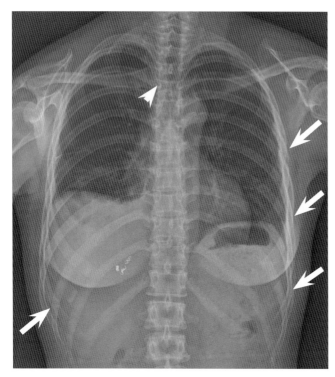

■ 그림 15-8. 흉쇄골 탈구

우측 쇄골의 근위부가 왼쪽에 비해 위로 올라가 있는 모습을 보여 흉쇄골 탈구(화살촉)를 시사하는 소견이며 양쪽에 늑골 골절(화살표)들이 동반된 소견이며 우측에 혈흉도 관찰된다.

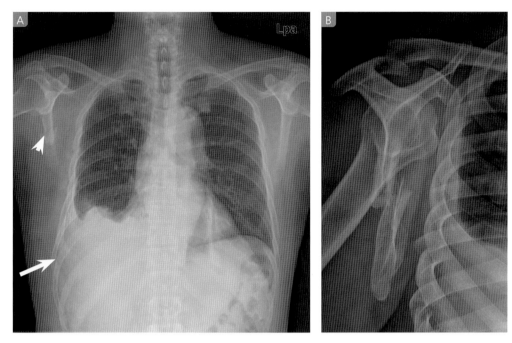

■ 그림 15-9. 견갑골 골절
흉부X선사진(A)에서 우측 견갑골의 골절(화살촉)과 우측 9번째 늑골의 골절(화살표)이 관찰되며 동측에 혈흉이 동반된 소견으로 견갑골 단순 사진(B)
에서 견갑골의 골절이 잘 보인다.

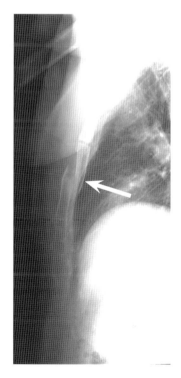

■ 그림 15-10. 흉골 골절
측면사진에서 흉골 몸통의 골절(화살표)이 있는 소견이다.

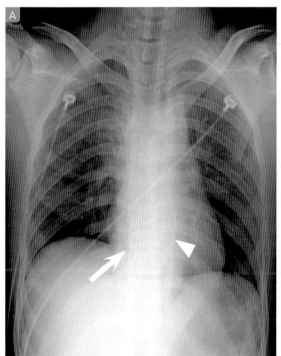

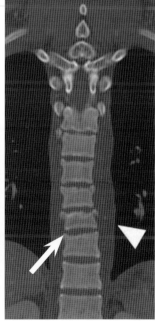

■ 그림 15-11. 흉추골절
9번째 척추의 압박골절(화살표)이 흉부X선 흉부X선전후사진(A)에서 보이며 척추골 주위로 종괴 음영이 보여 종격동에 출혈(화살촉)을 의심할 수 있는 소견이며 골절과 종격동 출혈은 CT(B)에서 잘 관찰된다.

하는 구조이므로 골절이 드문데 골절이 있는 경우 심한 외상을 의미하며 거의 대부분 내부에 근육, 신경, 혈관 등의 손상을 동반하는 경우가 많고 반이 넘는 환자에서 기흉이 발견된다(**그림 15-9**)[8].

흉골 골절의 경우 보통 위나 중간 부위에 생기며 뒷부분에 혈종(hematoma)이 생기거나 심근이나 대동맥 손상이 오는 경우도 종종 있다. 이 골절은 보통 찍는 정면 사진에서는 보기 어렵고 측면사진에서 잘 관찰된다(**그림 15-10**). 외과적 고정은 보통 필요하지 않으나 6주 이상의 골절 유착 불량, 손상으로 인한 복장뼈 기형, 8주 이상의 흉통 등이 경우 고려하여야 한다[2, 8]. 척추골 골절은 압박이나 whiplash 손상에서 오고 보통 신경이나 혈관손상을 동반하므로 신체 고정(immobilization)과 외과적 교정이 필요하다. 흉추(thoracic spine) 골절은 전체 척추골 골절의 25-30%를 차지하며 다른 부위의 골절에 비해 내부 공간이 작고 혈류공급이 취약해 신경손상이 오기 쉽다. 흉추 골절의 경우 약 60%에서 심한 신경학적 손상이 오는데 이는 경추(cervical vertebra)의 30%, 요추(lumbar spine)의 2%에 비해 상당히 높은 수치이다. 흉추에서 가장 흔하게 골절이 오는 부위는 9-11번째 흉추이며 다른 척추골에 골절이 동반되는 경우가 10% 정도 되므로 전체 척추의 검사가 필수적이다. 진단에는 정면과 측면사진 모두 다 필요하고 골절 이외에도 출혈로 인해 척추골 주위에서 종괴 음영이 관찰될 수 있다(**그림 15-11**)[8].

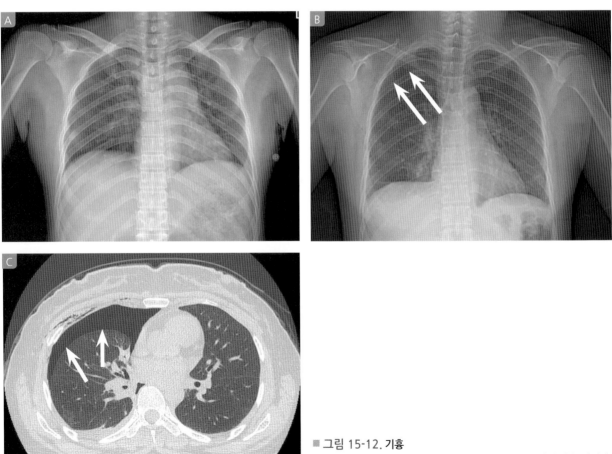

■ 그림 15-12. 기흉
흉부X선 전후사진에서 보이진 않았던 기흉(화살표)이 서서 찍은 사진에서 관찰이 되며 CT사진에선 잘 보인다.

3. 흉막

외상 후 외부로부터의 관통성 손상에 의해 흉막(pleura)에 손상이 온 경우 생기는 기흉(pneumothorax)을 개방성 기흉이라 하고, 내부에서 원인이 돼서 생기는 기흉을 폐쇄성 기흉이라 하는데, 늑골 골절 후 늑골에 의한 흉막 손상이 대표적인 경우이다. 둔상에 의한 흉부 손상의 경우 15-40%에서 기흉이 생기며 기흉 중 약 10-50%는 최초 흉부X선사진에서 놓친다고 한다. 진단은 내장쪽 흉막선(visceral pleural line)이 보이는 것으로 진단하며 서서 찍는 경우 공기가 폐 첨부(apex)에서 관찰되나 누워서 사진을 찍는 경우 공기가 앞쪽 아래쪽으로 이동한다. 이때 폐 바닥(base)의 음영이 감소하거나 횡격막(diaphragm) 앞뒤가 구분되어 횡격막이 이중으로 보이거나 늑골횡격막각(costophrenic angle)이 깊고 음영이 감소된 소견을 보인다. 누워서 찍는 경우 20-40%의 기흉을 놓친다는 보고가 있으므로 가능한 한 서서 사진을 찍는 경우가 좋다(그림 15-12). 때로는 늑골 골절 없이 폐 타박상(pulmonary contusion)에 의해서도 기흉이 생길 수 있다. 폐쇄성 가슴 외상 시 폐 열상, 공기낭종(pneumatocele) 등이 생길 수 있다. 이 경우 초기에는 폐 타박상에 의해 가려지나 수시간 또는 수 일이 지난 후 영상 소견이 나타난다(그림 15-13)[3,4]. 드물지만 심한 경우로는 기관(trachea) 또는 기관지(bronchus) 손상에 의한 기흉으로서 이런 경우 수술을 요구하는 경우도 많다. 외상 후 24시간이 지난 후에 공기가슴증이 생기는 경우도 3% 정도 되므로 조심하여야 한다. 흉막강(pleural cavity)에 공기가 들어가기만 하고 나오지 않는 경우를 긴장성기흉(tension pneumothorax)이라 하는데 동측 폐의 허탈과 이어서 반대쪽 폐와 종격동(mediastinum)을 압박하는 소견을 보이고 부수적으로 늑골 사이가 넓어지고 횡격막이 아래로 눌린 소견을 보인다(그림 15-14). 혈흉(hemothorax)은 둔상을 입은 환자의

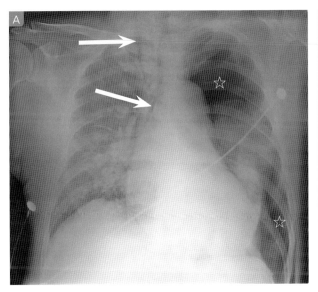
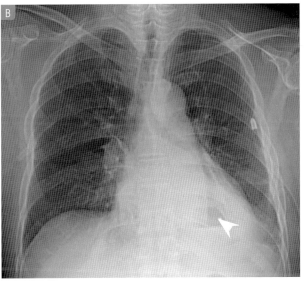

■ **그림 15-13. 기흉과 공기낭종**
통나무를 가슴에 맞은 54세 남자 환자로서 늑골 골절이 없이 둔상으로 인해 폐 타박상과 기흉이 생기고 타박상의 휴유증으로 공기낭종이 생긴 증례이다. 누워서 찍은 흉부X선 전후사진(A)에서 오른쪽폐에 경화와 간유리혼탁이 있어 폐 타박상을 의심되는 환자로서 왼쪽 흉부에 기흉(☆)이 있으며 그 위치는 꼭지뿐 아니라 바닥에서도 기흉이 보인다 또한 종격동기종(화살표)도 같이 관찰된다. 이 환자는 3일 후 추적 검사한 흉부X선 후전사진(B)에서 가슴관과 함께 기흉은 없어졌고 오른쪽의 폐 타박상도 사라진 소견을 보인다. 그러나 심장 뒤에 왼쪽폐의 아래쪽에 공기 액체층을 보이는 공기낭종(화살촉) 소견이 보인다.

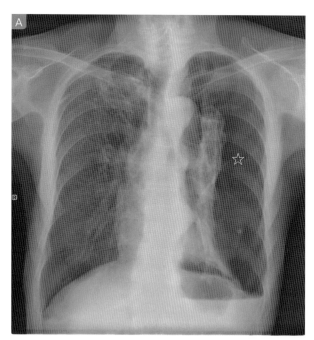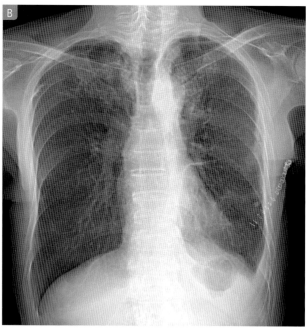

■ 그림 15-14. 긴장성 기흉

최초 흉부X선사진(A)에서 왼쪽 흉부에 큰 기흉(☆)이 있고 왼쪽폐는 허탈된 소견을 보이면서 심장과 기도가 오른쪽으로 밀려 있는 모습을 보이며 치료 후 사진(B)에서는 기흉이 없어지고 왼쪽폐가 펴지면서 오른쪽으로 밀린 심장과 기도가 제 위치로 돌아온 모습을 보인다.

30-40%, 관통상을 입은 환자의 70-90%에서 생기며 외상 후 늦게 생기는 경우도 2-4% 정도 된다. 영상소견은 흉막삼출(pleural effusion)과 비슷한 소견을 보이며 양이 적은 경우 저절로 좋아진다. 만성적인 경우 감염, 흉벽 침식(chest wall erosion), 흉벽 심유화 등을 야기할 수 있다. 혈흉 또한 늑골 골절 없이도 올 수 있다(그림 15-15).

Ⅲ 폐 실질 손상

폐 타박상(pulmonary contusion)은 폐조직 내로 파열 없이 출혈이나 부종이 차는 것으로서 흉부 외상을 받은 환자의 17-70% 정도에서 나타나며 흉부X선사진 소견은 간유리혼탁부터 경화 소견까지 다양하게 나타난다. 병변은 외상을 받은 부위 주변에 생기며 폐엽이나 폐분절 등의 해부학적 구획에 의해 구분되지 않는다. Countre-coup 효과에 의해 타격받는 반대쪽 폐에도 타박상이 생길 수 있으며 폭풍성 손상(blast injury)인 경우 전형적으로 양측성으로 생긴다. 폐 타박상이 심한 경우 폐렴이나 급성호흡곤란증후군(acute respiratory distress syndrome) 등이 생길 위험이 크다. 보통 외상 후 6시간 이내에 나타나며 보통 2-3일 사이에 사라지는데 이는 비슷한 영상소견을 보일 수 있는 폐렴이나 지방 색전증이 외상 후 1-3일 경과 후 영상 소견을 보이고 더 오래 지속돼 이런 소견이 두 질환 사이의 감별에 도움이 된다. 폐 열상, 공기낭종(pneumatocele) 등이 나중에 생길 수 있는데 이 경우 초기에는 폐 타박상에 의해 가려지나 수시간 또는 수 일 지난 후 영상소견이 나타난다(그림 15-16). 폐 열상(pulmonary laceration)은 폐 조직이 찢어지는 손상으로서 장기파열이나 이물지

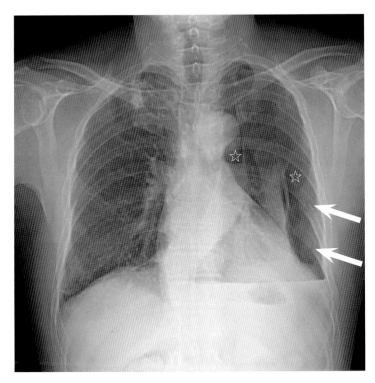

■ 그림 15-15. 혈흉 63세 남자 환자로서 흉부X선 후전사진에서 왼쪽 흉부 아래쪽에 늑골 골절이 있으면서 내부에 공기 액체층(화살표)을 보이는 기흉(☆)이 동반된 혈흉소견이 보이고 왼 폐는 약간 허탈된 소견을 보인다.

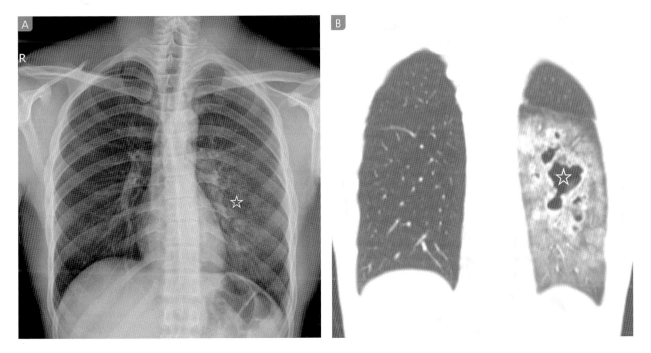

■ 그림 15-16. 폐 타박상
흉부X선사진(A)에서 왼 폐에 경화와 간유리음영을 보이는 폐 타박상의 소견이며 내부에 공기낭종(☆)이 의심되며 관상면 CT(B)에서 보면 간유리혼탁 내부에 공기낭종이 잘 관찰된다.

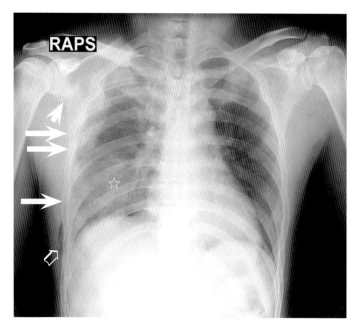

■ 그림 15-17. 폐 열상
흉부X선 전후사진에서 늑골 골절(화살표)과 함께 우측 견갑골의 골절(화살촉)이 보이며 폐 타박상(☆)으로 보이는 증가된 음영이 오른 폐의 아래에서 관찰되었고 피부밑 기종(열린 화살표)이 같이 보여 폐 열상으로 진단할 수 있는 증례이다.

에 의한 손상이 원인이며 폐 실질 내부에 공기, 피, 그리고 감염 등이 있는 소견을 보인다. 단순 사진에서 보통 증가된 음영 안에 공기음영이 보이며 손상이 회복되는데 수주에서 수개월 걸리고 만성 흉터가 남아 있을 수 있다(그림 15-17). 외상 환자는 신체가 고정되어 있고 과응고(hypercoagulation) 상태인 경우가 많아 깊은 정맥 혈전증(deep vein thrombosis)이 호발하므로 폐 색전증(pulmonary embolism)의 가능성을 조심하여야 한다. 공기 색전증은 장기파열, 관통상, 압력 손상(barotrauma) 등에 의해 온몸 정맥 순환에 장애가 있는 것으로 영상 소견에서 우측 심장, 허파 동맥, 온몸 정맥(systemic vein)에 저음영의 이상 소견을 볼 수도 있다. 지방 색전증(fat embolism)의 경우 긴 뼈(long bone)와 골반뼈의 외상에 의해 지방이 유출돼 실핏줄(capillary)을 막아 생기며 유리된 지방산(fatty acid)이 화학성 폐렴(chemical pneumonitis)을 손상 후 12-72시간 내에 일으키고 보통 미만성의 광범위한 경화나 간유리혼탁 소견을 보인다. 보통 7-10일 후에 병변이 해소되는 소견을 보인다(그림 15-18)[2, 4.12]

Ⅳ 종격동 손상

1. 종격동기종, 종격동출혈

기종격(pneumomediastinum)은 종격동 내에 공기가 있는 소견으로 관통상, 인두(pharynx) 손상, 기관 및 기관지 손상, 또는 식도 손상 등에 의해 생기며 흉부 사진에서의 소견은 공기 음영이 횡격막위에 있거나 오른쪽 폐동맥을 둘러 싸거나 하는 소견을 보이고 하행 대동맥(descending aorta)의 바깥쪽이나 팔머리 정맥(brachiocephalic vein) 위에도 공기 음영

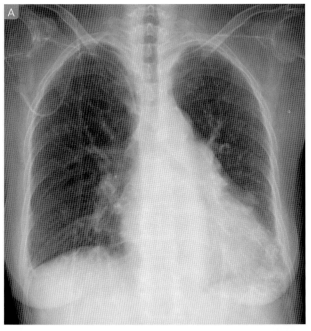

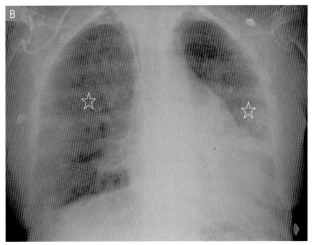

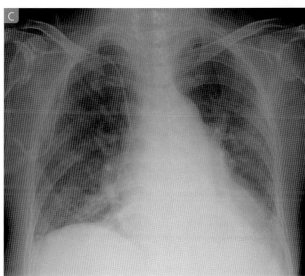

■ 그림 15-18. 지방 색전증
무릎 관절성형술을 시술받은 환자로서 시술 전 흉부X선사진(A)에선 양
폐에 이상 소견이 없었으나 수술 후 24시간 후에 찍은 사진(B)에선 양쪽
폐에 간유리혼탁(☆)이 보여 지방 색전에 의한 화학성 폐렴을 의심하는 소
견이며 11일 후에 촬영한 사진(C)에서는 양쪽 폐의 병변이 없어진 소견을
보인다.

이 잘 보이는 위치이다(그림 15-19). 소아에게 있어 흉선(thymus)이 들린 소견도 보일 수 있다. 종격동출혈(hemomediasti-num)은 혈관손상에 의해 생기는데 큰 혈종은 종격동을 확장시키고 그경계를 불규칙하게 만든다. 종격동 확장의 기준은 그 폭이 8 cm 이상이거나 종격동의 폭이 흉부 폭의 25% 이상일 때이다[13-15].

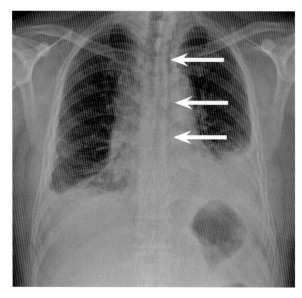

■ 그림 15-19. 종격동기흉

인두파열로 내원한 44세 남자 환자의 흉부X선후전사진이다. 좌측 목에서 종격
동으로 이어지는 공기음영이 척추 왼쪽에 연해 관찰되고 그 아래에선 하행 대
동맥의 왼쪽 경계를 따라 공기 음영이 관찰되는 종격동기흉(화살표)의 증례이
다.

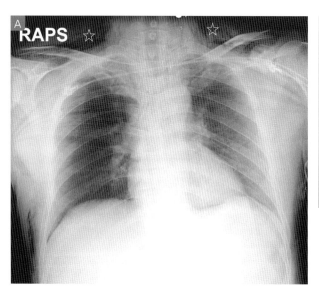

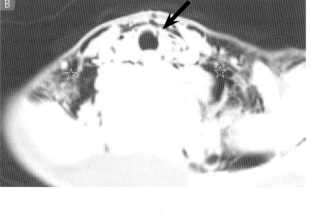

■ 그림 15-20. 기도손상

목을 칼로 자해한 환자의 흉부X선사진(A)에서 양쪽 목과 오른쪽 아래 흉벽에 피부밑 기종(☆)이 있어 기도 손상을 의심한 환자로서 CT(B)에서 기도의
왼쪽에 칼로 인해 관통된 기도(화살표)가 잘 보인다.

2. 기관 및 기관지 손상

보통 기관 및 기관지의 손상은 흉벽, 폐, 대동맥 등의 손상과 동반되는 경우가 많다. 가로 째짐(transverse tear)은 일반적
으로 기관연골고리(cartilagenous tracheal ring) 사이에서 일어나며 세로 째짐(longitudinal tear)은 뒤 기관 막(posterior
tracheal membrane)에서 생긴다. 관통상에 의한 경우가 둔상으로 인한 경우보다 적으며 관통상의 경우 목 부분의 식도에

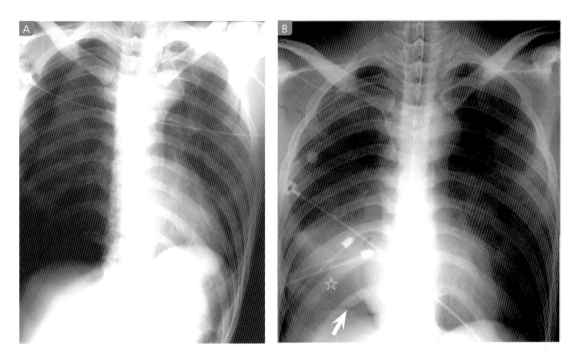

■ 그림 15-21. 기관지 손상
오토바이 사고로 내원한 환자로서 오른쪽 기관지에 파열이 있는 환자로 첫 흉부X선사진에서 오른쪽에 큰 기흉이 있고 흉관 삽입 후 이틀 후 추적 검사한 X선사진(B)에서 우하엽이 허탈된 소견(☆)을 보이고 아직도 남아 있는 기흉(화살표)이 보인다.

손상을 입는 경우가 대부분이다(그림 15-20). 둔상에 의한 기도 손상기전은 경추의 과다폄(hyperextension)에 의해 기관이 과하게 당겨져서 기관 앞쪽이 파열되는 경우와 직접적인 충격에 의해 기관이 척추에 눌린 경우가 대표적인 기전이 된다. 가슴이 앞뒤로 눌리는 둔상도 원인이 되는데 이 경우 허파는 비교적 잘 움직이고 융기(carina)는 비교적 고정되어 있으므로 엇갈림 힘(shear force)에 의해 기관 및 주 기관지(mainstem bronchus) 손상이 융기 부근에서 잘 일어난다. 이 경우 먼쪽 기관(distal trachea)은 세로 째짐이 많고 몸쪽 주 기관지(proximal mainstem bronchus)는 가로 째짐이 많다. 기관지 손상이 기관 손상보다 더 많고 오른쪽 주 기관지 손상이 왼쪽 보다 더 흔하다. 영상 소견은 심한 종격동 기종이 생기며 기흉, 출혈, 숨길 부종(airway edema) 등의 소견이 보인다. 기관지 손상의 경우 일어선 자세(erect position)의 경우 해당 허파는 폐문(hilum)에서 아래쪽으로 멀어져 떨어진 듯한 모습으로 보이며(fallen lung sign) 바로 누운 자세(supine position)에선 뒤바깥쪽으로 멀어진다(그림 15-21)[1,5,7].

3. 식도 손상

식도 손상은 심한 구토(Boerhaave's syndrome), 관통상, 둔상에 의한 압박 골절 등에 의해 생긴다. 흉부 입구(thoracic inlet)에서 식도는 기관의 왼쪽으로 지나가고 융기 부근에선 오른쪽에 위치하나, 위로 들어가기 전에 왼쪽 뒤쪽으로 주행한다. 대부분의 식도 손상은 목이나 상부 흉부에서 잘 생기는데 위에 설명한 위치 때문에 각각 흉막삼출(pleural effusion)이 왼쪽과 오른쪽에서 생기고 위식도 이음부(gastroesophageal junction)에서 생기는 경우 왼쪽에 주로 흉막 삼출이 나타난다. 다른 영상 소견은 종격동기흉, 심장 후방의 증가된 음영, 넓어진 척추 주위선(paraspinal line) 등의 소견을 보인다

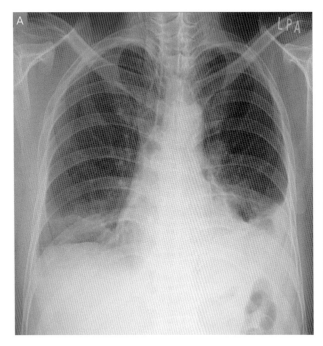

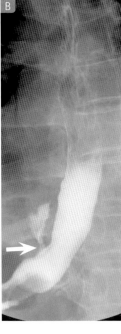

■ 그림 15-22. 식도 파열

흉부X선사진(A)에서 양쪽에 흉막 삼출액이 있으며 왼쪽에 더 많은 소견을 보이고 심장 좌측 후방의 음영이 증가된 소견을 보인다. 식도 조영술(B)에서 보면 하부 식도에서 조영제가 보여 식도가 파열(화살표) 됐음을 알 수 있다.

(그림 15-22). 틈새 탈장(hiatal hernia)의 경우는 횡격막 식도 틈새를 통해 위가 흉부로 탈출한 소견으로 심장 후방에 위를 의미하는 공기나 물음영이 보이는 음영으로 나타난다[1,6,16].

Ⓥ 횡격막 손상

둔상보다는 관통상에 의해 더 잘 생기는 손상으로서 보통 왼쪽에 더 흔하고 횡격막의 뒤쪽 바깥쪽에 더 흔하게 생긴다. 흉부X선사진 소견으로는 배에 있는 장기의 탈출증(herniation)과 코위 영양관(nasogastric tube)의 위치 이상 등이며 그 외에 횡격막 상승, 횡격막의 경계가 제대로 구분되지 않는 것, 흉막삼출(pleural effusion), 가슴 내의 공기 액체층(air fluid level), 종격동의 병변 반대쪽으로의 이동 등도 간접적인 증거이다(그림 15-23)[10].

Ⓥ Ⓘ 심장 및 혈관 손상

1. 심장

심장막의 째짐은 심한 둔상이나 관통상 후에 올 수 있는데 흉부X선사진에서 볼록한 심장의 경계가 불규칙해지고 종격동기흉, 기심낭(pneumopericardium), 기흉 등의 소견을 보인다. 심장막이 크게 찢어진 경우 심장 탈출증(cardiac herniation) 등이 보일 수 있고 이 경우 심장 꼬임(cardiac volvulus) 등을 유발할 수 있으므로 즉각적인 수술의 대상이 된다. 외

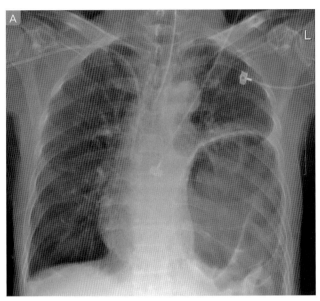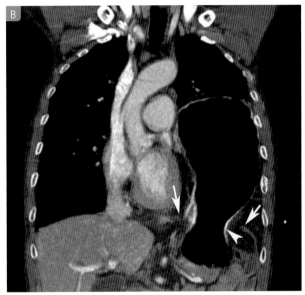

■ 그림 15-23. 횡격막 손상

전후흉부X선사진(A)에서 좌측 횡격막 상승이 있으며, 좌측 흉곽내에 위 내의 공기음영이 있다. 종격동이 우측으로 약간 이동되어 있다. 흉부 CT (B)에서 좌측 횡격막의 손상에 의한 횡격막의 불연속성(화살표)과 손상된 횡격막 사이의 탈출된 위가 잘록하게 보이는 collar sign (화살촉)이 있다.

상이나 질환 등에 의해 심장막 삼출(pericardial effusion)이 있을 수 있으며, 심장 음영이 전체적으로 커지는 영상 소견을 보인다(그림 15-24). 심막기종의 정면 흉부X선사진에서 가는 공기 음영이 심장을 둘러싸거나 가로 심장막 굴(transverse pericardial sinus)에 공기가 있는 소견을 보이며 측면 사진에서 흉골 뒤로 음영이 감소된 소견을 보인다(그림 15-25). 긴장기심낭(tension pneumopericardium)의 경우 심장 음영 자체가 작아 보이게 된다[10,16]. 심근 타박상(myocardial contusion)은 심한 심장 외상 후에 올 수 있는데 흉부X선사진에서서 가슴벽의 혈종과 혈액 심장막(hemopericardium)에 의한 심장비대의 소견으로 보일 수 있다. 심근 기절의 경우 심장기능상실(heart failure)로 인해 허파 부종의 소견이 보일 수 있다. 심장류(cardiac aneurysm)는 심한 둔상 후에 올 수 있는데 좌심실의 앞쪽 벽이나 꼭지(apex) 쪽에 흔하고 관통상에 의한 가성류(pseudoaneurysm)의 경우 좌심실의 뒷가벽(posterolateral wall)에 잘 생긴다. 진성류는 보통 보존적인 치료를 하고 가성류의 경우 수술적인 치료를 하는 것이 보통이다. 심장 파열은 심한 둔상이나 관통상 후에 올 수 있다. 흔한 위치는 우심실인데, 앞쪽에 위치해 있고 그 벽이 비교적 얇기 때문이다. 흉부X선소견은 심장 음영이 불규칙하고 허파 부종, 흉막 삼출 등이 같이 보이는 경우가 많다. 외상 후 관상 동맥(coronary artery)의 손상의 있는 경우 심근 경색증(myocardial infarction)이 오는 경우도 있는데 흉부X선에서 다른 심근 경색증과 마찬가지로 이차적으로 생기는 허파 부종 등의 소견이 보이게 된다[10,16].

2. 혈관

외상에 의한 대동맥 손상이 있을 경우 약 75-90%에서 바로 사망한다. 외상에 의한 대동맥 손상은 대동맥 협부(aortic isthmus)에 호발하고 다음으로 대동맥 뿌리(aortic root)와 횡격막 부근의 대동맥에서 흔하다. 협부 부위에서 흔한 이유로

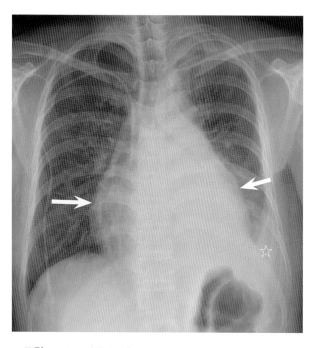

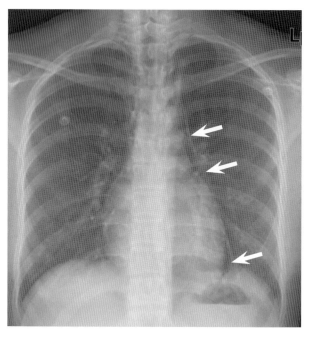

■ 그림 15-24. 심장막 삼출액
호흡곤란으로 내원한 47세 여자 환자의 흉부X선사진으로 왼쪽 가슴에 흉막삼출(☆)과 함께 양쪽으로 심장 경계가 불룩하게 튀어나온 심장막 삼출액(화살표)의 소견이 보인다.

■ 그림 15-25. 심막기종
왼쪽 심장과 폐동맥의 경계를 따라 공기음영이 보이고 그 밖으로 심장막이 보이는 심막기종(화살표) 소견이 보인다.

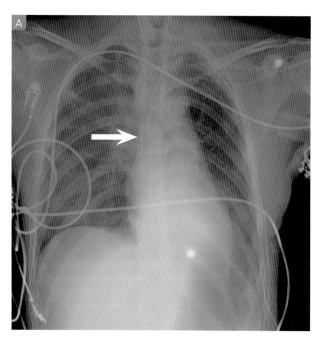

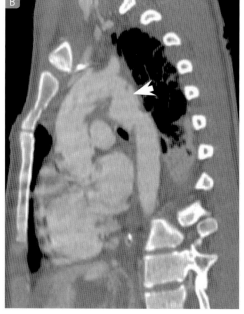

■ 그림 15-26. 외상성 대동맥 파열
오토바이 사고로 내원한 19세 여자 환자로 대동맥 협부에 손상이 있는 환자이다. 흉부X선 전후사진(A)에서 대동맥궁부터 하행 대동맥까지의 경계와 대동맥폐동맥창의 모습이 불분명하며 코위 영양관(화살표)의 위치가 보통보다 우측으로 치우쳐 있어 대동맥의 손상과 주위의 혈종이 의심되는 소견이고 양 허파에 간유리음영이 있어 타박상과 혈흉이 같이 의심되는 소견이다. CT(B)에서 보면 대동맥 협부 부위에 있는 대동맥 파열(화살촉) 소견이 보이고 종격동출혈 및 혈흉소견이 같이 보이며 복부에서는 간 파열 소견이 관찰된다.

는 비교적 자유롭게 움직이는 대동맥궁(aortic arch)과 고정된 하행 대동맥(descending aorta) 사이의 엇갈림 힘(shearing force), 왼 폐동맥과 주 기관지 위로 대동맥의 굽힘으로 인한 굴곡 응력(bending stress), 그리고 척추와 앞쪽 뼈 구조물사이에서 대동맥이 눌려 끼이는 것으로 설명할 수 있다. 흉부X선에서 종격동 확장, 불분명하거나 불규칙한 대동맥 경계, 대동맥폐동맥창(aortopulmonary window)의 음영 증가, 내려간 왼 주 기관지, 기관과 식도의 우측 이동, 넓어진 척추 및 기관 주위선(paraspinal and paratracheal lines), 혈흉, 대동맥 마디(aortic knob)의 석회화의 끊어짐, 그리고 왼쪽 폐첨부의 음영 증가 등의 소견을 보인다(그림 15-26). 외상에 의한 대동맥류(aortic aneurysm)는 대동맥 일부분이 늘어난 것으로 파열될 가능성이 있고 흉부X선사진에서 커지고 불규칙한 대동맥 음영을 보여준다. 상행 대동맥류의 경우 증상이 있거나 빨리 진행하는 경우, 또는 5.0-5.5 cm 이상으로 커진 경우 수술을 생각해보아야 한다[12,13,18].

CHAPTER
15

■■■ 참고문헌 ▐▐

1. Ho ML, Gutierrez FR. Chest radiography in thoracic polytrauma. AJR 2009;192;599-612.

2. Battle C, Hutchings H, Evans PA. Blunt chest trauma: A review. Trauma 2013;15;156-175.

3. Peters S, Nicolas V, Heyer CM. Multidetector computed tomography-spectrum of blunt chest wall and lung injuries in polytraumatized patients. Clinical radiology 2010;65;333-338.

4. Kaewlai R, Avery LL, Asrani AV, Novelline RA. Multidetector CT of blunt thoracic trauma. Radiographics 2008;28;1555-1570.

5. Shanmunganathan K, Matsumoto J. Imaging of penetrating chest trauma. Radiol Clin N Am 2006;44;225-238.

6. Zinck SE, Primack SL. Radiographic and CT findings in blunt chest trauma. J Thorac Imaging 2000;15;87-96.

7. Mayberry JC. Imaging in thoracic trauma: the trauma surgeon's perspective. J Thorac Imaging 2000;15;76-86.

8. Collins J. Chest wall trauma. J Thorac Imaging 2000;15;112-119.

9. Wicky S, Wintermark M, Schnyder P, et al. Imaging of blunt chest trauma. Eur Radiol 2000;10;1524-1538.

10. Primack SL, Collins J. Blunt nonaortic chest trauma: radiographic and CT findings. Emerg Radiol 2002;9;5-12.

11. Greenspan A, Stadalnik RC. A musculoskeletal radiologist's view of nuclear medicine. Semin Uncl Med 1997;27;372-85.

12. Thoongsuwan N, Kanne JP, Stern EJ. Spectrum of blunt chest injuries. J Thorac Imaging 2005;20;81-97.

13. Fishman J. Imaging of blunt aortic and great vessel trauma. J Thorac Imaging 2000;15;97-103.

14. Gavelli G, Canini R, Bertaccini P, Battista G, Bna C, Fattori R, et al. Traumatic injuries: imaging of thoracic injuries. Eur Radiol 2002;12;1273-1294.

15. Ketai L, Brandt M, Schermer C. Nonaortic mediastinal injury from blunt chest trauma. J Thorac Imaging 2000;15;120-127.

16. LeBlang SD, Dolich MO. Imaging of penetrating trauma. J Thorac Imaging 2000;15;128-135.

17. Shanmuganathan K, Killeen K, Mirvis S, White C. Imaging of diaphragmatic injury. J Thorac Imaging 2000;15;104-111.

18. Mirvis SE. Thoracic vascular injury. Radiol Clin N Am 2006;44;181-197.

CHAPTER

16

중환자 흉부X선사진

| 김미영 |

Contents

Ⅰ 중환자실 환자에서의 흉부X선사진

중환자실(intensive care unit, ICU)에 있는 환자들의 흉부X선사진은 대부분 이동식(portable)으로 이루어진다. 중환자실의 환자들의 흉부X선사진의 목적은 심장, 폐 실질, 그리고 흉막 질환의 상태를 평가하는 것이다. 또한 여러 가지 생명유지 장치와 보조기구, 선(line), 튜브(tube) 등의 위치를 정확하게 파악할 수 있게 하며 그에 따른 부작용을 발견하여 중환자 치료의 전문가가 신속하고도 적절히 대응하도록 하는 것이다.

대부분의 환자에서 매일 흉부X선사진을 찍게 되는데 특히 기계호흡 환자나 심혈관계 질환을 가진 경우, 또는 중대한 수술 후의 환자에서 흉부 병변의 초기에 신속하게 진단하기 위해 이전 사진들과 비교 판독하는 것이 매우 중요하다. 또한 숙련된 방사선사가 적절한 조건으로, 주의 깊게, 일관성 있게 사진을 찍는 것이 중요하다[1, 2].

1. 중환자실 환자의 폐질환

1) 무기폐

무기폐(atelectasis)는 중환자실에서 치료를 받고 있는 환자의 흉부X선사진에서 가장 흔하게 보이는 이상소견으로 수술 등으로 기관이나 기관지의 분비물이나 흡인 등에 의해 주로 생기며 전신마취를 하였거나, 흡연자, 폐질환이 있던 환자, 비만이거나 나이가 많은 환자에서 좀더 쉽게 발생한다.

흉부X선사진에서 대부분의 수술 후 무기폐는 중력의 영향이 큰 하엽의 후방부에 나타나고 엽성 분포(lobar distribu-

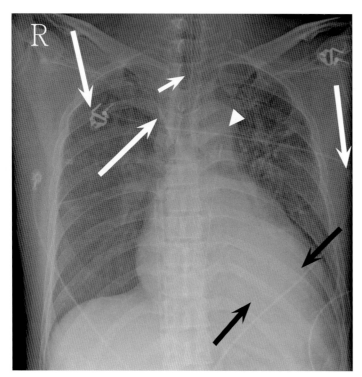

■ **그림 16-1. 엽 무기폐**
심장 뒤의 왼쪽 하부의 음영도 증가는 좌하엽의 엽 무기폐에 의한 것이다(검은 화살표). 기관내관(짧은 화살표), 중심정맥 카테터(검은 화살표), 심전도선(긴 화살표), 대동맥내 대위박동풍선(흰 화살촉)을 볼 수 있다. 심장이 커져 있다.

tion)를 보이지 않는 경우가 많아 비특이적인 음영의 증가로만 나타나는 경우가 많다. 무기폐가 엽성 분포를 할 경우 각 엽에 따라 특징적인 소견을 보이게 되어 진단이 비교적 용이하나(그림 16-1), 이런 경우는 드물고 대부분 구역(segmental) 혹은 아구역(subsegmental)으로 오게 되며 환기가 좋아지면서 대부분 흔적 없이 호전된다. 기관지내 분비물에 의해서 생기게 되면 흉부X선사진에서 갑자기 생겼다가 갑자기 호전되기도 하고 환자의 위치 변화에 따라 여기저기로 옮겨 다니기도 한다. 폐의 감염 없이 무기폐만으로도 발열이 있을 수 있다. 한 엽에 국한된 무기폐(lobar atelectasis)가 있으면서 공기 기관지 음영이 보이지 않는 경우 중심부 점액 덩이(mucous plug)에 의한 폐색을 의심할 수 있고 경우에 따라 치료적 기관지내시경으로 제거하는 것이 도움이 된다. 무기폐와 엽성 폐경결의 감별은 무기폐인 경우 병변 부위의 폐의 용적이 줄고 내부에 공기 기관지 음영이 보이지 않거나 공기기관지 음영이 모여 보이는 경우가 더 많다[3].

2) 감염성폐렴

중환자실의 폐렴의 빈도는 약 10%로 알려져 있고 그 원인균은 혼합 혐기성 혹은 호기성 그람 음성균이 가장 많다. 이때 흡인성 폐렴과 연관된 경우가 대부분이다. 특히 면역이 저하된 환자는 기회감염의 위험이 크다. 기계적조절환기도 폐렴의 대표적인 선행인자로 알려져 있다(9-24%)[4].

폐렴은 발열, 객담내 균검출, 검사실검사에서 백혈구증가증 등 염증을 시사하는 소견, 그리고 흉부X선사진의 이상소견을 종합하여 진단하게 된다. 중환자에서의 폐렴은 흉부X선사진 만으로는 비특이적이므로 진단이 힘든 경우가 많다.

흉부X선사진에서 폐렴은 국소적, 비균질성의 경계가 불분명한 반점형 폐경화(patchy air space consolidation)(그림 16-2), 혹은 미만성 폐경화(diffuse air space consolidation)로 나타난다. 공기 기관지 음영을 폐경화 내에서 발견하거나 폐농양(abscess)에 의한 공동을 형성하면 비교적 특이적으로 폐렴을 진단할 수 있으며 감염 균주와 환자의 면역 상태에 따라

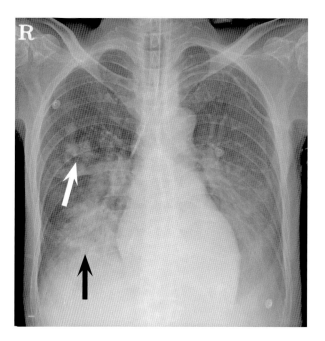

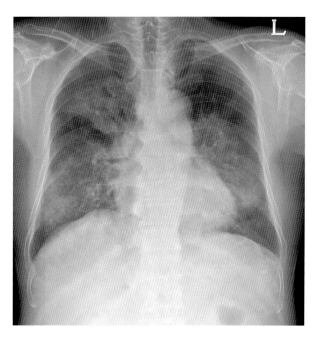

■ 그림 16-2. **병원획득폐렴**
중환자실 입원 7일 후 새롭게 우상엽에 반점형 음영이 생겼고(흰 화살
표) 양하엽에 미만성 폐경화와 함께 내부에 공기기관지조영상이 있다
(검은 화살표).

■ 그림 16-3. **흡인폐렴**
뇌출혈 환자로 주로 우폐상엽의 후구역과, 양폐하엽의 상구역에 분포하
는 경계가 불분명한 폐경화와 침윤이 있다.

소견의 차이를 보인다. 폐렴의 출현은 잠복기에 따라 다르나 2-3일 정도이며 서서히 나타났다가 적정 항생제로 치료하
면서 수일에 걸쳐 서서히 흡수된다. 임상 소견과 흉부X선사진의 소견이 시기적으로 반드시 일치하지는 않으며 대개 임
상소견이 먼저 나빠지거나 좋아지므로 흉부X선사진에서 폐 병변이 남아 있으면 추적 검사를 한다[3].

3) 흡인폐렴

흡인폐렴(aspiration pneumonia)은 대부분 선행요인을 동반하며 의식변화, 신경학적인 손상, 식도나 기도의 선행질환이
있는 경우가 대부분이다. 물, 혈액, 혹은 중성의 위 내용물을 흡인 한 경우는 폐에 심한 손상을 유발하지 않지만 위의 내
용물은 산도가 높아(pH 2.5) 폐 실질에 심한 염증이 생기고 폐부종을 초래하기도 한다(Mendelson's syndrome).

흉부X선사진에서 갑자기 급격하게 나타나는 폐경화나 엽상 혹은 구역상 폐침윤의 형태도 나타나고 환기 치료니 배
액 등에 의해 단기간 내에 소실되는 것이 보통이다. 폐경화나 침윤은 환자 자세에서 중력 방향, 즉 누운자세(supine posi-
tion) 환자인 경우 양폐상엽의 후구역과, 양폐하엽의 상구역과 후구역에 분포한다. 폐침윤이나 폐경화는 수일 내에 흡수
되기 시작하는 것이 보통인데 병변이 더욱 확산되면서 미만성으로 진행하는 경우 급성호흡곤란증후군의 가능성이 있
고 폐경화가 진행되거나 농양을 형성하는 경우 이차 감염성 폐렴의 가능성이 크다(그림 16-3)[3].

4) 폐부종

폐부종은 임상적으로 세 종류로 나누는데 심인성(cardiogenic), 과다수분(over-hydration), 그리고 폐미세혈관의 손상에
의한 투과성(permeability) 폐부종이 있다. 심인성과 과다수분성인 경우는 정수압(hydrostatic pressure) 증가에 의한 폐부

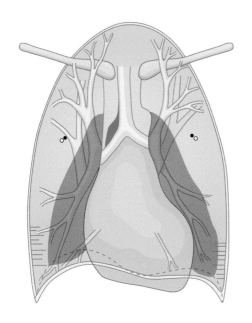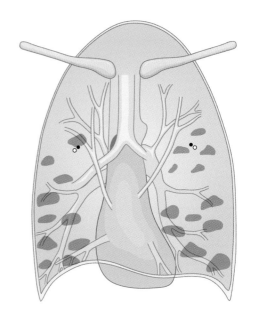

■ 그림 16-4. 정수압 증가에 의한 폐부종(A)과 투과성 폐부종(B)의 흉부X선사진상의 비교 모식도

표 16-1. 정수압 증가에 의한 폐부종과 투과성 폐부종의 비교

	정수압증가에 의한 폐부종	투과폐부종
대표 질환	심인성 폐부종 과다수분 폐부종	급성호흡곤란증후군(ARDS)
증상 발현과의 관계	동시에 나타남	지연되어 나타남
분포	중심성	균일
기관지벽 비후, 중격선	동반	드묾
공기-기관지음영	드묾	흔함
변화	빠름	느림
심장 크기	증가	정상
흉막삼출액	흔함	드묾

종에 속한다. 중환자에서는 겹쳐서 나타날 수도 있다. 폐부종은 흉부X선사진의 추적검사에서 소견의 급격한 변화를 보이는 경우가 많다(그림 16-4)(표 16-1)[5].

(1) 정수압 폐부종

① 간질폐부종

간질폐부종(interstitial pulmonary edema)은 폐포부종(alveolar pulmonary edema) 이전 단계에 나타나며 단시간에 폐포

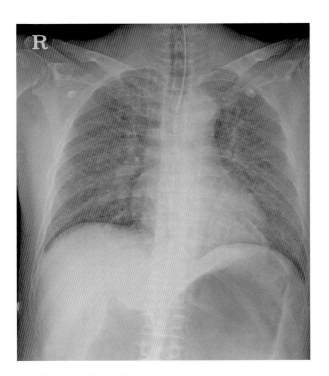

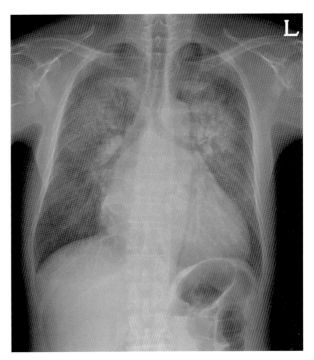

■ 그림 16-5. 간질폐부종
간질폐부종에 의해 혈관과 기관지 주위 음영, 폐문부 음영, 중격선, 그리고 미만 망상 음영 증가를 볼 수 있다. 심장이 경도로 커져 있다.

■ 그림 16-6. 승모판막질환 환자에서의 폐포폐부종
양 폐의 중심부에 광범위한 폐경화가 있으며 대칭성으로 보이며 폐문부로 갈수록 더욱 조밀한 폐경화가 보이고 폐주변부로 갈수록 성글어지면서 폐 전반에 걸쳐 박쥐 날개 모양으로 나타난다. 심장이 커져 있고 특히 좌심방이 커져 있다.

부종으로 진행될 수 있다.

흉부X선사진에서 간질폐부종은 혈관과 기관지 주위 음영, 폐문부 음영, 중격선(septal lines, Kerley line), 그리고 미만성 망상음영의 증가를 볼 수 있다. 대개 심장비대가 동반되어 있으며 심인성과 과다수분에 의한 폐부종에서 주로 나타난다(그림 16-5).

② 폐포폐부종
폐포폐부종은 폐부종의 가장 심한 형태로 임상적으로 호흡 곤란이 동반되는 경우가 많으며 대부분 심비대아 양측 흉막 삼출액이 동반된다.

흉부X선사진에서 대칭성으로 보이며 폐문부로 갈수록 더욱 조밀한 폐경화가 보이고 폐주변부로 갈수록 성글어지면서 폐 전반에 걸쳐 박쥐 날개 모양(bat-wing appearance)으로 나타나는데 이는 폐주변부는 폐문부보다 호흡 시 왕성한 운동을 하여 간질 내에 고인 부종을 쉽게 제거하기 때문이다. 폐경화 내부에 공기기관지음영이 보이기도 한다. 주로 심한 심인성과 과다수분에 의한 폐부종에서 나타난다(그림 16-6).

(2) 투과폐부종
투과폐부종(permeability pulmonary edema)은 다양한 원인에 의해 폐모세혈관의 투과성이 증가하여 간질이나 폐포 내

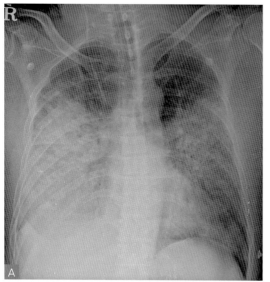
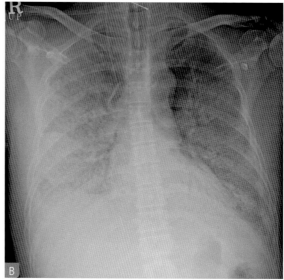
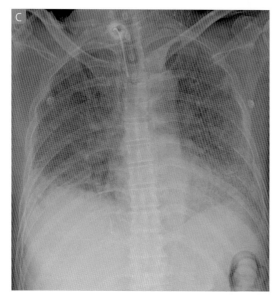

■ 그림 16-7. A, B, C. 지역획득폐렴(포도상구균)으로 유발된 급성호흡곤란증후군
A. 응급실에 발열 및 호흡곤란을 주소로 내원한 환자로 양 폐, 주로 양 하엽에 폐렴에 의한 광범위한 폐경화가 있다.
B. 그림 A로부터 3일 후에 시행한 흉부X선시긴에시 양 폐 주로 하엽에 폐렴에 의한 광범위한 폐경화는 항생제 치료 후에 호전되었으나 양 폐에 미만성 간유리 음영과 서로 융합하는 폐경화가 있어서 폐포의 실핏줄 밖으로 삼출된 액체가 폐포 공간을 채우고 있음을 시사하고 있다. 심장 음영이 커져있지 않은 점이 심인성 폐부종과의 감별점이다.
C. 그림 B로 부터 2주 후에 시행한 흉부X선사진에서 미만성 간유리 음영과 폐경화가 흡수되면서 일부 섬유화를 남기고 치료되어 선상 혹은 망상의 음영을 보인다.

로 삼출액이 축적되는 것으로 비심인성 폐부종이라고도 한다. 중환자실에 입원하게 되는 모든 임상 상황이 투과폐부종을 유발할 수 있으므로 기저의 폐 실질 질환과 구분된 소견을 아는 것이 중요하다.

주로 급성호흡곤란증후군(acute respiratory distress syndrome, ARDS) 환자에서 나타나며 임상과 병리학적으로 삼출성(exudative), 증식성(proliferative), 그리고 섬유성(fibrotic)의 세 단계로 나뉜다[6, 7].

일반적으로 급성폐부종의 유발 요건 후 약 12시간까지는 임상적인 증세가 없고 흉부X선사진도 정상이나 약 24 - 48시간이 되면서 환자의 호흡곤란이 점차 심해졌으며 흉부X선사진에서 반점양의 간유리음영이 나타나기 시작하고(삼출성 단계), 점차 진행하면서 폐포 폐경화가 나타나고 더 진행하면서 폐경화가 서로 융합하는 소견을 보이며 시간이 지남에 따라 미만성으로 변한다. 이 시기의 병리학적 소견은 부종, 출혈, 무기폐 그리고 유리질막(hyaline membrane)의 형성이다. 그 이후 수일 혹은 수주일 동안 호흡부전증이 더욱 악화되어도 흉부X선사진에서 큰 변화가 없으며, 폐경화가 흡

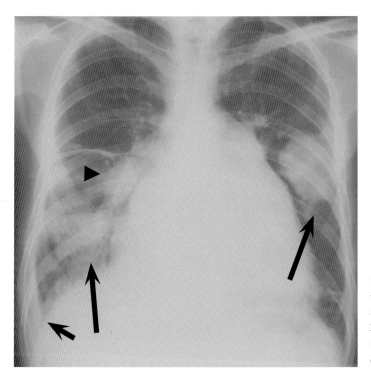

■ 그림 16-8. 폐동맥혈색전색증에 의한 폐경색
삼첨판, 승모판, 대동맥판막의 복합질환이 있는 환자로 심장이 커져있으며 양 폐에 폐경화가 있다(화살표). 폐색전증과 동반된 폐경색의 특징적인 소견이다. 폐동맥고혈압에 의해 인접 폐동맥이 늘어나 있으며(화살촉) 주변에서 급격히 작아져 있다. 오른쪽에 소량의 흉막삼출액이 있다(짧은 화살표).

수되면서 일부 섬유화를 남기고 치유될 경우 선상 혹은 망상형의 음영을 보이게 된다(섬유성 단계)(그림 16-7)[3]. 폐 경화음영은 일반적으로 중력에 의해 바닥 방향(dependent portion)에 더 심하게 나타난다.

폐포폐부종과의 감별점은 1) 보다 고르지 못한 반점형 분포(patchy distribution)을 보이며, 비대칭적인 경우가 많고, 2) 폐경화 내에 공기 기관지 음영이 더 흔하며, 3) 중격선의 비후가 드물고, 4) 심장의 크기나 혈관의 크기가 정상인 경우가 많고, 5) 흉막삼출액이 없거나 미미하다는 점이다[6, 7].

5) 폐혈전색전증

폐혈전색전증(pulmonary thromboembolism)은 Virchow's 세 징후에 의한 선행인자가 있는 환자에서 주로 생기며 세 징후는 혈류의 정체(stasis; 자세의 고정), 고혈액응고성향(hypercoagulopathy), 혈관 내피 손상(intimal injury)이다.

임상적으로 진행성 호흡부전과 저산소혈증을 보임에도 불구하고 흉부X선사진에서 정상으로 보이거나 선상 무기폐나 흉막삼출액의 동반이 흔하다. 폐고혈압과 우심부전이 심한 경우에는 중심부의 폐혈관이 커지거나 폐경색증(pulmonary infarction)에 의해 쐐기모양의 폐경화가 생긴다(그림 16-8).

6) 폐출혈

폐출혈(pulmonary hemorrhage)의 선행 요인으로는 항응고제의 사용, 혈우병과 같은 출혈성 성향, 폐혈관염 등이 있다.

흉부X선사진에서 급격히 출현하여 퍼지는 양측성의 무작위로 분포하는 미만성 폐포 경화 혹은 융합된 폐경화로 나타난다. 임상적으로 객혈을 대부분 동반하며 선행요인이 호전되면 빠르게 호전되는 경우가 많다(그림 16-9).

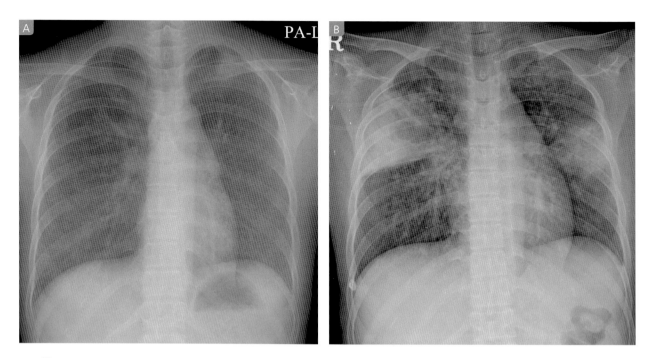

■ 그림 16-9. **육아종증 다발혈관염 환자의 폐출혈**
A. 폐포의 미만성 출혈에 의해 급격히 출현하여 퍼지는 양 의 무작위로 분포하는 미만성 폐포경화가 있다. B. 4일 후 급속히 악화되어 다발성 경화가 보인다.

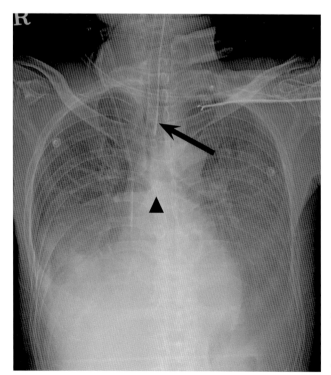

■ 그림 16-10. **누운자세에서의 양 흉막삼출액**
누운자세에서는 흉막삼출액이 후방의 흉막 내에 고이므로 흉부X선사진에서 폐야에 경계가 불분명한 증가된 음영으로만 나타난다.
환자의 자세가 중립일 경우 기관내관의 끝(화살표)은 기관분기부(화살촉)의 4-5 cm 상방이 이상적이다.

2. 중환자실 환자의 흉막 질환

1) 흉막삼출액

중환자의 흉부X선사진에서 흉막삼출액(pleural effusion)은 누운 자세에서 촬영하므로 선 자세에서 촬영하는 경우와는 달리 진단이 매우 어렵다. 즉 선 자세에서는 흉막삼출액이 중력에 의해 바닥 및 가장자리의 흉벽으로 몰리면서 반월음영(meniscus density)이 나타나서 진단이 용이하나, 누운자세에서는 흉막삼출액이 후방의 흉막 내에 고이므로 흉부X선사진에서 폐에 경계가 불분명한 증가된 음영으로만 나타나는 경우가 많다. 흉막삼출액이 의심되면 추가적으로 모로 눕히고 측와위 흉부X선 사진(lateral decubitus view)을 얻거나 앉은 자세로 촬영하는 것이 필요하다(그림 16-10)[3].

2) 기흉

중환자에서 기흉(pneumothorax)은 대개 중심정맥 카테터 삽입 등의 침습적인 시술 후나 기계적 환기시에 압손상(baro-trauma)에 의하여 생긴다.

흉부X선사진에서 기흉의 소견은 흉벽에 평행한 가는 선이 흉막이고 흉막 바깥쪽 검은 공기 음영 내부에 폐의 혈관 구조를 찾을 수 없다. 누운 자세에서는 기흉의 진단이 어려운 경우가 많은데 이때 흉부X선사진에서 공기는 주로 폐의

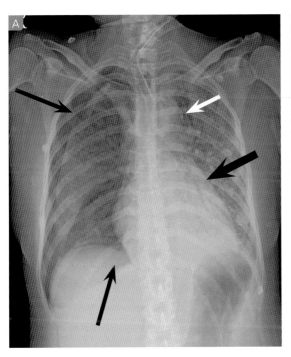
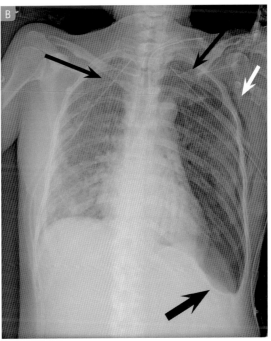

■ 그림 16-11. 호흡부전증 환자에서 기계적조절환기에 의한 압손상에 의한 기흉, 기종격 그리고 폐간질기종
A. 오른쪽 흉막에 기흉이 있으며 앞의 기흉에 의하여 폐내측의 음영이 감소되어 보인다(긴 화살표). 오른쪽에 무기폐에 의한 증가된 폐 음영이 있다. 기종격에 의하여 상부 종격에 공기 음영이 보인다(흰 화살표). 좌하엽에 미만성의 폐침윤이 있으며 폐혈관 주위의 간질조직에 공기의 집적에 의한 폐간질기종을 시사하는 미세한 선상 그리고 망상의 저 음영이 있다(굵은 화살표).
B. A 사진의 2일 후 왼쪽에 긴장성기흉이 새로 생겼고 기흉의 배출을 위해 흉관이 양측에 삽입되어 있다(긴 화살표). 흉관 삽입과 관련된 피하기종이 왼쪽 흉벽에 있다(흰 화살표). 누운자세에서는 공기는 주로 폐의 앞쪽으로 뜨게 되므로 전 종격을 감싸게 되어 심장횡격막각이 검게 보이거나, 횡격막이 분명하게 보이거나, 폐의 아래 경계가 보이면서 늑골횡격막각이 깊게 보이게 된다(굵은 화살표). 왼쪽 횡격막은 아래로 이동되어 있으며 편평하다.

앞쪽 전면으로 뜨게 되므로 전 종격을 감싸게 되어 심장횡격막각(cardiophrenic angle)이 검게 보이거나, 횡격막이 분명하게 보이거나, 폐의 아래 경계가 보이면서 늑골횡격막각(costophrenic angle)이 깊게 보이게 된다(깊은 고랑 징후; deep sulcus sign)(그림 16-11). 기흉이 발견되면 긴장성기흉(tension pneumothorax)이 아닌지를 확인하는 것이 중요한데 긴장성기흉이 생기면 심장과 종격이 반대쪽으로 전위되고, 동측 폐에 무기폐(total atelectasis)가 생기며, 그리고 동측횡격막이 편평해지거나 뒤집어진다. 긴장성기흉이 지속되면 임상적으로는 저혈성 쇼크가 생기므로 빠른 진단이 필수적이며 짧은 시간 안에 흉관을 삽입해야한다.

흉부X선사진에서 기흉과 감별해야 할 것은 피부 주름(skin fold) 혹은 큰 기포(bulla)가 기흉처럼 보일 수 있다. 진단이 확실하지 않은 경우에는 가쪽 누운 자세 흉부X선사진을 얻거나 환자가 앉을 수 있다면 앉은 자세로 촬영하면 공기가 상부로 이동되는 것을 확인할 수 있다. 기흉은 중간에 양이 증가할 수 있으므로 완전히 없어질 때 까지 추적검사를 하는 것이 원칙이다[3].

3. 기계적 조절환기

중환자의 경우 환기 및 호흡 부전증의 치료를 위하여 흔히 기계적 조절환기(controlled mechanical ventilation)를 사용하게 된다. 즉 급성호흡곤란증후군 및 기타의 호흡부전증의 치료를 위하여 높은 최고점 환기압(peak ventilator pressure) 및 호기말 양압(positive end expiratory pressure, PEEP)을 사용하게 된다. 기계적 조절환기를 사용하는 경우 기계적 요인에 의하여 흉부X선사진에서 폐질환의 양상이 다르게 나타날 수 있다. 즉 환기압이 높아지면 폐의 용적이 증가하여 폐경화 등이 흡수된 것처럼 보이고, 반대로 환기압이 낮아지면 폐의 용적이 감소하면서 병변이 악화된 것처럼 보인다. 따라서 폐병변의 경과를 판단하는 데 있어서 환자에게 가해진 환기압의 변화를 고려해야 한다. 또한 기계적 조절환기는 심장혈관계에도 영향을 미쳐 심장과 혈관음영을 작아 보이게 하는데 이를 상태의 호전으로 오인해서는 안 된다.

1) 폐의 압력손상

기계적 조절환기와 높은 환기압의 사용에 의한 압력은 폐의 압력손상(barotrauma)을 야기하는데(4-15%) 우선 폐포의 파열을 유발하여 폐간질기종(pulmonary interstitial emphysema, PIE)이 생기고, 폐간질기종이 공기집(bulla) 혹은 폐기류(pneumatocele)으로 진행되면서 종격으로 터지면 종격기종이 되고 흉막으로 터지면 기흉이 되고 진행 하면서 피하기종(subcutaneous emphysema)이 생긴다. 피하기종은 주로 목, 흉벽, 그리고 복벽 등에 생긴다. 종격기종이 심해지면 후복막강(pneumoretroperitoneum) 혹은 복막강 안(pneumoperitoneum)으로 진행하기도 하는데 일련의 과정을 폐의 압력손상이라고 한다. 긴장성기흉으로 이행하면 생명을 위협할 수 있으므로 조기 발견이 중요하다.

대부분의 압력손상은 폐포 외의 공기가 폐간질기종으로 형성되면서 시작하는데 이 경우 흉부X선사진에서 폐혈관 주위에 공기 축적 혹은 폐공간 폐경화 내에 거품모양의 공기로 나타나며 발견하기 어려운 경우도 많다. 폐간질기종이 흉막 밑(subpleura)으로 파급되면 기흉이 생기고 폐혈관 다발(vascular bundle)을 따라서 중심부로 파급되면 종격기종이 생기게 된다. 기계적조절환기와 연관된 복강 내 가스는 거의 항상 종격기종을 동반하므로 복강 내 유리 공기(free air)가 보인다고 해서 불필요한 개복수술을 하는 일이 없도록 한다.

2) 기종격

기종격(pneumomediastinum)은 흉부X선사진에서 상대정맥의 공기나 주요 목 동맥 사이의 공기에 의한 박리 음영을 발견할 수 있고 그 외에 종격 내에서 원래 보이지 않던 기정맥(azygos vein)이나 상부 늑간정맥(superior intercostal vein)이 보이거나, 근위폐동맥을 둘러싸는 공기 음영을 발견함으로써 진단할 수 있다.

종격기종은 흉막 내측에서 생긴 기흉과 심막기종과의 감별이 힘든 경우가 있는데 종격기종인 경우 양측이 서로 연결되어 있기 때문에 횡격막의 중앙부를 가로지르는 불규칙한 공기음영이 보이면 진단할 수 있다(continuous diaphragm sign). 반면에 폐하(subpulmonic)나 내측에 위치한 기흉의 경우에는 중앙부를 건너갈 수 없고 기심낭(pneumopericardium)은 심장음영을 따라 국한되어 보이고 선상의 심막음영이 보이므로 감별 진단할 수 있다(그림 16-11)[6, 7].

4. 관 및 카테터 위치

1) 기관내관과 기관절개술

기관내관(endotracheal tube)의 경우 삽관된 튜브의 끝 tip은 목의 굴신(flexion and extension) 여부와 상관없이 기관분기부의 상방, 기관의 중심부에 위치해야 한다. 튜브의 끝은 고개를 숙인 경우 2 cm 내려오고 고개를 뒤로 젖히면 2 cm 올라간다. 가장 흔한 합병증은 이상위치(malposition) 혹은 위치 변이이다.

흉부X선사진에서 환자의 자세가 중립일 경우 튜브의 끝은 기관분기부(carina)의 4-5 cm 상방이 이상적이다(그림 16-10). 성대의 손상을 방지하기 위해 튜브의 끝은 성대에서 적어도 3 cm 하방에 위치하게 한다. 기관내관이 너무 깊게 위치할 경우 한쪽 폐만을 환기하여 반대편 폐에 무기폐가 생기기도 하는데 오른쪽 주기관지가 기관과 더 둔각을 이루고 있기 때문에 주로 기관내관은 오른쪽 주기관지 내에 위치하면서 오른쪽 폐는 과환기가 되거나 기흉이 생기고 왼쪽 폐는 무기폐가 된다(그림 16-12). 드물게 기관내관이 식도 내로 삽관이 될 수 있는데 이 경우 관이 흉부X선사진에서 기관음영의 바깥에 위치하고 위에 과팽창이 생긴다. 풍선의 커프가 성대(vocal cord)에 놓이지 않도록 확인하는 것도 중요하다.

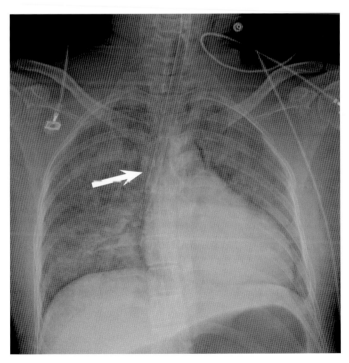

■ 그림 16-12. 잘못된 기관내관의 위치
기관내관의 끝이 오른쪽 주 기관지에 위치하여 있으며(화살표), 이로 인하여 왼쪽 폐의 환기가 저하되어 무기폐 및 폐포 폐경화가 시작되고 있다.

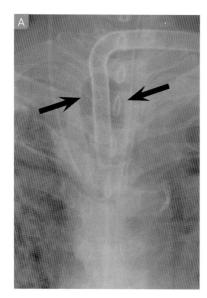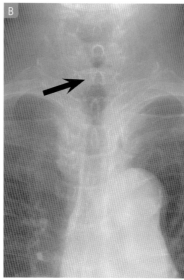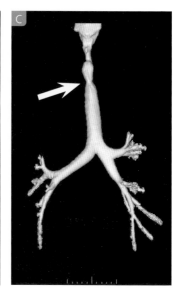

■ 그림 16-13. 기관절개술 후 튜브 풍선의 과팽창
A. 튜브 풍선이 기관의 직경보다 과팽창되어 있다(화살표). B, C. 지속되면 나중에 기관벽의 허혈성 궤양 혹은 섬유화 및 협착을 유발할 수 있다(화살표).

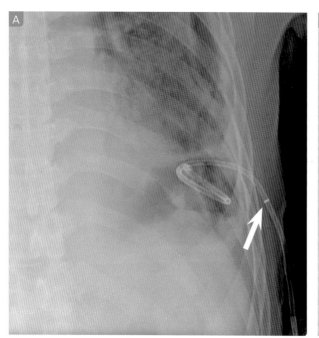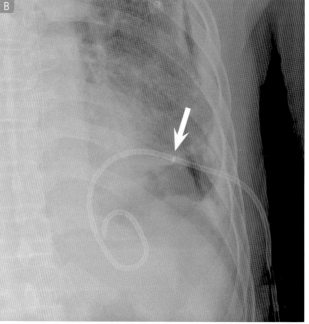

■ 그림 16-14. 기관지흉막루 배액을 위한 돼지꼬리형카테터의 잘못된 위치와 재삽입
A. 왼쪽 흉막에 기관지흉막루로 인한 기흉과 흉막삼출액이 있다. 이를 배액하기 위해 돼지꼬리형카테터가 들어가 있으나 측구멍의 경계표지(화살표)가 흉벽 밖으로 빠져 나와 있다. B. 카테터를 정상적인 위치에 재 삽입하였고 경계표지(화살표)가 흉막 안에 정상적으로 들어가 있다.

기관절개술(tracheostomy)의 튜브 끝의 정상 위치는 세 번째 흉추이다.

커프의 풍선이 과팽창(직경의 1.5배 이상, 풍선 크기 > 2.8 cm)되면 기관에 파열이나 허혈성 궤양과 같은 손상이 올 수 있고 후유증으로 기관 섬유화협착증이나 기관연화증(tracheomalacia)이 올 수 있다(그림 16-13). 위치는 기관 분기부 상방 7 cm 내외에 잘 생긴다[8-12].

2) 흉관과 돼지 꼬리형카테터

흉관(chest tube)은 흉막삼출액 및 기흉의 배출을 위하여 흉강에 넣는다. 흉관을 삽입한 후에는 반드시 흉부X선사진을 찍어 그 위치를 확인하여야한다. 돼지꼬리형카테터(pigtail catheter)는 흉막삼출액이나 기흉이 방(loculation)을 형성한 경우, 루(fistula) 등에 의한 합병증이 생긴 경우, 혹은 중재적 시술이 필요한 경우에 투시나 초음파 유도 하에 넣는다(그림 16-14).

기흉의 치료를 위한 삽관은 공기는 위로 상승하므로, 흉강의 상부(천장부위, least dependent portion)에 삽입하는 것이 이상적인데 누운자세에서는 흉부X선사진에서 관의 끝이 흉강의 전상부에 오도록한다(그림 16-11). 흉막삼출액을 배액하기 위한 목적인 경우에는 삼출액은 아래로 가라앉으므로, 가장 중력이 큰 하부(바닥부위, dependent portion)에 위치시키는 것이 이상적으로 후하부로 관의 끝이 오도록 한다.

흉관으로부터 배액 및 배기가 안 될 경우에는 튜브가 굽거나 막혔을 때, 흉벽 혹은 엽간열에 위치할 때, 혹은 측공이 흉강 외부에 위치할 때 등이다. 흉관을 넣은 후 심한 피하기종이 생기면 이는 흉관의 측공이 흉벽에 위치하는 것을 의미한다. 흉관의 위치가 적절하지 못하다고 의심될 경우 가쪽 흉부X선사진을 추가하는 것이 좋다.

3) 중심정맥 카테터

중심정맥 카테터(central venous catheter)는 중심정맥의 압력측정, 수액주입, 그리고 투석을 위하여 내경정맥 혹은 쇄골하정맥을 통하여 카테터를 경피적으로 삽입하게된다. 모든 쇄골하정맥 및 내경정맥의 천자 후에는 흉부X선사진이 필

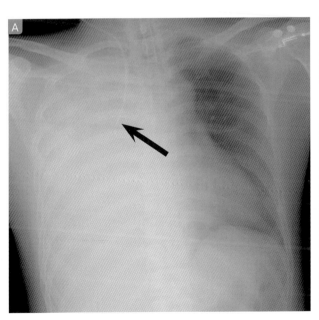
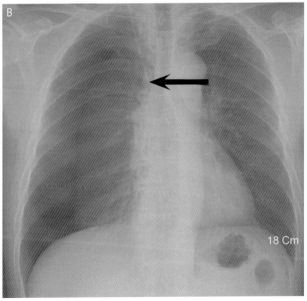

■ 그림 16-15. 잘못된 중심정맥 카테터에 의한 흉막삼출액과 기흉
A. 중심정맥 카테터가 오른쪽의 흉막으로 삽입되었고(화살표) 수액이 주입되면서 오른쪽에 다량의 흉막삼출액이 생겼다. B. 중심정맥 카테터가 오른쪽의 흉막으로 삽입되었고(화살표) 오른쪽에 다량의 기흉이 생겼다.

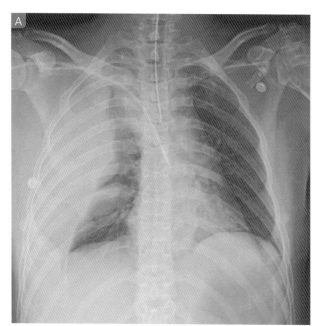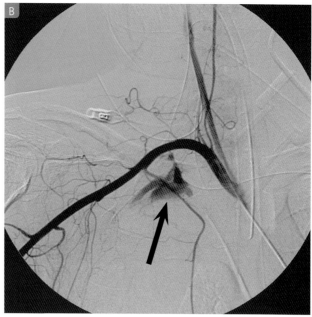

■ 그림 16-16. 오른쪽의 쇄골하동맥으로 잘못 들어간 중심정맥 카테터

A. 중심정맥 카테터가 오른쪽의 쇄골하동맥으로 삽입되면서 열상이 생겼고 오른쪽에 다량의 혈흉에 의한 흉막삼출액이 생겼다. B. 동맥촬영술을 통해 열상 부위로 조영제와 스며나와 흉막으로 들어가는 것을 확인할 수 있다(화살표).

수적이다.

흉부X선사진에서 중심부 정맥압을 정확하게 측정하기 위하여서는 카테터의 끝이 상대정맥 내, 그리고 제1늑골의 내측에 위치하는 것이 좋은 데 그 이유는 가장 가까운 정맥 판막보다 심장 쪽으로 위치하여야 하기 때문이다(그림 16-1).

카테터가 너무 깊이 삽입되어 우심방이나 우심실내에 끝이 위치하는 경우에는 부정맥이나 심장 천공에 의한 혈심낭을 일으킬 수 있다. 카테터가 동측 내경정맥(jugular vein)이나 반대측 무명정맥(innominate vein)으로 가게되면 혈전증, 혈관벽 손상, 수액의 저류들이 생길 수 있으므로 즉시 위치를 교정한다. 장기간 중심정맥 카테터를 위치시킨 경우에는 카테터 끝 등에 정맥 내 혈전이나 감염이 동반될 수 있다. 삽관 시 발생할 수 있는 합병증은 종격이나 흉강내로의 출혈 및 수액 주입(그림 16-15 A), 종격기종 및 기흉(그림 16-15 B), 쇄골하 경동맥의 열상(그림 16-16) 등이다.

4) 폐동맥 카테터

폐동맥 카테터(Swan-Ganz catheter)는 끝에 풍선이 있는 이중의 관으로서 풍선을 확장시킬 경우 혈류에 의하여 원위부로 전위하여 소동맥에 걸리면서 좌심방 압력, 좌심실 이완기말 압력, 심박출량 등 생리적 지표를 측정하게 된다. 풍선을 위축시키면 근위부 폐동맥으로 다시 돌아오게 된다.

흉부X선사진에서는 카테터의 끝이 근위부 폐동맥 내에 위치해야 하며 확장된 풍선이 보여서는 안된다(그림 16-17). 지속적으로 풍선이 확장되어 있는 경우나 풍선이 확장되지 않은 상태라도 카테터가 주변부 작은 혈관 안에 위치하게 되면 폐경색을 유발할 수 있다(그림 16-18). 카테터가 풀려서 우심실이나 하대정맥 등에 위치하지 않는지 확인한다(그림 16-19).

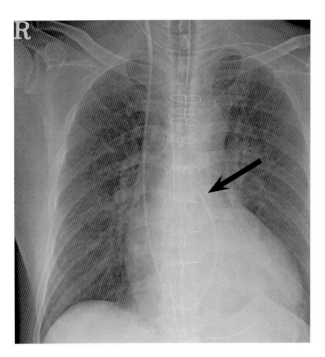

■ 그림 16-17. 심장동맥우회술 후에 삽입된 폐동맥 카테터의 정상 위치
폐동맥 카테터의 끝이 근위부 폐동맥 내에 위치해야 하며(화살표) 확장된 풍선이 보여서는 안된다.

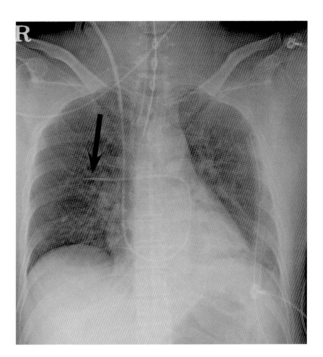

■ 그림 16-18. 너무 깊게 위치한 폐동맥 카테터
폐동맥 카테터가 너무 깊이 위치하여(화살표) 오른쪽 주변부의 작은 폐동맥에 그 끝이 위치하고 있다.

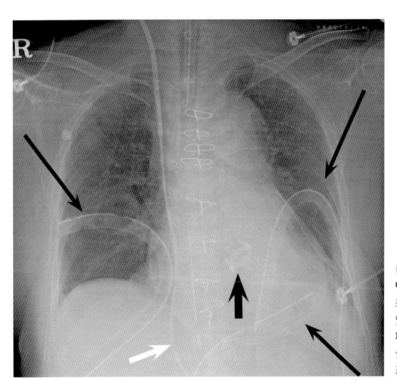

■ 그림 16-19. 대동맥판막교환술 후 잘못 위치한 폐동맥 카테터
좌하엽에 선상의 무기폐가 있고 횡격막이 약간 상승되어 있다. 정중 흉골절개술에 의한 흉골에 철사 음영이 보인다. 폐동맥 카테터의 끝이 하대정맥에 잘못 들어가 있다(흰 화살표). 양측 흉막과 왼 종격에 흉관이 들어가 있다(긴 화살표). 치환된 인공 대동맥판막이 있다(굵은 화살표).

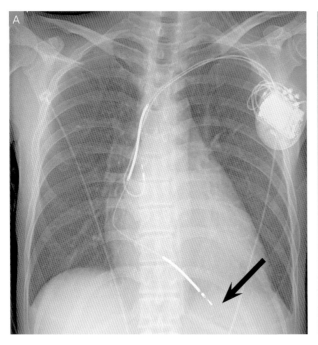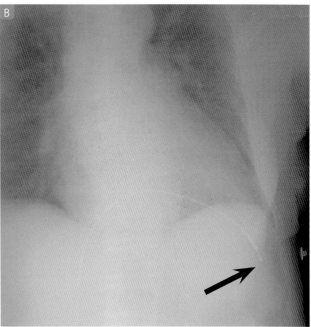

■ 그림 16-20. 박동조율기의 정상과 잘못된 위치

A. 박동조율기의 이상적인 위치는 정맥을 통한 조율기 유도의 끝이 우심실의 전벽에 닿아 있는 것으로서(화살표) 흉부X선사진에서 우심실 음영의 전하방에 위치하여야 하고 적어도 심장 윤곽의 최소한 3 mm 내에 위치하여야 심장천공을 배제할 수 있다. 심장이 커져있다. B. 조율기 유도의 끝이 심장 음영의 밖에서 보이는데 우심실의 전벽을 뚫고 밖으로 나가 있고 심장 천공을 의미한다(화살표).

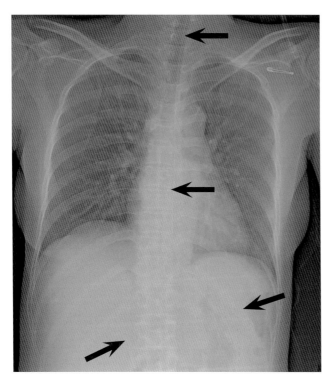

■ 그림 16-21. 코위영양관의 위치

흔히 끝에서 10 cm까지 측구멍을 가지므로 흉부X선사진에서 관 끝이 최소한 위-식도 경계부에서 10 cm 이상 위장음영 내에 위치해야 한다 (화살표).

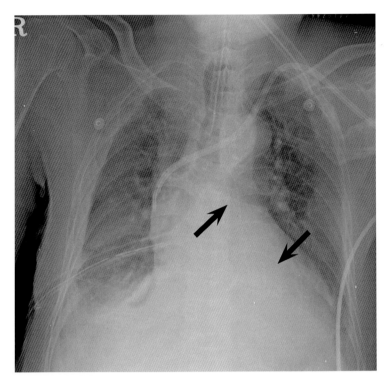

■ 그림 16-22. **코위영양관의 잘못된 위치**
코위영양관이 식도 안에서 8자 모양으로 꼬여 있다(화살표).

5) 박동조율기

박동조율기(cardiac pacemaker)의 이상적인 위치는 정맥을 통한 조율기 유도(lead)의 끝이 우심실의 전벽에 닿아 있는 것으로서 흉부X선사진에서 우심실 음영의 전하방에 위치하여야 하고 적어도 심장 윤곽의 최소한 3 mm 내에 위치하여야 심장천공을 배제할 수 있다(그림 16-20). 흉부X선사진에서 조율기 유도가 관상굴(coronary sinus)에 위치할 경우에는 상방 및 후방으로 전위하게 된다. 유도의 골절(lead fracture)이 있는지도 확인한다.

6) 코위영양관

코위영양관(nasogastric tube; Levin tube)은 주로 위의 감압(gastric decompression)을 목적으로 사용한다.

흔히 끝에서 10 cm까지 측구멍(side hole)을 가지므로 흉부X선사진에서 관 끝이 최소한 위-식도 경계부에서 10 cm 이상 위장음영 내에 위치하여야 한다. 그렇지 않으면 측구멍에 의해 흡인이 생길 수 있다(그림 16-21). 인두강 내에서 튜브가 꼬일 경우에도 흡인이 생길 수 있고 이런 경우 드물게 식도파열로 종격염이나 종격기종이 생길 수 있다(그림 16-22). 기관 내에 잘못 삽입되면 흡인, 기관지 폐쇄 혹은 무기폐 등이 생긴다.

7) 대동맥내 대위박동풍선

대동맥내 대위박동풍선(intra-aortic counter-pulsation balloon, IACB)은 심인성 쇼크 환자에서 심기능의 증진을 위하여 사용한다.

흉부X선사진에서 풍선의 위치는 좌쇄골하동맥 기시부 바로 다음에 위치해야 한다. 근위부에 위치하는 경우에는 척추동맥이나 경동맥으로 들어가서 심각한 부작용을 유발하며 원위부에 위치하는 경우에는 심기능의 증진에 효과적이지

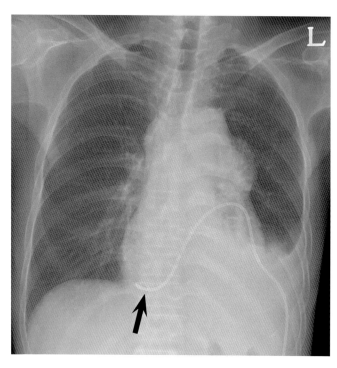

■ **그림 16-23. 심장막 카테터의 위치**
심장막내에 위치하고 심장의 음영을 따라 국한되어 위치하면서 심장
음영을 가로지르는 선으로 보인다(화살표).

표 16-2. 흉부X선사진에서의 관과 선의 정상 위치

흉부X선사진에서의 관과 선	정상 위치
기관내관(endotracheal tube)	기관분기부의 4-5 cm 상방
기관절개술(tracheostomy tube tip)	세 번째 흉추(T3)
흉관(chest tube)	흉강의 전상부(기흉) 흉강의 후하부(흉막삼출액)
심장막 카테터(pericardiac catheter)	심장음영 내
중심정맥 카테터(central venous catheter)	상대정맥 내, 그리고 제1늑골의 내측
폐동맥 카테터(Swan-Ganz catheter)	근위부 폐동맥 내
박동조율기(cardiac pacemaker)	우심실 음영의 전하방 심장 윤곽의 최소한 3 mm 내
코위영양관(nasogastric tube)	위-식도 경계부에서 10 cm 이상 위장음영 내
대동맥내 대위박동 풍선 (intra-aortic counter-pulsation balloon, IACB)	좌쇄골하동맥 기시부 직후

못하며 신동맥 등 주요 복부동맥을 막을 수 있다. 삽입 시술 후 대동맥 박리 등이 생길 수 있으므로 대동맥의 크기와 윤곽에 변화가 있는지 확인한다(그림 16-1).

8) 심장막 카테터

심장막 카테터(pericardial catheter)는 심장눌림증(cardiac tamponade)이나 심장막삼출액(pericardial effusion)을 완화하기 위한 목적으로 삽입한다(그림 16-23).

흉부X선사진에서 심장막내에 위치하고 심장의 음영을 따라 국한되어 위치하면서 정중선을 가로지르는 선으로 보인다[8-12].

Ⅱ 수술 후 합병증

수술 후 합병증은 대개 첫 2주 안에 생긴다. 수술과 관련된 가장 많은 합병증은 무기폐, 폐렴, 흉막이나 심막 내의 삼출액, 폐부종, 그리고 기흉 등이다. 그리고 수술에 의한 조직의 연결 혹은 결합(anastomosis) 부위에 합병증이 생기기 쉽다.

수술 후 합병증은 수술 종류와 수술 후 시간의 경과에 따라 다양하게 보인다. 또한 일반적인 수술 후의 변화도 합병증의 초기 소견과 감별이 힘든 경우가 많다. 흉부X선사진만으로 수술 후 합병증을 진단하기에 소견이 비특이적인 경우가 많다. 그러므로 반드시 흉부X선사진의 추적검사와 임상 소견을 종합하여 판단하여야 하며 필요한 경우 컴퓨터단층촬영이나 초음파 검사를 시행한다.

1. 개흉술

개흉술(thoracotomy)은 다섯 번째 갈비사이공간(intercostal space) 혹은 정중 흉골절개술(median sternotomy)을 통해서 주로 이루어진다. 주요 합병증으로는 루(fistula) 형성, 상처의 벌어짐(dehiscence), 상처의 감염, 혹은 헤르니아 현상(herniation) 등이 있고 흉부X선사진 소견은 비특이적이다.

2. 폐절제술

폐의 절제술(pulmonary resection)에는 절제하는 범위에 따라 한폐절제술(intrapleural, extrapleural, intrapericardial, and sleeve pneumonectomy), 엽절제술(lobectomy)이 있고 부분적 절제술로는 소매절제술(sleeve lobectomy), 구역절제술(segmentectomy), 쐐기절제술(wedge resection) 등이 있다(그림 16-24). 폐절제술시 장측흉막(visceral pleura; intrapleural

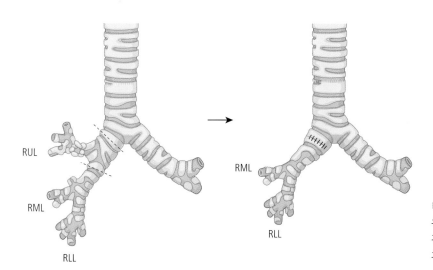

■ 그림 16-24. 소매폐엽절제술의 모식도
우상엽 절제술을 위해 오른쪽 주기관지와 중간 기관지를 사이를 잘라내어 우상엽기관지를 절개해낸 후 이어 붙인다.

pneumonectomy)까지 제거되는 것이 보통이다. 쐐기절제술이나 구역절제술은 비디오흉강경수술(video-assisted thoracic surgery, VATS)을 통해 주로 이루어진다. 엽절제술이나 한폐절제술은 대개 뒤가쪽개흉술(posterolateral thoracotomy)을 통해 이루어진다.

폐의 절제술 직후에는 흉부X선사진의 일반적 소견은 폐를 절제한 주변부로 국소적인 흉막삼출액과 기흉이 있을 수 있다. 또한 흉관이 삽입되어 있고, 피하기종이 흔하게 동반되며, 흉관을 비롯한 각종 선(line)과 튜브가 보인다. 반대편 폐에 약간의 미만폐부종, 부분적인 무기폐가 보인다 (그림 16-25 A, 그림 16-26 A, 그림 16-27 A).

시간이 지나면서 흉막삼출액이 배출되면 수술한 자리에 폐의 용적이 감소되면서 종격이 수술한 쪽으로 이동하고, 남아 있는 같은쪽 폐나 반대쪽 폐가 점차적으로 팽창하게 된다. 수술한 빈 공간에 흉막삼출액은 수주에 걸쳐 서서히 흡수되거나 반응성 흉막삼출액(reactive pleural effusion)으로 남아있게 된다 (그림 16-25 B, 그림 16-26 B, 그림 16-27 B).

종격의 비정상적 이동(shift)이 수술 후 합병증을 발견하는 예민한 지표가 되는데 수술한 측에 기흉, 혈흉, 유미흉(chylothorax), 농흉, 기관지흉막루(bronchopleural fistula), 그리고 종양의 재발 등에 의한 것으로 이때 수술한 위치의 반대쪽으로 종격이 이동하게 된다.

수술 후 공간(post-operative spaces)을 양성(benign)과 악성(malignant)공간으로 나누기도 하는데 양성공간은 증상이 없고 백혈구 증가가 없으며 장액성 체액이 남아있는 것으로 수 주 내에 점차적으로 흡수된다. 악성공간은 수술 후 생긴 비정상 공간을 말하며 대부분 감염에 의해 발열과 백혈구증가증이 있으면서 흉막삼출액이 지속되거나, 그 양이 증가 하거나, 흉강에 공기가 차거나, 혹은 흉막이 점점 두터워지는 경우로 이때 농흉이나 기관지흉막루(bronchopleural fistula)의 가능성이 있고 중재나 수술적 치료가 필요한 경우를 말한다.

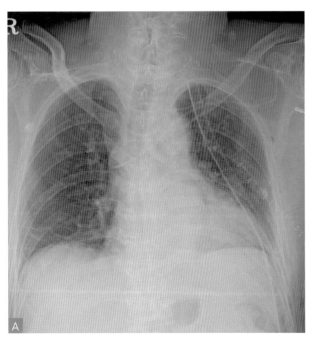
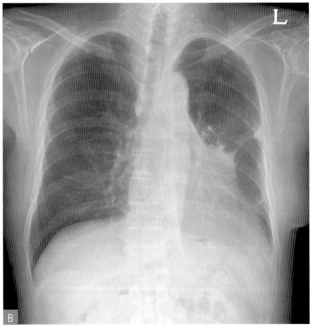

■ 그림 16-25. 구역절제술
A. 대장암의 전이를 제거하기 위한 왼 폐의 구역절제술 직후의 사진이다. 왼쪽에 흉관이 삽입되어 있고 오른쪽 아래의 폐에 선상의 무기폐가 있다.
B. A 사진의 7일 후에 촬영된 것이다. 왼쪽 폐에 수술 후의 반흔과 작은 무기폐에 의한 선상 음영, 수술 클립, 그리고 흉막의 유착에 의한 흉막 비후가 있다.

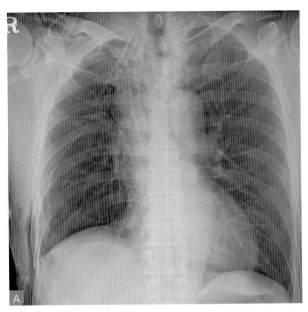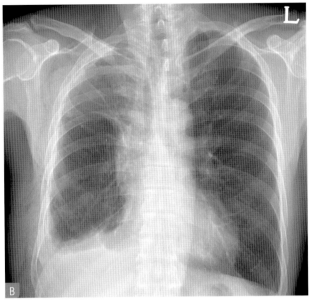

■ 그림 16-26. 우상엽절제술

A. 폐암으로 우상엽절제술 직후의 흉부X선사진이다. 오른쪽에 흉관이 있다.

B. A 사진의 8일 후에 촬영된 것이다. 오른 횡격막이 올라가 있고 오른 폐의 용적이 감소되어 있다. 절제된 우상엽 부위와 하부 흉막에 소량의 흉막삼출액에 의한 증가된 음영이 보인다.

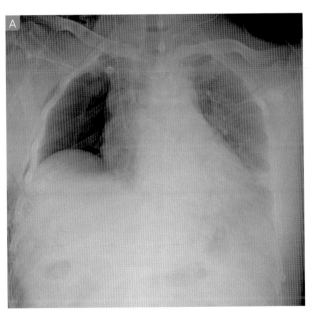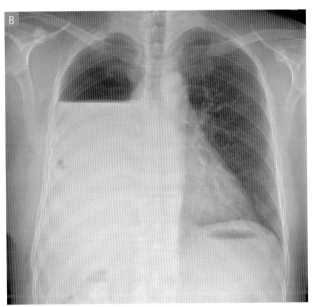

■ 그림 16-27. 우폐절제술

A. 폐암 수술 하루 후에 촬영된 것으로 오른쪽 폐를 절제한 주변부로 공기 음영이 주로 보이며 피하기종이 동반되어 있다. 왼쪽 폐에 미만폐부종과 약간의 선상의 무기폐가 있다.

B. 수술 10일 후 오른쪽의 수술한 빈 공간에 서서히 흉막삼출액이 차게 되고 삼출액은 수주에 걸쳐 서서히 흡수되거나 반응 흉막삼출액으로 남아있게 된다.

폐와 흉벽의 절제술 후에 다음과 같은 합병증이 생길 수 있다.

주요 합병증으로는 출혈, 과다한 수액 주입이나 급성신부전 등에 의한 폐부종(2.5-5%), 기관지 분비물 등에 의한 무기폐(5-10%), 공기누출, 흡인폐렴 혹은 병원폐렴(2-22%) 등이다. 그 외에 수술 후 생길 수 있는 합병증으로는 농흉(2-16%), 혈흉, 기관지흉막루(2-13%), 식도흉막루(0.2-1%), 그리고 유미흉 등이다[13-15].

한폐절제술 후 초기에 올 수 있는 합병증으로는 농흉, 혈흉, 심장 헤르니아, 폐부종, 유미흉, 기관지흉막루, 상처부위 감염, 급성 식도늑막루 등이 있고 후기에는 전폐절제술후 증후군(post pneumonectomy syndrome), 재발암, 만성 식도늑막루가 생길 수 있다.

엽절제술이나 소매폐엽절제술 후 초기에 올 수 있는 합병증으로는 술후에 생긴 빈공간에 의한 문제(space problems), 지속적 공기누출, 한쪽 끝은 고정된 상태로 폐엽의 비틀림(lobar torsion), 허혈성 괴사성 폐렴, 비폐쇄성 무기폐, 폐부종, 접합부 벌어짐(anastomotic dehiscence), 혈흉, 기관늑막루, 상처부위감염, 식도늑막루 등이며 후기에는 접합부 협착, 재발암, 식도늑막루 등이 생길 수 있다[14].

1) 출혈

대부분 수술 직후 흉벽이나 종격에서 삼출출혈(oozing bleeding)로 나타난다. 흉관이 삽입되어 있으면 피가 흘러나오므로 진단이 어렵지 않다.

흉부X선사진에서 폐, 종격 혹은 흉벽을 따라 갑자기 증가되는 음영으로 나타난다. 감별진단은 수술에 의한 흉관(thoracic duct) 손상에 의한 유미흉과 중심정맥선이 흉강으로 잘못 삽입되면서 이쪽으로 수액이 주입된 경우 등이다.

2) 혈흉

흉벽의 혈관의 지연된 지혈이나 손상으로 인해 생기며 빠르게 증가하는 흉부X선에서 흉막삼출액으로 나타난다. 혈종 등에 의해 빠르게 소방(loculation)을 형성하며 늑막에서 발생한 종양으로 오인할 수도 있다.

3) 유미흉

유미흉(chylothorax)은 흉강에 유미(chyle)가 누출된 것으로 흉관(thoracic duct)의 손상 후 생긴다. 흉수의 중성지방이 증가한 것으로 진단한다(>110 mg/dL). 흉부X선에서 빠르게 증가하는 아주 많은 양의 흉막삼출액의 소견으로 나타난다.

4) 지속적 공기누출

지속적인 공기누출(persistent air leaks)은 폐기종 환자나 나이가 많은 경우에 자주 생기며 틈새가 불완전한 경우에도 많이 생긴다. 수술 후 24-48시간 안에 없어지는 것이 보통이며 지속적인 공기누출의 정의는 수술 후 일반적인 입원 기간(7일 내외) 이상 지속되는 것을 말한다. 흉부X선사진에서의 소견은 지속적인 기흉, 종격기종 혹은 기종이다.

5) 농흉

농흉(postpneumonectomy empyema)은 흉강의 감염으로 인해 야기되며 수술 후 약 2-16%에서 생긴다. 대부분 수술 후 첫 2주 내에 나타나지만 수개월 후에 나타나기도 한다. Staphylococcus aureus, Pseudomonas aeruginosa, Streptococcus species, and Aerobacter aerogenes 등이 배양되는 경우가 대부분이다. 기관지흉막루와 동반되는 경우 사망률이 증가한다.

흉부X선사진에서의 소견은 갑자기 흉막삼출액이 증가되고, 종괴작용(mass effect)에 의해 종격이 반대편으로 밀린

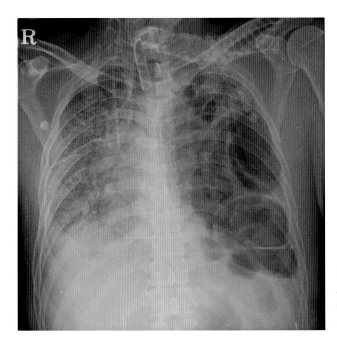

■ 그림 16-28. 폐렴과 농흉 후에 생긴 폐와 흉막의 공기낭종
왼쪽 폐에 폐렴 후 합병증으로 공기낭종에 의한 비누거품모양의 공기집이 있다. 왼쪽 흉막에 여러 개의 소방을 형성한 기흉이 혼재되어 보이는데 이는 농흉의 합병증으로 인한 흉막의 유착 때문이다.

다. 시간이 지나면 흉막삼출액이 굳어지고 흉막이 비후되면서 흉강 내에 여러 개의 소방(multiple loculated pockets)을 형성하기도 한다(그림 16-28). 때로는 흉강 내에 공기가 차거나 공기에 의해 공기액체층(air-fluid level)이 나타나기도 하는데 이런 경우에는 기관지흉막루나 피부흉막루가 생겼거나, 혹은 공기를 형성하는 세균에 의한 세균성 감염을 의미한다. 이때 임상적으로는 발열과 백혈구증가증이 동반된다. 이때 폐에서 생긴 폐 농양과의 감별이 힘든 경우가 있다. 농흉인 경우에는 공기액체층이 길고 흉막이나 흉벽에 끝이 닿으면서 끝이 점점 가늘어지게 된다.

6) 무기폐

기관이나 기관지 분비물이 정체 되어 생기거나 국소적 환기 장애로 인해 생기는 경우가 대부분이다. 무기폐가 지속되는 경우 폐렴이나 흡인과 동반되는 경우를 의심할 수 있다.

7) 폐렴

주로 흡인이나 무기폐 안에 있던 균이 자라면서 나타나는 경우가 대부분이며 기관내관을 가지고 있거나 기계적 조설환기를 하는 경우에 자주 발생한다. 그람음성균에 의한 감염이 많다.

흉부X선사진에서의 소견이 정상이라고 폐렴이 배제되지는 않는다. 임상적 소견보다 지체되어 나타나거나 지체되어 호전될 수 있다. 주로 반점형 기관지폐렴(bronchopneumonia) 형태로 나타나며 심해지면 괴사폐렴(necrotizing pneumonia)이나 폐농양으로 진행된다.

8) 기관지흉막루

기관지흉막루(bronchopleural fistula)의 빈도는 2-13%가량이며 생기면 술후 사망률이 증가되므로(mortality rates: 30-70%) 조기 진단이 중요하다. 수술 후 오른쪽에 좀 더 많이 생기며 작은 루(small leak)는 보존적 요법으로 사라지나 큰 루

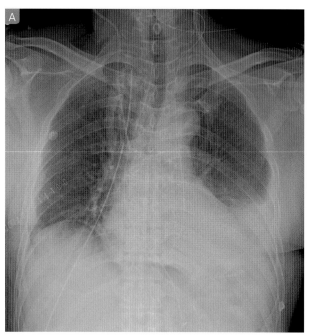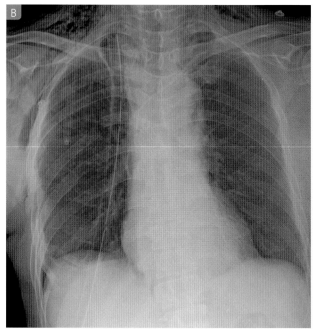

■ 그림 16-29. 식도암 수술과 방사선치료 후에 생긴 유미흉과 식도흉막루
A. 수술과 방사선 치료로 생긴 흉관 손상에 의한 오른 흉막에 지속되는 유미흉에 대해 흉관이 들어가 있다.
B. 식도흉막루로 인해 지속되는 종격기종, 흉막삼출액, 기흉, 그리고 피하기종이 있고 식도조영술로 식도흉막루를 확인할 수 있었다.

는 재수술이 필요한 경우가 많다. 이는 수술 직후에 보인다면 수술 중 기관지의 닫힘(closure)이 충분하지 않아서 생기며, 지연되어 나타나는 경우는 대부분 잘린 끝(stump)의 감염 혹은 종양의 재발이나 방사선 치료 때문에 생긴다.

흉부X선사진에서 기흉이 계속 남아 있거나, 새로 생기거나, 점차 증가 되는 경우, 점차적으로 피하기종이나 종격기종이 생기는 경우, 그리고 같은 쪽에 공기액체층이 있으면서 종격이 반대쪽으로 밀리는 경우에 의심한다. 때로 루의 크기가 크면 흉막삼출액이 반대편 기관지로 넘어 가면서 반대편 폐에 흡인폐렴에 의해 폐침윤이 나타날 수도 있다[13-15].

9) 식도흉막루

식도흉막루(esophagopleural fistula)는 주로 오른쪽 폐절제술 후나 식도 수술 후에 생기며 수술 후 6주 내에 생기는 것이 보통이다. 수술 후 초기에는 수술 중 직접적인 식도 손상에 의해, 후기에는 주변 연부조직에 염증이나 재발된 악성 종양 혹은 방사선치료 등에 의해 생긴다. 환자는 수술 후 삼킴곤란(dysphagia)나 연하통을 호소한다.

흉부X선사진에서 지속되는 흉막삼출액과 기흉 그리고 종격기종이며 기관지흉막루와 비슷한 소견을 보인다(그림 16-29). 흉관으로 먹었던 음식물이 나오는 경우도 있다. 의심이 되면 식도조영술로 루를 확인 하는 것이 중요하며 루가 작은 경우 나타나지 않을 수 있다[16].

3. 종격 수술

종격 수술은 주로 식도, 기관, 그리고 다른 종격 구조물 수술과 관련된다. 합병증으로는 유미흉, 흡인폐렴, 종격염, 종격 출혈, 되돌이후두신경마비(recurrent laryngeal nerve palsy) 혹은 횡격막신경(phrenic nerve) 마비 등이 있다. 흉부X선사진에서 횡격막신경마비인 경우에는 편측 횡격막이 지속적으로 올라가 있다. 종격염이나 출혈이 생기면 종격이 커진다[16].

4. 심장 혈관 수술

심장 혈관 수술(cardiovascular surgery) 주로 심장판막교환(cardiac valve replacement), 심장동맥우회술(coronary artery bypass graft), 혹은 근위부 대동맥질환을 수술하기 위해 정중 흉골절개술(median sternotomy)을 하므로 흉골에 철사음영이 보인다. 수술 직후에는 종격과 흉막 등에 흉관들과 수액 주입 등을 중심정맥선, 임시박동조율기, 그리고 심전도유도(electrocardiographic lead) 등이 보인다.

흉부X선사진에서 이들 관과 선이 정확한 위치에 있는지 본다. 심장 수술 후에 가장 흔히 보이는 소견은 좌하엽의 무기폐, 왼쪽 흉막삼출액, 그리고 왼쪽 횡격막의 상승 등인데 주로 수술 중 체외순환(extracorporeal circulation)과 심장마비(cardioplegia)가 왼쪽에서 이루어지기 때문이다. 그 범위가 크지 않는 경우가 대부분으로 수일 내에 호전된다(그림 16-17, 그림 16-19). 주의해서 보아야 할 소견은 수술 후 부정맥에 의한 폐부종이나 폐나 종격의 출혈에 의한 비정상 음영이다[17].

■■■ 참고문헌 ■■■■■■■■■

1. MacMahon H, Vyborny C. Technical advances in chest radiography. AJR Am J Roentgenol. 1994;163:1049-1059.

2. MacMahon H, Giger M. Portable chest radiography techniques and teleradiology. Radiol Clin North Am. 1996;34:1-20.

3. Muller N, Silva C. Imaging of the chest. In: Horner P, Primack S. ed. Chest radiography in the intensive care unit. Volume 2. Philadelphia:Saunders. 2008;1288-1308.

4. Morehead RS, Pinto SJ. Ventilator-associated pneumonia. Arch Intern Med. 2000 ;160:1926-1936.

5. Gluecker T, Capasso P, Schnyder P, Gudinchet F, Schaller MD, Revelly JP et al. Clinical and radiologic features of pulmonary edema Radiographics. 1999;19:1507-1531.

6. Piantadosi CA, Schwartz DA. The acute respiratory distress syndrome. Ann Intern Med. 2004;141:460-470.

7. Matthay MA, Ware LB, Zimmerman GA. The acute respiratory distress syndrome. J Clin Invest. 2012;122:2731-2740.

8. Godoy MC1, Leitman BS, de Groot PM, Vlahos I, Naidich DP. Chest Radiography in the ICU: Part 1, Evaluation of Airway, Enteric, and Pleural Tubes. AJR Am J Roentgenol. 2012;198:563-571.

9. Godoy MC1, Leitman BS, de Groot PM, Vlahos I, Naidich DP. Chest Radiography in the ICU: Part 2, Evaluation of Cardiovascular Lines and Other Devices. AJR Am J Roentgenol. 2012;198:572-581.

10. Hunter TB, Taljanovic MS, Tsau PH, Berger WG, Standen JR. Medical devices of the chest Radiographics. 2004;24:1725-1746.

11. Trotman-Dickenson B. Radiology in the Intensive Care Unit (Part I) J Intensive Care Med. 2003;18:198.

12. Trotman-Dickenson B. Radiology in the Intensive Care Unit (Part 2) J Intensive Care Med. 2003;218:239.

13. Muller N, Silva C. Imaging of the chest. In: Flukinger T, White C. ed. Postoperative complications. Volume 2. Philadelphia:Saunders, 2008;1269-1286.

14. Kim EA, Lee KS, Shim YM, Kim J, Kim K, Kim TS, Yang PS. Radiographic and CT findings in complications following pulmonary resection. Radiographics. 2002;22:67-86.

15. Attili A, Kazerooni EA. Postoperative cardiopulmonary thoracic imaging. Radiol Clin North Am. 2004;42:543-564.

16. Kim SH, Lee KS, Shim YM, Kim K, Yang PS, Kim TS. Esophageal resection: indications, techniques, and radiologic assessment. Radiographics. 2001;21:1119-1137.

흉부에 흔히 시행되는 중재술(interventional procedure)은 흉수천자, 흉수 및 폐농양 배액, 경피적 생검, 상대정맥 스텐트삽입술, 기관지동맥색전술 등이 있다.

① 흉수천자

1. 적응증

흉수천자의 목적은 크게 진단 및 호흡곤란 등 증상완화로 나뉜다.
　먼저 진단 영역에서 흉수천자가 대표적으로 기여하는 바는

1) 여출액(transudate)과 삼출액(exudates)의 구분[1]
2) 결핵성 흉막염 진단
3) 미생물 배양검사(농흉)
4) 흉막전이 진단

네 가지이며, 그 외 혈흉, 유미흉, 췌장염에 의한 흉수 등도 흉수천자에 의해 진단될 수 있다.

2. 방법

1) 확인절차
의무기록, 동의서, 영상검사 등을 확인하여 출혈경향 유무, 동의서 유무, 천자 위치(좌우측) 등을 확인한다. 폐가 완전히 허탈된 상태에서 동측 흉수를 다량으로 배액하면 갑작스러운 종격동 전이로 인해 심한 통증이 유발될 수 있으므로 영상검사에서 이를 점검한다. 흉수의 점도가 높을 때는 시술이 잘 이루어져도 흉수가 나오지 않을 수 있으므로 환자에게 미리 알려주도록 한다.

2) 인력과 물품
흉수천자는 초음파 검사 유도하에, 흉수천자에 익숙한 술자에 의해 이루어지거나 그러한 술자의 지도하에 이루어지는 것이 바람직하다[2]. 시술에는 소독세트(povidone iodine, 핀셋 혹은 겸자), 방포, 수술용 장갑, 거즈, 국소마취제, 일회용 밴드 등이 필요하다. 주사침은 21 게이지 구경이 흔히 쓰이지만 점도가 높은 흉수나 다량의 흉수를 뽑을 때는 14-18 게이지 정주용 카테터가 보다 바람직하다. 배액목적 시술에서는 수액연결튜브나 담즙백이 추가로 쓰일 수 있다.

3) 자세
전통적으로는 환자를 앉혀놓고 등 뒤쪽 늑골횡격막각을 통해 흉수를 뽑아왔다(그림 17-1). 이때 통증으로 인한 혈관미주신경실신(vasovagal syncope)에 대비하여, 테이블을 환자의 앞쪽에 받쳐놓고 환자가 앞으로 살짝 기대도록 한다. 수년 전부터 영국흉부학회(British Thoracic Society, BTS)에서는, 환자를 앉히거나 눕힌 채로 'triangle of safety'(그림 17-2)을 통해 흉수막강에 접근함으로써 늑간혈관 및 신경 손상 가능성을 낮춰야 한다고 권유하고 있다[2]. 상기한 두 가지 방법은 흉수가 괴어 있지(loculation) 않은 경우에 해당되고 괴어 있는 흉수는 초음파를 보고 해당부위에서 뽑는다.

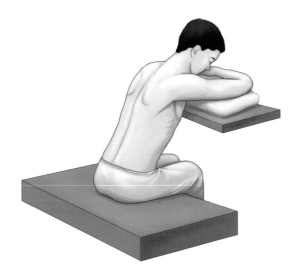

■ 그림 17-1. **흉수천자를 위해 앉은 자세를 취하고 있다.**

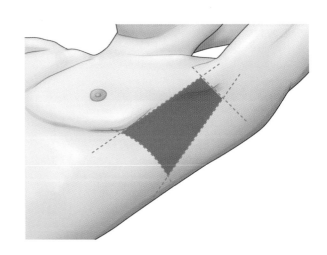

■ 그림 17-2. **Triangle of safety**
BTS에서 권유하고 있는 이상적인 흉수천자 부위

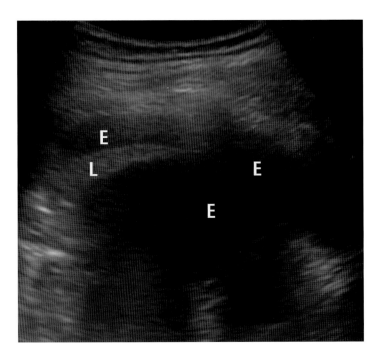

■ 그림 17-3. **흉수의 음파 소견**
가장 흔한 저에코 흉수(E)의 모습이다. 흉수에 압박되어 폐의 일부(L)가 허탈되어 있다.

4) 영상유도

흉부X선사진(특히 chest lateral view) 및 타진을 이용하여 흉수의 위치를 짐작하였던 과거와 달리 현재에는 흔히 초음파를 이용하여 흉수의 위치 및 깊이를 정확히 확인할 수 있다. 흉수는 초음파에서 흔히 저에코로 나타나지만 성분에 따라 고에코, 격막이나 떠 다니는 작은 입자들이 보일 수 있다(그림 17-3). 그러나 이러한 초음파 소견으로 흉수의 점도 및 시술의 성공 유무를 정확히 예측하기는 어렵다. 흉수천자 시 침의 위치를 초음파로 실시간 확인하며(real-time) 천자하는 것이 이론적으로 더 바람직하지만, 실제로는 시술 직전에 초음파를 보며 정해놓은 위치, 각도, 깊이대로 천자하여도 된다[3]. 주의할 점은 다음과 같다: 첫째, 흉벽 깊이를 잴 때 탐촉자로 흉벽을 누르지 않도록 한다(흉벽 두께 과소평가 방지). 둘째, 실시간 유도하에 시술하는 것이 아니라면 공기로 차 있는 폐(고에코)가 호기 및 흡기에서 모두 안 나타나는 부위에서 천자한다. 셋째, 횡격막 위치를 확인하여 비장이나 간 손상 위험을 줄인다.

5) 천자

천자는 반드시 소독된 환경에서 시행하도록 하며, 필요시 국소마취를 시행한다. 주사침 진행각도를 적절히 잡아 늑간동맥이나 신경 손상을 방지한다. 예를 들어, 환자의 옆쪽에서는 늑간동맥 및 신경이 늑골에 비해 환자의 뒤쪽에 위치하므로 침이 환자의 위쪽, 앞쪽에서 아래쪽, 뒤쪽을 향해 나아가도록 약간 기울여야 동맥 및 신경 손상의 위험이 낮아진다. 주사기 피스톤을 당겨 약간의 음압을 가하며 침을 진행시키다가 흉수가 나오기 시작하면 진행을 멈추고 흉수를 채취한다. 흡기 시에는 음압이 형성되므로 주사기 교환을 피하도록 하고, 환자가 흡기를 멈춘 후에도 약간의 시간이 지난 후에야 흉막강 내 음압이 완전히 없어진다는 점에도 유의하도록 한다.

6) 시술 후 조치

기흉 확인을 위해 흉부X선사진을 찍는 것이 관례지만 시술자의 판단을 따른다[2].

Ⅱ 영상 유도하 흉수 및 기흉 배액용 관 삽입

1. 서론

영상유도하 관삽입 과정은 흉수 천자와 거의 같지만 흉막에 침이 들어간 후 셀딩거(Seldinger) 방법으로 관을 삽입한다는 것만이 다르다. 기흉이나 흉수를 배출시키려 할 때 영상 유도 없이 대구경(large bore) 흉관을 삽입할 수도 있고 셀딩거 방법과 영상유도를 이용하여 소구경 튜브(small-bore drain 혹은 pigtail 카테터)를 삽입할 수도 있다. 인력이나 장비, 선호도 등 여러 가지 요인이 방법 선택에 영향을 미치지만 연구에 의하면 소구경 튜브가 환자에게 통증과 합병증이 덜하다[2].

2. 방법

1) 의무기록, 영상검사, 동의서 확인

2) 적응증
폐렴에 의한 흉수(parapneumonic effusion), 결핵성 흉수, 악성 흉수, 기흉, 혈흉 등이 있다. 참고로, 항생제로 치료가 되지 않는 폐농양도 비슷한 방법으로 관삽입 치료를 할 수 있다[4].

3) 인력과 물품
초음파 및 흉수천자에 모두 숙달된 의사에 의해 실시되는 것이 바람직하다[2]. 시술하는 의사를 대신하여 장비를 움직이

■ 그림 17-4. 흉수에 대한 pigtail 카테터 삽입에 요한 기구들

거나 환자의 전신 상태를 모니터 하는 방사선사 및 간호사(registered nurse)가 필요하다. 전신마취가 필요한 시술에는 마취과 의사의 도움을 받을 수 있다. 시술 후 진료 및 간호는 흉관 혹은 pigtail 카테터에 대한 경험이 있는 팀에 의해 이루어져야 한다. 필요한 물품은(그림 17-4) 수술용 장갑, 수술용 가운, 소독제, 방포, 거즈, 주사기, 국소마취제, scapel 및 blade, 봉합용 실과 바늘, 소독가위, 겸자, 셀딩거 세트(유도 와이어, dilator), 튜브(small-bore drain 혹은 pigtail 카테터), 연결튜브, chest bottle(기흉 배출용), 3-way stopcok, 반창고 등이다[2].

4) 영상유도
중환자실 등 혈관조영용 투시기를 쓰기 어려운 환경에서는 예외적으로 초음파유도하에 관을 삽입하지만, 환자 상태가 허락한다면 혈관조영실에서 초음파 및 투시 유도를 모두 사용해서 시술한다. 술자가 CT 유도에 더 익숙하다면 CT 유도하 시술도 가능하다.

5) 시술과정
시술 전에 진통제 투약을 고려할 수 있다. 천자 과정은 흉수천자의 경우와 거의 비슷하지만 유도와이어 및 튜브가 오염되지 않도록 환자의 몸을 넓은 방포로 감싸고 시술자 역시 수술용 가운을 입는다는 것, 국소마취를 더 잘 해야 한다는 점, 주사침을 통해 흉수가 나오기 시작하면 이어서 유도 와이어를 집어넣는 점 등이 다르다. 투시로 유도 와이어가 흉막강 안에 들어갔는지 확인한 후 겸자 및 dilator로 흉벽을 확장하는데, 무리한 힘을 가하거나 dilator를 흉막강 안으로 깊이 (1 cm 이상) 집어넣지 않도록 주의한다. 확장이 끝나면 소구경 흉관 혹은 pigtail 카테터를 집어넣고, 카테터의 돼지꼬리 부분을 말고, 카테터를 연결튜브 및 chest bottle에 연결시킨 후 피부에 봉합하고 반창고로 드레싱한다(그림 17-5).

6) 시술 후 조치
관삽입 부위에 대해 적어도 하루 한번 이상 감염 여부를 점검해야 하고, 공기나 액체가 잘 배출되는지 자주 점검해야 한다. Pigtail 카테터는 하루 한번 이상 생리식염수를 넣어 관류시켜 줘야 한다. 배액양이 하루 200 ml 이하거나 관의 배액 기능이 없어졌다고 판단될 때는 관을 제거한다. 폐렴에 의한 흉수가 관삽입에도 불구하고 호전되지 않는 경우 그 이유

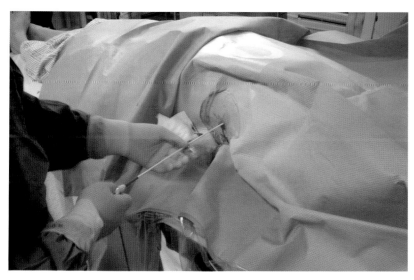

■ 그림 17-5. 돼지꼬리(pigtail) 카테터를 흉수 안으로 삽입하고 있다.

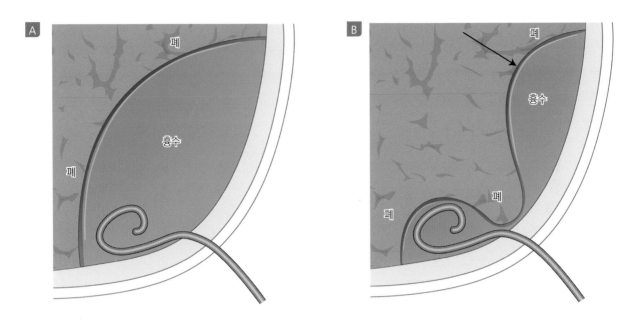

■ 그림 17-6. 폐가 펴지면서 흉수의 일부가 카테터로부터 격리되는 현상
A. pigtail 카테터를 흉수의 아랫부분(dependent portion)에 올바르게 삽입하였다. **B.** 흉수 배액의 결과로 폐가 펴지면서 흉수의 일부분(화살표)이 pigtail로부터 격리되어 더 이상 배액이 되지 않고 있다. 이러한 현상은 흉관이나 pigtial 카테터의 효과가 없어지는 흔한 원인이다.

는 흉수 점도가 높거나, 격막에 의해 카테터로부터 격리되어 있거나, 흉수 일부가 배액되면서 폐가 펴져 흉수의 나머지 부분이 카테터로부터 격리되거나(그림 17-6), 폐가 fibrinous한 막에 의해 둘러싸여 펴지지 않기 때문 등이다. 따라서 관 삽입 후 24시간이 지나도 뚜렷한 임상적, 영상학적 호전이 없으면 CT 촬영 후 새로운 관 삽입, 흉막 내 urokinase 투여, 비디오 흉강경을 이용한 수술(VATS) 등의 후속조치를 결정한다[5].

3. 합병증

통증, 카테터가 막히는 현상, 감염, 출혈 등이 있다.

Ⅲ 경피적 생검(transthoracic needle biopsy, TNB)

1. 소개

TNB는 주로 폐결절이나 종괴 진단에 쓰이는, 비교적 안전하고 값이 싸며 신뢰할 만한 검사법이다. 그러나 TNB를 실시할지 여부는 환자가 처한 개별적 상황에 따라 신중하게 결정되어야 하며, 그 결과가 치료 방침에 영향을 미칠 수 있다고 예상될 때만 하도록 노력한다. 흉부 병변의 조직진단에 있어 TNB, 기관지 내시경 조직검사, 수술의 역할은 상보적이며 기술의 발전 등의 요인으로 그 상대적 비중이 계속 변해갈 것으로 예상된다.

2. 적응증

1) 일차적 적응증
양성(특히 육아종성 질환)으로 생각되는 폐병변, 수술을 할 수 없거나 환자가 수술을 거부하는 경우, 항암치료나 방사선 치료를 위해 조직진단을 하는 경우, 활동성 감염을 진단하기 위해 필요하다고 생각되는 경우 등이다.

2) 이차적 적응증
폐암 가능성(예: 흡연자)이 높은 환자에서 단일 폐병변이 있는데 수술이 가능한 상황이라면 TNB가 반드시 필요한지 논란의 여지가 있다[6]. 이런 경우 환자의 의사, 담당 의사의 판단, 병변의 위치 등을 감안하여 TNB 실시 여부를 신중히 결정해야 한다.

3. 금기

수술 등의 이유로 제대로 기능하는 폐가 하나 밖에 없는 경우에는 사망 위험성이 높아 TNB를 고려하기 어렵다. 폐병변이 포충(hydatid cyst)이나 동정맥 기형일 가능성이 높아 보이거나 환자에게 출혈경향이나 심한 폐기능 장애가 있는 경우는 상대적인 금기증으로 여겨진다.

4. 방법

1) 의무기록, 영상검사, 동의서 확인

2) 인력과 장비
시술하는 영상의학과 의사 외에 장비 조작 및 환자 간호를 위해 적어도 1명의 방사선사 및 1명의 간호사(registered nurse)가 필요하다. 시술 후에는 폐생검 후 조치에 대한 지식과 경험이 있는 팀에 의해 진료 및 간호가 이루어져야 한다. 수술용 장갑, 소독제, 방포, 거즈, 주사기, 국소마취제, scapel 및 blade, 겸자, 생검침 등의 물품이 필요하다.

3) 생검침의 종류
생검침은 크게 조직의 일부를 절개해 내는 절개침(cutting needle)과 조직을 흡인하는 침(aspiration needle)로 구분된다. Cutting needle이 악성 병변 및 양성 병변을 정확하게 진단하는데 모두 유리하며, 대부분 스위치를 누르면 스프링에 의해 앞으로 튀어나가면서 조직을 절개하도록 제작되어 있다. 동축형(coaxial system) 절개침을 쓰면 조직을 여러 번 채취할 수 있다는 장점이 있으며 특히 최근 수년 동안 폐암의 맞춤치료(personalized medicine)가 이루어지기 시작하면서 이 장점이 강조되고 있다[7].

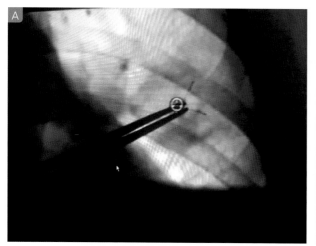 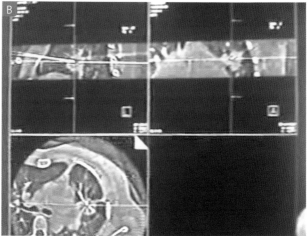

■ **그림 17-7.** Angiographic C-arm CT로 폐결절 생검을 하는 모습
A. 투시 모드를 이용하여 결절에 침을 삽입하고 있다. **B.** Cone-beam CT를 찍어 침의 깊이 및 예상경로를 분석하고 있다(한양대학교 박충기 교수 제공).

4) 영상유도

투시, 초음파, CT, CT fluoroscopy, 그리고 최근에 개발된, 투시와 CT의 장점을 결합한 angiographic C-arm CT[8] 등이 영상유도에 쓰인다(그림 17-7).

Ⅳ 결론

영상유도하 중재술은 흉부질환들의 정확한 진단과 치료 혹은 증상완화에 있어 매우 중요한 역할을 갖는다. 영상의학과 의사는 영상에 나타나는 병변의 위치뿐 아니라 질병의 전체적 상태, 시술에 대한 환자의 의사 등을 정확히 파악한 후에 시술해야 하며, 시술 후에도 환자 상태를 관심 있게 지켜봐야 한다.

■■■ **참고문헌** ▮▮

1. Light RW, Macgregor MI, Luchsinger PC, Ball WC Jr.Pleural effusions: the diagnostic separation of transudates and exudates. Ann Intern Med 1972;77:507-513.

2. Havelock T1, Teoh R, Laws D, Gleeson F; BTS Pleural Disease Guideline Group.Pleural procedures and thoracic ultrasound: British Thoracic Society Pleural Disease Guideline 2010. Thorax 2010;65 Suppl 2:ii61-76.

3. Mayo PH, Doelken P. Pleural ultrasonography. Clin Chest Med 2006;27:215-227.

4. Ghaye B, Dondelinger RF. Imaging guided thoracic interventions. Eur Respir J. 2001;17:507-528.

5. Light RW Parapneumonic Effusions and Empyema. Proc Am Thorac Soc 2006;3:75-80.

6. Morcos SK, Anderson PB. Percutaneous Needle-Aspiration Lung Biopsy: Is It Really Necessary in All Patients with a Focal Lung Opacity. Radiology 1999;211:590 -592.

7. Tsai IC, Tsai WL, Chen MC, Chang GC, Tzeng WS, Chan SW, et al. CT-guided core biopsy of lung lesions: a primer. AJR Am J Roentgenol 2009;193:1228-1235.

8. Cheung JY, Kim Y, Shim SS, Lim SM. Combined fluoroscopy- and CT-guided transthoracic needle biopsy using a C-arm cone-beam CT system: comparison with fluoroscopy-guided biopsy. Korean J Radiol. 2011;12:89-96.

CHAPTER

18

심장과 대혈관 질환

|박철환, 김태훈|

Contents

심장은 대혈관과 함께 복잡한 구조를 형성하며 인체에 혈액과 영양분을 공급하는 중요한 역할을 한다. 심장은 중종격 (middle mediastinum)에 위치하며 심장의 긴축(long axis)은 인체의 긴축보다 왼쪽으로 기울어져 있다. 좌측 전방에 위치하는 심장꼭지(cardiac apex)는 심장막으로 형성된 장액강(serous cavity) 안에서 자유롭게 움직인다. 대혈관들이 심장과 만나는 부위는 심낭(atrium)과 더불어 심장기저(cardiac base)에 해당하며, 심장막굴절(pericardial refraction)과 고정되어 있다. 심장혈관은 공기로 채워진 폐조직에 둘러싸여 있기 때문에 심장의 형태 및 폐혈관의 변화가 흉부X선사진에서 잘 관찰된다.

Ⅰ 흉부X선사진과 심장해부학

1. 흉부X선 사진

흉부X선사진은 가격이 저렴하며 촬영이 용이하고 방사선 노출이 CT에 비해 적기 때문에 반복해서 검사를 시행할 수 있다. 심장혈관 질환이 의심되는 환자의 초기 평가뿐 아니라 환자의 치료경과를 평가하기 위한 추적검사에도 많이 이용되며, 심장의 모양, 심장의 크기, 폐혈류, 동반된 폐질환 등에 대한 정보를 제공한다[1]. 기본사진은 환자가 숨을 들이마신 상태에서 X선 초점과 필름 간의 거리는 1.8 m로 유지하고 심장혈관의 윤곽이 잘 나타나도록 촬영한다. 전후촬영인지 또는 후전촬영인지에 따라서 심장혈관의 윤곽이 변하기 때문에 사진 판독 시에 주의를 요하며, 정해진 규칙에 따라 사진에 전후, 좌우 표시를 한다.

2. 정상심장의 윤곽

1) 흉부X선 후전사진

흉부사진의 기본은 흉부 후전사진(chest posteroanterior radiograph)으로, X선이 환자의 등 쪽에서 투사되어 환자의 앞가슴에 위치한 필름에 투영되어 사진을 만든다. 흉부X선사진은 CT와 달리 심장과 대혈관이 한 장의 사진에 겹쳐서 투영되기 때문에 심장혈관 질환의 상태를 정확하게 해석하기 위해서 우수한 품질의 사진을 얻어야 하며, 해부학적 지식과 심장윤곽에 대한 이해가 필수적이다. 심장모양은 신생아에서는 구형(round)에 가까우며, 청년기에 세장형 또는 원뿔형의 성인 심장모양이 되고 장년 기를 지나면서 장화(boot)형태가 된다. 유아기에는 흉선이 큰 상태로 남아있기 때문에 흉부X선사진에서 심장비대와 유사한 소견을 보일 수 있다[2]. 상부 종격의 우측 경계는 우측 팔머리정맥(right brachiocephalic vein)에 의해 형성되고, 좌측 경계는 좌측 쇄골하 동맥(left subclavian artery)과 좌측 팔머리정맥(left brachiocephalic vein)으로 구성된다. 심장윤곽은 우측 경계의 상부에서부터 상대정맥(superior vena cava), 상행대동맥, 우심방이(right atrial appendage), 우심방의 순서로 이루어진다. 하부는 우심방에 의해 형성되며 외측으로 불룩한 곡선형태를 보인다. 심장의 우측 성계가 횡격막과 만나는 우측 심상횡격막각(right cardiophrenic angle)에서는 우심방으로 유입되는 하대 정맥(inferior vena cava)의 일부가 우측 경계를 형성한다. 심장의 좌측 경계는 상부에서부터 대동맥, 폐동맥, 좌심방이(left atrial appendage), 좌심실의 순서로 이루어진다[3]. 정면사진에서 대동맥활(aortic arch)의 좌측 상연의 가장 돌출된 부위는 대동맥마디(aortic knob)를 형성한다. 대동맥활 바로 아래로 약간 돌출된 부위는 주폐동맥(main pulmonary artery)과 좌측 폐동맥(left pulmonary artery)으로 구성된 폐동맥원뿔(pulmonary conus)이 위치한다. 좌심방이는 좌심방과 연결된 구부러진 손가락 모양의 구조물로 주폐동맥을 뒤에서 감싸듯이 위치하며, 그 앞부분이 폐동맥원뿔 아래로 좌심실 경계와 만나는 부위에서 심장의 좌측 경계의 한 부분을 형성한다. 좌측 경계의 아래 부위는 좌심실(left ventricle)에 의해 형성되며, 심장꼭지는 좌측 횡격막의 중간 부위에서 서로 접해있다(그림 18-1). 우심실(right ventricle)은 심장의 경계를 구성하지 않는다[4].

2) 흉부X선 측면사진

심장과 대혈관을 관찰하기 위해서는 심장의 확대가 비교적 적은 좌측 측면사진(left lateral radiograph)을 이용한다. 좌측 측면사진은 환자의 좌측면에 카세트를 장착하고 X선속이 환자의 우측에서 좌측으로 투과하도록 촬영한다. 측면사진에서 심장혈관의 전면경계는 상행대동맥, 주폐동맥의 일부가 포함된 우심실유출로(right ventricle outflow tract) 및 우심실로 구성된다. 상행대동맥의 전면경계는 전흉벽(anterior chest wall)을 형성하는 흉골(sternum) 뒤에서 공기로 채워진 폐

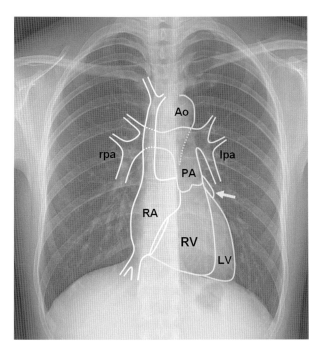

■ 그림 18-1. 흉부X선 후전사진에서 심장윤곽
우측 경계는 상대정맥, 우심방(RA), 하대정맥의 일부에 의해 형성된다.
좌측 경계는 대동맥활(Ao), 폐동맥원뿔, 좌심방이(화살표), 좌심실(LV)
로 구성된다. rpa = 우측 폐동맥, RV = 우심실, PA = 주폐동맥, lpa = 좌
측 폐동맥

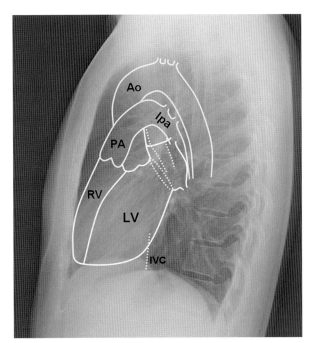

■ 그림 18-2. 흉부X선 측면사진에서 심장윤곽
심장의 전면경계는 우심실(RV)로 구성되며 흉벽과 접해있다. 후면의 심
장기저는 좌심방과 대혈관으로 구성된다. 좌측 폐동맥은 좌측 폐 상엽기관
지를 위로 감싸면서 활을 형성하고, 우측 폐동맥은 우측 폐 상엽기관
지 하부를 비스듬히 지나면서 아래쪽으로 향한다. Ao = 대동맥, PA = 주
폐동맥, LV = 좌심실, IVC = 하대정맥

조직과 접해있어서 경계가 뚜렷하다. 그러나 전면 하부의 심장경계는 심낭 주위의 지방 조직과 함께 흉벽에 접해 있어
경계가 소실되어 보인다. 심장의 후면경계는 좌심방과 좌심실로 구성된다[4]. 좌심방 부위는 폐정맥과 폐동맥이 겹쳐서
경계가 잘 그려지지 않는다. 대동맥은 활 모양을 형성하며 흉추와 겹친다. 대동맥활 아래로 좌측과 우측 폐동맥이 주폐
동맥에서 분지한다. 좌측 폐동맥은 좌측 폐 상엽기관지를 위로 감싸면서 활을 형성하고, 우측 폐동맥은 우측 폐 상엽기
관지 하부를 비스듬히 지나면서 아래쪽으로 향한다. 후면경계의 아래부위는 좌심실로 구성되며 횡격막과 접하는 부위
에서 우심실로 유입되는 하대정맥에 의해 짧은 직선음영을 관찰할 수 있다(그림 18-2)[5].

3. 징싱심장의 크기

심장의 크기는 심주기, 환자의 자세, 촬영 상태, 환자의 호흡 등에 따라 다양하게 관찰된다. 누워서 촬영하거나 전후촬영
사진, 숨을 내쉰 상태, 복부팽만 또는 비만형일 때 심장윤곽은 커진다. 폐쇄폐질환이 있거나 흉관내압이 상승하면 심장
크기는 작아진다[6]. 심주기에 따라 약 1.7 cm까지 심장의 크기가 다르게 촬영된다. 흉부X선사진에서 심장크기는 심장
의 최대횡경을 흉강의 최대내경으로 나눈 값인 심장가슴비(cardiothoracic ratio, CTR)로 나타내며(그림 18-3), 정상성인
은 대개 0.5 이하이다. 신생아는 0.6 이상이라도 정상일 수 있으며 소아는 일반적으로 0.6 이하이다. 간혹 오목가슴(pec-
tus excavatum)이 있는 소아에서 심장이 눌리면서 좌측으로 전위되어 심장윤곽이 확대되어 관찰될 수 있다(그림 18-4).

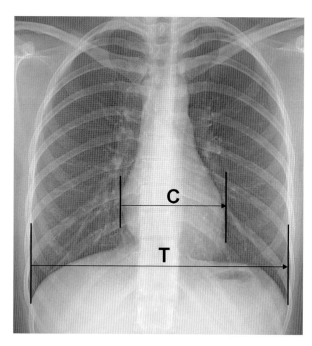

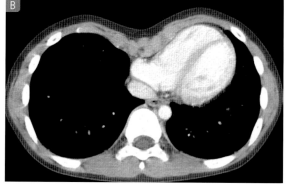

■ 그림 18-3. **흉부X선사진에서 심장크기 측정**
심장(C)과 흉곽(T)의 직경을 측정하여 비율로 계산한다[CT(cardiothoracic) ratio = C/T].

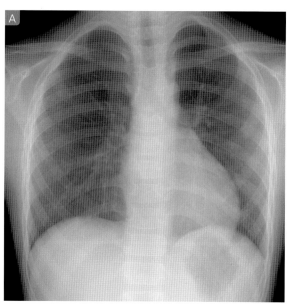

■ 그림 18-4. **오목가슴**
A. 흉부X선사진. 심장이 전흉벽에 눌리면서 좌측으로 전위되어 보인다. **B.** CT사진. 전흉벽에 의해 우심실이 압박되고 있다. 심장은 좌측으로 전위되어 있지만 크기는 정상이다.

⑪ 흉부X선사진에서 심장크기 변화

흉부X선사진은 심비대 유무를 판단하는데 유용하나, 특정 심실 또는 심방의 크기변화를 진단하는 것은 쉽지 않다. 그러

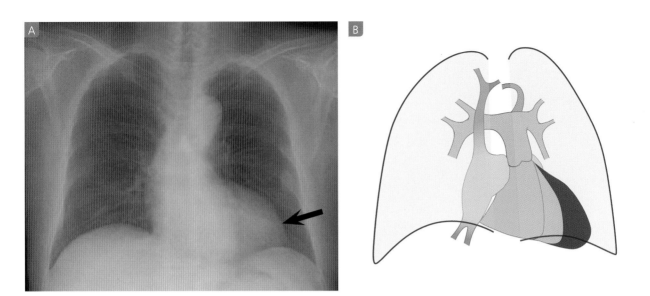

■ 그림 18-5. **좌심실비대**
A. 흉부X선사진. 좌심실이 커지면서 심장꼭지가 둥글고 좌측 아래로 이동한다(화살표). **B.** 심장꼭지를 중심으로 좌심실이 늘어난 그림.

나 각 심실, 심방의 크기 증가 시 보일 수 있는 특징을 숙지하는 것은 중요하다.

1. 좌심실비대

원뿔형으로 생긴 좌심실은 벽이 두껍고 단축(short axis) 사진에서 원형에 가까운 단면을 보인다. 우심실에 비해서 작은 근육기둥(trabeculation)의 발달이 미약하다. 두 개의 첨판(leaflet)으로 구성된 승모판막(mitral valve)을 통해서 혈액이 유입되고 대동맥판막(aortic valve)을 통해서 혈류가 나간다. 승모판막의 양측 첨판은 두 개의 유두근(papillary muscle)에 의해 고정되어 있으며, 전 첨판은 폭이 넓지만 후 첨판은 폭이 좁고 길다. 승모판막과 대동맥판막은 서로 맞닿아 있으며 섬유고리(fibrous annulus)를 공유한다. 좌심실비대는 흉부X선사진에서 심장이 전반적으로 크게 관찰되며, 심장꼭지는 좌측 하방으로 이동하고 횡격막 돔(dome)보다 아래쪽에 위치하는 경우가 많다. 상행대동맥은 우측경계가 불룩해지는 것이 보통이지만, 주폐동맥이나 우심실유출로는 정상이다. 흉부X선 측면사진에서 심장의 전후 직경이 증가하고 심장후면이 하대정맥보다 1.5 cm 이상 뒤쪽으로 불룩해진다(그림 18-5).

2. 우심실비대

우심실은 원뿔모양의 좌심실을 감싸면서 흉곽 안에서 우측 앞쪽에 위치한다. 우심실은 벽에 붙어있는 작은근육 기둥(trabeculation)들이 좌심실에 비해 발달되어 있다. 이 중에서 심실간중격(interventricular septum)에 붙어서 가장 발달된 것이 중격변연작은근육기둥(trabecular septomarginalis)인데 앞쪽으로 우심실 전벽을 향하는 조정띠(moderate band)와 연결되며, 위쪽으로 고무줄새총모양(Y shape)의 갈라진 두개의 근육질로 구성된 심실위능선(crista supraventricularis)과 연결된다. 세 개의 첨판으로 구성된 삼첨판막(tricuspid valve)을 통해서 혈액이 유입되며 원뿔모양의 깔때기(infundibu-

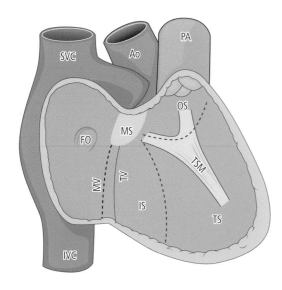

■ 그림 18-6. **우심실 내부모양**

삼첨판막으로 유입된 혈류는 깔때기를 지나서 폐동맥판막으로 나간다. 중격변연작은근육기둥(TSM)은 위쪽으로 심실위능선과 연결되고, 앞쪽으로 우심실 전벽을 향하는 조정띠와 연결된다. 대동맥은 심실위능선에 걸터앉아 있는 형상을 취한다. SVC = 상대정맥, IVC = 하대정맥, FO = 난원공, MV = 승모판막, TV = 삼첨판막, IS(inlet septum) = 유입구중격, TS(trabecular septum) = 근육부중격, OS(outlet septum) = 유출구중격, MS(membranous septum) = 막성부중격, Ao = 대동맥, PA = 폐동맥

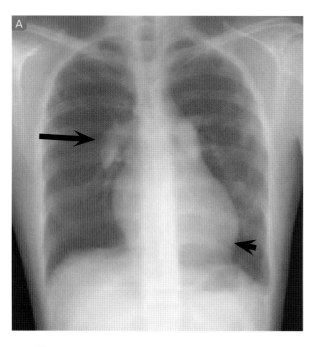

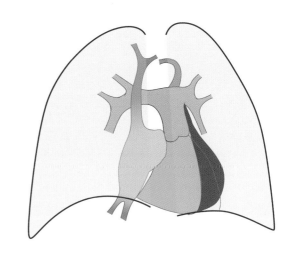

■ 그림 18-7. **우심실비대**

A. 흉부X선사진. 우심실이 커져서 심장꼭지가 좌측으로 이동하여 횡격막 위로 들려 보인다(화살촉). 중심부 폐동맥이 늘어나서 콤마형태를 보인다(화살표). 말 부 폐동맥은 수축되어 작게 관찰된다. **B.** 우심실과 우심실유출로가 늘어난 그림

lum)를 거쳐서 폐동맥판막(pulmonary valve)으로 혈류가 나간다(그림 18–6).

우심실이 비대해지면 심장은 시계방향으로 회전하고 심장꼭지가 좌측으로 이동하면서 횡격막 위로 올라간다. 주폐동맥과 우심실유출로(right ventricle outflow tract)가 함께 늘어난다(그림 18–7). 흉부X선 측면사진에서 심장은 전후직경이 늘어나며, 흉골후방공간(retrosternal space)이 점차 소실된다.

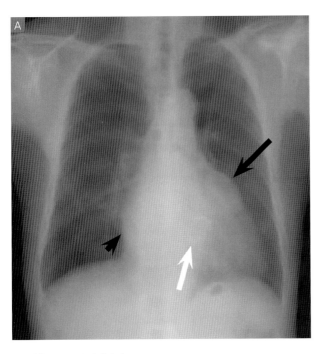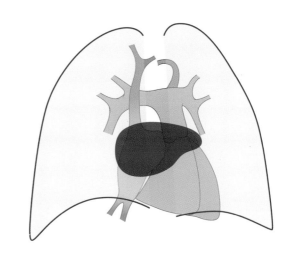

■ 그림 18-8. **좌심방비대**

A. 흉부X선사진. 좌심방이 확장되면서 우측 심장경계를 따라서 이중음영(화살촉)이 관찰되고 기관분지각(carinal angle)이 넓어져 있다. 심장 좌측경계의 중간부위가 늘어난 좌심방이(left atrial appendage)(검정 화살표)에 의해 불룩하게 보인다. 승모판은 인공판막으로 대체되어 있다(흰 화살표). **B.** 좌심방이 늘어난 그림

3. 좌심방비대

좌심방은 심장의 가장 뒤쪽에 위치하며, 벽이 비교적 매끈하고 폐정맥이 유입되는 부분과 구부러진 손가락 모양의 좌심방이(left atrial appendage)를 포함하고 있는 부위로 나뉜다. 좌심방이는 주폐동맥을 뒤에서 감싸듯이 위치하며 심장의 좌측 경계의 일부를 형성한다. 정맥을 통해서 유입된 혈류는 앞쪽 아래쪽을 향하고 있는 승모판막을 통해서 좌심실로 유출된다. 흉부X선사진에서 좌심방이 확장되면 우측 심장경계를 따라서 좌심방의 둥근 음영이 겹쳐지면서 이중음영(double contour)을 보인다. 좌측 주기관지가 위쪽으로 밀리면서 기관분지각(carinal angle)이 90° 이상으로 증가한다. 좌심방이 심하게 확장되면 좌심방이도 함께 늘어나서 심장 좌측경계의 중간부위가 불룩하게 튀어나온다(그림 18-8).

4. 우심방비대

우심방은 정맥들이 유입되는 뒤쪽의 정맥동(sinus venosus)과 작은근육기둥들이 일부 남아 있는 앞쪽의 우심방이(right atrial appendage)로 구성된다. 상대정맥(superior vena cava), 하대정맥(inferior vena cava), 관상정맥동(coronary sinus) 등이 유입된다. 우심방이 확장되면 우측 심장경계의 아래쪽이 불룩해진다(그림 18-9). 반대로 위쪽경계는 심장이 시계방향으로 회전하고 상대정맥이 내측으로 전위되면서 정상보다 잘록하게 보일 수 있다.

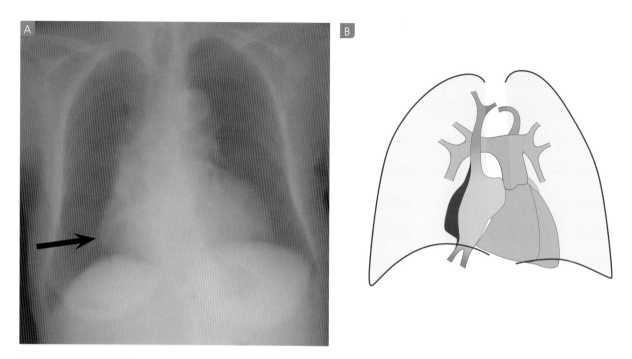

■ 그림 18-9. **우심방비대**

A. 흉부X선사진. 심장의 우측경계가 불룩해져 있다(화살표). 흉부 대동맥은 늘어나서 구불구불하게 관찰된다. **B.** 우심방이 늘어난 그림

5. 전심장비대(global cardiac enlargement)

고령의 경우 오랜 기간 지속된 관상동맥질환에 의해 발생하며, 젊은 사람의 경우 심근병증에 의한 경우가 많다. 심장이 전체적으로 커지며, 심막삼출과 유사한 형태를 보인다.

Ⅲ 폐순환의 흉부X선사진

1. 정상 폐혈관

폐혈관은 폐동맥, 폐정맥, 기관지동맥으로 구성된다. 흉부X선사진에서 관찰되는 구조물은 주로 폐동맥과 폐정맥이며, 기관지동맥은 정상의 경우 관찰되지 않는다. 폐동맥은 주폐동맥(main pulmonary artery), 좌측과 우측의 심장 막내폐동맥(intrapericardial pulmonary artery), 폐문폐동맥(hilar pulmonary artery)을 거쳐서 양측 폐로 분지한다.분지하는 형태는 두 갈래로 갈라지는(dichotomous branching) 양상으로 폐야 가장자리 1/3 이내까지 규칙적인 직경 감소를 보인다. 폐정맥은 단축분지(monopodial branching) 방식으로 합쳐지며, 하폐정맥은 가로로 배열하면서 좌심방으로 합류한다(그림 18-10)[7]. 기정맥(azygos vein)은 흉부X선사진에서 기관(trachea)이 우측 주기관지(main bronchus)로 이행하는 부위에서

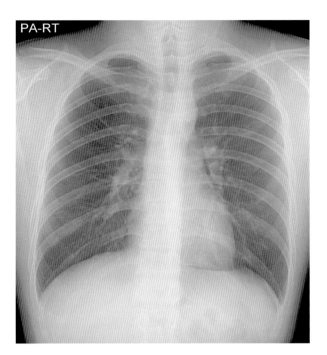

■ 그림 18-10. **정상폐혈관 분포**
폐동맥은 기관지를 따라서 분포하며 두 갈래로 갈라지는 양상으로 분지
한다. 폐정맥은 폐동맥보다 낮게 위치하며 좌심방으로 유입된다. 폐동맥
과 달리 단축분지 방식으로 합쳐진다.

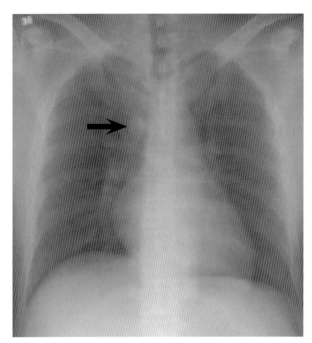

■ 그림 18-11. **기정맥(azygos vein)**
바로 누운 자세에서 촬영한 흉부X선사진에서 기정맥이 1 cm 이상으로
증가하였다(화살표).

상대정맥으로 합류하는 물방울 모양의 음영으로 관찰되며, 정상인은 직경이 약 1 cm 이내이다. 우심방 압력이 증가하는
환자에서 직경이 늘어나지만, 노년기 혹은 장시간 누워서 생활하는 환자에서 직경이 증가할 수 있다(그림 18-11).

2. 정상 폐혈류

폐혈류량은 우심실 배출량(output), 폐혈관저항, 폐포압과 폐동맥-폐정맥압 간의 차이, 좌심방압력 등 다양한 원인에 의
해 영향을 받는다. 서서 지내는 시간이 많은 성인에서 폐관류는 폐하부가 폐첨부에 비해 상대적으로 많다. 정수압(hy-
drostatic pressure)도 폐하부가 20-30 cm H2O로서 폐첨부에 비해서 높게 측정된다. 이러한 소견은 흉부X 선사진에서
폐하부의 폐혈관음영이 폐첨부보다 현저한 형태로 관찰된다(caudalization). 폐의 위치에 따라 공기로 차있는 폐포압, 폐
동맥압, 폐정맥압의 관계를 살펴보면, 폐첨부는 폐포압 > 폐동맥압 > 폐정맥압, 폐중간부는 폐동 맥압 > 폐포압 > 폐정
맥압, 폐하부는 폐동맥압 > 폐정맥압 > 폐포압의 관계가 된다(그림 18-12).

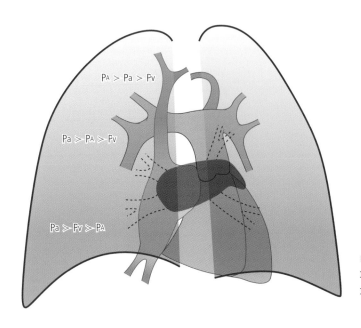

PA > Pa > Pv

Pa > PA > Pv

Pa > Pv > PA

■ 그림 18-12. **폐동맥압(Pa), 폐정맥압(Pv), 폐포압(PA)의 관계**
폐기저에서 폐동맥압이 높고 폐첨부는 폐포압이 높다. 폐혈류는
폐기저부가 제일 많고 폐첨부로 갈수록 감소한다(caudalization).

Ⅳ 폐혈관질환의 흉부X선사진

1. 폐고혈압(pulmonary hypertension, PH)

폐고혈압은 폐순환계의 압력이 비정상적으로 상승한 상태를 말하며, 휴식기 평균 폐동맥압이 25 mmHg보다 높을 때 진단한다. 2013년에 개정된 세계보건기구(World Health Organization)의 분류법에 의하면, 폐고혈압은 동반되는 질환의 원인에 따라 크게 5가지로 분류된다. 제1군은 폐동맥고혈압(pulmonary arterial hypertension, PAH), 제2군은 좌심장질환에 의해 2차적으로 생긴 폐고혈압(PH due to left heart disease), 제3군은 폐질환이나 이에 동반된 저산소증에 의해 2차적으로 생긴 폐고혈압(PH due to lung disease and/or chronic hypoxia), 제4군은 혈전에 의해 폐동맥이 막혀서 생기는 폐고혈압(PH due to blood clots in the lungs), 마지막으로 제5군은 혈액질환이나 다른 복합적인 원인에 의해 생기는 폐고혈압(PH due to blood and other miscellaneous disease)이다. WHO분류는 폐고혈압을 일으키는 원인을 파악하고 질병의 진행과 필요한 치료에 영향을 미치는 원인들을 파악하는데 도움이 된다[7-1].

흉부X선사진에서 주폐동맥과 좌·우 폐동맥의 팽대가 관찰되며, 종종 우심실·우심방 비대가 동반된다[10]. 폐혈관의 변연은 분명하고, 점차 가늘어지는(gradual tapering) 양상을 보인다(그림 18-13A). 폐혈관 저항이 증가하여 생기는 폐동맥고혈압은 중심부 탄력 폐동맥은 늘어나지만 말초부 근육 폐동맥은 수축한다. 따라서 폐문폐동맥이 따옴표 모양(comma shape)으로 변한다.

1) 폐동맥고혈압(pulmonary arterial hypertension, PAH)

폐동맥고혈압(pulmonary arterial hypertension, PAH)은 전모세혈관(precapillary)이 좁아져서 폐동맥의 압력이 증가한 경우를 지칭하며, 폐모세혈관 쐐기압은 15 mmHg 이하이다[8]. 특발폐동맥고혈압(idiopathic pulmonary hypertension)은 뚜렷한 원인 없이 내피세포와 혈관평활근세포의 증식으로 폐동맥이 폐쇄되어 폐동맥 고혈압을 초래한다. 운동시 호흡

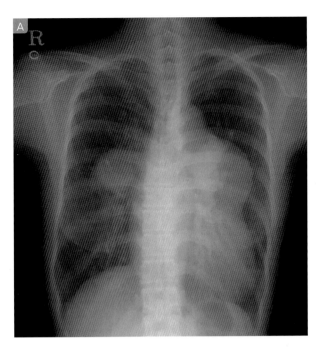

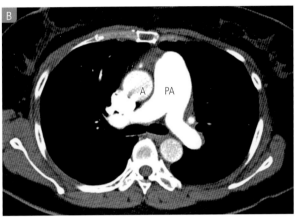

■ 그림 18-13. **폐동맥 고혈압**
A. 심장은 커져있고 폐동맥은 전체적으로 심하게 늘어나 있다. **B.** CT에서 주 폐동맥(35mm)은 상행대동맥(28mm)보다 직경이 늘어나 있어서 폐동맥고 혈압을 시사한다. A=aorta, PA=main pulmonary artery.

곤란이 흔하며, 피로감, 실신, 흉통, 기침 등이 동반될 수 있다. 제1군에 포함되는 다른 질환군으로 가족 혹은 유 전적 요인에 의한 폐고혈압(familial or heritable PH), 특 정한 약물이나 독소, 피부경화증, 루푸스 등에 동반되는 폐동맥고혈압이 있다. 또한 폐정맥폐쇄질환(pulmonary veno-occlusive disease, PVOD), 폐모세혈관종증(pulmo-nary capillary hemangiomatosis, PCH) 등에서도 폐동맥 고혈압이 동반된다.

폐동맥 고혈압이 장시간 지속되면 말초폐동맥이 두꺼 워지면서 혈관내막과 중막에 섬유화가 발생하고 혈관저 항이 증가하게 된다. CT에서 주폐동맥의 직경이 29 mm 이상이거나 상행내동맥의 직경보다 클 경우 의심할 수 있으며, 중심부 폐동맥의 팽대도 관찰할 수 있다(그림 18-13B). 폐실질은 관류의 차이에 의해 모자이크감쇄양상이 관찰된다. 이때 관류가 감소한 부위의 음영이 감소한다[8].

2) 좌심장질환과 동반된 폐고혈압(pulmonary hypertension due to left heart disease)

폐고혈압은 좌심장질환에 의해 2차적으로 생길 수 있다. 좌심실의 지속적인 기능 이상이나 승모판막 질환, 좌심방 종 괴 등과 같이 좌심방 압력이 높은 질환에서 폐정맥 고혈압이 발생한다[11]. 좌심방 압력이 상승하면 상대적으로 정수압

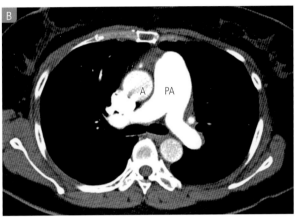

■ 그림 18-14. **폐혈류 재분포**
좌심실부전으로 심장이 크고 폐혈관의 재분포가 관찰된다. 좌심방비대 로 기관분지각이 증가하고, 우심방도 늘어나 있다.

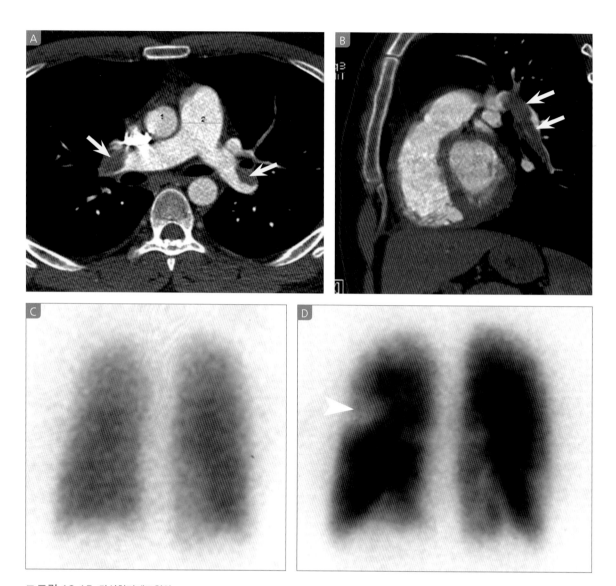

■ 그림 18-15. 만성혈전폐고혈압

A. 주폐동맥(2)이 상행대동맥(1)보다 커져 있고 폐혈관 내에서 혈전(화살표)이 관찰된다. **B.** 우심실 벽이 두꺼워지고 좌심실은 D자모양을 보인다. 좌폐동맥에 심한 혈전(화살표)이 관찰된다. **C.** 폐환기사진에서 음영결손은 관찰되지 않는다. **D.** 폐관류사진에서 쐐기모양의 음영결손(화살촉)이 폐말초에 관찰되어 폐환기/관류검사 불일치를 보인다.

이 높은 폐기저에서 모세혈관이 수축하고 혈류저항이 증가하면서 정수압이 낮은 폐첨으로 폐혈류의 재분포(redistribution)가 일어난다. 폐혈류의 재분포로 인해 폐첨의 폐혈관들이 확장되어 폐기저의 폐혈관들과 굵기가 같거나 더 커진다 (cephalization)(그림 18-14)[12]. 폐정맥 고혈압이 장시간 지속되면 모세혈관 수축이 심해지고 말초 폐동맥 수축으로 인하여 폐동맥 고혈압이 동반된다(centralization).

3) 폐질환과 동반된 폐고혈압(pulmonary hypertension due to lung disease and/or chronic hypoxia)

폐고혈압은 만성적인 폐질환이나 지속적인 저산소증에 의해서도 유발된다. 저산소증으로 인해서 폐혈관이 수축되며,

동반된 폐질환으로 폐포압이 심하게 증가하면 주변의 모세혈관이 눌려서 폐동맥에 대한 혈류저항이 증가한다. 제3군에 포함되는 폐질환으로 만성폐쇄폐질환(chronic obstructive pulmonary disease, COPD), 간질폐질환(interstitial lung disease), 수면장애호흡질환 혹은 수면무호흡증(sleep-disordered breathing disease or obstructive sleep apnea), 만성 고고도 노출(chronic high-altitude exposure) 등이 있다.

4) 폐색전과 동반된 폐고혈압(pulmonary hypertension due to blood clots)

만성혈전폐고혈압(chronic thromboembolic pulmonary hypertension, CTEPH)은 혈전에 의해 폐고혈압을 일으키는 대표적인 질환이다. 폐혈관색전증(pulmonary thromboembolism)은 다양한 크기의 폐동맥혈관들이 혈전에 의해 막히는 병으로 급성기를 지나서 만성적으로 혈관을 막게 되면 폐고혈압을 유발한다[9]. CT에서 주폐동맥의 직경이 상행대동맥보다 더 커지고 폐동맥내에 다양한 혈전이 관찰된다. 폐동맥압력이 증가하면 우심실벽이 두꺼워지고 좌우 심실격벽이 편평해지면서 좌심실의 모양이 D자모양으로 보인다(그림 18-15A, B). CT검사와 더불어 폐환기/관류 검사에서 음영 불일치를 보이는 쐐기모양의 음영결손이 폐말초에 관찰되면 만성혈전폐고혈압 진단에 도움을 줄 수 있다(그림 18-15C, D).

5) 혈액 혹은 다른 복합적 질환과 동반된 폐고혈압(pulmonary hypertension due to blood and other miscellaneous disorders)

임상적으로 흔하게 관찰되지는 않지만 만성적인 빈혈이나 갑상선질환 같은 대사장애, 폐를 침범하는 전신질환으로 유육종증(sarcoidosis), Langerhan세포조직구증(Langerhan cell histiocytosis), 신경섬유증(neurofibromatosis), 혈관염(vasculitis), 림프관평활근종증(lymphangioleimyomatosis) 등의 다양한 질환군이 포함된다.

2. 폐동정맥기형

폐동정맥기형(pulmonary arterio-venous malformation)은 폐동맥과 폐정맥이 모세혈관망을 통하지 않고 직접 연결되는 기형이다. 여성에서 더 많으며, 대부분 선천성으로 발생한다. 증상은 없는 경우가 많으나, 우-좌 단락에 의한 호흡곤란, 청색증, 객혈 등이 발생할 수 있다. 2/3 이상에서 폐하엽에 발생하며 10-30%는 양측성으로 발생한다[13]. 영양혈관(feeding vessel)이 확장되며 크기는 1-5 cm로 다양하다. 흉부X선사진에서 늘어난 혈관덩어리가 경계가 분명한 종괴를 형성하며, 주위에 종괴와 연결된 늘어난 영양혈관과 폐정맥이 구불구불하게 들어오고 나간다(그림 18-16). 일부는 Osler-Weber-Rendu syndrome이라 불리는 유전성 출혈성 모세혈관 확장증(hereditary hemorrhagic telangiectasia)과 연관이 있으며, 여러 개의 동정맥기형이 발견될 수 있다. 출혈과 역설적 색전(paradoxical embolism)이 가장 중요한 합병증이다[14].

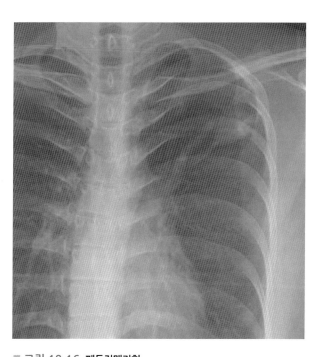

■ 그림 18-16. 폐동정맥기형
3.5 cm 크기의 종괴가 좌측 상폐야에 관찰되며 불규칙하게 늘어난 혈관음영이 종괴와 연결되어 있다.

3. 폐동맥류

폐동맥류(pulmonary artery aneurysm)는 대부분 중간크기 이상의 폐동맥과 관련되며, 주변 폐동맥과 비교하여 직경이 50% 이상 증가한 경우 진단한다. 주폐동맥은 직경이 4.5 cm 이상일 때, 좌/우 폐동맥은 직경이 3 cm 이상일 때 의심할 수 있다. 폐동맥 고혈압, 마르판증후군(Marfan's syndrome), 베흐체트병(Behcet's disease), 결절다발동맥염(polyarteritis nodosa) 등이 원인이 된다. 말초부에 생긴 다발폐동맥류는 곰팡이 감염과 관련이 있다. 결핵성동맥류(Rasmussen's aneurysm)는 만성폐결핵의 후유증으로 발생하며 주로 상폐야에 관찰된다. 객혈이 가장 중요한 합병증이며, 종종 위험할 수 있다.

4. 폐심장증

폐심장증(cor pulmonale)은 폐쇄폐질환이나 폐실질조직 섬유화로 인해 폐포모세혈관막(alveolocapillary membrane)을 통한 산소교환에 장애를 유발하는 질환이다. 저산소증에 의한 폐동맥 수축은 폐혈관 저항을 증가시키고 폐동맥 고혈압을 초래하여 우심실이 비대해진다. 흉부X선사진에서 폐동맥 고혈압 소견인 중심부 탄력 폐동맥 확장과 말초부 근육 폐동맥 수축이 나타난다(centralization). 동반된 폐실질 병변을 관찰하는 것이 중요하다[15].

Ⓥ 대동맥질환의 흉부X선사진

흉부 대동맥은 나이가 들면서 길이가 늘어나 구불구불해진다. 퇴행으로 인한 석회화가 흉부X선사진에 나타날 수 있으며, 중년의 환자에서 석회화는 의미 있는 동맥경화의 징후로 간주된다. 흉부 대동맥의 석회화는 관상동맥 질환을 동반할 수 있기 때문에 주의 깊은 관찰이 필요하다

1. 급성대동맥증후군

급성대동맥증후군은 급성 흉통을 일으키는 대동맥질환군을 일컬으며, 대동맥박리(aortic dissection), 대동맥벽출혈(aortic intramural hematoma), 관통동맥경화궤양(penetrating atherosclerotic ulcer), 대동맥류파열(ruptured aortic aneurysm) 등이 속한다. 환자는 흉통을 주소로 응급실을 내원하게 되며, 임상적으로 정확한 진단과 신속한 치료가 필요하다. 흉부 X선사진은 동맥의 확장, 동맥벽석회반의 이동 등을 보일 수 있으나, 대동맥증후군의 평가에 있어 역할이 제한적이며 진단의 민감도 및 특이도가 높지 않다[16].

1) 대동맥박리
대동맥박리는 대동맥증후군 중 가장 흔하며, 대동맥 중막의 구조적 결함이나 변성으로 인해 내막이 파열되고, 혈액이 중막으로 유입됨으로써 대동맥이 박리되는 질환이다. 대부분의 환자에서 고혈압의 병력을 가지고 있다. 스탠포드 분류법(Stanford classification)과 드베키 분류법(Debakey classification)을 이용하여 분류하며, 치료법과 직접적으로 연관되어 있는 스탠포드 분류법이 더 널리 사용된다. 스탠포드 분류법은 대동맥박리를 상행대동맥과 대동맥 활을 침범한 Type A

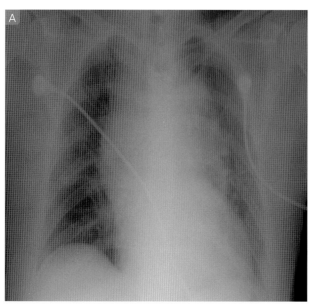
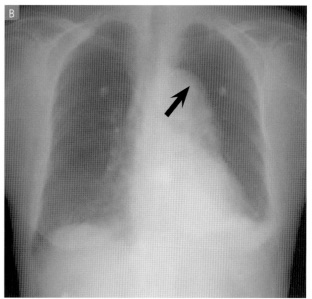

■ 그림 18-17. **대동맥박리**
A. 57세 남자 환자에서 늘어난 대동맥에 의해 상종격이 확장되어 있다. **B.** 63세 여자 환자에서 상종격동의 확장은 심하지 않지만 대동맥마디 근처에서 내막석회화가 대동맥 외연으로부터 1 cm 정도 떨어져 있다(화살표). 좌측에 흉막삼출이 관찰된다.

와 하행대동맥만을 침범한 Type B로 구분하며, Type A 대동맥박리는 수술적 치료가 필요하다[17]. 흉부X선사진에서 대동맥박리를 직접 진단하기는 어렵다. 대부분 늘어난 대동맥에 의해 상종격이 확장되고 대동맥 음영이 불규칙해진다.

내막의 석회화가 동반된 경우 중막과 분리된 내막에 의해 내막의 석회화가 1 cm 이상 변위(intimal calcification sign)되기도 한다(그림 18-17). 40세 이하 환자에서는 유전적 요인이 관여하여 낭성중막괴사(cystic medial necrosis)나 마르판증후군(Marfan's syndrome)등에서 대동맥박리가 발생할 수 있으며, 대부분 대동맥근위부(aortic root)의 비대를 동반한다. 대동맥근 위부의 비대는 흉부X선사진에서 진단이 쉽지 않고 단지 심장이 커진 것처럼 보인다. 대동맥벽출혈, 관통동맥경화궤양 등도 흉부X선사진에서 진단이 쉽지 않다.

2) 대동맥류

흉부 대동맥류(aortic aneurysm)는 혈관벽이 국소적 혹은 넓은 범위에서 늘어난 것을 말하며, 고혈압, 마르판증후 군(Marfan's syndrome), 이판성대동맥 판막(Bicuspid aortic valve), 동맥경화증, 매독, 터너 증후군(Turner syndrome) 등이 원인이 된다. 병리학적으로 진성동맥류(true

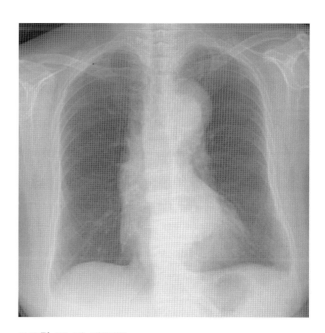

■ 그림 18-18. **대동맥류**
경계가 명확한 둥근 음영이 대동맥마디 근처에서 관찰되고 있다. 종격종괴와 감별이 필요하다.

aneurysm)와 가성동맥류(pseudoaneurysm)로 나뉘며, 진성동맥류는 혈관벽을 이루고 있는 내막(intima), 중막(media), 외막(adventitia)의 세 개 층이 모두 유지된 상태에서 동맥벽이 확장된다. 주로 중막이 약화되면서 생기기 때문에 방추형의 동맥류를 형성한다. 가성동맥류는 혈관벽을 이루고 있는 세 개의 층에서 한층 이상의 막이 손상된 상태에서 비대가 일어난다. 국소적이면서 비대칭적으로 오는 경우가 많고, 주머니(saccular) 형태의 동맥류를 형성한다. 흉부X선사진에서는 대동맥의 음영이 국소적으로 돌출하거나 동맥의 외측경계가 물결모양으로 불규칙하게 보인다(그림 18-18). 종격동음영이 넓어지거나, 기도가 치우치기도 하나 대동맥류의 크기가 작을 경우 이상소견을 찾기 어렵다. 대동맥활이나 하행흉부 대동맥에 발생한 동맥류는 종격 종괴와 감별이 어려운 경우가 있으며 흉부X선사진만으로는 감별이 쉽지 않다. 조영증강 CT는 대동맥류의 유무, 위치, 크기 등을 평가하는 데 유용하며, 3D 영상을 통해 보다 정확한 분석이 가능하다. 대동맥류가 파열되면 종격이 급격하게 확장되고 다량의 흉수가 관찰된다. 임상적으로 대부분의 환자가 현장에서 갑자기 사망하기 때문에 검사가 진행되지 않는 경우가 많다.

Ⅵ 후천성 심장질환의 흉부X선사진

1. 허혈 심장질환

허혈 심장질환은 심장에서 필요한 산소 요구량에 비해 공급량이 부족한 경우 발생한다. 불균형 정도에 따라 심근은 허혈(ischemia) 상태로 유지되거나 심근이 괴사되어 회복 불가능한 경색(infarction) 상태로 진행된다. 임상적으로 증상이 없을 수 있으나, 흉통이 흔하며, 심하면 사망에 이른다. 가장 흔한 원인은 관상동맥 죽상경화증(atherosclerosis)으로 관상동맥이 좁아지거나 막혀서 생긴다. 관상동맥의 직경이 75% 이상 좁아지면 대부분의 경우 증상을 유발하지만, 50-75%

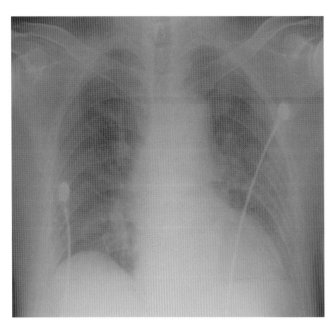

■ 그림 18-19. 급성심근경색
심장이 약간 커져 있고, 폐혈류의 재분포와 간질폐부종이 관찰된다.

인 경우에는 상황에 따라 증상이 다양하게 나타난다. 허혈 심장질환을 호소하는 대부분의 환자는 초기에 촬영된 흉부 X선사진에서 정상소견을 보인다. 심근의 허혈상 태가 지속되어 심장기능이 나빠지거나 심근경색으로 진행하면서 심근비대가 동반된다. 좌심실 기능이 저하되면 좌심방 압력이 증가하고 폐부종을 유발한다(그림 18-19). 좌심방 압력이 18 mmHg 이상 되면 간질폐부종(interstitial pulmonary edema)이 생기고, 25 mmHg 이상되면 폐포폐부종(alveolar pulmonary edema)으로 이행한다. 급성심근 경색이 유두근이 부착하는 좌심실 측면 또는 후벽을 침범하면 유두근이 파열될 수 있으며, 갑자기 생긴 승모판막폐쇄부전(mitral valve insufficiency)으로 다량의 역류된 혈류가 우측 상엽으로부터 유입되는 폐정맥의 압력을 증가시키면, 심비대가 발생하기 전에 우측 상엽에 국한된 급작스런 폐부종을 유발할 수 있다[18]. 심근경색의 합병증으로 심파열, 심낭삼출, 좌심실류(left ventride aneurysm), 유두근 파열, 심부전 등이 있다. 좌심실류 중 가성좌심실류가 심실파열의 위험이 더 크기 때문에 주의를 요한다. 흉부X선사진에서 심장의 일부분이 튀어나와 이중 음영으로 나타나면 의심할 수 있다.

2. 판막 질환

1) 승모판막협착
주된 원인은 류마티스열에 의한 판막염으로 여성에서 많이 발생한다. 첨판(leaflet)이 두꺼워지고 서로 융합되고 섬유화가 진행되면서 승모판구(mitral orifice)가 좁아져 판막을 통한 혈류에 장애를 받는다[19]. 퇴행 변화에 의한 판막질환에서도 협착이 동반될 수 있으나, 류마티스열에 의한 경우 첨판이 두꺼워지고 석회화가 더 자주 관찰된다. 좌심방에서 생긴

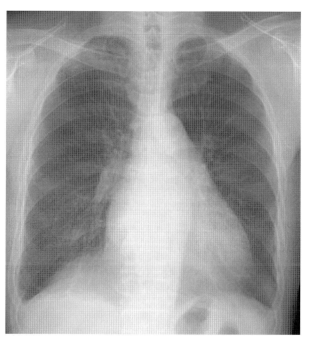

■ 그림 18-20. **승모판막협착**
좌심방비대로 심장기저부의 음영이 증가하고, 심장의 우측 경계에서 이중음영이 관찰된다.

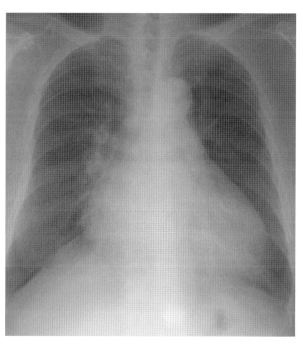

■ 그림 18-21. **승모판막폐쇄부전**
중등도의 심장비대와 더불어 좌심방과 좌심실이 동시에 커져 있다. 폐혈관의 재분포가 관찰된다.

점액종(myxoma)이 승모판막 근처에 생기거나 크기가 커져서 판막을 막게 되면 판막협착증과 유사한 혈류역학을 보일수 있다. 흉부X선사진에서 심장크기는 정상으로 보이며 좌심실은 커지지 않고 대동맥활과 상행 대동맥은 상대적으로 작아 보인다. 좌심방은 압력이 증가하면서 늘어나고, 심장기저부에서 증가된 음영과 심장의 우측 경계에 이중음영이 관찰된다(그림 18-20). 폐혈관은 재분포가 일어나며 폐정맥 고혈압이 지속되면 말초폐혈관의 수축으로 인하여 이차적으로 폐동맥 고혈압이 발생한다(centralization). 폐동맥 고혈압 단계가 오래 지속되면 우심실이 비후되고 우심방비대가 동반될수 있다. 좌심방 비대가 심해지면 승모판막고리(mitral annulus)도 함께 늘어나 승모판막폐쇄부전을 초래하기도 한다.

2) 승모판막폐쇄부전

승모판 첨판의 점액성 변성(myxomatous degeneration)에 의한 승모판막탈출(mitral valve prolapse), 첨판을 지지하는 끈(chordae)의 변형, 파열을 유발할 수 있는 허혈성 심질환, 감염심내막염 등에 의해 생긴다. 심장의 수축기에 첨판의 접합(coaptation)이 불완전하여 역류가 된 혈류는 좌심방과 좌심실에 용적과부하를 유도한다. 급성 승모판막 폐쇄부전 시에는 심장크기는 정상이나 폐정맥 울혈, 간질성 폐부종 소견을 보인다. 만성 승모판막폐쇄부전 시에는 심장이 커지고, 좌심방비대가 심하며 좌심실도 확장된다. 폐정맥 압력은 승모판막협착에 비해 경미하며, 폐동맥 고혈압까지 진행하는 경우는 드물다(그림 18-21)[20]. 폐혈관의 재분포와 더불어 가벼운 폐부종이 동반될 수 있다.

3) 대동맥판막협착

대동맥판막 질환은 후천적으로 퇴행질환, 감염질환, 류마티스질환 등이 관련된다. 다른 판막질환과 마찬가지로 류마티스질환에 의한 경우 첨판(cusp)이 두꺼워지고 서로 융합되는 반면에 석회화는 장시간 병이 지속된 경우에 발생한다[21]. 퇴행질환에 의한 경우 판막이 두꺼워지는 초기부터 석회화되는 빈도가 높다. 첨판이 일그러지면서 접합이 불완전하여 폐쇄부전을 동반하거나 승모판막 질환이 동반되는 경우가 많다. 이첨판으로 구성된 대동맥판막과 같이 선천기형이 있

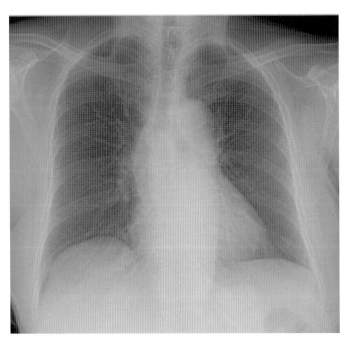

■ 그림 18-22. **대동맥판막협착**
심장크기는 정상에 가까우며, 늘어난 상행대동맥에 의해 종격 부위의 우측 심장경계가 돌출되어 보인다.

는 경우 대동맥판막 단독으로 협착이 생기는 빈도가 높다.대동맥판막협착을 가진 환자에서 심장크기는 좌심실부전이 동반되지 않으면 대부분 정상이다. 흉부X선사진에서 좌심실비대에 의해 심장꼭지와 심장의 좌측 하연이 둥글게 보이고, 대동맥판막이 위치하는 부위에서 불규칙한 석회화 음영이 관찰되는 경우가 흔하다. 판막협착에 의한 빠른 혈류로 상행대동맥이 늘어나(post-stenotic dilatation) 흉부X선사진에서 종격 부위의 우측 심장경계가 돌출되어 보인다(그림 18-22). 측면사진에서 공기음영을 가진 흉골뒤공간이 확장된 상행대동맥 음영에 의해 소실된다. 좌심실부전이 동반되면 심장은 비대해지고, 좌심방 압력이 증가하여 폐정맥 고혈압이 동반될 수 있다[20]. 승모판막협착에 의한 좌심방비대와 마찬가지로 대동맥판막협착에 의해 폐정맥 고혈압이 동반되면 폐혈관의 재분포가 일어나고 심하면 폐부종이 생길 수 있다[22].

4) 대동맥판막폐쇄부전

대동맥판막폐쇄부전은 대동맥판막 질환뿐만 아니라 대동맥벽 질환에 의해 이차적으로 생길 수도 있다. 대동맥판막 질환으로 퇴행판막질환, 감염심내막염(infective endocarditis), 류마티스심내막염(rheumatic endocarditis), 매독, 강직척추염(ankylosing spondylitis), 홍반루푸스(lupus erythematosus), 판막의 점액종변성(myxomatous degeneration)등이 있으며, 대동맥벽 질환에 의한 이차적인 원인으로 마르판증후군(Marfan's syndrome), 대동맥박리, 매독, 타카야수대동맥염(Takayasu's aortitis), 전신내막괴사증(systemic medial necrosis), 대동맥륜확장(annuloaortic ectasisa), 불완전골생성증(osteogenesis imperfecta), 고혈압, 류마티스관절염, 발살바동맥류(aneurysm of Valsalva sinus) 등이 있다[23]. 심장의 이완기에 첨판의 접합(coaptation)이 불완전하여 역류가 된 혈류는 좌심실에 용적과부 하를 유도한다. 흉부X선사진에서 좌심실과 상행대동맥이 함께 늘어난다(그림 18-23). 대동맥판막의 석회화가 관찰될 수 있으며 좌심실부전이 동반되면 좌심방이 확장되고 폐정맥 고혈압을 초래할 수 있다.

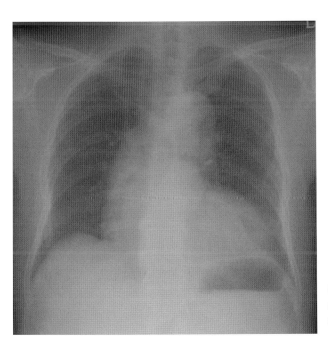

■ 그림 18-23. **대동맥판막폐쇄부전**
좌심실이 커져서 심장꼭지가 둥글고 좌측 아래쪽으로 늘어나 있다. 상행대동맥도 함께 확장되어 있으며 종격 부위의 우측 심장경계가 돌출되어 보인다.

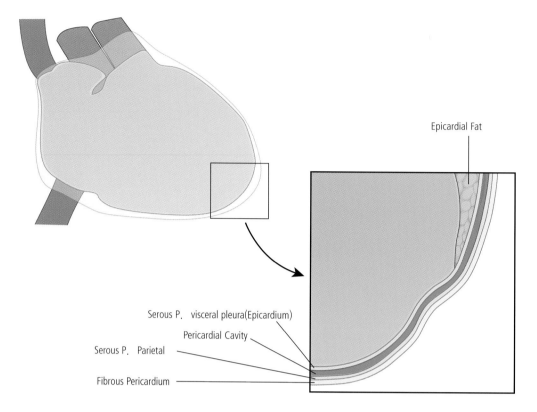

■ 그림 18-24. **심장막 구조**

심장막은 장액심장막(serous pericardium)과 섬유심장막(fibrous pericardium)으로 나뉜다. 장액심장막은 장측과 벽측심장막으로 구성되며 두 심장막
사이의 공간이 심막강(pericardial cavity)으로 물이 차는 공간이다.

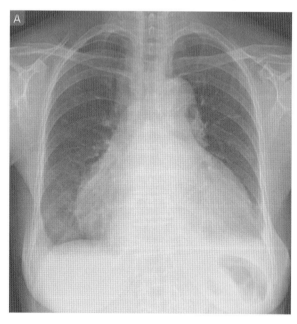

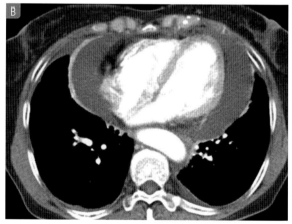

■ 그림 18-25. **심장막삼출**

A. 흉부X선사진. 심장의 윤곽이 전반적으로 확장되어 좌측과 우측의 심장 외연
이 대칭적으로 커져있다. 약간의 흉막삼출과 간질폐부종이 관찰된다. **B.** CT사
진. 다량의 심장막삼출이 관찰되며 심장크기는 정상이다.

3. 심장막 질환

1) 심장막삼출

심장막삼출의 가장 흔한 원인은 심부전이며, 결핵, 세균, 바이러스 등의 염증질환, 신부전, 외상, 심근경색, 악성종양, 요독증(uremia) 등이 원인이 될 수 있다. 심장막은 장액(serous) 심장막과 섬유(fibrous) 심장막으로 나뉜다. 장액심장막은 장측과 벽측심장막으로 구성되며, 두 막사이의 공간이 심낭(pericardial cavity)으로 삼출액이 차는 공간이다(그림 18-24). 삼출액이 300 cc는 되어야 흉부X선사진에서 발견될 수 있다. 다량의 삼출액으로 인해 심장이 압박(cardiac tamponade)되면 심장기능이 저하된 상태로 정맥압이 상승하고 동맥압은 오히려 감소한다. 흉부X선사진에서 심장은 깔때기 모양으로 심장의 외연이 거의 대칭적으로 확장된다(그림 18-25). 심장크기는 빠르게 변하지만 상대정맥 비대나 폐정맥 울혈의 소견은 거의 동반되지 않는다[24].

2) 협착심장막염

결핵, 바이러스 심장막염의 후유증이나 방사선 치료 후에 심장막의 섬유화가 진행되고 두꺼워지면서 심장의 이완 기능을 제한하는 질환이다. 결핵 심장막염은 심장막이 두꺼워지면서 석회화가 잘 동반되며 방실고랑(atrio-ventricular groove)를 주로 침범한다[25]. 심장크기는 삼출액이 동반되지 않는 한 거의 정상에 가깝다. 흉막삼출이나 복수가 동반될 수 있으며 간울혈(hepatic congestion)이 지속되면 간경화의 원인이 되기도 한다. 흉부X선사진에서 협착 심장막염을 진단하기는 쉽지 않다. 심낭을 따라서 석회화된 심장막이 관찰되면 진단에 도움이 된다(그림 18-26). 두꺼워진 심장막의 위

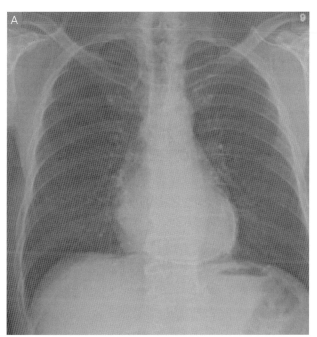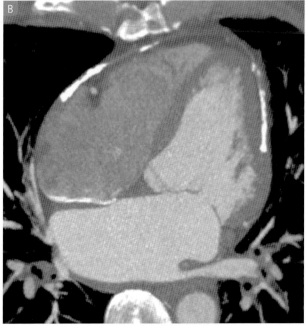

■ 그림 18-26. **협착심장막염**
A. 흉부X선사진. 심장크기는 정상이며 석회화를 동반한 두꺼워진 심장막이 심장의 외연을 따라서 관찰된다. **B.** CT사진. 심장막이 두꺼워져 있고 석회화가 관찰된다. 심실의 크기는 정상이지만 우심방과 좌심방은 함께 늘어나 있다.

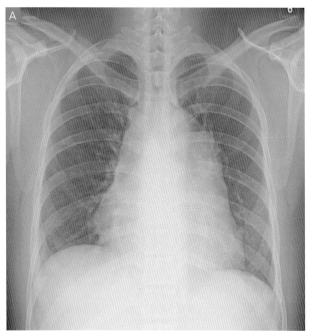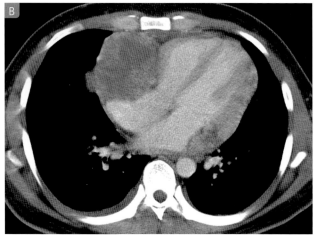

■ 그림 18-27. 심장막중피종(pericardial mesothelioma)
A. 흉부X선사진. 심장이 확장되어 있고 심장경계가 불규칙하게 관찰된다. **B.** CT사진. 심장막을 침범한 종괴가 방실고랑을 따라서 다양한 크기로 관찰된다.

치에 따라 상대정맥과 기정맥이 늘어나거나 좌측 방실고랑의 협착이 동반되면 좌심방비대와 폐정맥 고혈압이 동반될 수 있다.

4 심장종양

좌심방에 생기는 점액종(myxoma)이 가장 흔한 심장종양이지만 흉부X선사진에서 진단하기는 어렵다. 종양이 승모판막의 혈류를 막으면 승모판막 기능장애를 초래할 수 있다. 심장막을 침범하는 종양은 원발 종양보다는 전이 악성종양이 더 흔하다. 흉부X선사진에서는 심장비대나 심장막삼출 소견으로 보인다. 심장막 종양이 불규칙하게 자라면 심장경계가 물결모양으로 울룩불룩하게 보인다(그림 18-27).

Ⅶ 선천성 심혈관질환의 흉부X선사진

선천성 심혈관 질환에서 흉부X선사진은 기본적 영상 진단법으로, 심장과 대혈관의 위치, 크기, 모양 등을 전체적으로 파악하는데 유용하다. 또한 선천성 심질환과 관련 있는 근골격계 이상이나 장기 위치 이상 등을 볼 수 있다. 하지만 흉부 X선사진만으로 세부적인 선천성 심질환을 정확히 진단하기는 어려우며, 임상증상과 여러 가지 소견을 통한 종합적 접근이 필요하다. 선천성 심질환은 폐혈류 증가와 청색증 유무에 따라 나눌 수 있으며 흉부X선사진을 통해 폐혈류 증가 유무와 심장과 대혈관의 위치, 크기, 모양, 심장 외 장기의 이상 등을 파악할 수 있다[26].

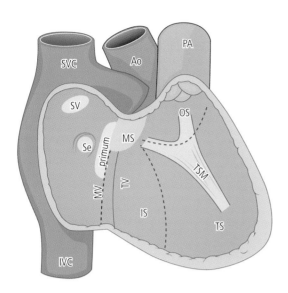

■ 그림 18-28. **심방중격결손 유형**
이차공형(Se), 일차공형(primum), 정맥동형(SV)으로 나뉜다. SVC =
상대정맥, IVC = 하대정맥, MV = 승모판막, TV = 삼첨판막, IS(inlet
septum) = 유입구중격, TS(trabecular septum) = 근육부중격,
OS(outlet septum) = 유출구중격, MS(membranous septum) = 막성
부중격, Ao = 대동맥, PA = 폐동맥. TSM = 중격변연작은근육기둥

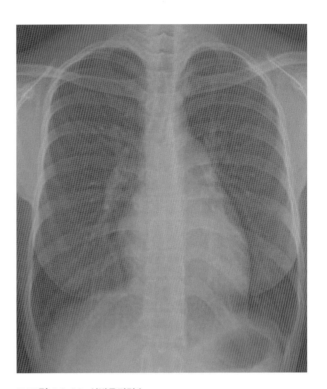

■ 그림 18-29. **심방중격결손**
18세 여자 환자에서 우심방과 우심실이 확장되고 폐혈관 음영이 전반적
으로 증가되어 있다.

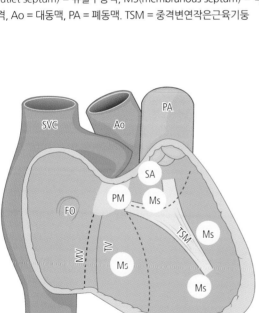

■ 그림 18-30. **심실중격결손 유형**
막주위형(PM), 근육형(Ms), 동맥하형(SA으로 나뉜다. 난원공(FO), SVC
= 상대정맥, IVC = 하대정맥, MV = 승모판막, TV = 삼첨판막, Ao = 대
동맥, PA = 폐동맥. TSM = 중격변연작은근육기둥

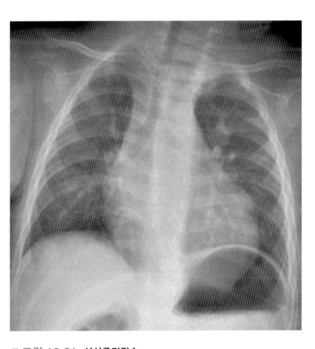

■ 그림 18-31. **심실중격결손**
심장이 크고 우심실, 좌심방, 좌심실이 확장되어 있다. 폐혈관 음영이 증
가하고 폐부종이 관찰된다.

1. 폐혈류증가 비청색질환

1) 심방중격결손

비교적 흔한 선천성 심장질환으로 이차공(ostium secondum)형, 일차공(ostium primum)형, 정맥동(sinus venosus)형으로 나뉜다. 가장 흔한 형은 이차공형으로 75% 정도를 차지하며 난원공(foramen ovale)에서 발생한다, 다음으로 일차공형은 약 15%를 차지하며 난원공 아래의 심방중격 부위가 결손 되어 생긴다(그림 18-28). 정맥동(sinus venosus)형은 약 10%를 차지하며 상대정맥 또는 하대정맥과 인접하는 부위에 생긴다[27]. 각각의 아형에 따라 자주 동반되는 기형이 다르며 이차공형에서는 승모판 탈출증(mitral valve prolapse)이, 일차공형에서는 승모판 역류(mitral regurgitation), 정맥동형에서는 부분폐정맥환류(partial anomalous drainage of the pulmonary veins into right atrium or vena cava)가 잘 동반된다. 흉부 X선사진에서 결손을 통한 좌-우단락으로 폐혈류 증가가 일어나 폐혈관이 커지고 폐혈관 음영이 전반적으로 증가한다. 심장은 단락이 커질수록 우심방과 우심실에 용적과부하가 초래되어 우심방과 우심실이 확장된다(그림 18-29). 좌심실은 확장되지 않고 대동맥활(aortic arch)은 정상 크기를 보인다.

2) 심실중격결손

가장 흔한 심장기형으로 25-40%가 2세 이전에 자연적으로 막히며 90%가 10세 전에 막힌다[28]. 해부학적으로 중격결손이 생기는 위치에 따라 막주위(perimembranous)형, 근육(muscular)형, 동맥하(subarterial)형으로 나뉜다. 막주위형이 가장 흔하며, 근육형은 20%, 동맥하형은 5% 정도를 차지한다. 막주위형과 동맥하형은 판막 바로 아래에 위치하기 때문에 판막탈출(prolapse)이나 판막역류가 잘 동반된다(그림 18-30)[27]. 초기에 혈류는 전신혈류 저항이 폐혈류 저항에 비해 크기 때문에 수축기에 좌측에서 우측으로 유입된다. 이는 좌심실, 우심실, 좌심방에 용적과부하를 초래하며, 흉부X선사진에서 이들의 비대와 폐혈관 음영증가가 관찰된다(그림 18-31). 시간이 지나 폐혈류 저항이 증가하고 우심실이 비후되면 좌우혈류가 감소하고 심비대는 개선될 수 있다. 그러나 좌우단락이 장시간에 걸쳐서 교정되지 않으면 심한 폐동맥고혈압으로 진행되어 혈류가 우측에서 좌측으로 유입된다(Eisenmenger reaction).

3) 방실중격결손

심방중격의 하부와 심실중격의 상부인 혈류 유입부의 방실중격이 결손된 형태이다. 삼첨판막과 승모판막이 하나로 합쳐져서 한 개의 방실판막 개구부를 형성하면 완전형(complete form), 불완전하지만 두개의 방실판막 개구부로 나뉘어져 있으면 부분형(partial form)이 된다. 흉부X선사진은 심실중격결손이나 심방중격결손에서 관찰되는 소견과 유사하다.

4) 동맥관개존

태생기에 폐동맥과 대동맥을 연결해주던 동맥관(ductus arteriosus)은 생후에 막혀 동맥관 인대(ligamentum arteriosus)가 된다. 동맥관개존(patent ductus arteriosus)은 출생 후에도 동맥관이 지속적으로 열려 있는 상태를 의미한다. 좌쇄골하 정맥 원위부에서 좌폐동맥으로 연결되며 동맥관의 크기에 따라 좌측에서 우측으로 흐르는 혈류량이 결정된다. 열려 있는 동맥관의 크기가 작을 경우, 흉부X선사진은 정상소견을 보이지만, 동맥관이 큰 경우 좌우단락에 의한 용적 과부하로 폐동맥 확장, 폐부종, 좌심방/좌심실 및 대동맥 확장소견을 보일 수 있다. 폐혈류도 전반적으로 증가하여 말기에는 폐동맥고혈압이 동반된다.

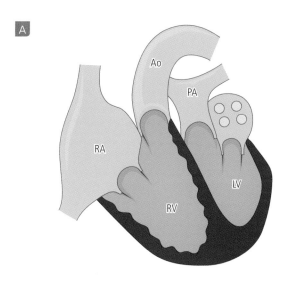

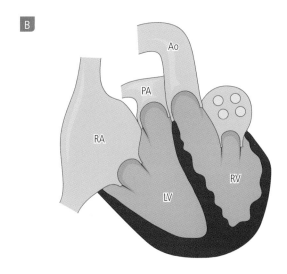

■ 그림 18-32. **대혈관전위 유형**

대혈관전위 유형. **A.** 완전대혈관전위. 대동맥은 우심실, 폐동맥은 좌심실에서 기시하며, 체순환과 폐순환이 완전히 분리된다. **B.** 수정대혈관전위. 심방과 심실의 연결불일치(discordance), 심실과 대혈관의 연결불일치가 함께 존재하며 체순환과 폐순환은 정상적으로 이루어진다.

2. 폐혈류증가 청색질환

1) 대혈관전위

정상적으로 우심실은 폐동맥, 좌심실은 대동맥이 연결된다. 대혈관전위란 폐동맥과 대동맥이 반대로 연결된 경우이다. 대혈관의 연결 상태와 함께 심방과 심실의 연결 상태에 따라서 완전형(complete form)과 수정형(corrected form)으로 나뉜다(그림 18-32). 완전형은 심방과 심실은 정상적으로 연결되어 있으나 폐동맥과 대동맥이 반대로 연결되어 있어서 전신순환과 폐순환이 서로 분리된다. 따라서 심실중격결손, 심방중격결손, 동맥관개존과 같은 단락이 있어야만 생존이 가능하다. 수정형은 해부학적으로 심방과 심실, 심실과 대혈관의 연결이상이 동반되어 있으나, 생리학적으로 전신순환과 폐순환은 정상이다[27]. 흉부X선상 완전대혈관전위의 가장 큰 특징은 좁은 상종격동(superior mediastinum)과 폐동맥분절이 보이지 않는 것이다. 이는 대동맥과 폐동맥이 앞뒤로 평행하게 위치하기 때문이다. 이에 따라 심장은 계란을 옆으로 기울여 놓은 모양을 보인다(egg-on-side appearance)(그림 18-33)[29]. 출생 시 흉부X선사진에서 심장의 크기는 거의

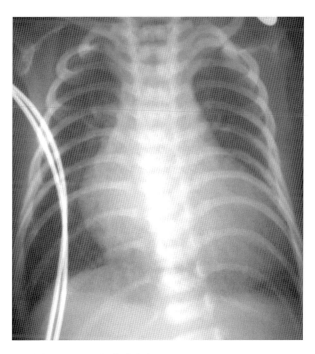

■ 그림 18-33. **완전대혈관전위**

우심실과 좌심실비대에 의해 심장이 타원형태로 보이며, 대동맥과 폐동맥이 전후로 위치해서 상종격이 잘록해 보인다. 폐혈관음영이 현저히 증가되어 있다.

CHAPTER 18

정상이나 청색증이 동반된다. 수일 내로 심장이 커지고 폐혈관이 확장되고 울혈심부전에 빠지게 된다. 수정대혈관전위
는 동반된 기형에 따라 다양하게 보일 수 있으나 심장은 여전히 타원형태를 보인다.

2) 총동맥간

총동맥간(truncus arteriosus)은 매우 드문 질환으로 폐동맥과 대동맥이 하나로 분지되는 형태의 선천기형이다. 대부분
기간판막(truncal valve)이상과 원주격막(conal septum)결손에 의한 심실중격결손, 방실판막이상이 동반된다. 혼합된 피
가 상대적으로 압력이 낮은 폐순환으로 유입되기 때문에 심한 폐혈류 증가 현상이 나타나, 폐고혈압이 발생하고 우좌단
락이 초래된다[30]. 흉부X선상 좌우심실, 좌심방, 대동맥이 확장되고 심장이 구형으로 매우 커지며 심첨부가 들린다. 오
목한 폐동맥과 함께 심한 폐혈관 음영의 증가가 보이며 우측 대동맥활이 30-50%에서 동반된다.

3) 폐정맥환류이상

폐정맥은 정상적으로 좌심방으로 연결된다. 폐정맥환류이상(anomalous pulmonary venous return)은 폐정맥이 우심방으
로 연결되는 질환이다. 모든 폐정맥이 우심방으로 연결되는 완전형(total type)과 폐정맥 중 일부가 우심방으로 연결되는
부분형(partial type)으로 나누거나 이상연결 부위에 따라 심장상부형(supracardiac), 심장형(cardiac), 심장하부형(infracar-
diac), 혼합형으로 나눈다. 완전형은 모든 폐순환이 우심방으로 유입되기 때문에 심방중격결손이 생존에 필수적이다. 심
장상부형은 주로 수직정맥(vertical vein)을 통해 좌무명정맥(innominate vein)이나 우상대 정맥, 기정맥과 연결되며 심장
형은 우심방이나 관상정맥동으로 연결된다. 심장하부형은 긴 혈관을 통해 횡격막 아래의 간문맥, 간정맥등과 연결되며

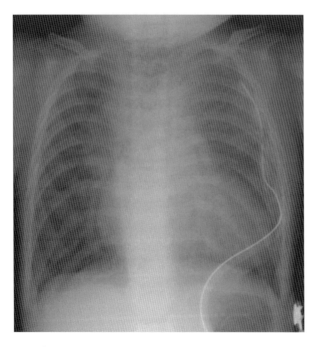

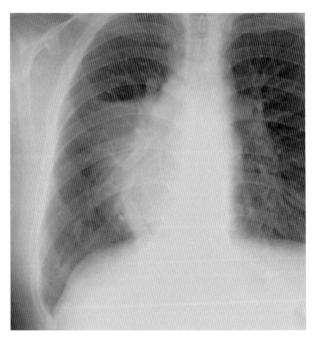

■ 그림 18-34. **전폐정맥환류이상**
양측 폐정맥이 수직정맥(vertical vein)을 형성하며 상대정맥으로 유입된
다. 상대정맥이 확장되고 눈사람 모양의 음영이 관찰된다. 폐정맥 고혈
압으로 혈류재분포가 관찰된다.

■ 그림 18-35. **부분폐정맥환류이상**
우측 하폐야에 수직에 가까운 반월도 모양의 혈관음영이 관찰되며 하대
정맥으로 유입된다. 우측 하폐는 용적이 감소되어 보인다.

거의 모든 경우에 협착이나 폐쇄가 동반된다[31]. 흉부X선사진은 폐정맥의 연결 상태에 따라 다양하게 보인다. 모든 폐정맥이 모여서 우측 또는 좌측 상대정맥으로 연결되면 상대정맥의 비대로 상종격이 넓어져서 눈사람 모양으로 관찰된다(그림 18-34). 공통폐정맥(common pulmonary vein)이 막히면 심한 폐부종을 동반한다. 폐정맥 중 일부가 하대정맥으로 유입되면 하폐야에 수직에 가까운 폐혈관 음영이 관찰되고, 이를 반월도(scimitar) 모양의 혈관이라 한다(그림 18-35)[32]. 이 경우 우폐의 형성부전(hypoplasia)이 동반되는 경우가 흔하다.

3. 정상폐혈관 비청색질환

1) 대동맥판막협착

선천성 대동맥판막협착은 이판성 대동맥판막(bicuspid aortic valve), 이형성판막(dysplastic valve) 등 첨판(cusp)의 기형이 원인이 되는 경우가 많다. 대동맥 판막의 하부(subvalvular) 혹은 상부(supravalvular)에서도 협착이 생길 수 있으며, 협착이 심한 경우 심근 허혈이나 섬유화를 초래할 수 있다[29]. 흉부X선사진상 심장 크기는 정상이며, 판막 혹은 판막 하부 협착인 경우 상행대동맥이 확장된다. 협착이 심해지면, 좌심실이 비대해지고 폐부종이 동반될 수 있다.

2) 대동맥협착

대동맥축착(coarctation of aorta)은 대부분 동맥관(ductus arteriosus)과 만나는 부위나 좌측 쇄골하 동맥 분기의 원위부를 주로 침범하여 대동맥활의 원위부나 하행대동맥 근위부의 대동맥이 잘록하게 좁아진다. 이판성 대동맥판 막(bicuspid aortic valve)등 다양한 심질환과 동반되며, 특히 동맥관개존(patent ductus arteriosus), 심실중격결손(ventricular septal de-

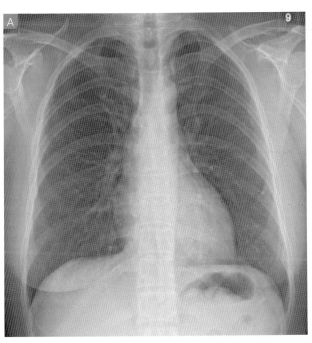
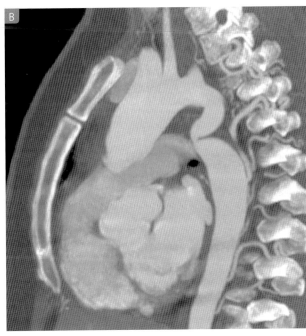

■ 그림 18-36. 대동맥협착(coarctation of aorta)

A. 흉부X선사진. 대동맥활이 잘록하게 좁아져 있고, 심장의 좌측 상연이 물결모양으로 구불구불하게 관찰된다. B. CT사진. 대동맥활 아래가 심하게 좁아져 있다. 좁아진 원위부는 늘어나 있으며, 갈비사이동맥을 통한 곁순환이 발달되어 있다.

fect)과 동반되는 경우가 많다. 이 세가지가 동반될 경우 축착 증후군(coarctation syndrome)이라고 한다.흉부X선상 심장은 정상이거나 좌심실비대가 동반된다. 폐혈류는 전반적으로 증가한다. 협착 원위부의 대동맥이 커지고 대동맥활이나 근위부 하행동맥의 윤곽이 변형되어 보이며 대동맥 좌측 경계를 따라서 3자 모양의 음영이 형성되어 보인다(그림 18-36). 늑골 패임(rib notching)이 관찰되는데 주로 5세 이상의 환아에서 4번째에서 8번째 늑골에서 보인다. 이는 늑골 동맥을 통한 측부순환의 혈류증가로 인하여 늑골의 후하연에 미란(erosion)이 발생하기 때문이다[33].

3) 폐동맥판막협착
폐동맥판막이 좁아지면 우심실 압력이 증가하여 우심실이 비대해진다. 좁아진 원위부의 주폐동맥은 확장되지만 말초 폐혈관은 정상이다. 우심실비대와 더불어 우심실유출로(right ventricular outflow tract)도 함께 비후된다.

4. 폐혈류감소 청색질환

1) 활로사징
활로사징(tetralogy of Fallot, TOF)은 신생아 시기 가장 흔한 청색증성 심질환으로, ① 심실 중격 결손 ② 대동맥 우측 변위에 따른 우심실 유출로 협착 ③ 우심실 비대 ④ 폐동맥 판막 협착이 동반되는 선천성 기형이다(그림 18-37)[29]. 약 25%에서 대동맥활이 우측에 위치하며 우심실 누두부(right ventricular infundibulum)협착과 폐동맥 판막 협착으로 폐혈류장애가 초래되며 양측 혹은 단측 말초 폐혈관 저형성이 동반되는 경우가 많아 폐혈류장애가더 심해질 수 있다. 폐동맥판막협착이나 우심실 누두부 협착이 심하면 심실중격결손을 통한 우좌단락이 증가하여 청색증, 호흡곤란이 심해 조기

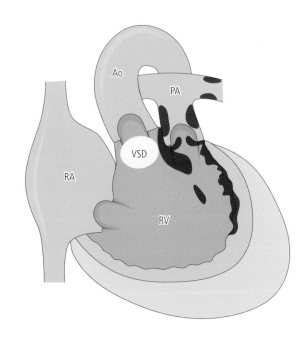

■ 그림 18-37. 활로사징 그림
폐동맥판막협착, 우심실비대, 심실중격결손, 대동맥우측변위가 동반된다.

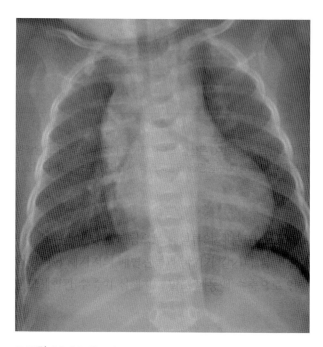

■ 그림 18-38. 활로사징
우심실비대로 심장꼭지가 둥글고 횡격막 위로 들려있다. 폐동맥분절이 오목해져서 심장은 장화모양을 보인다.

에 진단될 수 있으나 경증일 경우에는 진단이 늦어진다. 흉부X선사진상에서 심장크기는 정상이나 폐동맥 판막 협착과 폐동맥 발달이 미약하여 전반적으로 폐혈관 음영이 감소한다. 폐동맥 분절이 오목하게 보이며 우심실비대로 심첨부가 올라가 횡격막 위에 위치하여 심장이 장화 모양으로 보인다(그림 18-38).

2) 폐동맥판막폐쇄와 심실중격결손
우심실유출로가 폐쇄되고 폐동맥 혈류는 대동맥으로부터 곁순환(collateral circulation)을 통해서 공급된다. 곁순 환이 이루어지는 혈관은 동맥관, 주요대동맥폐동맥곁순환동맥(major aortopulmonary collateral artery, MAPCA), 기관지동맥 등이 있다. 흉부X선사진에서 활로사징과 유사한 소견을 보이며 폐혈관 음영은 발달된 곁순환혈관에 의해 불규칙하게 관찰된다. 대동맥이 크게 발달되어 있다.

3) 엡스타인기형
엡스타인기형(Ebstein anomaly)은 삼첨판막의 전중격첨판(anterior leaflet)은 정상적으로 방실고리(atrioventricular ring)에 위치하지만 후중격첨판(postero-septal leaflet)이 우심실 내로 전위되는 삼첨판막의 이상질환이다. 이로 인해 우심실 일부가 심방화되며(atrialized ventricle) 실제 기능하는 심실(functional ventricle)이 작아진다(그림 18-39)[34].삼첨판막의 위치이상은 심한 삼첨판막이상을 초래하여 우심방이 크게 확장된다. 심방화된 심실벽은 매우 얇으며 심근이 존재하지 않는다. 대부분 심실난원공개존(patent foramen ovale)이나 심방중격결손(atrial septal defect)이 동반된다. 삼첨판막이 전위된 정도가 질병의 중등도를 결정하며 대부분의 경우에 신생아 시기에 청색증과 심부전을 동반한다[29]. 흉부X선사진상

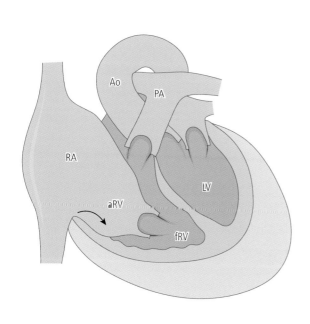

■ 그림 18-39. 엡스타인기형 그림
삼첨판막의 후중격첨판이 우심실 안으로 전위되어(굽은화살표) 우심실 유입구가 우심방에 포함되어 있다.

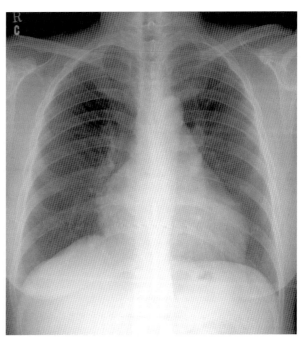

■ 그림 18-40. 엡스타인기형
우심방이 심하게 늘어나고 기능성우심실을 좌측 위쪽으로 밀면서 상자 모양의 심장을 보인다.

에서 경중 질환에서는 심장크기와 폐혈류가 정상소견이나 중증 질환에서는 심한 심비대와 폐혈류 감소 소견을 보인다. 해부학적으로 심방화된 우심실 유입구와 확장된 우심방에 의해 기능적우심실(functioning right ventricle)이 좌측으로 밀리면서 심장이 상자 모양으로 보인다(그림 18-40)[35].

5. 복합기형

다양한 심장혈관 기형이 동반되어 있는 경우 각각의 질환 및 기능적 관계를 이해하는 것은 쉽지 않다. 순차적심장 혈관위치결정법(sequential cardiovascular localization)은 정맥계(venous system), 심방, 심실, 동맥계 등의 순서로 복합기형 (complex anomaly)을 체계적으로 기술하는 방법이다. 다음과 같은 방법으로 분석한다[36].

1) 체정맥과 폐정맥의 연결 상태 기술

2) 내장심방위치(visceroatrial situs) 파악

심방의 위치는 심방이(atrial appendage)의 모양을 기준으로 판단한다. 우심방이는 피라미드 모양으로 크며 입구가 넓다. 좌심방이는 구부러진 손가락 모양으로 입구가 좁다. 기관지 모양을 기준으로 우측과 좌측을 구분한다. 우측 기관지는 짧고 폐문에서 우측 폐동맥보다 위쪽에 위치한다. 좌측 기관지는 길고 좌측 폐동맥이 기관지를 타고 뒤로 넘어간다(그림 18-41). 비장의 형태가 우측과 좌측을 판단하는데 도움이 된다. 무비증(asplenia)은 우측이성(right isomerism), 다비증 (polysplenia)은 좌측이성(left isomerism)을 시사한다.

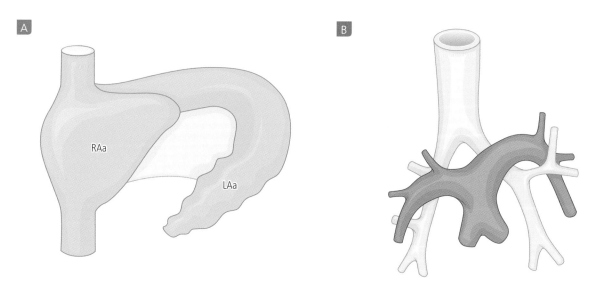

■ 그림 18-41. 심방이(atrial appendage)와 기관지 분지유형
A. 심방이의 형태. 우심방이는 피라미드 모양으로 입구가 넓고, 좌심방이는 구부러진 손가락 모양으로 입구가 좁다. **B.** 기관지 분지형태. 우측 기관지는 짧고 폐문에서 우측 폐동맥보다 위쪽에 위치한다. 좌측 기관지는 길고 좌측 폐동맥이 기관지 위쪽에 위치한다.

3) 방실연결(atrioventricular connection) 상태 파악

방실연결은 정상적으로 우심방은 우심실, 좌심방은 좌심실로 연결된다(concordance). 수정대혈관전위에서 기술되었듯이 우심방이 좌심실, 좌심방이 우심실로 연결되면 방실연결 불일치(discordance)라 한다. 두개의 심방이 하나의 심실에 동시에 연결되면 이중입구심실(double inlet ventricle)이 된다.

4) 심실동맥연결(ventriculoarterial connection) 상태 파악

일반적으로 폐동맥은 우심실, 대동맥은 좌심실과 연결된다(concordance). 대혈관전위는 우심실에서 대동맥, 좌심실에서 폐동맥이 연결되는 기형이다(discordance). 하나의 심실에서 두개의 대혈관이 연결되면 이중출구심실(double outlet ventricle)이 된다. 총동맥간(truncus arteriosus)은 대동맥이 하나의 출구를 형성하며 폐동맥은 대동맥에서 분지하는 기형이다.

5) 동반기형 등을 파악

=== 참고문헌 ===

1. Lipton MJ, Boxt LM. How to approach cardiac diagnosis from the chest radiograph. Radiol Clin North Am 2004;42:487-495.

2. FN S. Caffey's pediatric X-ray diagnosis, 8th ed. Chicago: Year Book Medical Pulblishers, 1985.

3. Jefferson K RS. Clinical Cardiac Radiology, 2nd ed. London: Butterworth, 1980.

4. B F. Chest Roentgenology. Philadelphia, PA: WB Saunders, 1973.

5. Proto AV, Speckman JM. The left lateral radiograph of the chest. Part 1. Med Radiogr Photogr 1979;55:29-74.

6. Boxt LM, Reagan K, Katz J. Normal plain film examination of the heart and great arteries in the adult. J Thorac Imaging 1994;9:208-218.

7. Murray JG, Breatnach E. Imaging of the mediastinum and hila. Curr Opin Radiol 1992;4:44-52.

8. 7-1. Simonneau G, Robbins IM, Beghetti M, Channick RN, Delcroix M, Denton CP, et al. Updated clinical classification of pulmonary hypertension. J Am Coll Cardiol 2009;54:S43-S54.

9. Pena E, Dennie C, Veinot J, Muniz SH. Pulmonary hypertension: how the radiologist can help. Radiographics 2012;32:9-32.

10. Ozsu S, Cinarka H. Chronic thromboembolic pulmonary hypertension: Medical treatment. Pulm Circ 2013;3:341-344.

11. Frazier AA, Burke AP. The imaging of pulmonary hypertension. Semin Ultrasound CT MR 2012;33:535-551.

12. Resten A, Maitre S, Humbert M, Rabiller A, Sitbon O, Capron F, et al. Pulmonary hypertension: CT of the chest in pulmonary venoocclusive disease. AJR Am J Roentgenol 2004;183:65-70.

13. Gunther S, Jais X, Maitre S, Berezne A, Dorfmuller P, Seferian A, et al. Computed tomography findings of pulmonary venoocclusive disease in scleroderma patients presenting with precapillary pulmonary hypertension. Arthritis Rheum 2012;64:2995-3005.

14. Gossage JR, Kanj G. Pulmonary arteriovenous malformations. A state of the art review. Am J Respir Crit Care Med 1998;158:643-661.

15. Khurshid I, Downie GH. Pulmonary arteriovenous malformation. Postgrad Med J 2002;78:191-197.

16. Weitzenblum E, Chaouat A. Cor pulmonale. Chron Respir Dis 2009;6:177-185.

17. Macura KJ, Corl FM, Fishman EK, Bluemke DA. Pathogenesis in acute aortic syndromes: aortic dissection, intramural hematoma, and penetrating atherosclerotic aortic ulcer. AJR Am J Roentgenol 2003;181:309-316.

18. McMahon MA, Squirrell CA. Multidetector CT of Aortic Dissection: A Pictorial Review. Radiographics 2010;30:445-460.

19. Higgins CB, Lipton MJ. Radiography of acute myocardial infarction. Radiol Clin North Am 1980;18:359-368.

20. Edwards JE, Rusted IE, Scheifley CH. Studies of the mitral valve. II. Certain anatomic features of the mitral valve and associated structures in mitral stenosis. Circulation 1956;14:398-406.

21. Carabello BA, Crawford FA, Jr. Valvular heart disease. N Engl J Med 1997;337:32-41.

22. Waller B, Howard J, Fess S. Pathology of aortic valve stenosis and pure aortic regurgitation. A clinical morphologic assessment--Part I. Clin Cardiol 1994;17:85-92.

23. Messika-Zeitoun D, Aubry MC, Detaint D, Bielak LF, Peyser PA, Sheedy PF, et al. Evaluation and clinical implications of aortic valve calcification measured by electron-beam computed tomography. Circulation 2004;110:356-362.

24. Maganti K, Rigolin VH, Sarano ME, Bonow RO. Valvular heart disease: diagnosis and management. Mayo Clin Proc.

25. Eisenberg MJ, Dunn MM, Kanth N, Gamsu G, Schiller NB. Diagnostic value of chest radiography for pericardial effusion. J Am Coll Cardiol 1993;22:588-593.

26. O'Leary SM, Williams PL, Williams MP, Edwards AJ, Roobottom CA, Morgan-Hughes GJ, et al. Imaging the pericardium: appearances on ECG-gated 64-detector row cardiac computed tomography. Br J Radiol 2010;83:194-205.

27. Strife JL, Sze RW. Radiographic evaluation of the neonate with congenital heart disease. Radiol Clin North Am 1999;37:1093-1107.

28. Brickner ME, Hillis LD, Lange RA. Congenital heart disease in adults. First of two parts. N Engl J Med 2000;342:256-263.

29. Weidman WH, DuShane JW, Ellison RC. Clinical course in adults with ventricular septal defect. Circulation 1977;56:I78-79.

30. Schweigmann G, Gassner I, Maurer K. Imaging the neonatal heart--essentials for the radiologist. Eur J Radiol 2006;60:159-170.

31. Steiner RM, Gross GW, Flicker S, Salazar A, Baron M, Loessner A. Congenital heart disease in the adult patient: the value of plain film chest radiology. J Thorac Imaging 1995;10:1-25.

32. Odenthal C, Sarikwal A. Anomalous unilateral single pulmonary vein versus scimitar syndrome: Comparison of two paediatric cases and a review of the literature. J Med Imaging Radiat Oncol 2012;56:247-254.

33. Gudjonsson U, Brown JW. Scimitar syndrome. Semin Thorac Cardiovasc Surg Pediatr Card Surg Annu 2006;56-62.

34. Noonan JA. Association of congenital heart disease with syndromes or other defects. Pediatr Clin North Am 1978;25:797-816.

35. Choi YH, Park JH, Choe YH, Yoo SJ. MR imaging of Ebstein's anomaly of the tricuspid valve. AJR Am J Roentgenol 1994;163:539-543.

36. Kaplan S. The adult with congenital heart disease. Semin Roentgenol 1985;20:151-159.

37. Abdulla R. The Segmental Approach to the Diagnosis of Congenital Heart Disease. Pediatr Cardiol 2000;21:118.

흉부X선사진 판독의 함정

| 신경민, 안명임 |

Contents

흉부X선사진에서는 다양한 해부학적 음영들이 서로 복잡하게 겹쳐져 보이기 때문에 판독에 어려움을 겪을 수 있으며, 잘못된 판독을 할 수 있다. 잘못된 판독의 종류는 크게 2가지로 나눌 수 있는데, 먼저 찾기가 힘들어 흔히 놓치는 병변과, 반대로 병변으로 오인할 수 있는 정상범주의 음영들이다. 이런 판독상의 오류를 피하기 위해서는 흔히 접하는 함정의 경우를 숙지하여 주의하고, 풍부한 경험을 쌓는 것이 필요하다. 여기서는 흔히 놓치거나 병변으로 오인할 수 있는 대표적인 경우를 살펴보기로 한다.

❶ 흉부X선사진에서 놓치기 쉬운 병변들

발견하기 쉽지 않은 특정부위에 존재하는 폐 병변들, 기관과 주기관지 등 큰 기도를 침범하는 병변들, 흉막 및 흉벽의 병변들이 포함된다(그림 19-1). 또한 병변을 놓치기 쉬운 상황, 예를 들어 다수의 병변이 혼재해 있는 경우 등에 주의하여야 하며, 이전 검사가 존재할 때 비교 판독하면 두 사진의 차이점을 비교적 쉽게 찾을 수 있다는 점도 잊어서는 안된다[1]. 특히 흉부X선사진에서 초기 폐암의 오류율(error rate)은 20-50%가량으로 적절한 사진에 대한 숙련된 영상의의 판독에서도 상당히 높게 보고되고 있다[2]. 흉부X선을 이용한 폐암의 선별검사에서 발견된 폐암의 많은 수가 이전 사진에서도 관찰되었다는 보고도 있다[3, 4]. 폐암의 발견 여부는 결국 환자의 치료에 결정적인 영향을 줄 수 있으므로, 발견 가능한 병변을 판독에서 놓쳤을 경우 법적 문제까지 야기될 수 있기 때문에 매우 중요하다.

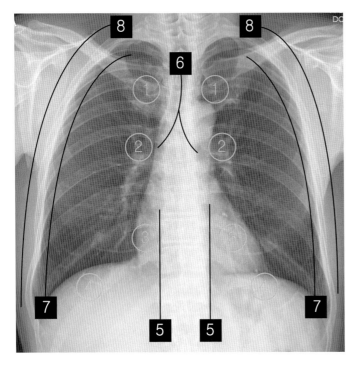

■ 그림 19-1. 흉부X선사진에서 흔히 병변을 놓치기 쉬운 위치들
1:상폐구역 안 , 2:폐문과 폐문옆부위, 3:심장뒤 부위, 4:폐기저 또는 횡격막뒤 부위, 5:척추옆부위, 6:기관과 주기관지, 7:흉막, 8:흉벽

1. 흔히 놓치기 쉬운 병변들의 위치

1) 위폐분절 안쪽

위폐분절 안쪽부위(medial portion of upper lung zone)는 흉부X선사진에서 흔히 병변을 놓치는 부위 중 하나이다[1]. 그 이유는 이곳에 쇄골(clavicle), 늑골(rib), 갈비적주관절(costovertebral joint), 및 늑연골이음부(costochondral junction) 등 다양한 골격계 구조물들이 폐와 겹치기 때문이다[5]. 또한 대부분의 암이(70% 이상) 상엽에서 생기기 때문에 병변을 놓치지 않기 위해서는 양쪽 폐음영의 대칭성을 보는 것이 중요하다(그림 19-2)[6]. 때로는 폐첨촬영사진(apicogram)이 병변을 찾거나 확인하는데 도움이 된다.

2) 폐문과 폐문옆부위

폐문과 폐문옆부위(hilum and parahilar region)의 병변을 인지하기 위해서는 정상 폐문의 해부학적 구조에 따른 음영(density)을 이해하는 것이 필요하다. 정상적으로 나가고 들어오는 주요 폐혈관과 기관지 음영의 모양과 위치를 확인해야 하며, 양측 폐문의 크기와 음영도 비슷한지 비교하여야 한다(그림 19-3).

3) 심장뒤쪽부위

심장뒤쪽부위(retrocardiac portion)도 병변을 흔히 놓치는 부위로 잘 알려져 있다(그림 19-4). 심장음영으로 인하여 병변의 음영이 흐릿하게 보이는 이유도 있지만 이 부위를 심장음영으로만 인식하고 병변이 있을 가능성을 확인하지 않는 경우와 투과도가 낮은 사진에서 병변을 쉽게 놓칠 수 있다.

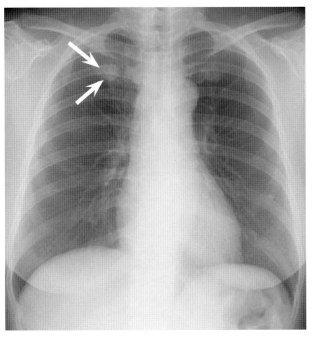
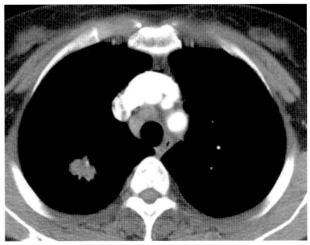

■ 그림 19-2. 제1늑골연골접합부골이음부와 겹쳐보이는 폐암
A. 건강검진을 받기 위해 촬영한 59세 여자의 흉부X선에서 제1늑골연골접합부의 음영이 비대칭적으로 증가되어 있다(화살표). B.횡단면 CT에서 결절이 보이며 조직생검으로 선암(adenocarcinoma)으로 진단되었다.

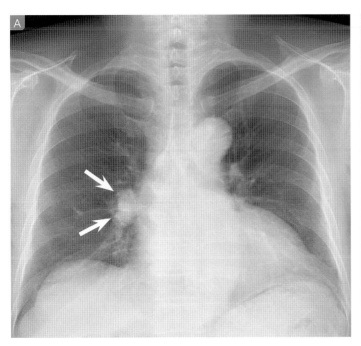
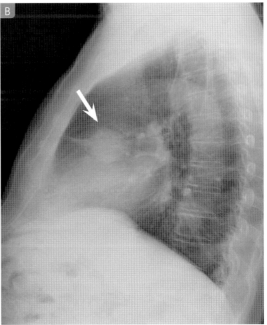

■ 그림 19-3. 폐문아래 부위의 폐암
건강진단을 위해 촬영한 70세 남자의 흉부X선사진에서 오른쪽 폐문 아래 부위가 비대칭적으로 볼록하게 음영이 증가되어 있다(화살표). 측면사진에서 종괴음영이 명확하게 보이며(화살표), 수술에서 선암(adenocarcinoma)으로 확진되었다.

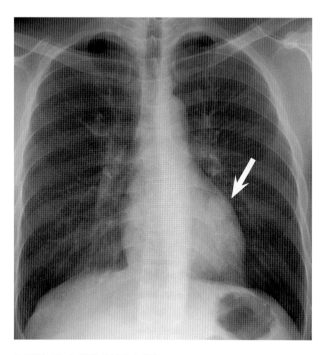
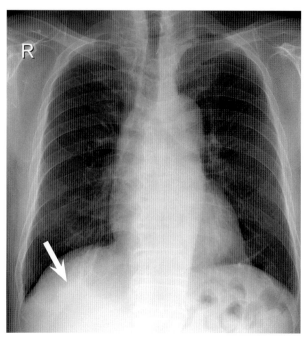

■ 그림 19-4. **심장뒤 부위의 폐암**
흉통을 주소로 내원한 36세 남자 환자의 흉부X선사진에서 왼쪽 심장뒤 부위에서 원형의 결절음영이 보인다(화살표). 조직생검으로 소세포폐암 (small cell lung cancer)으로 진단되었다.

■ 그림 19-5. **오른 폐기저 부위의 폐암**
고혈압으로 정기적인 흉부X선사진 촬영을 해오던 76세 남자 환자에서 1년 전에는 보이지 않았던 희미한 결절음영이 횡격막음영과 겹쳐서 보인다(화살표). CT를 이용한 경피 폐생검에서 선암(adenocardinoma)으로 진단되었다.

4) 폐기저 또는 횡격막뒤 부위

횡격막 반구(dome)의 아래쪽에도 폐는 존재한다. 흔히 외측 늑골횡격막각(lateral costophrenic angle)을 폐의 최하부로 생각하기 쉬우나 뒤쪽 늑골횡격막고랑(posterior costophrenic sulcus)이 평균 3 cm 정도 더 깊으므로 최소한 외측 늑골횡격막각의 3 cm 하방까지 판독할 때 확인하여야 한다. 최근 X선 촬영기술의 발달과 영상의 디지털화로 과거에는 잘 보이지 않았던 폐바닥(lung base) 또는 횡격막뒤쪽부위(retrodiaphragmatic portion)의 혈관 음영등도 잘 보이기 때문에 이곳에 발생할 수 있는 폐기저, 특히 폐암, 폐저부 폐렴, 폐섬유화의 가능성을 검토해야 한다(그림 19-5).

5) 척추옆부위

척추옆부위(paraspinal region)의 볼록한 윤곽(bulging contour)은 종격(mediastinum) 종괴의 가능성을 가능성을 고려해야 하며(그림 19-6), 골돌기(bony spur), 척추측만증(scoliosis) 등 척추자체의 병변이나 대동맥류(aortic aneurysm), 대동맥 꼬부라짐(aortic tortuosity) 등 대동맥의 병변일 가능성도 있다.

6) 기관과 주기관지

기관과 주 기관지(trachea and main bronchi)는 판독할 때 검토의 대상에서 빠지는 경우가 흔하다. 주의깊게 기관이나 주기관지 등 큰 기도를 관찰하면 기도내의 연부조직 종괴음영이나 좁아지거나 막힌 기도의 병변을 확인할 수 있다(그림 19-7).

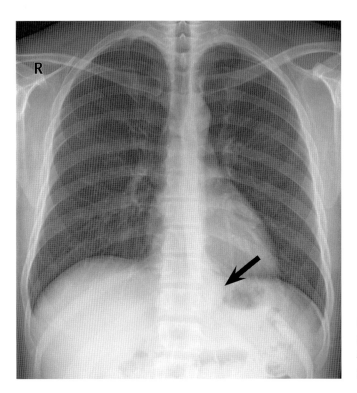

■ 그림 19-6. 척추옆부위의 신경섬유종
건강진단을 받기위해 촬영한 흉부X선사진에서 왼쪽 아래 척추옆
부위에 볼록한 증가음영이 보인다(화살표). 수술하여 신경섬유종
(neurofibroma)으로 진단되었다.

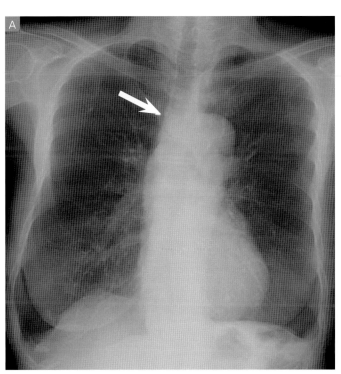

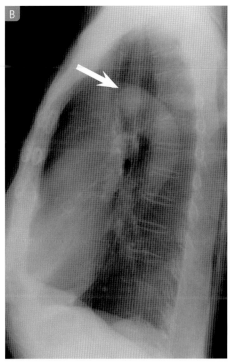

■ 그림 19-7. 기관의 선낭암종
수년간의 호흡곤란을 주소로 내원한 75세 여자 환자의 흉부X선사진(A)에서 기관내에 결절 음영이 있다. 중첩된 종격음영으로 인해서 음영의 경계가 명
확하지 않으나 측면사진(B)에서 뚜렷한 기관내 결절음영으로 보인다. 조직검사로 선낭암종(adenoid cystic carcinoma)으로 진단되었다.

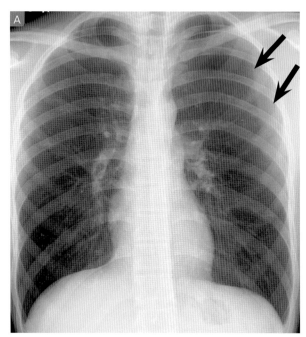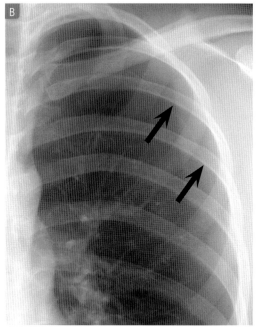

■ 그림 19-8. **적은량의 기흉**

갑작스런 흉통으로 응급실에 온 17세 남자 환자의 X선사진(A)에서 왼쪽 상부에 흉벽으로부터 떨어진 내장 흉막이 가느다란 선음영으로 희미하게 보인다(화살표). 확대사진(B)에서 좀더 확실하게 보이며(화살표), 이 선음영 바깥쪽으로는 폐혈관음영이 보이지 않는다.

7) 흉막

흉부X선사진에서 흔히 놓치는 대표적인 흉막(pleura) 질환은 적은 양의 기흉(pneumothorax)이다(그림 19-8). 특히 키가 크고 마른 환자에서 잘 발생하는 자연 기흉의 경우 촬영당시 평균적인 X선량을 주어도 환자의 체형으로 인해 X선 과다 노출이 될 가능성이 있어 X선사진이 전반적으로 검게 되어서 적은 양의 기흉을 찾기가 더욱 어렵게 된다. 급성 흉통과 호흡곤란으로 내원한 마르고 키가 큰 환자라는 임상적 상황을 고려한다면 기흉의 가능성을 미리 염두에 두고 흉부X선사진을 판독함으로써 오류를 줄일 수 있을 것이다. 특히 과투과된 X선사진은 더욱 주의깊게 검토해야 하며, 필요시에는 숨을 내쉬고 찍는 호기(expiratory) 흉부X선사진을 촬영을 하는 것도 고려해야 한다.

8) 흉벽

흉벽(가슴벽, chest wall)의 연부조직이나 뼈들도 흉부X선사진의 판독에서 간과하기 쉬운 부위이다[7]. 흉벽의 종괴(mass), 뼈골절(그림 19-9) 및 파괴 여부 등을 꼼꼼히 검토하여야 하며, 특히 여자의 경우 유방음영을 확인하는 습관이 판독의 정확도를 높이는데 도움이 된다.

2. 병변을 놓치기 쉬운 상황

1) 여러 병변이 있을 때

하나의 뚜렷한 병변이 존재하면 그 병변에 집중되어 다른 병변을 발견하는데 소홀하게 된다. 이런 상황에서 덜 뚜렷하

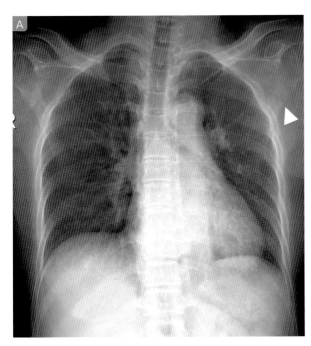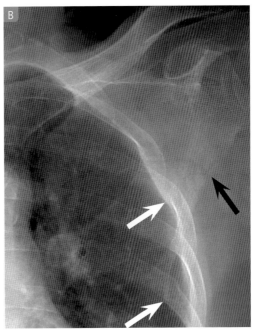

■ **그림 19-9. 흉벽에 있는 견갑골의 골절**
교통사고 후 왼쪽 흉통을 주소로 내원한 72세 남자 환자의 흉부X선사진(A)에서 왼쪽 견갑골(scapula)에 검은 선음영의 골절이 희미하게 보인다(화살촉). 확대사진(B)에서 골절이 더욱 명확히 보이며(검은색 화살표), 왼쪽 3번과 5번의 늑골 골절도 동반되어 있음을 볼 수 있다(흰색 화살표).

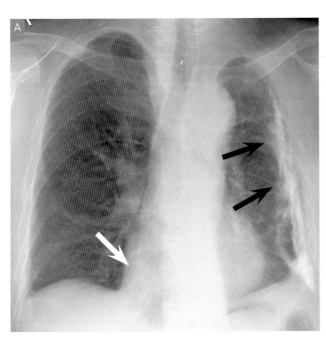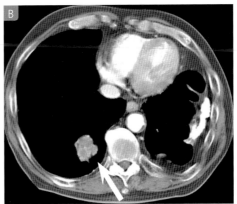

■ **그림 19-10. 왼쪽 흉막유착 및 석회화와 우측 하폐의 폐암**
만성기침을 하는 73세 남자 환자의 흉부X선사진(A)에서 왼쪽에 심한 흉막유착과 석회화가 보인다(검은색 화살표). 이 병변에 집중하다보면 오른쪽 심장뒤 에 희미하게 보이는 폐종괴(흰색 화살표)를 놓칠 수 있다. 흉부CT(B)에서 종괴를 확인하였고(화살표), CT유도하(CT-guided) 경피폐생검에서 편평세포암종(squamous cell carcinoma)으로 진단되었다.

지만 더 중요한 병변을 놓칠 수 있다. 그러므로 한 병변을 발견한 경우라도 또 다른 병변의 가능성을 생각해서 차분히 사진 전체를 검토하는 것을 잊지 말아야 한다(그림 19-10).

2) 과거 흉부X선사진이 있는데 비교하지 않았을 때

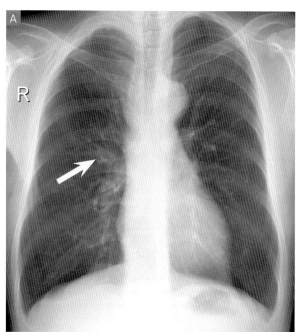

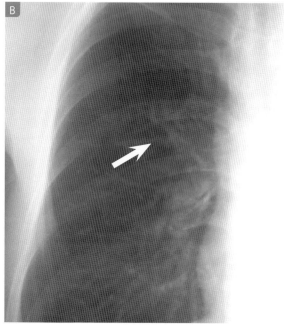

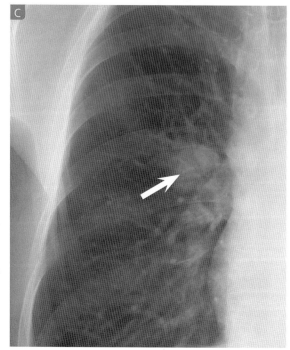

■ 그림 19-11. 과거 흉부X선사진 비교의 중요성
만성폐쇄폐질환(chronic obstructive pulmonary disease, COPD)으로 정기적 검진을 받는 59세 남자환자의 흉부X선사진(A)에서 우측 폐문이 약간 커보이나(화살표) 확실하지 않다. 8개월 전 외부병원에서 촬영한 사진(B)에서는 우측 폐문이 더 작았음을 알 수 있어(화살표) 크기 증가로 판독할 수 있다. 그러나 당시 과거사진을 보지 못한 상태에서 정상으로 판독되었으며, 환자는 6개월 후 추적 흉부X선사진(C)에서 폐문이 확실히 커졌음을 확인하였고(화살표), 이어 시행한 흉부CT에서 폐암이 의심되어 기관지내시경 생검을 한 결과, 편평세포암종(squamous cell carcinoma)으로 진단되었다.

다소 번거롭더라도 과거에 촬영한 X선사진이 있는 경우 찾아서 비교하는 습관을 가져야 할 것이다. 현재 X선사진만으로는 병변을 인식하기 힘든 경우도 이전 사진과의 비교를 통해 변화를 발견하고 병변을 확인할 수 있는 경우가 상당히 있기 때문이다(그림 19-11). 또한 이러한 과거 사진과의 비교 판독은 폐결절이 있는 경우 과거 사진과의 비교를 통해 크기들을 비교함으로써 악성과 양성을 구별할 수도 있고, 폐결핵에서는 활동성을 평가하는 데에도 매우 유용하다.

II 흉부X선사진에서 병변으로 오인되는 거짓 음영들

거짓병변들(pseudolesions), 즉 거짓양성(false positive)의 결과를 야기시키는 병변들은 CT 등과 같은 고가의 추가검사를 시행하게 만듦으로써 환자의 불안감을 증대시키고 의료비용을 증가시키며 추가 검사로 인해 생길 수 있는 여러 종류의 위험에 환자를 노출시킬 수도 있다. 그러나 이러한 거짓병변들은 흉부X선사진의 근원적인 복잡함과 모호성, 인간의 시각적 인지체계의 한계로 인하여 피할 수 없는 부분이기도 하다. 여기서는 흔히 볼 수 있고 전형적이고 대표적인 거짓병변들을 살펴보기로 한다(그림 19-12).

1. 병변으로 오인하기 쉬운 정상범위의 해부학적 구조물들

1) 제1늑연골접합부
제1늑연골접합부(1st costochondral junction)는 흔히 퇴행성 변화가 잘 일어나 석회화나 골돌기(spur)형성을 보이는 곳

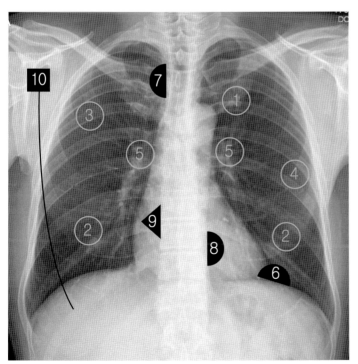

■ 그림 19-12. 흉부X선사진에서 병변으로 오인하기 쉬운 정상범위의 해부학적 구조물들
1:제1늑연골접합부, 2:유두, 3:골섬, 4:늑골 골절후의 가골, 5:중첩된 폐혈관, 6:심장주위 지방패드, 7:꼬부라진 우측 팔머리동맥, 8:꼬부라진 대동맥, 9:척추 골돌기, 10:피부주름

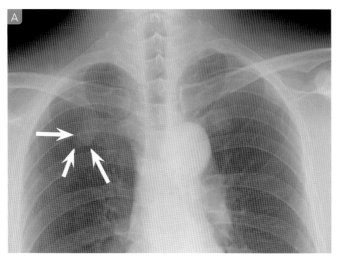
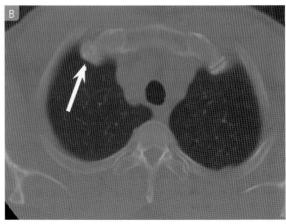

■ 그림 19-13. 제1늑골연골접합부의 석회화

기침으로 내원한 54세 남자 환자의 흉부X선사진(A)에서 우측 상폐구역에서 결절 음영이 보인다(화살표들). 결절 음영은 제1늑골과 연결되어 보이며 결절의 아래쪽 경계만 명확하게 보인다. 횡단 CT(B)에서 오른쪽 제1늑골연골접합부의 석회화가 두드러져서 보인 것임을 알 수 있다(화살표).

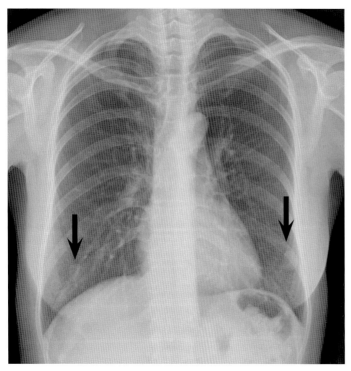

■ 그림 19-14. 유두 음영

당뇨병이 있어 관례적으로 촬영한 흉부X선사진에서 양쪽 폐하구역에 비교적 경계가 좋은 동그란 결절음영들이 보인다(화살표들). 유방음영의 중심에 위치하며 적절한 크기와 모양, 양측성 등으로 유두 음영임을 확인할 수 있다.

으로 이것이 마치 폐결절처럼 보일 수 있다(그림 19-13). 제1늑골연골접합부라는 전형적인 위치와 양쪽에 다 보일 수 있다는 것이 감별점이 될 수 있으나, 비대칭의 음영을 보이는 경우도 드물지 않아서 CT로 확인할 필요가 있다.

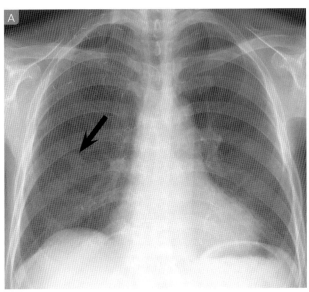
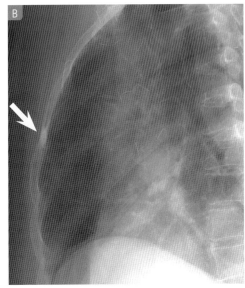

■ 그림 19-15. 골섬

만성신장병을 앓고있는 59세 여자 환자의 흉부X선사진(A)에서 오른중간폐구역에 결절음영이 보인다(화살표). 이 결절음영은 3번째 늑골의 앞부위와 겹쳐있다. 오른쪽 상흉부에는 수많은 금속 한방침이 보인다. 늑골경사영상(rib oblique view, B)에서 이 결절음영이 3번째 늑골과 함께 움직여(화살표) 늑골의 병변임을 알 수 있다. 흉부CT상에서 늑골내에 국한된 균질한 골경화성 결절이 확인되었고, 골섬으로 결론지었다.

2) 유두

여성의 흉부X선사진에서 아랫쪽 폐야에 보이는 결절음영은 반드시 유두(nipples)의 가능성을 먼저 생각해야 한다. 유두는 대개 5번째 늑골 사이 공간(fifth intercostal space)에 위치하나, 유방의 실질이 나이에 따라서 변화하면서 위치가 달라질 수 있으므로 주의한다. 남성의 경우도 여성보다 작은 결절음영으로 유두가 보일 수 있는데, 여성보다는 위쪽에 위치한다. 유두 음영은 대부분 양측성으로 보이며, 흉벽에 있는 구조물이므로 뚜렷한 경계를 가진다(air-soft tissue interface)(그림 19-14). 확인을 위해 유두 위에 작은 금속 표지(nipple marker)를 붙이고 재촬영을 하여 결절음영이 유두임을 확인하기도 한다.

3) 골섬

골섬(bone island)도 흔히 폐결절로 오인되는 양성 골병변이다. 음영이 균질하게 증가되어 보이며, 결절이 늑골과 겹쳐서 보이되, 결절 전체가 늑골의 음영 안쪽에 완전히 들어가 있어야 골섬의 가능성을 생각할 수 있다. 늑골계열사진(rib series) 등에서 다른 각도로 움직여 보면, 늑골의 일정한 부위와 같이 움직이며 늑골의 안쪽에만 존재하는 것을 확인할 수 있다(그림 19-15). 때로는 CT로 확인이 필요하다.

4) 늑골 골절후의 가골

가골(callus) 역시 비교적 흔한 폐결절의 함정으로, 항상 늑골과 겹쳐서 보이며 골절후의 가골은 늑골의 바깥쪽으로 자라나올 수 있어서 정상 늑골의 굵기보다 약간 더 클 수 있다(그림 19-16). 또한 일정한 부위를 따라 다발성으로 올 수 있다. 예를 들어 골다공증(osteoporosis)이 있는 노인들이 심한 기침을 할 때 올 수 있는 골절의 경우는 중간 레벨(4-9번째)의 늑

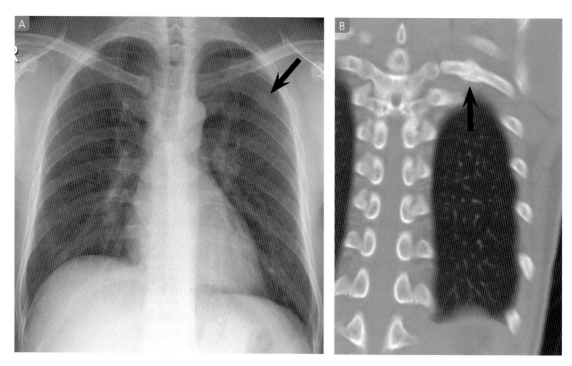

■ 그림 19-16. 늑골 골절후의 가골
골프연습후 등결림을 주소로 내원한 41세 남자 환자의 흉부X선사진(A)에서 왼상폐구역에 결절성 음영이 의심되며, 5번째 늑골의 뒤부분과 겹쳐 있다
(화살표). 흉부CT 재구성관상영상(reformatted coronal view, B)에서 5번째 늑골의 골절에 의한 가골형성이 확인된다(화살표).

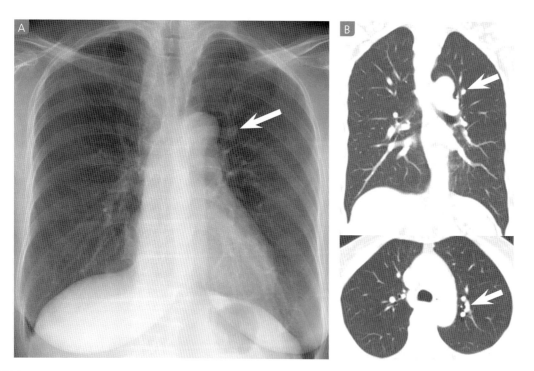

■ 그림 19-17. 중첩된 폐혈관음영
만성가래가 주소인 67세 여자의 흉부X선사진(A)에서 작은 결절음영이 좌측폐문 위쪽으로 의심된다(화살표). 흉부CT(B)에서 이 결절음영은 X선방향과
평행하게 달리는 폐혈관음영(화살표)임을 확인할 수 있다.

골의 외측에 잘 발생하고[8], 골프치는 사람들의 경우는 2번째에서 7번째 늑골 뒤쪽에 잘 발생하며, 오른손잡이는 왼쪽에 왼손잡이는 오른쪽에 주로 오게 된다[9].

5) 중첩된 폐혈관

폐혈관들이 서로 겹치거나(superimposed pulmonary vessels) X선방향과 평행한 방향으로 달리게 되면 마치 폐결절처럼 보이는 경우가 있는데, 특히 폐문주위의 혈관들이 복잡하게 얽혀 있어 이 부위에서 거짓병변이 많이 보일 수 있다(그림 19-17). 앞서 놓치기 쉬운 병변에서 설명하였듯이 정상 폐문음영에 익숙해지는 것이 중요하지만, 정상 폐혈관들의 해부학적 변이가 많아 확인하는 데 어려움이 있다. 참폐결절(true lung nodule)인지 거짓병변인지 확인하기 위해서 CT검사가 필요한 경우도 있다.

6) 심장주위지방패드

양쪽 심장횡격막각(cardiophrenic angle), 특히 왼쪽에 지방이 많이 침착되면 희미한 증가음영이 보일 수 있는데, 이것이 심장주위지방패드(pericardial fat pad)로 마치 폐렴이나 폐결절, 또는 무기폐(collapse)처럼 보일 수 있다(그림 19-18). 특징적인 위치와, 지방이기 때문에 주위 연부조직(soft tissue) 음영보다 낮으며 균질하게 보인다는 점이 참병변과 구분하는데 유용하다. 비만한 사람이나 장기 steroid 복용에 의한 쿠싱 증후군(Cushing syndrome) 환자에서 빈번하게 발견된다[10, 11].

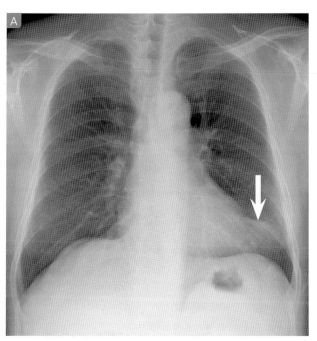
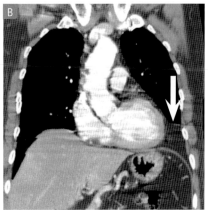

■ 그림 19-18. 심장주위지방패드

흉통이 주소인 57세 남자의 흉부X선사진(A)에서 좌측 폐하부에 심장과 닿아 있는 희미하고 균질한 증가음영이 보인다(화살표). 흉부CT 재구성 관상면 영상(B)에서 이 음영이 심장주위지방패드임을 확인할 수 있다(화살표).

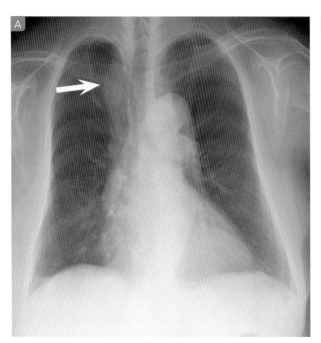
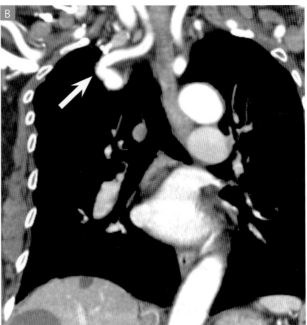

■ 그림 19-19. 꼬부라진 우측팔머리동맥
고혈압을 주소로 내원한 74세 여자 환자의 흉부X선사진(A)에서 우측 기관옆부위(paratracheal region)가 볼록하게 튀어나와 있다(화살표). 흉부CT 재구성 관상면영상(B)에서 우측팔머리동맥이 꼬부라져서 생긴 음영임을 확인할 수 있다(화살표).

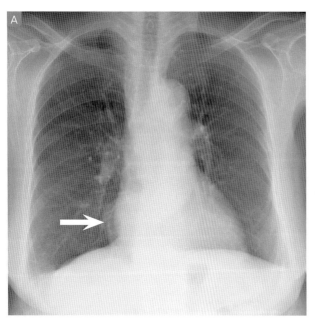
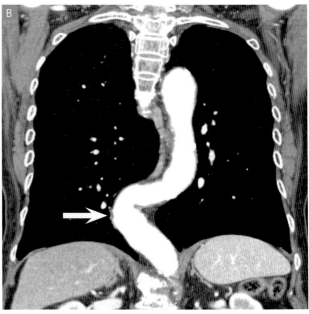

■ 그림 19-20. 꼬부라진 대동맥
호흡곤란을 주소로 내원한 71세 여자 환자의 흉부X선사진(A)에서 오른쪽 아래 척추옆부위가 볼록하게 튀어나와 있다(화살표). 이 볼록한 음영은 하행대동맥의 음영과 자연스럽게 이어진다. 흉부CT 재구성관상면영상(B)에서 꼬부라진 대동맥을 확인할 수 있다(화살표).

7) 꼬부라진 우측팔머리동맥

고혈압, 동맥경화증등이 있는 고령의 환자에서 우측팔머리동맥이 길어지며 꼬부라져서(tortuous right brachiocephalic trunk) 흉부X선사진에서 우측 기관옆부위(paratracheal region)에 증가된 음영으로 볼록하게 튀어나와 보일 때가 있는데, 종격 종괴나 림프절병으로 오인하기 쉽다(그림 19-19). 감별에 도움이 되는 소견으로는 우측 팔머리동맥은 목과 연결되기 때문에 음영의 아래쪽은 경계가 잘 보이나 위쪽은 음영의 윤곽이 희미해지며 자연스럽게 사라져서 쇄골(clavicle) 위쪽으로는 음영이 보이지 않는다는 점, 종괴에서 볼 수 있는 기관의 눌림이나 반대쪽 이동 등이 없다는 점이다[12].

8) 꼬부라진 대동맥

앞서 놓치기 쉬운 병변에서 언급하였듯이 흉부X선사진에서 척추옆부위의 볼록한 음영은 종격 종괴의 가능성을 생각해야 하지만, 고혈압, 동맥경화증 등이 있는 고령의 환자에서는 대동맥이 점점 길어지고 꼬부라져서(tortuous aorta) 이런 음영이 보이기도 한다(그림 19-20). 대동맥이 달리는 방향을 따라가면서 음영이 자연스럽게 이어지는지 확인해야 하며, 때로는 흉부CT가 필요하다.

9) 척추골돌기

척추골돌기(bony spur)도 꼬부라진 대동맥과 마찬가지로 척추옆부위의 튀어나온 음영으로 보여 종격 종괴를 의심하게 된다. 주로 오른쪽 중간 흉추에서 보이는데, 왼쪽에서는 심장의 박동이 골돌기 형성의 방해 요인으로 작용하기 때문이다. 척추의 모서리부위에서 튀어나와 있다는 점과 여러 개 보일 수 있다는 점 등이 감별에 도움이 된다.

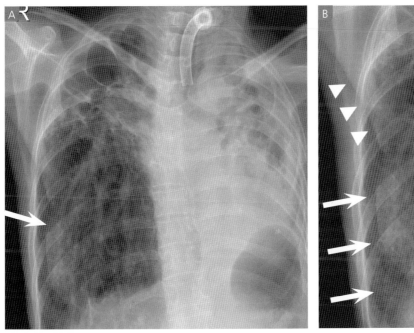
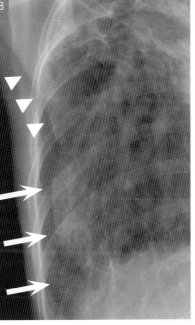

■ 그림 19-21. 피부주름
호흡기능상실(respiratory failure)로 중환자실에 있는 43세 여자 환자의 흉부X선사진(A)에서 우폐의 중간과 아래에 기흉이 의심되는 선이 보인다(화살표). 확대사진(B)에서 보면 이 선음영은 흉벽으로 뻗쳐나가며(화살촉), 선음영의 바깥 에서도 폐혈관음영들이 보인다(화살표).

10) 피부주름

피부주름(skin fold)은 흔히 흉부X선사진에서 기흉으로 오인되는 음영이다. 피부탄력이 떨어진 노인에서 피부주름이 생기면 기다란 선음영으로 보일 수 있는데, 기흉에서 보이는 내장쪽 흉막(visceral pleura)의 선음영은 흉벽 안쪽에서만 보이는 반면, 피부주름은 흉벽 바깥쪽까지 뻗어나갈 수 있으며, 기흉에서는 이러한 선음영 바깥쪽으로 폐혈관음영이 보이지 않으나, 피부주름에서는 폐혈관 음영들이 보인다는 점이 다르다(그림 19-21)[13, 14].

정리하면, 흉부 X선사진의 함정을 피하고 정확한 판독을 하기 위해서는 첫째, 흔히 병변을 놓치기 쉬운 부위들, 즉 위폐분절 안쪽, 폐문과 폐문옆부위, 심장뒤쪽부위, 폐바닥 또는 횡격막뒤쪽부위, 척추옆부위, 기관과 주기관지, 흉막, 그리고 흉벽을 다시 한 번 확인하는 습관이 중요하며, 둘째, 병변을 놓치기 쉬운 상황, 예를 들어 다수의 병변이 혼재해 있을 가능성을 생각하여 한 병변을 발견하여도 끝까지 사진을 검토하는 것을 잊지 말아야 하고, 셋째, 과거 검사가 존재할 때 반드시 비교 판독하고, 넷째, 흔히 병변으로 오인하기 쉬운 정상범위의 해부학적 구조물들, 즉 제1늑연골접합부, 유두, 골섬, 늑골 골절후의 가골, 중첩된 폐혈관, 심장주위지방패드, 꼬부라진 우측머리동맥, 꼬부라진 대동맥, 척추골돌기, 피부주름 등의 가능성을 생각하고 결론을 내려야 한다.

■■■ 참고문헌 ■■■

1. White CS, Salis AI, Meyer CA. Missed lung cancer on chest radiography and computed tomography: imaging and medicolegal issues. J Thorac Imaging 1999;14:63-68.

2. Woodring JH. Pitfalls in the radiologic diagnosis of lung cancer. AJR Am J Roentgenol 1990;154:1165-1175.

3. Heelan RT, Fleihinger BJ, Melamed MR, Zaman MB, Perchick WB, Caravelli JF, et al. Non-small cell lung cancer: results of the New York screening programme. Radiology 1984;151:289-95.

4. Muhm JR, mILLER we, Fontana RS, Snderson DR, Uhlenhopp MA. Lung cancer detected using a screening program using four-month chest radiographs. Radiology 1983;148:609-15.

5. Shah PK, Austin JH, White CS, Patel P, Haramati LB, Pearson GB, et al. Missed non-small cell lung cancer: radiographic findings of potentially resectable lesions evident only in retrospect. Radiology 2003;226:235-241.

6. Winer-Muram HT. The solitary pulmonary nodule. Radiology 2006;239(1):34-49.

7. Harris RD, Harris JH Jr. The prevalence and significance of missed scapular fractures in blunt chest trauma. AJR Am J Roentgenol 1988;151:747-750.

8. Hanak V, Hartman TE, Ryu JH. Cough-induced rib fractures. Mayo Clin Proc 2005;80:879-882.

9. Lord MJ, Ha KI, Song KS. Stress fractures of the ribs in golfers. Am J Sports Med 1996;24:118-122.

10. Paling MR, Williamson BR. Epipericardial fat pad: CT findings. Radiology 1987;165:335-339.

11. Wheeler GL, Shi R, Beck SR, Langefeld CD, Lenchik L, Wagenknecht LE, et al. Pericardial and visceral adipose tissues measured volumetrically with computed tomography are highly associated in type 2 diabetic families. Invest Radiol 2005;40:97-101.

12. Christensen EE, Landay MJ, Dietz GW, Brinley G. Buckling of the innominate artery simulating a right apical lung mass. AJR Am J Roentgenol. 1978;131:119-123.

13. Fisher JK. Skin fold versus pneumothorax. AJR Am J Roentgenol 1978;130:791-792.

14. O'Connor AR, Morgan WE. Radiologic review of pneumothorax. BMJ 2005;330:1493-1497.

흉부X선 판독법의 기초와 발표

| 이상민, 이창현 |

Contents

흉부X선 판독에 있어서 정상 해부학과 체계적인 접근방법이 중요하다는 것은 잘 알려져 있다. 항상 촬영된 흉부X선이 어떤 사진인지를 판단하는 것이 최우선이며 촬영된 흉부X선에서 정상구조의 위치를 알아야 한다. 그 후 흉부X선의 주된 목적이 되는 병변을 찾기 위해 여러 징후, 선, 양상 등을 확인한다. 흉부X선에는 확인해야 하는 내용이 많으며 병변이 여러 곳에서 나올 수 있으므로 항상 체계적인 순서로 판독을 하는 습관을 갖는 것이 중요하다. 마지막으로 과거 흉부X선이 있는지 확인하여 변화의 유무를 비교하는 것이 필요하다.

Ⅰ 흉부X선사진 판독의 순서

비교적 관심이 떨어지는 영역에서 출발하여 가장 관심을 많이 갖는 폐에서 끝나는 것이 일반적으로 생각되는 순서이나 꼭 이 순서로 흉부X선을 판독해야 하는 것은 아니다. 항상 일정하게 자신만의 순서로 확인하여 빠지는 부분이 없이 보는 것이 가장 중요하다.

1. 상복부

흉부X선에서 함께 촬영되는 부분인 상복부에는 정상적으로 공기를 포함하는 구조인 위, 대장이 있으며(그림 20-1), 간은 항상 보이나 비장은 항상 보이는 것은 아니다. 상복부의 좌우를 여러 차례 확인하여 이상소견을 확인한다(그림 20-2). 장

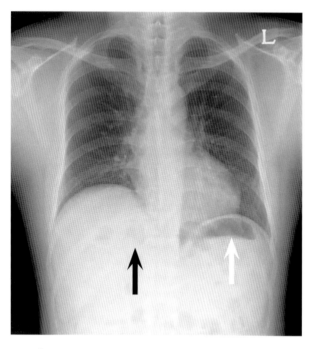

■ 그림 20-1. 상복부에서 정상적으로 보이는 공기 음영인 대장 내부 공기(검은색 화살표)와 위 내부 공기(흰색 화살표)가 보인다.

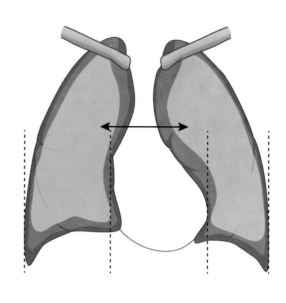

■ 그림 20-2. 상복부를 좌우로 여러 차례 확인하며 이상소견이 없는 지 확인한다.

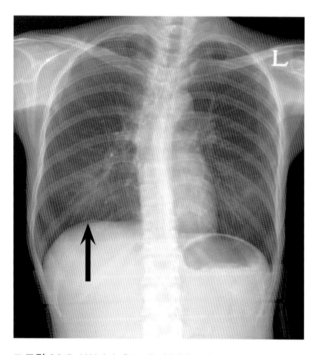

■ 그림 20-3. 복부 수술 후 보이는 복강내 공기 음영이 우측 횡격막 하부(검은색 화살표)에 보인다.

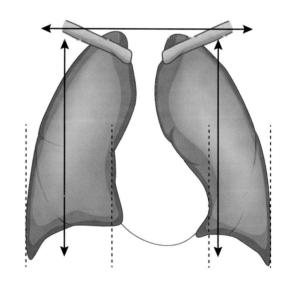

■ 그림 20-4. 좌, 우측을 위아래로 살피며 근골격계의 이상 유무를 확인한다.

흉부영상진단X선

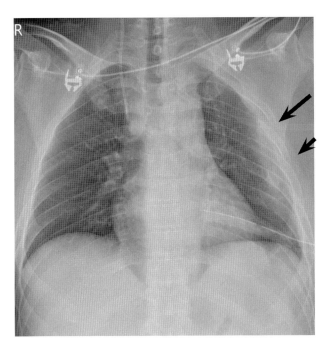

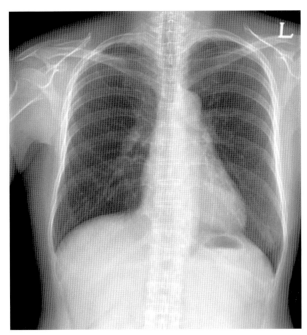

■ 그림 20-5. 교통사고 후 발생한 왼쪽 3,4번째 늑골 골절(검은색 화살표)이 보이며 동반된 기흉으로 인해 흉관을 삽입한 환자이다.

■ 그림 20-6. 우측 유방전절제술을 받은 환자로 우측 폐야의 음영이 좌측 폐야의 음영에 비하여 전체적으로 어둡게 보인다.

폐색(ileus)시 비정상적인 장내 공기 음영을 관찰할 수 있다. 그 외 횡격막 하부에 보이는 공기 음영이 있는지 확인이 필요하며 기복증(pneumoperitoneum)이나 복부 수술 후에 관찰될 수 있다(그림 20-3).

2. 근골격계

흉부X선에서 보이는 근골격으로 척추, 늑골, 흉골, 쇄골, 견갑골, 상완골 등이 있다. 상복부의 병변을 확인한 후 양측을 위아래로 살펴보며 근골격의 이상 유무를 확인하는 것이 잊지 않고 판독하기에 좋은 순서이다(그림 20-4). 후방 늑골은 수평으로 보이는 편이며 전방 늑골은 외측에서 내측으로 내려가는 모양으로 보인다. 외상 환자의 경우 기흉과 동반한 늑골의 골절이 있을 수 있으므로 자세히 살펴야 한다(그림 20-5). 유방절제술을 받은 환자의 경우 좌,우측 폐의 음영이 다르게 보일 수 있으므로 폐에 발생한 병변으로 오인하지 않아야 한다(그림 20-6).

3. 경부

근골격을 확인한 후 경부로 올라와서 이상 유무를 확인한다(그림 20-7). 경부에서 확인할 수 있는 구조로는 림프절, 갑상선, 식도나 기관 등이다. 경부 림프절의 비대나 갑상선의 비대로 인해 흉부X선에서 기관의 위치가 한측으로 편향되어 보일 수 있다(그림 20-8).

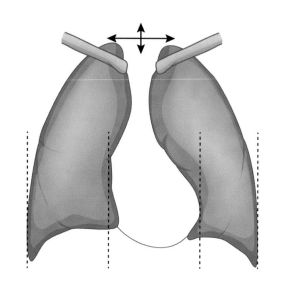

■ 그림 20-7. 경부 전체를 확인한다.

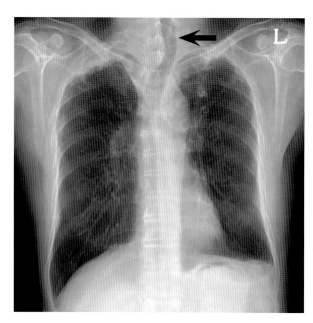

■ 그림 20-8. 우측 갑상선 비대로 기관의 일부가 좌측으로 편향되어 보인다.

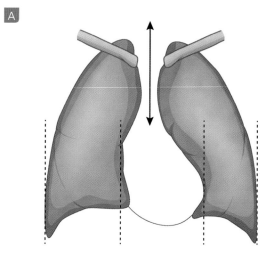

A

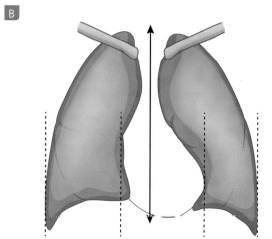

B

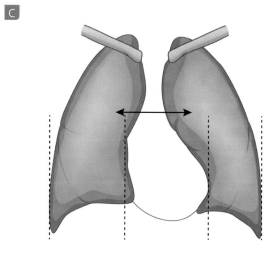

C

■ 그림 20-9. 종격동 확인 순서

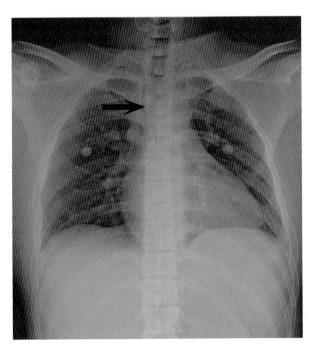

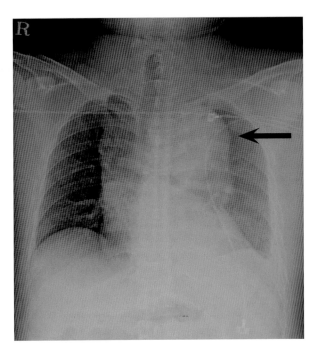

■ **그림 20-10.** 외상으로 부러진 치아가 기관 내에 위치하고 있다(검은 화살표).

■ **그림 20-11.** 대동맥박리로 인해 종격동의 확장이 보인다(검은 화살표).

4. 종격동, 폐문부, 심장

종격동은 많은 구조물들이 모여있는 공간으로 여러 구조물이 겹쳐서 보인다. 먼저 기관분기부까지 기관의 이상을 확인한 후 심장과 대혈관을 살펴본다. 마지막으로 양측 폐문부를 확인한다(**그림 20-9**). 정상적으로 흉부X선에서 보이는 구조물에 대해서 정확히 숙지하고 있어야 한다. 기관내에 종괴나 인공물이 있을 수 있으며(**그림 20-10**) 외부 종괴에 의해 편향되어

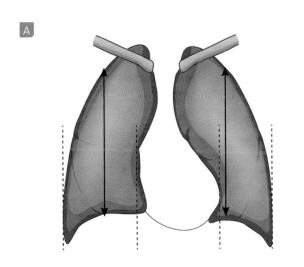

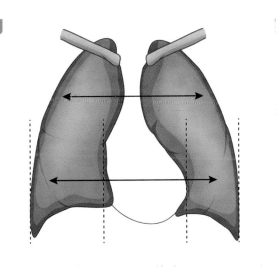

■ **그림 20-12.** 양측 폐를 순서대로 확인한다.

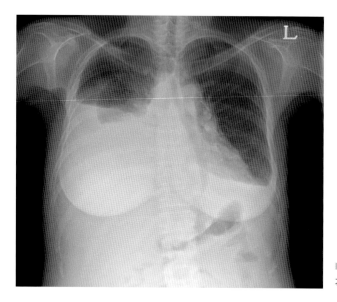

■ 그림 20-13. 우측 폐야에 흉막 삼출액이 있으며 약간 왼쪽으로의 종격동 이동이 관찰된다.

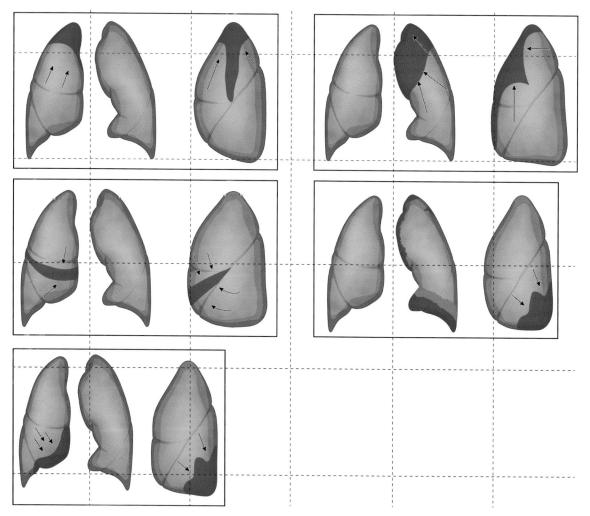

■ 그림 20-14. 각 엽별로 무기폐 발생시 일반적인 모양

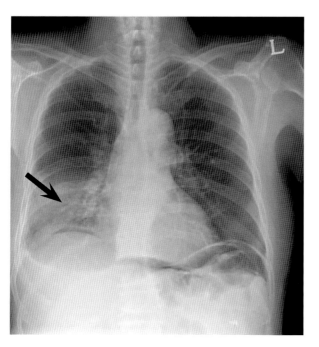

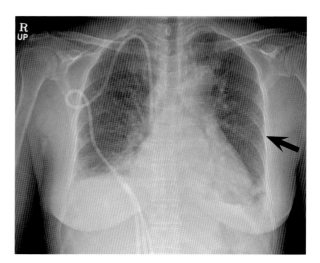

■ 그림 20-16. 양측으로 전반적인 중심성 음영의 증가와 Kerley line 이 보인다.

■ 그림 20-15. 우중엽에 air bronchogram을 동반한 폐경화가 있다.

보이거나 좁아져 보일 수 있다. 종격동 확장은 확장된 부위에 따라서 다양한 원인에 의해 발생할 수 있다(그림 20-11).

5. 폐

마지막으로 양측 폐를 위아래로, 좌우로 여러 차례 확인을 한다(그림 20-12). 흉막 삼출액의 경우 다양한 원인에 의해서 발생할 수 있다. 전형적으로 반대측으로의 종격동 이동을 보이나 무기폐가 발생하면 종격동 이동이 발생하지 않을 수 있다(그림 20-13). 무기폐가 발생하면 발생한 엽에 따라서 각 엽이 고정되어 있는 부위가 다르므로 각 엽별로 특징적인 모양으로 나타난다(그림 20-14). 엽성 무기폐의 경우, 동측 횡격막의 상승, 동측으로의 종격동의 이동, 늑간 간격의 감소 등이 나타날 수 있다. 폐렴의 전형적인 소견은 positive air bronchogram이다(그림 20-15). 정상적으로 기관지는 흉부X선에서 보이지 않으나 경화된 폐실질로 둘러싸여져 선명한 대조를 이루게 되어 기관지가 보이게 된다. 폐부종의 경우, 양측성의 소엽간중격비후(interlobular septal thickening)과 Kerley line이 보이며 폐혈관 음영의 증가를 보인다. 심비대와 흉막 삼출액이 동반되기도 한다(그림 20-16).

Ⅱ 증례와 함께하는 실제 흉부X선 판독 및 발표

1. 체크리스트

1) 피검자의 정보 및 촬영 정보 확인 – 점수 10
(1) 피검자의 정보 : 나이, 성별, 병력
(2) 촬영 정보 : 검사 날짜, 흉부사진의 종류(PA, AP), 화질
예) 60세 남자 환자의 chest PA입니다.

2) 흉부사진 전체를 계통적, 체계적으로 평가 – 점수 30
(1) 폐실질 이상 여부 : parenchymal density (증가 / 감소), focal lesion
(2) 기관 및 기관지 이상 여부 : 전위, 확장
(3) 폐문 이상 여부 : 위치 (전위 여부), 크기, 모양, 좌우 비교
(4) 종격동 이상 여부 : 크기 , 모양 , 기관 , 대동맥, 심장 경계선
(5) 심장 및 폐혈관: 크기, 모양 (심방 심실 비대 여부), 석회화 여부
(6) 흉막 이상 여부 : costophrenic angles, fissures
(7) 골격 및 연부조직 이상 여부
(8) 횡격막 (level, 좌우 비교) 및 상복부 이상 (abdominal free air) 여부

3) 폐병변에 대한 설명 – 점수 30
(1) 위치에 내한 설녕
① left lung/right lung, lung zone (upper, middle, lower, central peripheral), lobe 등을 적절히 사용
② 폐, 흉막, 종격동(기도 및 폐문), 흉벽
(2) 크기에 대한 설명
장경과 단경에 대한 정확한 크기 언급(scale이 있으면 이용)
(3) 양상에 대한 설명
음영증가 및 감소 여부 및 pattern에 대한 계통적 체계적 설명
① 음영증가: consolidation, atelectasis, interstitial disease, nodules/mass, pleural effusion, calcification 등
→ 병변의 모양 , 경계 , 주변 폐 실질과의 명확성에 대한 언급
- round/ovoid, smooth/irregular, well-defined/ill-defined
② 음영감소: emphysema, air-trapping, pneumothorax, pneumomediastinum, pneumopericardium, mastectomy 등

4) 결론 – 점수 20
병변에 대한 설명을 근거로 추정 진단 및 감별 진단을 조리 있게 순서대로 언급(1-3개의 진단 및 감별진단)

5) 권고사항(다음에 시행해야 할 일) 점수 10

① 검사 예) CT, US, bronchoscopy, PTNA/B, sputum AFB exam

② 치료 예) 항생제, 흉관 삽입

③ 추적검사에 대한 언급

2. 증례 (대한흉부영상의학회 홈페이지 - http://kstr.radiology.or.kr)

1) 30세 남자 신체검사를 위해 시행한 흉부X선사진

증례(1) 사진. 진단과 요점

2) 32세 남자, 주소: 만성 기침 및 가래

증례(1) 사진. 진단과 요점

3) 40세 남자, 주소: 3일간의 고열

증례(1) 사진. 진단과 요점

4) 46세 여자, 주소: 우연히 발견된 흉부음영

증례(1) 사진. 진단과 요점

5) 64세 여자, 주소: 수개월간의 기침

증례(1) 사진. 진단과 요점

6) 26세 여자, 주소: 급성흉통

증례(1) 사진. 진단과 요점

7) 38세 여자, 주소: 만성 기침 및 가래

증례(1) 사진. 진단과 요점

8) 61세 여자, 주소: 호흡곤란

증례(1) 사진. 진단과 요점

9) 73세 여자, 주소: 진행성 호흡곤란

증례(1) 사진. 진단과 요점

10) 54세 남자, 주소: 발열 및 화농성 가래

증례(1) 사진. 진단과 요점

11) 38세 남자, 수소: 좌측 흉동 및 호흡곤란

증례(1) 사진. 진단과 요점

참고문헌

1. American College of Radiology. ACR-SPR Practice guidelines for the performance of chest radiography. Res. 56-2011.

Index

한국어

INDEX

영문

A

INDEX

INDEX

INDEX